CHARI
Die

Außerdem von Charlotte Link bei Blanvalet lieferbar:

Die Sünde der Engel (37291)
Die Täuschung (37299)
Sturmzeit (37416)
Wilde Lupinen (37417)
Die Stunde der Erben (37418)
Das Haus der Schwestern (37534)
Die Rosenzüchterin (37458)
Das andere Kind (37632)
Am Ende des Schweigens (37640)
Schattenspiel (37732)
Der Verehrer (37747)
Der Beobachter (36726)
Der fremde Gast (37927)
Im Tal des Fuchses (38259)
Das Echo der Schuld (38354)
Die letzte Spur (38371)

Sechs Jahre (0521)

Charlotte Link

Die Betrogene

Kriminalroman

blanvalet

Verlagsgruppe Random House FSC® N001967
Das FSC®-zertifizierte Papier *Holmen Book Cream* für dieses Buch
liefert Holmen Paper, Hallstavik, Schweden.

2. Auflage
Originalausgabe Oktober 2015 bei Blanvalet, einem Unternehmen
der Verlagsgruppe Random House GmbH, München
Copyright © 2015 by Blanvalet Verlag, München,
in der Verlagsgruppe Random House GmbH
Umschlaggestaltung: www.buerosued.de
Umschlagmotiv: © Trevillion Images/Vesna Armstrong
Lektorat: NB
Herstellung: sam
Satz: Uhl + Massopust, Aalen
Druck und Bindung: GGP Media GmbH, Pößneck
Printed in Germany
ISBN 978-3-7341-0085-7

www.blanvalet.de

Es war noch heiß wie im Sommer. Am Mittag war er von der Schule heimgekommen. Und hatte sich sofort sein Fahrrad geschnappt. Dieses tolle, schnelle, metallicblaue Fahrrad, das er zu seinem Geburtstag im Juli bekommen hatte. Fünf Jahre alt war er geworden, und Anfang September hatte er mit der Schule begonnen. Es machte ihm Spaß, dorthin zu gehen. Die Lehrer waren nett, die Mitschüler auch. Er kam sich sehr erwachsen vor. Das Beste war, dass er das großartigste Fahrrad von allen hatte. Wenn auch Gavin, sein Banknachbar, ständig prahlte, ein noch besseres Fahrrad zu haben, aber das stimmte nicht. Er hatte es gesehen. Es war nicht halb so gut wie seines.

»Sei um sechs Uhr spätestens zurück!«, hatte ihm seine Mutter noch hinterhergerufen. »Und pass auf dich auf!«

Er hatte nur cool genickt. Sie machte sich ständig Sorgen. Wegen des Verkehrs, wegen böser Menschen, die Kinder entführten, wegen Gewittern, in die man geraten konnte.

»Das ist doch nur, weil wir dich so lieb haben«, sagte sie, wenn er sich deswegen beschwerte.

Er war vorsichtig gefahren, bis er aus der Stadt heraus war. Er war kein Baby, er wusste, worauf man achten musste. Aber jetzt lag seine Rennstrecke frei vor ihm. Er hatte sie vor ein paar Wochen entdeckt, und seitdem kam er fast jeden Tag hierher. Eine schmale Landstraße, auf der kaum

Autos fuhren. Zwischen Wiesen und Feldern und ohne Anfang und Ende, wie es schien. An sonnigen Tagen wie diesem war sie ein weißes, staubiges Band zwischen den flachen Feldern, die bis zum Horizont reichten. Im Sommer stand hier sicher das Getreide hoch und nahm die Sicht, aber jetzt war alles abgeerntet. Das verstärkte den Eindruck von Endlosigkeit. Und von Freiheit.

Er war ein berühmter Rennfahrer. Er fuhr einen Ferrari. Er lag ganz vorne im Rennen. Aber die anderen waren ihm dicht auf den Fersen. Der pure Nervenkitzel. Er musste alles geben. Der Sieg war zum Greifen nahe, aber jetzt hieß es, mit aller Kraft zu kämpfen. Die anderen waren auch gut. Aber er war der Beste. Gleich würde er auf dem Siegerpodest stehen und den Champagner in die Menschenmenge versprühen, die ihm begeistert zujubelte. Alle Fernsehkameras richteten sich auf ihn. Die Stimme des Sportkommentators überschlug sich. Er trat in die Pedale. Er machte sich ganz flach. Er lag fast auf der Lenkstange. Der Fahrtwind griff ihm in die Haare.

Er hätte schreien mögen, so schön war das Leben.

Bis auf seine fiktiven Verfolger war nur er hier. Weit und breit sonst niemand. Nur er. Und die Endlosigkeit dieser Straße.

Er hatte keine Ahnung, dass er nicht mehr allein war.

Er hatte keine Ahnung, dass ihm nur noch zwei Minuten blieben, ehe alles vorbei war. Seine Karriere als berühmtester Rennfahrer aller Zeiten.

Und das Leben, wie er es kannte.

Es hätte eine gute Chance gegeben, mit heiler Haut davonzukommen.

Richard Linvilles Schlafzimmer befand sich unter dem
Dach des Hauses, es verfügte über eine abschließbare Tür
und über einen Telefonanschluss. Als er in den frühen Morgenstunden dieser kalten und nebligen Februarnacht aus
dem Schlaf schreckte und sicher war, ein Geräusch gehört
zu haben, das er nicht einordnen konnte, das aber verdächtig wie das Splittern einer Glasscheibe klang, hätte er mit
einem Sprung aus dem Bett und bei der Tür sein, diese verschließen und sodann die Polizei anrufen können.

Aber er war nicht der Mann, der sofort um Hilfe rief,
nur weil er etwas Seltsames in der Nacht wahrgenommen
hatte, was genauso gut eine Täuschung sein konnte. Vor seiner Pensionierung war er Detective Chief Inspector bei der
North Yorkshire Police gewesen, und er ließ sich nicht so
leicht einschüchtern.

Befremdlichen Dingen ging er zunächst einmal selbst auf
den Grund.

Lautlos und zudem für sein Alter erstaunlich leichtfüßig, schwang er sich aus dem Bett, tastete im Dunkeln nach
der obersten Schublade seines Nachttisches, zog sie auf und
nahm die Pistole heraus, die ganz hinten unter einem Sta-
pel Stofftaschentücher lag. Im Dienst hatte er keine Waffe

getragen, aber als ehemaliger Kriminalbeamter wusste er, dass er auch im Ruhestand eine gewisse Gefährdung seiner Person nicht ausschließen konnte. Er hatte zu viele Menschen gejagt, geschnappt und vor den Richter gebracht, und natürlich hatte er Feinde. Mancher hatte seinetwegen jahrelang hinter Gittern gesessen. Er hatte sich eine Pistole angeschafft, und es war eine reine Vorsichtsmaßnahme, dass er nachts nicht schlafen wollte, ohne sie in griffbereiter Nähe zu haben.

Er schlich aus dem Zimmer, blieb auf dem Treppenabsatz stehen und lauschte nach unten. Nichts war zu hören außer dem leisen Blubbern des Wassers in den Heizungsrohren. Kein ungewöhnliches Knarren oder Quietschen, nichts mehr, was auf gesplittertes Glas hindeutete. Wahrscheinlich hatte er sich geirrt, oder er hatte geträumt. Wie gut, dass er sich nicht lächerlich gemacht und nach den Kollegen von einst gerufen hatte.

Dennoch, bevor er ins Bett zurückkehrte, wollte er sich vergewissern.

Geschmeidig und ohne ein Geräusch zu verursachen, bewegte er sich die Treppe hinunter. Er würde im März einundsiebzig Jahre alt werden, und er war stolz darauf, dass sein Körper noch kaum Alterserscheinungen zeigte. Er führte das darauf zurück, dass er immer viel Sport getrieben hatte, auch heute noch jeden Tag bei Wind und Wetter große Strecken lief und seine nicht allzu gesunden Ernährungsvorlieben zumindest mit dem völligen Verzicht auf Zigaretten und dem weitgehenden Verzicht auf Alkohol kompensierte. Die meisten Menschen, die ihn trafen, hielten ihn für jünger, als er war, und bei vielen Frauen hätte er noch immer gute Chancen gehabt. Ihm lag bloß nichts daran. Brenda, die Frau, mit der er einundvierzig Jahre lang verheiratet gewesen war, war drei Jahre zuvor nach endlosen Kämpfen an Krebs gestorben.

Er war unten angekommen. Rechts von ihm befand sich die Haustür, die er wie jeden Abend sorgfältig verschlossen hatte. Vor ihm lag das Wohnzimmer, dessen Erkerfenster nach vorne zur Straße hinausging. Richard spähte hinein. Alles still, dunkel, leer. Die Vorhänge waren nicht zugezogen. Nächte sind nie ganz schwarz, und für gewöhnlich konnte man auch nachts die Kirche von Scalby sehen, die sich am Ende der Straße auf einem baumbestandenen Hügel erhob. Heute jedoch war der Nebel zu dicht. Er lag wie ein Berg aus dicker Watte über den Straßen und verhinderte sogar den Blick auf das gegenüberliegende Haus. Einen kurzen Moment lang hatte Richard den gespenstischen Eindruck, ganz alleine und von allem und jedem verlassen auf der Welt zu sein. Aber dann rief er sich zur Ordnung: Blödsinn. Alles war wie immer. Es lag nur am Nebel.

Gerade als er sich umwandte, vernahm er erneut ein Geräusch. Es klang wie ein leises Knirschen und war ganz und gar nicht in die üblichen Geräusche des nächtlichen Hauses einzuordnen. Es schien aus der Küche zu kommen und hörte sich an, als sei jemand auf Glassplitter getreten. Was zu dem Klirren von Glas passen würde, das irgendwie in Richards Schlaf gedrungen war.

Er entsicherte seine Waffe und bewegte sich den Flur entlang auf die Küchentür zu. Ihm war klar, dass er im Begriff stand, genau das zu tun, wovon die Polizei den Menschen dringend abriet, wovon auch er selbst immer wieder abgeraten hatte: *Wenn Sie glauben, dass Einbrecher in Ihrem Haus sind, dann versuchen Sie bloß nicht, auf eigene Faust zu handeln. Bringen Sie sich in Sicherheit, indem Sie entweder das Haus verlassen oder sich irgendwo einschließen, und rufen Sie dann telefonisch Hilfe herbei. Verhalten Sie sich dabei so leise und unauffällig wie möglich. Den Tätern sollte nicht klar werden, dass sie bemerkt worden sind.*

Aber das galt natürlich nicht für ihn. Er *war* die Polizei, auch wenn er nicht mehr im Berufsleben stand. Außerdem hatte er eine Waffe und konnte ausgezeichnet damit umgehen. Das unterschied ihn von den meisten anderen Bürgern.

Er hatte die Küchentür erreicht. Sie war geschlossen, das war sie in Winternächten immer. Die Tür, die von der Küche in den Garten führte, war alt und ließ viel zu viel Kälte hinein, die dann wenigstens nicht in den Rest des Hauses dringen sollte. Richard wusste, dass sie längst ausgetauscht gehörte. Schon Brenda hatte deswegen oft gejammert. Wegen der Kälte – aber auch wegen des Sicherheitsrisikos. Im Unterschied zu der sehr stabilen Haustür war diese Gartentür ziemlich leicht zu knacken.

Er lauschte. Er hielt die Pistole schussbereit. Er konnte seinen eigenen Atem hören.

Sonst nichts.

Aber da war etwas. Da war *jemand*. Er wusste es. Er wäre als Polizist nicht so erfolgreich gewesen, hätte er nicht im Laufe der Jahre dieses untrügliche Gespür für drohende Gefahren entwickelt.

Jemand war in der Küche.

Spätestens jetzt hätte er sich um Hilfe bemühen müssen. Denn er hatte keine Ahnung, um wie viele Personen es sich bei den Einbrechern handelte. Womöglich stand er einem einzigen Mann gegenüber. Vielleicht hatte er es aber mit zwei oder drei Leuten zu tun, und dann würde ihm selbst sein Vorteil, bewaffnet zu sein, sehr schnell nichts mehr nützen. Er hätte später nicht zu sagen gewusst, weshalb er alle Vorschriften in den Wind schlug und sich einem unkalkulierbaren Risiko aussetzte. Altersstarrsinn? Selbstüberschätzung? Oder wollte er sich irgendetwas beweisen?

Tatsächlich sollte ihm nicht mehr allzu viel Zeit bleiben, diese Frage zu klären.

Beides geschah nun absolut zeitgleich: Er wollte vorsichtig die Klinke der Küchentür hinunterdrücken. Und im selben Moment spürte er unmittelbar neben sich, aus dem in tiefer Dunkelheit liegenden Esszimmer heraus, eine Bewegung und dann einen so heftigen Schlag auf den Arm, dass er einen Schmerzenslaut ausstieß. Verzweifelt versuchte er noch, seine Pistole festzuhalten, aber der Schlag hatte einen Nerv getroffen, auf eine Art, dass sekundenlang alle Muskeln gelähmt waren. Die Waffe fiel zu Boden und rutschte scheppernd in das Esszimmer hinein. Richard machte eine Bewegung zur Seite, wollte hinterher, obwohl er wusste, wie zwecklos dieses Ansinnen war: Sein Feind befand sich ja genau dort, im Esszimmer, und ihm ging auf, dass sein allergrößter Fehler während der letzten Minuten darin bestanden hatte, es als gegeben anzunehmen, dass der oder die Einbrecher durch die Küche ins Haus eingedrungen waren – weil sich dort die unsicherste Stelle befand. Aber auch das Esszimmer hatte eine Tür, die zum Garten hinausführte, und offensichtlich hatte man dort die Scheibe eingeschlagen. Richard hatte während seiner Dienstjahre viele junge Polizisten ausgebildet, und das erste Credo, das er ihnen vermittelte, hatte stets gelautet: Nehmt nichts jemals als gegeben hin. Alles muss überprüft werden, jede nur denkbare Option. Euer Leben und das anderer Menschen können davon abhängen.

Er konnte es nicht fassen, dass er in dieser Nacht gegen nahezu jeden seiner Grundsätze verstoßen hatte.

Dann ließ ihn auch schon ein kräftiger Schlag in den Magen in den Knien einknicken, und gleich darauf krachte eine Faust gegen seine Schläfe. Ihm wurde schwarz vor Augen, nur einen Moment lang, aber das reichte, um ihn zu Boden kippen zu lassen. Er verlor nicht die Besinnung, obwohl sich die Welt plötzlich rasant drehte und ein Schwindelgefühl in auf- und abschwellenden Wellen über ihn hinweglief. Er versuchte, auf die Beine zu kommen, aber ein Tritt in seine Rippen ließ ihn auf den Boden fallen. Gleich darauf fühlte er sich von kräftigen Händen gepackt und nach oben gezogen.

Dieser Gegner war sehr stark. Und sehr entschlossen.

Die Küchentür wurde aufgestoßen, das Licht eingeschaltet und Richard in die Küche geschoben. Mit der einen Hand hielt ihn der Einbrecher fest, mit der anderen zog er einen Stuhl unter dem Tisch hervor, stellte ihn in die Mitte des Raums. Richard blinzelte geblendet. Im nächsten Moment schon saß er auf dem Stuhl, noch immer um Atem ringend, denn vor allem der letzte Tritt in seine Rippen hatte ihm vorübergehend die Luft genommen. Er spürte, dass sein linkes Auge zuschwoll und dass eine klebrige Flüssigkeit, vermutlich Blut, aus seiner Nase floss. Er konnte so schnell kaum denken, wie die Dinge mit ihm geschahen, geschweige denn, dass er irgendetwas zu seiner Verteidigung hätte unternehmen können.

Seine Arme wurden grob hinter die Stuhllehne gezerrt, seine Handgelenke gefesselt. So brutal und so eng, dass sie sich fast augenblicklich taub anfühlten. Gleich darauf schnitt ein dünner Draht in seine nackten Fußknöchel, die unter seiner Schlafanzughose hervorsahen. Kabelbinder, wie er etwas später feststellen konnte, und das hieß, dass es nicht die mindeste Chance gab, sich dieser Fesseln aus eigener Kraft zu entledigen. Der Steinboden unter seinen nackten Füßen fühlte sich eiskalt an.

Ich hätte Hausschuhe anziehen sollen, dachte er.

Ein seltsamer Gedanke in seiner Lage. Er hatte weit gewichtigere Probleme.

Er blickte auf und stellte fest, dass er es nur mit einer Person zu tun hatte, wobei die Anzahl der Gegner in seiner jetzigen Lage keine Rolle mehr spielte. Ein überdurchschnittlich großer Mann. Sein Körperbau verriet, dass er vergleichsweise jung sein musste – um die dreißig Jahre wahrscheinlich. Er sah so aus, als verbringe er viel Zeit beim Krafttraining oder vielleicht sogar beim Boxen. Er wirkte ausgesprochen aggressiv.

Noch etwas fiel Richard auf, aber er hätte noch nicht sicher zu sagen gewusst, ob er es zu seinen Gunsten oder eher dagegen interpretieren sollte: Der junge Mann trug Handschuhe und hatte eine Strickmütze über sein Gesicht gezogen. Er war also klug genug, sowohl das Hinterlassen von Fingerabdrücken als auch von möglichen DNA-Spuren zu vermeiden. Zudem gab er sich seinem Opfer gegenüber nicht zu erkennen. Der Typ verriet damit eine gewisse Professionalität, und im Allgemeinen war es so, dass die Chance auf einen guten Ausgang bei einem professionellen Täter höher war; ein solcher verlor nicht so schnell die Nerven und richtete aus reiner Panik ein Blutbad an. Zudem sprach die Tatsache, dass er seine Identität verbarg, dafür, dass er die Möglichkeit sah, Richard könnte diese Nacht überleben. Aus irgendeinem Grund, aus einem Instinkt heraus, hatte Richard jedoch den Eindruck, dass sein Überleben nicht geplant war. Der junge Mann agierte wohl einfach vorsichtig, um sich gegen jede Eventualität zu wappnen.

Richard war in einen Albtraum mit ungewissem Ausgang geraten.

Er glaubte nicht, dass der Mann es auf einen Raubzug

durch das Haus abgesehen hatte. Einfache Diebe suchten nach seiner Erfahrung nicht offensiv die Konfrontation mit den Hausbewohnern. Der Mann wäre eher wieder leise und schnell durch die Esszimmertür hinaus in den Garten verschwunden, als er ihn die Treppe hinuntertappen hörte. Zeit genug hätte er gehabt. Er hätte ihm nicht auflauern, ihn niederschlagen und damit ein Risiko eingehen müssen.

Der Einbruch hatte etwas mit ihm zu tun. Wäre er nicht aufgewacht, wäre der Eindringling nach oben gekommen und hätte ihn in seinem Bett überfallen. Das Schicksal hatte ihm eine Chance eingeräumt; er hatte sie verspielt.

Was, verdammt, hatte der Typ mit ihm zu tun?

»Schau mich an, du Dreckskerl«, sagte der junge Mann. Hochaufragend stand er vor Richard. Jeans, kurzärmeliges T-Shirt, ungeachtet der winterlichen Temperaturen draußen. Seine Oberarmmuskeln spielten. Der Kerl war stark wie ein Bär.

Richard hob den Blick. Sein linkes Auge schwoll immer schneller zu, aber mit dem rechten konnte er noch gut sehen.

»Kennst du mich?«, fragte der Fremde.

Das genau war es, was Richard seit ein paar Minuten geradezu fieberhaft überlegte, wobei die Tatsache, dass er das Gesicht des anderen nicht sehen konnte, die Sache nicht leichter für ihn machte.

»Wie soll ich das wissen?«, fragte er daher. »Sie verbergen Ihr Gesicht!«

Als Antwort darauf schoss die Faust des anderen auf ihn zu und krachte gegen sein Kinn. Richard sah Sternchen und fühlte, dass er dicht davor stand, das Bewusstsein zu verlieren. Der Schmerz erreichte ihn mit einer kurzen Zeitverzögerung und war dann so heftig, dass er es nicht schaffte, ein lautes Stöhnen zu unterdrücken. Es fühlte sich an, als sei etwas gebrochen. Ein Kieferknochen vielleicht. Er versuchte zu schlucken, was ihm erst nach einigen Anläufen gelang. Er schluckte dicke Klumpen Blut.

»Was … wollen … Sie?«, stieß er hervor.

»Du erinnerst dich wirklich nicht?«, fragte der Mann. »Mein Gesicht spielt keine Rolle, verstehst du? Es reicht, wenn du dich an ein paar widerwärtige Hinterhältigkeiten deines perversen Lebens erinnerst. Dann müsste dir dämmern, wen du vor dir hast.«

Jemanden, den er irgendwann im Laufe seiner Dienstjahre ins Gefängnis gebracht hatte? Aber das waren so viele gewesen.

Richard wagte nicht zu antworten, er starrte sein Gegenüber nur verzweifelt an.

»Hast du wirklich geglaubt, du kommst einfach so davon?«

Richard formulierte mühsam seine Antwort. »Ich … weiß nicht … wer … Sie sind.«

Er wappnete sich innerlich gegen den nächsten Schlag, aber er blieb aus. Der Fremde wippte auf seinen Fußballen auf und ab.

»Keine Ahnung, das kleine Arschloch. Du hast echt keine Ahnung, stimmt's?«

»Nein«, bestätigte Richard, und schon traf ihn die Faust erneut, diesmal in den Magen, und so, dass ihm sekundenlang die Luft wegblieb. Er rang um Atem, dann lehnte er sich, so weit er konnte, nach vorne und spuckte Blut auf den Fußboden.

Der wird mich umbringen. Das ist der einzige Grund, weshalb er hier ist.

Aber er war nicht zufällig in sein Haus eingedrungen, davon war er überzeugt. Er hatte sich nicht irgendein Haus ausgeguckt und überlegt, er würde dessen Bewohner gerne überfallen, ein wenig quälen und foltern und dann töten. In seinen Jahren als Polizist hatte Richard derartige Motivationen durchaus erlebt und war manchmal fassungslos gewesen, durch wie viel Willkür und Zufall manche Menschen zu Opfern schrecklicher Verbrechen wurden. Aber darum ging es hier nicht. Er spürte den persönlichen Hass, der ihm entgegenschlug. Auch wenn er den jungen Mann nicht kannte – dieser schien ihn sehr wohl bewusst ausgewählt zu haben. »Bitte«, stöhnte er, »sagen Sie mir doch …«

Ein Tritt gegen sein Schienbein ließ ihn aufheulen. Der Typ trug Stiefel mit Spikes. Richard spürte das Blut aus seiner Schlafanzughose rinnen.

Seine einzige Chance, das wusste er, bestand darin, herauszufinden, was ihn mit diesem Mann verband. Wenn er mit ihm reden könnte. Es half fast immer, mit Menschen zu sprechen. Aber natürlich musste man dazu wissen, *worüber* man sprechen konnte.

Er nahm all seinen Mut zusammen. Alles tat ihm weh, seine Rippen, sein Magen, sein Bein, sein Gesicht. Er hatte furchtbare Angst, dass er wieder geschlagen würde, wenn er es wagte, den Mund aufzumachen, aber er war verloren, wenn er es nicht tat.

»Ich … weiß wirklich nicht, was … Sie mir vorwerfen«, sagte er. Das Formulieren der Worte fiel ihm schwer. Auch seine Lippen schwollen inzwischen an, und er hatte noch immer das Gefühl, ständig Blut zu schlucken. »Bitte … ich möchte es wissen. Wir könnten … darüber reden …«

Die Faust schoss auf ihn zu, und reflexartig ließ er den Kopf zur Seite fallen. Der Schlag streifte ihn nur, aber gleich darauf griff sein Gegner mit einer Hand in seine Haare und hielt seinen Kopf fest. Er zerrte ihn mit einem so kräftigen

Ruck nach hinten, dass Richard glaubte, sein Genick würde brechen. Gleich darauf traf die andere Faust seine ohnehin gebrochene Nase, sein zugeschwollenes Auge, seinen Mund. Wieder und wieder krachte sie in sein Gesicht.

Ich sterbe, dachte er, *ich sterbe, ich sterbe.*

Der andere hörte auf, als Richard kurz davor stand, die Besinnung zu verlieren. Er fühlte, dass ihn nur der Bruchteil einer Sekunde davon getrennt hatte, und bedauerte, dass es nicht passiert war. Eine Ohnmacht war sein einziger Wunsch in diesem Moment. Neben dem, dass sein Sterben schnell gehen möge.

Er glühte vor Schmerzen. Er bebte und zitterte vor Schmerzen. Er bestand aus nichts anderem mehr als aus Schmerzen. Er fieberte, und er bekam kaum Luft. Er fragte sich, wieso er überhaupt noch lebte.

Er sah sich vor seinem inneren Auge: ein alter Mann in einem karierten Flanell-Pyjama, der auf einem Küchenstuhl saß, gefesselt an Händen und Füßen, mit einem zu Brei geschlagenen Gesicht, blutend und stöhnend. Eine knappe Viertelstunde hatte ausgereicht, ihn in dieses zum Tode verurteilte Wrack zu verwandeln.

Er dachte auch kurz an Kate. Er wusste, was sein Tod für sie bedeuten würde. Er war der einzige Mensch, den sie hatte, und es erfüllte ihn mit abgrundtiefer Trauer, dass er sie nun verlassen würde. Sie war sein einziges Kind … diese einsame, unglückliche Frau, die es einfach nicht schaffte, Freunde zu finden, das Herz eines Mannes zu erobern, eine Familie zu gründen. Oder wenigstens in ihrem Beruf glücklich zu werden. Sie hatten nie darüber gesprochen, wie allein und traurig sie sich fühlte. Kate hatte ihm gegenüber immer so getan, als sei ihr Leben weitgehend in Ordnung, und er hatte ihren offensichtlichen Wunsch, diese Fassade aufrechtzuerhalten, respektiert. Er hatte nie gesagt, dass er wusste, wie schlecht es ihr ging. Jetzt, in diesen vermutlich letzten Minuten seines Lebens, ging ihm auf, dass das ein Fehler gewesen war. Ihre gemeinsame Zeit hatten sie im Wesentlichen damit zugebracht, einander etwas vorzumachen, und sie damit im Grunde vergeudet.

Wie es schien, würde er keine Gelegenheit mehr haben, diesen Fehler zu korrigieren.

Er hob mühsam den Kopf, der auf seine Brust gesunken war. Aus seinen zu schmalen Schlitzen verquollenen Augen sah er, dass der Mann begonnen hatte, ohne jede Hast eine Küchenschublade nach der anderen aufzuziehen und darin herumzukramen. Schließlich hatte er offenbar gefunden, was er suchte: eine Plastiktüte aus dem Supermarkt.

Richard verstand. Er öffnete den Mund, um zu schreien, aber es kam nur ein schwaches, verzweifeltes Krächzen heraus. *Nein*, sollte das heißen, *nein, bitte nicht!*

Im nächsten Moment wurde die Tüte über seinen Kopf gestülpt. Mit irgendetwas – Bindfaden oder Klebeband oder was auch immer – wurde sie um seinen Hals herum befestigt.

Richard wollte etwas sagen. Er wusste es jetzt. Er wusste, um wen es sich bei seinem Angreifer handeln musste. Er begriff, um welche Geschichte in seinem Leben es ging. Wie hatte er so lange im Dunkeln tappen können?

Es war zu spät. Er konnte nicht mehr sprechen. Er atmete nur noch. Wild, unvernünftig, panisch, hastig, immer schneller.

Er atmete den letzten wenigen Sauerstoff, der ihm blieb.

I

Jonas Crane war nicht sicher, ob er nicht seine Zeit vertat, aber er hatte Stella versprochen, den Termin bei Dr. Bent wahrzunehmen, und nun würde er das auch durchziehen, ganz gleich, wie wenig Zutrauen er in dieses Unterfangen hatte. Er war im Unterschied zu seiner Frau kein überzeugter Anhänger der homöopathischen Medizin, allerdings auch kein erklärter Gegner. Den einen half es vielleicht, den anderen nicht. Stella kehrte von Besuchen bei Dr. Bent immer äußerst entspannt und glücklich zurück. Bei der Sache mit dem Kind hatte er allerdings auch nicht helfen können, niemand hatte letztlich geholfen. Manchmal sollte wohl etwas nicht sein im Leben.

Jonas hatte ziemlich lange warten müssen, was ihn nervös gemacht und verärgert hatte. Er war für elf Uhr bestellt worden, es war zwanzig Minuten vor zwölf, als er schließlich an die Reihe kam. Stella hatte ihn vorgewarnt. »Er nimmt sich sehr viel Zeit für seine Patienten. Daher kann es manchmal ganz schön dauern, bis man drankommt. Dafür hat man selbst dann auch genügend Zeit bei ihm. Er scheucht einen nicht einfach aus dem Zimmer, nur weil der Nächste wartet.«

Sie schien das großartig zu finden, Jonas hingegen hielt diese Vorgehensweise für höchst zweifelhaft. Er sagte sich aber, dass er noch Glück gehabt hatte, einen Vormittagstermin zu bekommen. Arm dran waren die Leute am späten Nachmittag, wenn sich die gesamte Abfolge schon so verzögert und verschoben hatte, dass man sich über vierzig Warteminuten, wie er sie erlebte, vermutlich noch freuen konnte.

Immerhin, auch er fand Dr. Bent sehr sympathisch. Engagiert und klug. Konzentriert. Ein Arzt, der seine Patienten ernst nahm und wirklich helfen wollte.

Er studierte den EKG-Ausdruck, den Jonas ihm mitgebracht hatte. »Das sieht doch gut aus.«

»Ja, das ist ja das Problem«, sagte Jonas. Er versuchte, nicht daran zu denken, dass er um ein Uhr eine wichtige berufliche Verabredung hatte und dafür noch durch halb London fahren musste. Er war jetzt endlich an der Reihe, und er musste sich auf diese Geschichte konzentrieren. »Es scheint alles in Ordnung zu sein. Ich war jetzt schon bei ziemlich vielen Ärzten. Herz, Kreislauf, Blutdruck… alles okay. Hier«, er zog ein weiteres zusammengefaltetes Papier aus der Innentasche seines Jacketts und schob es über den Schreibtisch, »das Ergebnis einer großen Blutuntersuchung vor zwei Wochen. Alles bestens.«

»In der Tat«, stimmte Dr. Bent zu. Er musterte Jonas aufmerksam. »Sie scheinen sehr gesund zu sein. Trotzdem – da ist etwas, das Sie irritiert?«

»Nun ja«, sagte Jonas. Der Moment hätte peinlich sein können. Ein zweiundvierzigjähriger, augenscheinlich kerngesunder Mann saß hier bei einem höchst frequentierten Arzt und würde ihm gleich erklären, dass er überzeugt war, krank zu sein, obwohl bislang niemand dafür irgendwelche

Indizien gefunden hatte. Chronischer Hypochonder? Beginnende Midlife-Krise? Er spürte aber, dass Dr. Bent ihn nicht verurteilen würde, und er begann zu begreifen, weshalb Stella ihn so dringend empfohlen hatte: Er vermittelte einem das Gefühl, dass man ihm alles sagen konnte, ohne sich zu blamieren oder seinen Unmut zu erregen.

»Ich bin… etwas besorgt. Seit einiger Zeit… also seit Anfang des Jahres ungefähr habe ich diese seltsamen Symptome. Schwindelgefühle. Plötzlich taube Ohren. Ein Prickeln im linken Arm, dann den Eindruck, als ob er abstürbe. Erst dachte ich, es sei ein sich ankündigender Herzinfarkt. Das konnte jedoch ausgeschlossen werden. Tatsächlich wurde überhaupt nichts gefunden, was diese Beschwerden auslösen könnte. Aber es hört nicht auf. Ich meine, ich bin natürlich beruhigt, dass sich offenbar nichts Schlimmes dahinter verbirgt. Trotzdem, es ist irritierend. Stella meinte jedenfalls, ich könnte das nicht auf sich beruhen lassen.«

Dr. Bent lächelte. »Wie geht es Stella?«

»Gut. Danke.«

»Und dem kleinen Sammy?«

»Auch gut. Sehr gut sogar. Er wird in ein paar Tagen fünf Jahre alt. Er fiebert seinem Geburtstag entgegen.«

»Sind Sie noch immer glücklich mit dieser Entscheidung? Ein Kind adoptiert zu haben?«

»Ja. Absolut. Es war das Beste, was wir tun konnten. Und es hat endlich diese ewigen, vergeblichen Mühen beendet…« Er sprach nicht weiter. Dr. Bent wusste ja Bescheid.

Dieser nickte. »Acht Versuche mit künstlicher Befruchtung, nicht wahr?«

»Ja. Über Jahre. Wir waren so am Ende schließlich… Dass Stella irgendwann einwilligte, damit aufzuhören, dass sie sich zu der Adoption entschloss, hat unsere Beziehung gerettet. Und unser Bankkonto. Wir hätten auch finanziell nicht länger durchgehalten.«

»Finanziell haben Sie sich saniert? Das Ganze ist ja nun etliche Jahre her.«

Jonas schüttelte den Kopf. Es tat, stellte er fest, tatsächlich gut, einmal ganz offen sein zu dürfen. Er musste nicht Mr. Ich-habe-alles-bestens-im-Griff sein. Er konnte einfach sagen, wie es war.

»Nein. Wir haben immer noch ziemlich hohe Schulden. Unser Haus ist ja sowieso noch lange nicht abbezahlt, aber ich musste dann eine zusätzliche Hypothek aufnehmen, um Bournhall bezahlen zu können.« Bournhall war die Klinik, in der sie versucht hatten, ein Kind zu zeugen. Gegründet von den Ärzten, die das erste Retortenbaby, Louise Brown, geschaffen hatten. Im Falle von Stellas und Jonas' Kinderwunsch hatten sie allerdings keinen Erfolg erzielt. »Ich zahle das nach und nach ab und schaffe das mit Ach und Krach. Es darf beruflich nichts schiefgehen bei mir, darauf kommt es jetzt an.«

»Sie arbeiten als freier Drehbuchautor?«

»Ja.«

»Und sind gut im Geschäft?«

»Ja, schon, aber ...« Er hob hilflos die Schultern.

Dr. Bent betrachtete ihn ruhig. »Aber wenn einen Tag lang das Handy nicht klingelt, werden Sie unruhig. Wenn die Mails der Fernsehproduktionen ausbleiben. Wenn eine Einschaltquote schlecht ist. Aber ich vermute, Sie fühlen sich einer Katastrophe nahe, selbst wenn gerade alles gut läuft. Je besser Sie dastehen, umso schlimmer die Angst, den eigenen Ansprüchen nicht genügen zu können. Abzustürzen. Stimmt's?«

Jonas starrte ihn an. Er fragte sich, wie es diesem Mann

hatte gelingen können, nach nur wenigen Minuten des Zusammenseins hinter seine Fassade zu blicken. Seine Ängste so klar und genau benennen zu können.

»Ja«, bestätigte er, »ja, so ist es. Ich lebe in der ständigen Erwartung einer Katastrophe.«

Er lauschte dem Wort kurz hinterher. *Katastrophe.* War das zu dramatisch? Nein. Es traf seine Gefühlslage genau. Er erwartete die Katastrophe. Den finanziellen Kollaps. Den beruflichen Absturz. Das totale Scheitern. Das Versagen auf der ganzen Linie.

Katastrophe, Kollaps, Absturz, Scheitern, Versagen... Waren das die Ängste, die sein bewusstes Denken zeitweise und sein Unterbewusstsein ständig beherrschten? Dann brauchte er sich vermutlich nicht groß zu wundern.

»Können Sie schlafen?«, fragte Dr. Bent.

»Schlecht. Wenig. Ich schlafe einigermaßen gut ein am Abend, aber gegen zwei Uhr nachts werde ich wach. Herzrasen, Panikgefühle. Dann das Grübeln. Meist liege ich wach, bis der Wecker klingelt.«

Dr. Bent hatte sich die ganze Zeit über Notizen gemacht. Nun legte er seinen Stift zur Seite, stützte beide Arme auf den Schreibtisch und blickte Jonas sehr ernst an.

»Mr. Crane, Sie müssen den Katastrophenmodus verlassen. Das ist absolut wichtig. Körperlich sind Sie noch gesund, aber Sie bekommen massive Warnsignale gesendet. Die Schlafstörungen, das Herzrasen, der Schwindel, der taube Arm. Das ist ernst. Ganz egal, was diese Ergebnisse hier«, er wies auf die Blätter mit dem EKG und dem Blutbild, »auch aussagen mögen. Es ist noch nicht fünf vor zwölf, aber es ist zehn vor zwölf, und Sie sollten *jetzt* die Notbremse ziehen.«

Den Katastrophenmodus verlassen.

»Wie soll das gehen?«, fragte Jonas.

»Es geht«, versicherte Dr. Bent. »Es geht, aber es ist nicht einfach.«

»Wie konnte das passieren? Ich meine, dass man sich dann und wann Sorgen macht, ist normal. Aber Sie haben recht, ich lebe auch dann in der Erwartung größten Unheils, wenn gerade gar kein Anhaltspunkt da ist. Das war früher nicht so. Es hat sich … irgendwie eingeschlichen. Ich habe es gar nicht wirklich gemerkt.«

Dr. Bent nickte. »So etwas ist auch nicht von heute auf morgen da. Die Belastungen summieren sich langsam, und man geht noch gut mit ihnen um und glaubt, dass man alles im Griff hat. Wenn dann der Körper schlagartig signalisiert: *Ich kann nicht mehr!*, ist das Kind meist schon in den Brunnen gefallen. Ihre letzten Jahre waren nicht einfach, Mr. Crane, das habe ich ja über Stella mitbekommen. Jahrelang haben Sie und Ihre Frau gehofft, ein Kind zu bekommen. Schließlich die aufreibenden Bemühungen, es über künstliche Befruchtung zu schaffen. Die vielen Enttäuschungen. Die hohen Kosten. Dann ein Adoptionsverfahren, was auch alles andere als einfach ist. Daneben mussten Sie im Beruf funktionieren, umso mehr, als sich die Schulden zu türmen begannen. Ich vermute, gerade diese finanziellen Probleme haben Sie weitgehend mit sich selbst ausgemacht, um Ihre Frau nicht noch mehr zu belasten, aber das hat es für Sie erschwert.«

Jonas nickte. Genauso war es gewesen.

»Können wir uns das leisten, Jonas?«, hatte Stella vor dem fünften, sechsten, siebten, achten Versuch bang gefragt, und er hatte lächelnd geantwortet: »Gar kein Problem. Meine Auftragslage ist gut. Mach dir keine Sorgen!«

Sie war völlig fertig gewesen von den wahnsinnigen

Hormonspritzen, den ewigen Untersuchungen, Eizellentnahmen, Retransfers der befruchteten Eizellen, von dem Warten und Hoffen und von den Enttäuschungen. In medizinischer Hinsicht war das Ganze für ihn als Mann viel einfacher gewesen, daher hatte er es für seine Pflicht gehalten, die anderen Sorgen von Stella fernzuhalten. Das war sein Part, und wie es schien, hatte dieser ihn aufgefressen.

»Ich werde Ihnen Tropfen verschreiben, die Sie bitte jeden Morgen vor dem Frühstück nehmen«, sagte Dr. Bent und riss ein Blatt von seinem Rezeptblock. »Aber darüber hinaus…«

»Ja?«

»Meinen Sie, es könnte Ihnen gelingen, für ein paar Wochen vollkommen auszusteigen?«

»Aussteigen?«

»Wann haben Sie zum letzten Mal Urlaub gemacht, Mr. Crane? Und ich meine *wirklichen Urlaub*? Ohne Handy, Laptop und sonstiges. Ohne ständige Präsenz, ständige Erreichbarkeit?«

Jonas überlegte. »Ich glaube – noch nie. Seit man ständig erreichbar ist. Wenn wir in die Ferien fuhren, nahm ich mein Büro sozusagen immer mit. Und machte nahtlos weiter.«

»Genau das meine ich. Ich habe etliche Patienten, Mr. Crane, die genau dieselben Symptome zeigen wie Sie. Sie sind keineswegs ein ungewöhnlicher Fall. Das digitale Zeitalter hat uns eine Menge Annehmlichkeiten beschert, aber es hat auch dazu geführt, dass wir praktisch keinen Ort mehr finden, an dem wir alles loslassen, an dem wir uns nur auf uns und den Augenblick besinnen können. Pausenlos checken wir unsere Mails, bis in den späten Abend hinein, und ab den frühen Morgenstunden geht es weiter. Wir tauchen nicht mehr weg und sind einfach einmal nur *bei uns*.«

Jonas schwante, was nun kam. »Sie raten mir zu einer Auszeit? Irgendwohin gehen, weg sein, nicht erreichbar sein?«

»Sämtliche Patienten von mir, die das probiert haben, waren begeistert von dem Ergebnis. Sie fühlten sich wie neu geboren. Sie hatten ihre Mitte wiedergefunden, konnten Wichtiges von Unwichtigem trennen. Auch wichtige von unwichtigen Problemen. Sie waren zur Ruhe gekommen.«

»Und das hält dann ein Leben lang?«

»Man sollte es immer wieder einmal wiederholen. Aber das kommt dann von alleine. Wichtig ist der erste Schritt.«

Jonas konnte sich das überhaupt nicht vorstellen. »Ich werde verrückt, wenn ich irgendwo in der Einöde sitze und nicht erreichbar bin!«

»Die ersten Tage vielleicht. Aber dann kommt die Ruhe. Sie werden es sehen.«

»Am besten wäre es also, irgendwo ein Haus zu mieten. In der Mitte von Nirgendwo. Ohne Telefon und sonstige Möglichkeiten. Das meinen Sie?«

»Manche gehen auch in ein Kloster«, sagte Dr. Bent, aber Jonas schüttelte den Kopf. »Das ist nichts für mich. Aber so eine Art einsame Insel... Kann ich meine Familie mitnehmen?«

»Noch sinnvoller wäre es ohne. Aber für den Anfang ist das besser als nichts. Spätestens beim zweiten Versuch suchen Sie wahrscheinlich freiwillig die völlige Einsamkeit.«

Jonas erhob sich und griff das Rezept, das Dr. Bent ihm über den Tisch reichte. »Danke, Doktor. Die Tropfen nehme ich auf jeden Fall. Über... das andere muss ich nachdenken. Ich glaube Ihnen, was Sie sagen. Aber ich kann mir noch nicht wirklich vorstellen, dass es mir gelingt, Ihren Vorschlag umzusetzen.«

»Befassen Sie sich einfach mit dem Gedanken«, sagte Dr. Bent. »Sie werden feststellen, dass er sich zunehmend verlockend anfühlt.«

Sollte mich wundern, dachte Jonas. Er blickte auf die Uhr und erschrak. »Schon so spät! Ich muss los. Ein wichtiger Termin, wissen Sie?«

»Alles Gute«, sagte Dr. Bent.

Eines war klar: Auch Hamzah Chalid lebte im Katastrophenmodus, und er täte zweifellos gut daran, irgendeinen Weg zu finden, aus dieser Lebenskonstellation herauszugelangen. Seine dunkelbraunen Augen irrten beständig hin und her, er schien nicht in der Lage zu sein, seinen Blick auch nur für eine halbe Minute konzentriert auf sein Gegenüber zu richten. Er zuckte zusammen, wenn irgendwo eine laute Stimme erklang, und als einer Kellnerin in dem Café, das Jonas als Treffpunkt vorgeschlagen hatte, eine Kaffeetasse zu Boden fiel, fing Hamzah unkontrolliert zu zittern an. Er war ein kleiner, magerer Mann, knapp über fünfzig Jahre alt. Seine schwarzen Haare begannen über der Stirn und an den Schläfen grau zu werden. Er schien unablässig zu erwarten, dass jede Sekunde ein furchtbares Unheil über ihn hereinbrechen würde.

Als seien sie noch immer hinter ihm her. Die Schergen des inzwischen toten Diktators Saddam Hussein.

Jonas kannte Hamzahs Geschichte, die in einer filmischen Dokumentation erzählt werden sollte, zu der er das Drehbuch schreiben würde. Man war mit dem Auftrag an ihn herangetreten, und er hatte sofort zugesagt, obwohl er etwas in dieser Art noch nie gemacht hatte. Er schrieb Krimis für das Fernsehen, entweder solche, deren Handlung er selbst erfand, oder andere, für die er Romanhandlungen adaptierte und umarbeitete. Eine Geschichte mit politischem Hintergrund war noch nie dabei gewesen, zudem hatte er sich noch nie an etwas gewagt, das zumindest teilweise den Charakter einer Dokumentation haben würde. Aber man hatte ihm viel Geld angeboten, und das war ausschlaggebend gewesen.

Obwohl er wusste, dass er sich im Moment einer solchen Herausforderung eher nicht hätte aussetzen sollen.

Er kannte Hamzahs Geschichte, die Produktionsfirma hatte ihm eine Zusammenfassung zukommen lassen:

Hamzah Chalid war im September 1998 mitten in der Nacht von der Geheimpolizei in seinem Haus verhaftet und ins Gefängnis verschleppt worden. Er wusste lange Zeit nicht genau, was ihm vorgeworfen wurde, gewann aber schließlich den Eindruck, dass es mit einem Freund von ihm zu tun hatte, der sich offenbar in sehr unvorsichtiger Weise öffentlich regimekritisch geäußert hatte und ebenfalls inzwischen im Gefängnis saß. Jeder, der mit ihm in näherem Kontakt gestanden hatte, war damit in das Visier der Staatssicherheitsorgane geraten. Hamzah wurde gefoltert und trug dabei Verletzungen davon, die ihn für sein ganzes weiteres Leben zu einem gesundheitlich schwer angeschlagenen Mann machten. Schließlich hielt man ihn jedoch für politisch offenbar unbedenklich und entließ ihn wieder. Hamzah war nicht mehr derselbe; er litt unter Panikattacken, Essstörungen und schweren Depressionen und schaffte es nicht, sein normales Leben, wie er es vorher geführt hatte, wieder aufzunehmen. Häufig musste er zum Arzt, wurde krankgeschrieben, fehlte bei der Arbeit. Ob es dieser Umstand war, der ihn wieder in irgendeiner Weise hatte verdächtig erscheinen lassen, erfuhr er nie; es erreichte ihn eines Tages jedoch eine Warnung, dass seine erneute

Verhaftung unmittelbar bevorstehe. Hamzah floh in buchstäblich letzter Minute durch ein rückwärtiges Fenster seiner Wohnung, als die Geheimpolizei schon vor der Haustür stand. Er fand Unterschlupf bei Freunden, wurde jedoch von einem zum anderen gereicht, weil jeder um sein eigenes Leben fürchtete. Es kam schließlich zu jener Szene, die ihm bis zum heutigen Tag beständig im Kopf herumging. Er erzählte sie Jonas gleich als Erstes in dem Café, obwohl Jonas sie natürlich auch schon kannte.

»Ich wurde wieder einmal von einem Versteck zum nächsten gebracht. Im Auto eines Bekannten. Hinten im Fußraum kauernd, eine Decke über mir. Wir hielten an einer Ampel. Alles schien ganz normal. Unter meiner Decke war es dunkel und viel zu warm. Stickig. Alle Geräusche drangen nur dumpf und aus weiter Ferne an mein Ohr…«

»Aber Sie spürten plötzlich eine Gefahr…«, hakte Jonas vorsichtig ein. Er hatte die Geschichte aufmerksam gelesen.

»Ja. Ich spürte die Gefahr. *Ich spürte sie.* Ich kann bis heute nicht erklären, was mich gewarnt hat. Es war eine plötzliche Gewissheit in mir: Sie sind da. Sie sind ganz nah. Ich fing an zu zittern. Ich konnte kaum noch atmen…« Hamzah stockte. Seine Augen waren noch dunkler geworden, seine Haut noch bleicher. Schweiß trat auf seine Stirn.

»Das Unterbewusstsein. Sensoren, die Sie in der Zeit seit Ihrer ersten Verhaftung entwickelt hatten«, erklärte Jonas. »Wilde Tiere verfügen über diesen Instinkt. Sie wittern eine Gefahr, lange bevor tatsächlich etwas zu sehen oder zu hören ist. Ihr Instinkt hat großartig funktioniert in diesem Moment, Mr. Chalid.«

Hamzah hatte die Decke von sich geworfen, die Wagentür aufgestoßen und war hinausgesprungen. Das Glück wollte es, dass sie gerade an einer Kreuzung standen, an die unmittelbar ein kleiner, unübersichtlich bewachsener Park angrenzte. Hamzah tauchte in den Büschen unter. Wie er später erfuhr, war das Auto der Geheimpolizei bereits nur von zwei weiteren Fahrzeugen getrennt hinter ihnen gewesen. Der Zugriff wäre ein oder zwei Minuten später erfolgt. Hamzah war erneut im allerletzten Moment entkommen.

Später hatten ihn Schleuser über die Grenze nach Pakistan gebracht. Auch dabei hatte er etliche Abenteuer bestehen müssen und wäre einmal um ein Haar Spitzeln der Regierung in die Hände gefallen. Schließlich hatte es ihn nach England verschlagen, wo er Asyl beantragt und schließlich bewilligt bekommen hatte. Seine Geschichte war spannend, und nachdem jemand ihn an einen Journalisten vermittelt hatte, war in einer Zeitung darüber berichtet worden. Jetzt interessierte sich eine Filmproduktion für ihn. Jonas hatte den Eindruck, dass Hamzah den Ereignissen geradezu entgegenfieberte: Er durfte erzählen. Man hörte ihm aufmerksam zu. Man nahm ihn wahr. Man nahm vor allem das *Unrecht* wahr, das ihm geschehen war. Hamzah war ein tief traumatisierter Mensch, dem sein normales Leben genommen worden war. Er hatte *überlebt*, ein lebenswertes Leben bislang jedoch nicht wiedergefunden. Er wurde mit den Geschehnissen nicht fertig, hatte nie verstanden, weshalb die Welt nicht aufgeschrien hatte bei Geschichten wie seiner. Jetzt, jetzt endlich wollte er den Schrei hören. Dann würde alles besser, er würde abschließen können, er würde einen Weg in die Zukunft finden.

Jonas bezweifelte, dass sich Hamzahs Hoffnungen erfüllen würden, mochte das jedoch vorerst nicht thematisieren. Der Film würde nie das Echo finden, das sich der Iraker davon versprach. In seinem Land war so viel geschehen seither... Den Diktator von einst gab es längst nicht mehr, andere Probleme und Krisen beherrschten die Region. Hamzah und seine Geschichte waren für die Öffentlichkeit im Grunde Schnee von gestern. Der Aufmerksamkeitswert war zweifellos vorhanden und würde etliche Zuschauer vor die Bildschirme locken, aber er würde weder Diskussionen auslösen noch Zeitungen füllen. Hamzah träumte davon, in Talkshows zu gehen und zu berichten, Vorträge zu halten und Interviews zu geben. Er träumte davon, Heilung zu finden, wenn er mit dem Schrecken, der ihn beherrschte, nicht mehr alleine wäre.

»Sie werden ganz bestimmt das Drehbuch schreiben?«, fragte er mehrmals. »Der Film wird doch ganz bestimmt gedreht werden?«

»Wie es jetzt aussieht, wird das alles wie geplant funktionieren«, sagte Jonas. »Machen Sie sich keine Sorgen.«

Hamzah drehte sich immer wieder um, musterte die Gäste im Café eindringlich, saugte sich an Passanten fest, die draußen vor dem Fenster vorbeigingen.

»Dieser Instinkt, wissen Sie«, sagte er, »dieser Instinkt, der mir damals in Bagdad das Leben gerettet hat... Ich kann ihn nicht mehr ausschalten. Er ist immer da. Er ist immerzu hellwach.«

»Verständlich«, sagte Jonas höflich. Was Hamzah jedoch als *Instinkt* bezeichnete, war natürlich längst keiner mehr. Hamzah witterte inzwischen Feinde, die nicht da waren. Er war in ein völlig neurotisches Verhalten, vielleicht sogar in eine Psychose abgeglitten. Er glaubte sich umzingelt von den Häschern eines längst toten Diktators. Als er seine Kaffeetasse zum Mund führte, zitterten seine Hände so sehr, dass der Kaffee auf seinen Schoß schwappte. Kaum hatte er die Tasse wieder abgesetzt, sah er sich erneut hektisch um.

Dr. Bents Bezeichnung *Katastrophenmodus* kam Jonas erneut in den Sinn, und auch der Gedanke, dass er selbst und der bedauernswerte Hamzah Chalid am Ende gar nicht so weit voneinander entfernt waren. Sie wurden beide beherrscht von Ängsten, die zumindest in ihrer augenblicklichen Situation nicht real waren, von ihnen jedoch als real empfunden wurden. Hamzah und Saddam Hussein. Jonas und der berufliche und soziale Zusammenbruch. Zwei völlig unterschiedliche Geschichten, zwei nach außen hin völlig unterschiedliche Männer.

Und doch lebten sie beide mit einer kleinen Zeitbombe in ihrem Inneren, deren Vorhandensein nur sie allein spürten, deren Ticken nur sie allein hörten.

»Wie wird es nun weitergehen?«, fragte Hamzah.

»Ich werde ein Treatment schreiben«, erklärte Jonas. »Eingeteilt bereits in Bilder und Szenen. Ich habe ja eine ausführliche Wiedergabe Ihrer Geschichte vorliegen. Sie bekommen das fertige Treatment dann natürlich sofort zu lesen. Anschließend sollten wir uns erneut treffen, um alles noch einmal durchzusprechen, und dann mache ich mich an die Feinarbeit.«

»Wann wird das sein? Ich meine, wann werden Sie das Treatment fertig haben?«

Jonas unterdrückte ein Seufzen. Es würde nicht leicht werden mit Hamzah.

»Es wird eine Weile dauern. Noch ist ja auch nicht endgültig entschieden, ob das Ganze überwiegend eine Dokumentation oder mehr ein Spielfilm sein soll und wie genau das Mischverhältnis aussehen wird. Ich habe nächste Woche einen Termin mit dem Produzenten. Da werden wir auch über diese Frage sehr intensiv sprechen.«

Hamzah nickte, wirkte aber unglücklich. Jenseits seiner ständigen Angst vor einer drohenden Gefahr gehörte es offenkundig inzwischen zu seinem Charakterbild, immer das Schlechteste anzunehmen und keinerlei Vertrauen mehr aufbringen zu können.

»Das alles soll doch kein Schnellschuss werden«, sagte Jonas, »sondern eine wirklich solide Geschichte, und da darf man nichts überstürzen.«

»Wir bleiben aber in Kontakt?«, vergewisserte sich Hamzah. Sicher war ihm die Vorstellung, monatelang in seinem Londoner Dachzimmer zu sitzen und nicht zu wissen, was geschah, unerträglich, und Jonas konnte das nachvollziehen.

»Natürlich. Nichts geschieht über Ihren Kopf hinweg und ohne dass Sie informiert werden. Sie sind schließlich die Hauptperson bei all dem!« Der letzte Satz war eine fromme Lüge. Niemand bei der Produktion sah Hamzah Chalid als Hauptperson oder überhaupt als *wichtige Person*. Er hatte die Rechte an seiner Geschichte verkauft, und nun hatte er selbst für niemanden mehr eine besondere Bedeutung. Im Gegenteil, man wäre nur froh, wenn er sich weitgehend heraushielte. Es war so ähnlich wie mit den Romanautoren, deren Bücher man verfilmte: Sie lamentierten wegen jeder Veränderung, die man vornahm, wollten dies anders und jenes, regten sich auf und machten nichts als Ärger. Man wünschte, sie würden einfach Ruhe geben und im Hintergrund bleiben. Meist waren sie jedoch nicht allzu leicht einzuschüchtern oder gar völlig mundtot zu machen. Das sah bei diesem höchst verunsicherten, ständig am Rande des Nervenzusammenbruchs schwebenden Flüchtling anders aus. Um ihn würde sich schon überhaupt niemand groß scheren. Letzten Endes, das sah Jonas jetzt schon voraus, würde er vermutlich der Einzige sein, der sich aus reinem Mitleid seiner annahm. Er ahnte, dass Hamzah wie eine Klette an ihm haften würde. Und wenn das alles in eine bittere Enttäuschung mündete, würde Jonas das Drama abbekommen.

Er schob den Gedanken beiseite. Zu früh, zu unabsehbar. Es brachte nichts, jetzt schon über mögliche Entwicklungen nachzudenken.

Der Begriff *Hauptperson* hatte Hamzah ein wenig aufgemuntert. Seine Augen blickten nicht ganz so trostlos mehr drein. Er trank seinen Kaffee zu Ende, schaute sich dann wieder hektisch um.

»Ich bin froh, dass wir uns getroffen haben«, sagte er.

»Ja, ich auch«, sagte Jonas. Er winkte der Kellnerin, bezahlte für sich und Hamzah.

»Sie hören von mir«, versprach er, während er aufstand.

Auch Hamzah erhob sich. Jonas stellte fest, dass der Mann nur gebeugt stehen konnte. Er musste an die Folterungen denken, die er erlebt hatte. Diese Welt war so weit weg von seiner eigenen, schwer vorstellbar, schwer nachzuvollziehen. Einen Moment lang fühlte er sich beschämt.

Die beiden Männer verabschiedeten sich draußen auf der Straße voneinander. Der Apriltag war bewölkt, die Luft jedoch warm. Jonas sah Hamzah nach, der langsam davonhumpelte.

Er selbst ging in Richtung seines Autos.

Noch zwei Termine. Dann würde er nach Hause fahren und endlich an seine eigentliche Arbeit gehen können: das Schreiben.

Stella und Sammy kamen zu Hause an, und Sammy, der schon im Wagen die ganze Zeit über geredet hatte, hörte auch nicht auf, als sie ins Haus und in die Küche gingen und nachdem er auf seinen erhöhten Stuhl an der Theke geklettert war. Stella hatte ihn von seiner Spielgruppe abgeholt, wo an diesem Vormittag der Geburtstag eines Freundes von Sammy gefeiert worden war, was Sammy – falls das überhaupt notwendig gewesen war – wieder nachdrücklich an seinen eigenen bevorstehenden Geburtstag erinnert hatte. Am Freitag war es so weit, und es war auch eine große Party geplant. Sammy schnurrte zum hundertsten Mal seine sich ständig erweiternde Wunschliste hinunter und entwarf die verrücktesten Spiele für seine Party. Stella genoss es, ihn so zu erleben, so voller Vorfreude und überschäumend von Energie und Einfallsreichtum. Er hätte in der Spielgruppe zu Mittag essen können, aber sie holte ihn meistens ab, vor allem an Tagen, an denen Jonas nicht da war. Warum sollte sie sich alleine hinsetzen und ziemlich lustlos einen Joghurt löffeln? Da machte es ihr mehr Spaß, mit ihrem Sohn zu essen und sich an ihm zu freuen. Für heute hatte sie Pommes frites und Chickennuggets geplant. Sein absolutes Lieblingsessen.

Während sie die Tiefkühlfritten auf ein Backblech schüttete, hörte sie mit einem halben Ohr Sammys Geplapper zu. Ansonsten dachte sie wieder einmal über ihre eigene Zukunft nach. Sie hatte nicht mehr gearbeitet, seitdem Sammy da war, aber im September würde er in die Schule kommen, und das, so fand sie, war ein guter Zeitpunkt, ihr eigenes Leben neu zu gestalten. Ewig wollte sie nicht mehr daheim bleiben, aber sie wusste, die Rückkehr ins Berufsleben würde nicht ganz einfach aussehen. Sie hatte als Producerin bei einer Filmproduktion gearbeitet. Sie vermisste ihren Job, machte sich aber wenige Illusionen darüber, dass er mit einem Familienleben nicht immer leicht vereinbar sein würde. Eine halbe Stelle war auf dem Papier gut und schön, in der Praxis häufig nicht durchzuhalten. Andererseits arbeitete Jonas über lange Strecken zu Hause. Wenn sie sehr gut planten, sich im Vorfeld immer wieder rechtzeitig und sorgfältig absprachen …

»Und Luftballons«, sagte Sammy gerade. »Mummy! Hast du gehört? Wir hängen überall im Haus Luftballons auf, ja?«

»Klar, das machen wir. Und im Garten. Wenn das Wetter schön ist.«

Die Pommes frites waren im Backofen. Stella schaltete gerade den Thermostat ein, als das Telefon klingelte.

Später erinnerte sie sich immer wieder an diese Szene. An das Klingeln, das ihr zunächst ganz normal vorgekommen war, im Nachhinein jedoch einen irgendwie hässlichen Klang angenommen hatte. Das Klingeln, das eine friedliche, alltägliche Szene durchschnitt: die freundliche, helle Küche. Blumen am Fenster. Die Pommes frites im leise brummenden Backofen. Sammy auf seinem Hochstuhl, planend und plappernd. Draußen rollte ein Auto langsam durch die Siedlung. Ein paar erste Sonnenstrahlen durchbrachen die Wolkendecke, die den Tag bislang in ein etwas milchiges, trübes Licht getaucht hatte.

Sie ging ohne Hast zu dem Telefonapparat, der im Wohnzimmer stand. Jonas vermutlich. Wenn er unterwegs war, meldete er sich immer zwischendurch, und heute hatte sie seit dem frühen Morgen noch nichts von ihm gehört. Inzwischen musste er bei Dr. Bent fertig sein. Sie war gespannt auf seinen Bericht.

Sammy redete in der Küche unvermindert weiter. »Und dann ein Bananenkuchen mit Schokoladenüberzug und …«

»Hallo«, meldete sie sich.

Ein kurzer Moment des Schweigens. Dann eine Stimme: weiblich, jung, etwas schüchtern. Was aber durch eine fröhliche, aufgesetzt wirkende Forschheit überspielt wurde.

»Hallo! Stella? Hier ist Terry. Terry Malyan. Erinnern Sie sich an mich?«

Und ob sie sich erinnerte.

Sammys leibliche Mutter. Von der sie gehofft hatte, sie werde sie nie im Leben wiedersehen müssen.

Sie saß in der Küche, Sammy gegenüber, aber sie nahm ihren Sohn, der eine wahre Ketchup-Orgie auf seinem Teller feierte, kaum wahr. Irgendwie hatte sie es geschafft, das Essen fertig zuzubereiten und den Tisch zu decken, aber sie hatte sich schon dabei wie in Trance bewegt. Und die ganze Zeit über fragte sie sich, woher das Gefühl der Bedrohung rührte.

Terry Malyan.

»Am 2. Mai wird Sammy ja fünf Jahre alt«, hatte sie am Telefon gesagt mit dieser seltsam aufgesetzten, forcierten Stimme. »Und da dachte ich, es wäre eine wunderbare Gelegenheit, ihn einmal wiederzusehen!«

Terry hatte sich fast fünf Jahre lang nicht gerührt. Weder angerufen noch geschrieben. Nicht an Sammys Geburtstag, nicht an Weihnachten. Zu Sammys erstem Geburtstag hatte Stella ihr Fotos geschickt, darauf jedoch keine Reaktion erhalten. Schließlich hatte sie diese Frau abgehakt.

Und dies als Erleichterung empfunden.

»Wir sind zufällig am Wochenende sowieso in London …«

Ach ja, *zufällig*? Und was hieß überhaupt *wir*?

»Mein Freund und ich. Mein Freund hat beruflich dort zu tun.«

Sprach sie von Sammys Vater? Stella hatte ihn nie kennengelernt, er war schon seinerzeit, als es um die Adoption ging, nicht in Erscheinung getreten. Ein damals siebzehnjähriger Schüler, wie sie wusste, der völlig entsetzt und schockiert war über das Ergebnis seiner ersten sexuellen Erfahrung, die während des Aufenthaltes in einem Feriencamp an der walisischen Küste mit einer sechzehnjährigen Schülerin in einem Zelt stattgefunden hatte und ein Volltreffer geworden war: in Gestalt des kleinen Jungen, der neun Monate später zur Welt kam.

Stella erinnerte sich noch gut an den Anruf der sie betreuenden Mitarbeiterin des Jugendamts im April 2009. »Wir haben ein Kind für Sie. Es wird Anfang Mai geboren. Die Eltern sind fest entschlossen, es sofort zur Adoption freizugeben. Sie sind selbst noch halbe Kinder, gehen zur Schule und sind mit der Situation vollkommen überfordert.«

Das Ganze war von Anfang an als eine »verdeckte Adoption« geplant gewesen, auf etwas anderes hätten sich Stella und Jonas nicht eingelassen. Die leiblichen Eltern würden die Adoptiveltern nicht kennen, umgekehrt würde es genauso sein. Sollte das Kind später die leiblichen Eltern kennenlernen wollen, würde ihm der Einblick in die Akten natürlich gewährt sein; bis dahin würde es jedoch keinerlei Kontakt geben. Stella und Jonas hatte nie vorgehabt, ihr Kind darüber im Unklaren zu lassen, dass es adoptiert war, aber sie wollten keine ständigen Besuche, keinen Austausch, keine Einmischung. Auch keine innere Zerrissenheit des Kindes zwischen den verschiedenen Eltern.

»Nein, nicht Sammys Vater«, hatte Terry gesagt. »Von

dem habe ich nie wieder etwas gehört. Ich bin seit einem halben Jahr mit meinem neuen Freund zusammen. Neil Courtney. Wir werden wahrscheinlich heiraten.«

»Mummy, hörst du mir zu?«, fragte Sammy und blickte seine Mutter über den Tisch hinweg an. Er war von einem Ohr zum anderen mit Ketchup verschmiert und sah aus, als wäre er in einen Farbeimer gefallen.

Stella versuchte zu lächeln. »Klar höre ich dir zu.«

Neil Courtney. Terrys neuer Freund. Dem Terry offensichtlich das Kind zeigen wollte, das sie geboren und für das sie sich jahrelang nicht interessiert hatte.

Oder war dieser neue Mann in ihrem Leben die treibende Kraft? Aber welcher Mann interessierte sich schon brennend für den Sohn seines Vorgängers, einen Sohn, der zudem im Leben der Mutter keinerlei Rolle gespielt hatte?

Sie wünschte, Jonas käme endlich nach Hause. Sie musste dringend mit jemandem sprechen. Mit jemandem, der sie beruhigen würde. Der all die Ängste beschwichtigen würde, die sie im Augenblick noch nicht einmal wirklich formulieren konnte.

Die Sache war damals zunächst komplett aus dem Ruder gelaufen. Am 2. Mai war das ersehnte Kind geboren und den Adoptiveltern unmittelbar danach übergeben worden. Kurz vor Ablauf der mehrwöchigen Frist, die der leiblichen Mutter die Möglichkeit gab, ihren tiefgreifenden Entschluss noch einmal zu überdenken und rückgängig zu machen, war das Furchtbare tatsächlich geschehen: Das Jugendamt hatte sich erneut bei Jonas und Stella gemeldet und erklärt, dass Sammy nun leider nicht bei ihnen würde bleiben dürfen.

»Sie will ihn zurück. Die Mutter. Sie schafft die Trennung nicht. Sie will ihren Sohn unter allen Umständen zurückhaben.«

Die Welt war unter Stellas Füßen eingebrochen. »Aber das geht nicht! Er ist seit fast fünf Wochen bei uns. Wir lieben ihn. Er ist unser Kind. Sie dürfen ihn uns nicht wegnehmen!«

Die Dame vom Jugendamt hatte gequält geklungen. »Es tut mir entsetzlich leid, Mrs. Crane. Ich wünschte, ich könnte Ihnen diesen Schmerz ersparen. Aber mir sind rechtlich die Hände gebunden. Ich muss das den Vorschriften gemäß abwickeln, etwas anderes bleibt mir nicht übrig.«

»Aber dieses Mädchen ist erst sechzehn Jahre alt!«

»Ja. Das ist sehr jung, und das Ganze ist keine glückliche Situation. Trotzdem …«

Sammy war abgeholt worden. Bis an ihr Lebensende würde Stella diesen Moment nicht vergessen. Man riss ihr ein Stück aus dem Herzen. Und trotz allem, was dann geschah, würde diese Verletzung bleiben. Für immer.

Nach grauenhaften drei Wochen, in denen Stella ständig Dr. Bent konsultierte und Beruhigungstabletten schluckte und in denen sich Jonas kaum aus dem Haus wagte, weil er fürchtete, seine Frau würde sich etwas antun, meldete sich das Jugendamt erneut. Es gab Probleme. Sammys Mutter sah sich zunehmend überfordert und war nicht mehr sicher, ob die Entscheidung, das Kind doch zu behalten, die richtige gewesen war. Sie wurde von dem Gefühl gepeinigt, ihr Leben zu verbauen und sich mit dem Kind jegliche Zukunftschance zu vermasseln, gleichzeitig quälten sie Schuldgefühle bei dem Gedanken, den kleinen Jungen nun doch herzugeben.

»Sie würde sich sehr gern mit Ihnen treffen, Mrs. Crane. Ich weiß, das wäre vollkommen gegen die Absprache, aber …«

»Ja?«

»Ich sehe eine echte Chance, dass sie sich zu einer Freigabe des Kindes entschließt, wenn sie die zukünftigen Eltern kennengelernt und sich davon überzeugt hat, dass Sammy es wirklich gut bei Ihnen haben wird. Im Grunde weiß sie, dass sie dem Kleinen keinerlei Stabilität geben kann. Was sie braucht, ist ein Gefühl der Sicherheit, das Richtige zu tun, und das würde sie vermutlich im Gespräch mit Ihnen gewinnen.«

»Aber dann wäre das alles nicht mehr anonym.«

»Nein. Und ich würde durchaus verstehen, wenn Sie unter diesen Umständen von dem ganzen Vorhaben Abstand nehmen würden. Ich schlage den Weg auch nur deshalb vor, weil für uns das Kindeswohl an erster Stelle stehen muss, und ...« Sie stockte. Sie wollte nicht zu viel sagen.

Aber Stella erriet, was sie dachte. »Für Sammy wäre es auch in Ihren Augen besser, er käme zu uns.«

»Eindeutig: Ja.«

Damit gab es für Stella keinen Zweifel mehr. Sie würde sich mit Sammys Mutter treffen.

Jonas sah das anders. Er war vollkommen dagegen. »Das kann ein ewiges Hin und Her werden. Dieses Mädchen weiß doch nicht, was es will. Heute so, morgen so. Was machen wir, wenn sie andauernd auf der Matte steht, weil ihre Muttergefühle plötzlich wieder erwachen?«

»Nach einer gewissen Frist ist die Adoption rechtskräftig. Da kann sie dann nichts mehr machen.«

»Juristisch nicht. Aber sie kann uns tyrannisieren. Permanent anrufen. Permanent aufkreuzen. Ihn andauernd sehen wollen. Dich mit Tränen zu erpressen versuchen. Wir haben über all das doch schon gesprochen, Stella. Es hatte einen Grund, dass wir unter allen Umständen eine *verdeckte* Adoption wollten.«

»Ja. Aber wir haben jetzt eine veränderte Situation. Wir müssen unsere Einstellung ändern, eine andere Wahl haben wir nicht.«

»Doch. Die haben wir. Wir warten auf ein anderes Kind.«

»Es hat fast ein Jahr gedauert, bis Sammy zu uns kam!«

»Dann dauert es eben noch mal ein Jahr. Das ist doch gar nicht so viel Zeit. Vielleicht geht es auch schneller.«

Ihr waren schon wieder die Augen übergeflossen, obwohl sie es unbedingt hatte verhindern wollen. »Ich kann nicht mehr warten, Jonas. Wir kämpfen seit mehr als sechs Jahren um ein Kind. Wir haben nur Enttäuschungen erlebt. Das Ganze war ein einziger Nervenkrieg. Ich kann jetzt einfach nicht mehr, ich bin völlig aufgebraucht. Und außerdem liebe ich Sammy. Er war hier. Ich habe ihn in meinen Armen gehalten. Ich kann nicht einfach sagen: Na gut, nehmen wir eben ein anderes Kind. Es geht nicht. Ich kann nicht.«

Jonas hatte nachgegeben. Er hatte ihre echte Verzweiflung gespürt, ihre völlige Erschöpfung. Und er war selbst erschöpft. Er stand eine Auseinandersetzung zu diesem Thema nicht mehr durch.

Und dann war alles gut geworden, so gut, dass sich selbst Jonas' Zweifel zerstreuten. Sie hatten sich mit der leiblichen Mutter getroffen, der sechzehnjährigen Therese Malyan aus Truro in Cornwall.

»Sagen Sie bitte Terry zu mir. Darf ich Stella sagen?«

Stella war zu jedem Zugeständnis bereit gewesen. Es ging um Sammy, um nichts sonst. Sie hatte Terry nach Kingston bei London eingeladen, in ihr Haus, sie hatte ihr Sammys Kinderzimmer gezeigt, seine Spielsachen, die Strampelanzüge. Terry hatte geweint. »Er wird es gut haben bei Ihnen, das sehe ich. Sie beide, Sie sind herzensgute Menschen.«

Stella hatte die Erleichterung des jungen Mädchens gespürt. Die ungewollte Schwangerschaft hatte ihr Leben in ein völliges Chaos gestürzt, aus dem sie im Grunde von Anfang an keinen anderen Ausweg gesehen hatte als den, das Kind in andere Hände zu geben und darüber ihre Freiheit wiederzufinden. Nachdem sie sich nun vergewissert hatte, dass es gute Hände sein würden – »die besten, Stella, ganz ehrlich, er könnte es nicht besser treffen!« –, war sie umgeschwenkt, und diesmal endgültig: Kein Rückzieher mehr vor Ablauf der Frist.

Die Adoption des kleinen Samuel Malyan wurde rechtskräftig. Er hieß nun Samuel Crane und war das Kind von Jonas und Stella.

Und bis zu diesem heutigen Tag hatten sie nichts mehr von Terry gehört. Sie hatten schon fast vergessen, dass es sie gab.

»Mummy, du hörst mir überhaupt nicht zu!«, beschwerte sich Sammy.

Sie gab es auf, ihm etwas vormachen zu wollen. »Ich muss rasch mal Daddy anrufen. Ich bin gleich wieder da, mein Süßer. Dann planen wir deinen Geburtstag weiter.« *Mit deiner anderen Mummy und ihrem neuen Freund als Ehrengäste.*

Sie ging ins Wohnzimmer. Das Herz schlug ihr bis zum Hals. Sie brauchte jetzt jemanden, der ihr sagte, dass sie sich unnötig aufregte.

Jonas meldete sich so schnell, als habe er sein Handy bereits in der Hand gehalten. »Ich wollte dich auch in diesem Moment anrufen, Stella. Ich habe gerade mit jemandem aus der Produktion gesprochen. Was sagst du zu zwei Wochen Ferien Ende Mai, Anfang Juni in den Hochmooren von Yorkshire? In der völligen Einsamkeit, und ich nehme diesmal keine Arbeit mit. Keinen Computer, kein Smartphone, nichts. Dieser Kollege von mir, auch ein Drehbuchautor, würde uns sein Haus vermieten. Es ist wie geschaffen dafür, wenn man aussteigen will. Was meinst du? Dr. Bent sagt, dass ich...«

Es interessierte sie nicht, was Dr. Bent sagte, und die Hochmoore von Yorkshire interessierten sie noch weniger. Sie unterbrach seinen Redeschwall.

»Jonas, sie hat angerufen. Vor zwanzig Minuten. Terry Malyan. Sie will uns zu Sammys Geburtstag besuchen.«

Jonas schwieg für ein paar Sekunden. Er schien tatsächlich einen Moment zu brauchen, um sich zu erinnern, von wem Stella eigentlich sprach. Vielleicht schaffte er es auch nur nicht so schnell, aus den Hochmooren in den Alltag zurückzukehren.

»Okay«, sagte er schließlich langsam, »okay.«

»Jonas, nichts ist okay. Ich habe Angst, dass sie... Ich meine, was soll das? Was will sie?«

Er unterbrach sie. »Reg dich nicht auf, Stella. Sie will ganz sicher nichts anderes als genau das: ihn einfach besuchen. Sie hat sich fünf Jahre lang nicht gerührt, und jetzt ist ihr plötzlich dieser Gedanke gekommen. Sie hat keine Beziehung zu Sammy, und die wird sie auch an einem Nachmittag bei uns nicht aufbauen. Ich wette, danach hören wir auch wieder mindestens fünf Jahre lang nichts von ihr.«

»Sie hat einen neuen Freund. Sie bringt ihn mit. Jonas – warum habe ich ein absolut furchtbares Gefühl?«

»Weil du dich in Konkurrenz zu ihr siehst«, sagte Jonas, »und dadurch bist du verunsichert. Es wird alles gut, Stella. Bitte glaub mir das.«

Viele Wochen später erst würde er zugeben, auch ein schlechtes Gefühl gehabt zu haben. Eine dunkle Vorahnung, die er jedoch sofort verdrängte.

1

Detective Chief Inspector Caleb Hale stand in der Ankunfts-halle des Flughafens Leeds-Bradford und betrachtete die Ankommenden, die durch die automatisch gesteuerte Tür strömten. Die British-Airways-Maschine aus London war zwanzig Minuten zuvor gelandet, und langsam wurde es Zeit, dass Kate erschien. Allerdings wartete sie vermutlich noch auf ihre Koffer. Sie würde länger bleiben, hatte sie am Telefon ge-sagt, also kam sie bestimmt nicht nur mit Handgepäck.

Er hoffte, er würde Kate Linville erkennen. Sie waren sich viele Jahre zuvor einmal begegnet, aber wenn er ehr-lich war, so war ihm vor allem in Erinnerung geblieben, dass sie an Unscheinbarkeit kaum zu überbieten war. Die typi-sche graue Maus, klein, dünn, verhuscht. Er hoffte nur, sein Gedächtnis würde in dem Moment anspringen, wenn er sie irgendwo in der Menge sah.

Sein spontanes Angebot, sie am Flughafen abzuholen und nach Scalby zu fahren, bereute er bereits, aber jetzt war es für einen Rückzieher natürlich längst zu spät, und außer-dem war es vermutlich das Mindeste, was er für die Tochter eines ehemaligen Kollegen, der auf brutalste Art ermordet worden war, tun konnte. Vielleicht sogar tun *musste*.

Andererseits hatte er genau deswegen Angst. Wie traumatisiert musste diese Frau sein? Sie war Kollegin, Detective Sergeant bei Scotland Yard, auf eine gewisse Art sicherlich abgebrüht, wenn es um Gewaltverbrechen ging. Aber es war etwas anderes, wenn Familienangehörige betroffen waren. Soweit er wusste, war ihr Vater ihr einziger noch lebender Angehöriger gewesen. Sie war nicht verheiratet, jedenfalls war sie es bei ihrer letzten Begegnung nicht gewesen. Sie hatte einsam auf ihn gewirkt.

Er würde sie zu dem Haus bringen, in dem sie aufgewachsen war. In dem man ihren Vater im Februar grausam zu Tode gefoltert hatte.

Er fürchtete, dass sie zusammenbrechen würde. Und dass er dann nicht wusste, was er tun sollte. Nicht, dass er solche Situationen nicht kannte. Er hatte schon oft den Angehörigen von Gewaltopfern furchtbare Nachrichten überbringen müssen. Aber das war eben etwas anderes. Hier ging es um die Tochter eines früheren Kollegen. Er war, sosehr er sich dagegen zu wehren versuchte, innerlich beteiligt, und das bereitete ihm Magenschmerzen.

Er erkannte sie sofort, als sie schließlich durch die Tür kam. Sie trug eine Reisetasche in der einen Hand und zog mit der anderen einen Rollkoffer hinter sich her. Ihre dünnen Haare hatte sie am Hinterkopf zusammengebunden, was ihr blasses Gesicht noch ausgemergelter erscheinen ließ, als es früher gewesen war. Wahrscheinlich hatte sie aber auch einfach stark abgenommen, was kein Wunder gewesen wäre. Caleb schauderte es allein bei der Vorstellung, er könnte einen Angehörigen auf die Weise verlieren, auf die sie ihren Vater verloren hatte.

Er trat auf sie zu. »Kate Linville?« Er zögerte. Sie waren schließlich nicht gerade vertraut. »Sergeant?«, setzte er hinzu.

Sie gab ihm die Hand. »Kate«, sagte sie. Sie lächelte nicht dabei. Sie sah aus wie jemand, der kaum wusste, wie man die Mundwinkel nach oben zog.

»Caleb«, entgegnete er, schüttelte ihr die Hand und nahm ihr dann die Tasche und den Koffer ab. »Kommen Sie, ich parke auf dem Kurzzeitparkplatz. War Ihr Flug okay?«

»Keinerlei Probleme«, erwiderte sie.

Er überlegte, ob sie schon immer ein so versteinertes Gesicht gehabt hatte. Er konnte sich nicht genau erinnern. Sie war im Februar in Yorkshire gewesen, direkt nach der Ermordung ihres Vaters, aber da war er nicht da gewesen. Er war erst Anfang März aus der Klinik gekommen. Offiziell hatte er einen längeren Reha-Aufenthalt nach einer Bypassoperation hinter sich gebracht. So war es mit seinen Vorgesetzten abgesprochen gewesen. Nur Calebs engste Mitarbeiter wussten, dass es nie einen Bypass gegeben hatte, sondern dass Caleb im Dezember nach seinem letzten schweren Zusammenbruch eine klare Ansage von seinem Arzt bekommen hatte: Entweder er machte sofort einen Alkoholentzug, oder seine Tage würden in nicht allzu ferner Zukunft gezählt sein. Zum ersten Mal hatte er begriffen, dass es ernst war. Er stand am äußersten Rand der Klippe, und wenn er nicht umkehrte, stürzte er ab. Er konnte von Glück sagen, dass sein Arzt schonungslos ehrlich mit ihm gewesen war und dass seine Vorgesetzten ihm eine zweite Chance einräumten. Er wusste, es lag an seiner hohen Quote erfolgreich abgeschlossener Ermittlungen. Er zählte zu den Besten, daher versuchten sie, ihn zu halten. Er hatte unter Alkohol hervorragend funktioniert. Die Frage war, ob ihm das ohne Alkohol auch gelingen würde.

In den Telefonaten mit Kate, die er seit seiner Rückkehr in den Dienst und der Übernahme des Falles Linville etwa einmal wöchentlich geführt hatte, hatte er die Vorbehalte dieser Frau ihm gegenüber deutlich gespürt. Sie war alles andere als glücklich darüber, dass ein Mann, der erst zwei Wochen nach der Tat wieder einsatzfähig gewesen war, mit den Ermittlungen betraut worden war. Er hatte ihr versichert, dass seine zwei besten Leute, Detective Constable Jane Scapin und Detective Sergeant Robert Stewart, die Kate auch kurz im Anschluss an das Verbrechen kennengelernt hatte, hervorragend gearbeitet und ihn mit allem versorgt hatten, was er wissen musste. Er konnte nahtlos einsteigen, so als wäre er vom ersten Tag an dabei gewesen.

Das sah sie deutlich anders. Und vermutlich misstraute sie auch seiner gesamten Stabilität. Sie hätte sich für die Aufklärung des Verbrechens an ihrem Vater sicher nicht jemanden gewünscht, der – nach ihrer Information – gerade frisch nach einer schweren Operation aus dem Krankenhaus kam und von seinen Ärzten vermutlich gesagt bekommen hatte, er solle unbedingt kürzertreten und Stress und Aufregung vermeiden.

Allerdings hätte es sie wohl noch mehr beunruhigt, die Wahrheit zu kennen.

Caleb hatte ihr Gepäck im Kofferraum verstaut, sie stiegen ein, und er startete den Wagen. Während er langsam aus dem Parkplatz steuerte, fragte er: »Wie lange werden Sie bleiben?«

»Ich habe meinen Jahresurlaub genommen. Und noch unbezahlten Urlaub angehängt. Ich werde wahrscheinlich sechs Wochen bleiben. Mal sehen. Vielleicht auch länger.«

»Mit sechs Wochen war Ihr Chef einverstanden?«

Sie nickte. »Er sieht die besondere Situation. Ich bin ohnehin… seitdem das geschehen ist… na ja, ich stehe ziemlich neben mir. Ich nehme an, meine Kollegen sind ganz froh, dass sie mich erst einmal los sind.«

»Wissen Sie schon, was mit dem Haus passieren soll? Sie sind ja jetzt die Eigentümerin.«

»Ich weiß es noch nicht. Das ist ja auch der Grund, weshalb ich mir jetzt Zeit nehme. Ich muss herausfinden, was ich tun werde. Es ist alles… einfach ein Albtraum.« Die letzten Worte sagte sie sehr leise. Kurz blickte er zu ihr hinüber. Sie war noch weißer geworden im Gesicht. Sie sah wirklich auf eine erschreckende Weise elend und krank aus.

Behutsam fragte er: »Sind Sie sicher, dass Sie… Ich meine, wollen Sie wirklich in dem Haus wohnen? All die Erinnerungen, und dann ist das ja auch der Ort, an dem… es passiert ist.«

»Aber es ist mein Zuhause. Natürlich will ich dort wohnen.«

Er hielt das nicht für klug, sagte aber nichts mehr. Eine Weile schwiegen sie beide, während Caleb den Wagen aus Leeds hinaus in Richtung Küste lenkte.

Dann fragte Kate: »Gibt es neue Erkenntnisse?«

Diese Frage hatte sie bei jedem Telefonat als Erstes gestellt. Es brannte ihr auf der Seele: Wer war der Täter? Oder waren es mehrere? Warum hatte jemand dieses Verbrechen begangen? Weshalb hatte Richard Linville auf so schreckliche Weise sterben müssen? Den oder die Schuldigen zu finden und ins Gefängnis zu bringen – das war das Vorhaben, das ihre Energien am Laufen hielt. Das ihr half, nicht in der Depression zu versinken. Das zumindest vorläufig ihr seelisches Überleben sicherte.

Caleb konnte ihr nichts wirklich Bahnbrechendes mitteilen, doch immerhin gab es einen neuen Anhaltspunkt.

»Über dessen tatsächliche Relevanz wir jedoch noch nichts sagen können«, schränkte er sofort ein.

»Ja?«

»DC Scapin hatte ja damals sofort eine Anwohnerbefragung durchführen lassen, die jedoch nichts erbracht hatte. Es hat sich jetzt aber noch eine Zeugin gemeldet – die Freundin eines Anwohners, die wenige Tage vor jenem 22. Februar dort im Church Close zu Besuch war. Sie gibt an, einen dunkelgrünen Peugeot am späten Nachmittag des 19. Februar gesehen zu haben, der ihr auffällig vorkam.«

»Auffällig? In welcher Hinsicht?«

»Er fuhr mehrfach den Church Close auf und ab. Um jemanden, der dort wohnt, handelt es sich nicht. Wir haben das überprüft, niemand fährt dort einen Peugeot und auch kein ähnliches dunkelgrünes Auto – im Falle, dass die Zeugin die Marke verwechselt hat. Sie hatte den Eindruck, dass jemand eine Adresse sucht, was sie zunächst allerdings nicht ungewöhnlich fand. Komisch kam es ihr vor, als er schließlich zum dritten Mal in den Church Close einbog, erneut bis hoch zum Wendehammer fuhr, dann wieder zurück. Sie dachte noch, langsam müsste der Fahrer doch wohl wissen, ob er in dieser Straße nun richtig sei oder nicht. Allerdings erschien ihr das alles auch wieder nicht so befremdlich, dass sie es irgendjemandem erzählt hätte.«

»Warum dann jetzt? Warum *erst* jetzt?«

»Eine problematische Konstellation. Diese Frau ist verheiratet, hat ein Verhältnis mit einem alleinstehenden Mann dort im Church Close in Scalby. Sie hat sich ewig nicht aus der Deckung gewagt, aus Angst, über diese ganze Sache aufzufliegen. Letzten Endes hat ihr das Gewissen keine Ruhe gelassen, deshalb haben sie und ihr Freund uns schließlich kontaktiert. Reichlich spät natürlich.«

»Haben Sie mit der Zeugin gesprochen?«

Caleb nickte. »Ja. Aber mehr als das, was ich Ihnen gerade berichtet habe, konnte ich nicht erfahren. Sie ist sich ganz sicher, was ihre Schilderung angeht. Unglücklicherweise hat sie sich nicht einmal Bruchstücke des Kennzeichens gemerkt.«

Kate verkrampfte ihre Hände. »Zu spät. Alles zu spät! Wenn man diese Frau gleich am 22. hätte vernehmen können, dann wären vielleicht Erinnerungen hervorzuholen gewesen, aber so …«

»Kate! Ihr Vater wurde ja überhaupt erst am 23. Februar gefunden. Vorher … konnte es so oder so keine Ermittlungen geben.«

Kate schwieg, wandte sich ab und starrte aus dem Fenster. Caleb war klar, dass sie an die grausamen Momente zehn Wochen zuvor dachte. Eine Nachbarin von Richard Linville hatte sich am Mittag des 23. Februar, einem Sonntag, gewundert, dass die Milchflasche, die am Vortag vor der Haustür von Mr. Linville abgestellt worden war, noch immer dort stand. Wenn Linville verreiste, sagte er ihr immer Bescheid und gab ihr seinen Schlüssel, damit sie in seiner Abwesenheit die Blumen gießen konnte. Sie hatte Kates Nummer in London, für den Fall, dass etwas passierte, und hatte sie schließlich angerufen. Sie hatte der Polizei später geschildert, dass Kate sofort sehr erschrocken reagiert und sie gebeten habe hinüberzugehen, anzuklopfen oder durch die Fenster zu blicken, ob sie Richard sehen konnte. Kate hatte sich zu diesem Zeitpunkt bereits geängstigt, weil ihr Vater sie entgegen seiner Gewohnheit weder am Samstag noch an diesem Sonntagmorgen angerufen hatte. Sie selbst hatte es telefonisch mehrfach bei ihm probiert, war aber immer nur auf dem Anrufbeantworter gelandet.

Die Nachbarin hatte an der Haustür geklingelt, hatte dagegen gehämmert, ohne eine Reaktion zu bekommen. Sie war in den Garten gegangen, hatte das Haus umrundet. Noch ehe sie die kaputte Tür zum Esszimmer entdeckt hatte, hatte sie durch das Küchenfenster gespäht und war entsetzt vor dem grausamen Bild zurückgewichen, das sich ihr bot: ein Stuhl, der mitten im Raum stand, darauf eine offenkundig gefesselte Gestalt, deren Oberkörper nach vorne gesunken war. Daher war ihr die Plastiktüte über dem Kopf des Opfers nicht aufgefallen. Drei Schritte weiter hatte sie dann die eingeschlagene Tür bemerkt, aber zu diesem Zeitpunkt hatte sie bereits nur noch geschrien.

Ein Arzt hatte später festgestellt, dass Richard Linville qualvoll erstickt war.

»Hat die Zeugin den Fahrer des Peugeots näher beschreiben können?«, fragte Kate nun. Ihre Stimme klang bemüht sachlich und gefasst.

Caleb hätte ihr gerne Hoffnung gemacht, aber er kam an den Fakten nicht vorbei. »Leider nein. Sie meint, es habe sich um einen Mann gehandelt.«

Kate stöhnte leise. »Das ist fast nichts.«

»Nein, aber wir wissen natürlich auch nicht, ob dieses Auto überhaupt in einem Zusammenhang mit der Tat steht. Insofern sollten wir uns nicht zu sehr grämen, wenn wir an diesem Punkt nicht weiterkommen.«

»Mein Vater wurde möglicherweise beschattet. Der Überfall auf ihn war wahrscheinlich geplant und sorgfältig vorbereitet.«

»Davon gehen wir ja ohnehin aus. Dass es sich nicht um einen simplen Einbruch handelt, bei dem Ihr Vater nur das Pech hatte, den Einbrechern in die Quere zu kommen. Dafür ...« Caleb stockte und verschluckte den Rest des Satzes, aber Kate wusste, was er hatte sagen wollen. »Dafür war er zu schlimm zugerichtet. Dafür wurde er zu brutal ermordet. Der Täter wurde von Hass und Wut geleitet. Und gestohlen wurde sowieso nichts.«

»Ja. Wie Sie ja in Ihrer ersten Aussage gegenüber meinen Kollegen bestätigten. Im Haus fehlte nichts, zudem haben wir eine Menge Bargeld in der Brieftasche Ihres Vaters gefunden. Es hat den oder die Täter augenscheinlich nicht interessiert.«

»Aber das lässt doch nur einen einzigen Schluss zu«, sagte Kate. Sie sagte es keineswegs zum ersten Mal. »Angesichts des Berufs meines Vaters kann es sich nur um einen Racheakt handeln. Er hat sich natürlich Feinde gemacht. Verbrecher. Kriminelle. Man muss jeden einzelnen Fall seiner Laufbahn überprüfen und…«

»Wir tun genau das sehr gründlich«, sagte Caleb. »Bitte glauben Sie mir, wir nehmen das sehr ernst. Wir haben eine Sonderkommission gebildet, und alle sind mit ganzem Herzen dabei. Richard war einer von uns. Wir wollen diese Geschichte aufklären, und wir werden das auch schaffen.«

»Haben Sie versucht, mit Norman Dowrick zu sprechen?«

Detective Sergeant Norman Dowrick war über viele Jahre der engste Mitarbeiter Richard Linvilles gewesen, darüber hinaus ein guter persönlicher Freund. Kate erinnerte sich noch aus Jugendjahren an ihn: Er und seine Frau waren häufig bei den Linvilles zu Besuch gewesen. Eine Schussverletzung, die eine Querschnittslähmung zur Folge gehabt hatte, hatte Dowricks Karriere zehn Jahre zuvor ein Ende gesetzt. Aus Verbitterung über sein Schicksal hatte er sich von allem und jedem zurückgezogen – auch von einstigen Kollegen und Freunden. Auch von Richard. Kate hatte ihren Vater oft traurig und resigniert davon sprechen hören. Immerhin aber hatten die beiden so lange und intensiv zusammengearbeitet, dass die Möglichkeit bestand, von Dowrick interessante Informationen zu erhalten.

Doch Caleb musste sie enttäuschen. »Einer meiner Mitarbeiter war bei ihm. Das heißt, er hat nur Mrs. Dowrick angetroffen. Norman hat sich vor Jahren von ihr getrennt und ist nach Liverpool gezogen. Dort führt er ein einsames, verbittertes Leben. Ich vermute, es macht wenig Sinn, ihn aufzustöbern. Ich glaube auch nicht, dass er uns etwas sagen kann, was wir nicht wissen. Schließlich haben er und Richard ja nicht allein vor sich hin gearbeitet; alles ist dokumentiert.«

»Und welche Erkenntnisse haben Sie aus all diesen Dokumentationen bisher gezogen?«

Sie hatten Scalby erreicht. Caleb fuhr auf den Parkplatz eines Supermarktes, der nahe am Ortseingang lag, und hielt an. »Kate, jetzt atmen Sie doch erst einmal durch. Wir müssen das doch nicht jetzt alles in der ersten Stunde Ihres Hierseins besprechen. Kommen Sie erst einmal an. Es wird schwierig genug. Das Haus zu betreten, von all den Bildern bestürmt zu werden... Ich will nichts an Ihnen vorbei ermitteln. Ich will Sie über nichts im Unklaren lassen. Aber es muss doch nicht alles *jetzt* abgewickelt werden.«

Sie starrte ihn aus Augen an, in denen eine Mischung aus völliger Trostlosigkeit und wilder Unruhe stand. »Sie haben nichts. Gar nichts. Mehr als zwei Monate nach der Tat haben Sie nicht das Geringste in den Händen und sind keinen einzigen Schritt weitergekommen.«

»Doch, das sind wir. Aber Sie wissen selber, in welch akribischer, nervtötender Kleinarbeit das alles manchmal vorangeht.«

»Die Zeit arbeitet gegen uns.«

»Nicht wenn es sich um einen Racheakt handelt, der in einem Zusammenhang mit Richards Tätigkeit als Polizist steht. Das werden wir herausfinden, ob das einen Monat früher oder später geschieht. Keine Sorge. Wir bleiben dran.«

Sie war der verkörperte Zweifel, aber sie sagte nichts mehr. Caleb deutete zu dem Gebäude des Supermarkts hinüber. »Sie sollten etwas zu essen kaufen. Ich glaube nicht, dass Sie im Haus Ihres Vaters etwas wirklich Brauchbares vorfinden werden. Constable Scapin hat seinerzeit den Kühlschrank leer geräumt und alles Verderbliche weggeworfen. Dort herrscht also jetzt gähnende Leere.«

»Danke. Ich werde schon etwas finden.«

»Sie wollen jetzt nichts kaufen? Morgen ist Sonntag und...«

»Ich will nichts kaufen, nein.«

»Sie müssen doch etwas essen.«

»Es wird irgendetwas da sein.«

Es war nichts zu machen. Caleb startete den Wagen wieder. Er sah sie vor sich, wie sie in dem leeren, stillen Haus saß, in dem sie einmal mit ihren Eltern gelebt hatte. Wie sie dem Ticken der Uhren lauschte und dem Brummen einiger Fliegen, die gegen Fensterscheiben surrten. Wie sie in der Küche stand, den Stuhl anstarrte, auf dem ihr Vater an Händen und Füßen gefesselt gestorben war. Caleb hätte sich an ihrer Stelle mit leckerem Essen eingedeckt und mit... Nun ja, als der Caleb von früher auch mit mindestens zwei großen Flaschen Whisky. In dieser Situation konnten nur Kalorien und Alkohol helfen. Aber so wie Kate aussah, waren das nicht die Trostmittel, nach denen sie griff. Sie hatte vermutlich schon lange keine vernünftige Mahlzeit mehr zu sich genommen, und wahrscheinlich half es ihr auch nichts, wenn sie sich gelegentlich richtig betrank. Sie schien nicht zu glauben, dass überhaupt irgendetwas ihr jemals würde helfen können. Nur die Überführung und Bestrafung der Täter. Aber auch dies zu erreichen würde, nach Calebs Meinung, ihre seelischen Wunden nicht dauerhaft heilen.

Er fuhr jetzt Richtung Church Close.

Zum Haus des toten Detective Chief Inspectors Richard Linville.

2

Sie saßen um den Kaffeetisch im Wohnzimmer und bemühten sich krampfhaft, eine Unterhaltung in Gang zu bringen und am Laufen zu halten. Genau genommen bemühten sich Stella und Jonas. Die beiden Gäste trugen wenig dazu bei, den tristen Nachmittag etwas weniger zäh und quälend zu gestalten. Terry Malyan war im Wesentlichen damit beschäftigt, ihren Freund anzuhimmeln und, wie es Stella vorkam, mit einer gewissen Ängstlichkeit oder zumindest Nervosität seine Stimmung immer wieder neu auszuloten.

Neil Courtney. Der Neue.

Stella war selten einem Menschen begegnet, der ihr auf den ersten Blick so unsympathisch gewesen war. Der in ihr fast reflexhafte Abwehr, Abneigung und ein Gefühl äußerster Vorsicht ausgelöst hatte. Wenn sie Neil Courtney in wenigen Worten hätte beschreiben sollen, dann hätte sie gesagt: arrogant. Überheblich. Absolut kalt. Ohne jede Empathie. Ein Typ, dem sie eigentlich am liebsten die Hand nicht gegeben hätte.

Er sah gut aus, war groß und sehr breitschultrig. Seine Haare trug er auf Millimeterlänge abrasiert, an seinem rechten Ohrläppchen blinkte ein Glitzerstein. Weißes T-Shirt, Jeans, Jeansjacke. Ein Mann, der sicherlich eine gewisse Wirkung auf Frauen ausübte. Definitiv jedenfalls auf Terry.

Terry hatte sich in den fünf Jahren sehr verändert, oder sie hatte sich, mutmaßte Stella, zumindest verändert, seitdem sie mit Neil zusammen war. Stella erinnerte sich an das junge, etwas exaltierte Mädchen von damals, ein Kind praktisch noch, das plötzlich zur Mutter geworden war und sich im eigenen Gefühlschaos nicht mehr zurechtfand. Stella war nicht hellauf begeistert von ihr gewesen, hatte sie aber ganz nett gefunden. Jetzt dachte sie: Sie ist fremdgesteuert. Sie ist nicht mehr sie selbst.

Allein die Aufmachung: Damals war Terry der Jeans-und-Sweatshirt-Typ gewesen. Sportlich, die braunen Haare zum Pferdeschwanz gebunden, Turnschuhe an den Füßen. Etwas geschminkt, aber nicht übertrieben.

Jetzt hatte sie die Variante grell und sexy gewählt und von beidem zu viel. Zu viel Farbe im Gesicht, die Haare in einem unnatürlichen, stumpfen Schwarz gefärbt, schwarz lackierte Fingernägel. Ein Minirock, der knapp an die Oberschenkel reichte. Gemusterte Strümpfe. High Heels, die sie einen ganzen Kopf größer machten. Ein Ausschnitt, der fast bis zum Bauchnabel reichte.

Und das zum Nachmittagskaffee bei den Adoptiveltern des eigenen Kindes? Es passte einfach nicht. Und vor allem schien sie sich auch selbst nicht recht wohl zu fühlen. Sie hatte nicht die Ausstrahlung einer jungen Frau, die selbstbewusst und fröhlich das tat, was ihr Spaß machte, und sich nicht darum scherte, was andere darüber dachten. Sie wirkte verunsichert und angestrengt. Sie war nicht sie selbst. Sie vermittelte den Eindruck, als gebe es in ihrem Leben nur noch ein einziges echtes Ziel, dem sie alles andere und vor allem sich selbst komplett unterzuordnen bereit war: diesem Kerl an ihrer Seite, wo immer sie ihn aufgegabelt hatte oder von ihm aufgegabelt worden war, zu gefallen.

Aber vielleicht, dachte Stella, interpretiere ich zu viel in sie hinein. In alle beide. Weil ich diese ganze Situation so furchtbar finde.

Sie hatte das Treffen noch abzuwenden versucht, indem sie auf die lange geplante Kinderparty an Sammys Geburtstag verwies, bei der Erwachsene letztlich stören würden, aber Terry und Neil hatten daraufhin kurzerhand beschlossen, eben einen Tag später zu kommen, und daher saßen sie nun an diesem Samstag im Wohnzimmer und raubten Stella die Nerven. Für Sammy hatten sie ein Bauklötzer-Steckspiel mitgebracht, das ihn mit zwei Jahren fasziniert hätte, für das er aber jetzt viel zu alt war. Natürlich hatten sie das nicht abschätzen können, aber Stella fragte sich, ob es so schwierig gewesen wäre, sich im Geschäft bei einer Verkäuferin nach einem geeigneten Geschenk für einen fünfjährigen Jungen zu erkundigen. Ihr kam es so vor, als hätten sie im Vorbeigehen das Nächstbeste aus einem Regal gezogen, einfach um irgendetwas zu haben, das sie überreichen konnten. Als sie ins Haus kamen und gleich darauf Sammy im Flur auftauchte, hatte sich Terry zu Neil umgedreht und voller Stolz gesagt: »Das ist er! Das ist mein Sohn!«

Stella hatte mühsam einen scharfen Kommentar heruntergeschluckt, Sammy hatte verdutzt geguckt, und Neil hatte ihm nur einen kurzen Blick zugeworfen, einen Blick, in dem Stella Desinteresse zu erkennen glaubte. Überall ringsum waren noch die Reste der Party zu erkennen, Luftballons, die am Treppengeländer, aber auch draußen an Büschen und Bäumen hingen und langsam ihre Luft verloren, Luftschlangenreste in den Ecken, Pappbecher, die noch nicht aufgeräumt waren. Stella entschuldigte sich für die Unordnung, aber die Gäste erwiderten nichts darauf. Sie fragten auch nicht, wie das Fest verlaufen war, wie viele Kinder gekommen waren, ob Sammy gute Freunde hatte. Sie vermittelten nicht den Anschein, als brannten sie auf Informationen über den kleinen Jungen, sein Leben, sein Umfeld.

Soll mich das beruhigen oder beunruhigen?, fragte sich Stella.

Es war jede Menge Kuchen und Eis übrig geblieben, daher fiel zumindest die Bewirtung nicht schwer. Terry wollte Tee, Neil Kaffee. Sammy hatte sich in den Garten verzogen und spielte dort mit einem anderen Kind, das in der Nachbarschaft wohnte und über die Zäune hinübergeklettert war. Ein friedlicher Samstagnachmittag.

Zumindest äußerlich.

»Neil wollte meinen Sammy unbedingt kennenlernen«, sagte Terry. »Und natürlich auch Sie beide, Stella und Jonas. Irgendwie sind Sie ja schon ein Teil meines Lebens.«

Stella empfand sich nicht im Geringsten als einen Teil von Terrys Leben, und sie wollte das auch nicht sein. Sie merkte, dass Neil sie fixierte. Er schien ihr Unbehagen zu bemerken und eine gewisse Freude daran zu finden.

»Wir sollten Sammy nicht überfordern«, sagte sie. »Wir werden ihn natürlich nicht im Unklaren darüber lassen, dass er ein Adoptivkind ist, aber im Moment kann er das nicht begreifen. Er hält sich für unser Kind.«

»Dagegen ist nichts zu sagen, solange für Sie feststeht, dass Sie ihm irgendwann reinen Wein einschenken«, sagte Neil.

Ein kurzes, unangenehmes Schweigen folgte seinen Worten. Sowohl Jonas als auch Stella hatten das Gefühl einer klaren Grenzverletzung, aber sie waren entschlossen, den Tag ohne eine Eskalation durchzustehen. Jonas bedeutete Stella mit den Augen, sich nicht aus der Ruhe bringen zu lassen.

»Wir sind im Vorfeld der Adoption sehr gut und genau vom Jugendamt instruiert worden, Mr. Courtney«, sagte er höflich. »Wir wissen recht gut, was wir zu welchem Zeitpunkt zu tun haben, um Sammy mit seiner speziellen Situation vertraut zu machen. Machen Sie sich keine Sorgen.«

»Ich habe Neil immer erzählt, dass Sie beide großartige Menschen sind«, sagte Terry. »Ich habe regelrecht von Ihnen geschwärmt, stimmt's, Neil? So nett, so warmherzig und engagiert. Dieses wunderschöne Haus hier in Kingston… Alleine ein solches Umfeld zum Wohnen hätte ich meinem Kleinen schon niemals bieten können. Das alles hier…« Sie ließ ihren Blick durch das großzügige Wohnzimmer mit dem sonnigen Erker schweifen, »muss ja ganz schön viel Geld gekostet haben.«

»Na ja, man bezahlt ja solche Häuser nicht gleich auf einmal«, erklärte Jonas. Er lachte. Es klang unecht. »Man stottert sie ganz schön mühsam ab. Über Jahrzehnte.«

»Sie sind Drehbuchautor?«, erkundigte sich Neil. »Terry erwähnte so etwas…«

»Ja. Ich arbeite freiberuflich mit mehreren Fernsehsendern und Produktionen zusammen. Das macht viel Spaß, ist immer wieder neu und anregend, aber man muss natürlich auch hoffen, dass die Kreativität immer funktioniert.«

Man stottert mühsam das Haus ab… man hofft, dass die Kreativität immer funktioniert… Stella brauchte einen Moment, ehe sie begriff, weshalb sich Jonas diesen wildfremden Menschen gegenüber so klein machte. Offenbar hatte Jonas verstanden oder vermutete, dass die beiden nicht wegen Sammy hier waren. Sammy war ihnen völlig egal. Terry hatte ihrem neuen Freund gegenüber vom Wohlstand der Cranes geschwärmt, und dieser Nachmittag war nichts anderes als ein Erkundigungstrip. Neil wollte sich gründlich umschauen. Und im Geist schmiedete er Pläne, wie man möglicherweise über den kleinen Sammy an Geld kommen konnte. Jonas' Strategie im Moment war die, dem jungen Pärchen den Zahn zu ziehen, es bei den Cranes mit reichen, bestens situierten Menschen zu tun zu haben.

»Was machen Sie denn beruflich, Mr. Courtney?«, erkundigte sich Jonas nun.

Neil zog beide Augenbrauen hoch. »Muss man immer beruflich etwas *machen*?«

»Man muss ja von etwas leben«, sagte Stella.

Er warf ihr einen verächtlichen Blick zu. »Man kann von so vielem leben. Man sollte sich die Zeit nehmen, den eigenen Weg zu finden.«

Stella schätzte ihn auf Ende zwanzig, Anfang dreißig. Könnte er da seinen Weg nicht allmählich gefunden haben?

»Neil hat ein bisschen Geld geerbt«, berichtete Terry, »daher muss er im Moment über Beruf und solche Dinge nicht nachdenken. Und ich habe in einem Pub gearbeitet, aber vor zwei Wochen habe ich den Job verloren. Mal sehen, ob ich etwas anderes finde.«

Auch das noch. Stella hätte gehofft, dass beide ihrem Alter entsprechend so eingespannt wären, dass es für sie zumindest ein zeitliches Problem darstellen würde, den Kontakt zu der Familie Crane zu intensivieren. Aber wie es aussah, lebten Terry und Neil munter in den Tag hinein, und ihre größte Sorge bestand darin, immer wieder von Neuem eine Strategie gegen die drohende Langeweile und die Leere des Daseins zu finden. Sie hatte das Auto gesehen, in dem die beiden gekommen waren, es wirkte ziemlich alt und schäbig. Neil konnte keine gigantische Erbschaft gemacht haben; er war der Typ, der mit Statussymbolen nur so um sich geworfen hätte, wäre es ihm möglich gewesen. Es musste sich um einen Betrag handeln, der es ihm ermöglichte, eine Zeitlang ohne Arbeit zu leben und *den eigenen Weg zu finden*, aber es dürfte kaum ausreichen, ihn sein ganzes Leben lang finanziell über Wasser zu halten. Herzklopfend dachte sie, dass Jonas wahrscheinlich recht hatte: Neil sah sich gerade nach einer neuen Geldquelle um, und die Cranes stellten eine Option dar.

Ich hätte mich nie auf dieses Treffen einlassen dürfen, dachte sie.

Aber zugleich wusste sie, dass ihr nicht viele Möglichkeiten geblieben wären: Terry kannte noch von damals die Adresse. Neil und sie hätten dann eben ein oder zwei Wochen später als fröhlicher Überraschungsbesuch vor der Tür gestanden. *Wir waren gerade auf der Durchreise, und da dachten wir…*

Der Nachmittag quälte sich dahin. Jonas erzählte von seiner Arbeit. Stella ging mehrmals in den Garten, um nach Sammy und seinem Freund zu schauen. Alles war in Ordnung bei den Kindern. Am frühen Abend fragte Neil, ob er ein Glas Orangensaft haben könnte, und Stella, froh, der bedrückenden Atmosphäre im Wohnzimmer zu entkommen, verschwand sofort in der Küche. Eine halbe Minute später erschien auch Jonas dort. Er zog die Tür hinter sich zu und zischte leise: »Biete bloß kein Abendessen an! Ich will, dass die jetzt verschwinden!«

Stella nahm gerade den Saft aus dem Kühlschrank. »Ich biete bestimmt nichts an. Aber wie werden wir sie endlich los?«

»Indem es nichts mehr gibt. Dieser Orangensaft hier ist das Letzte, was sie bekommen. Von da an stellen wir uns stur. Kein Glas Wein, kein Bier, keine Cracker. Nichts. Dann kapieren sie es vielleicht.«

»Hältst du sie für gefährlich, Jonas?«

Jonas zögerte eine Sekunde. »Nein. Aber dieser Neil ist ein unangenehmer Kerl. Dem schießen schon den ganzen Nachmittag über Gedanken durch das Gehirn, wie er hier einen Fuß in die Tür bekommen könnte. Terry ist ihm komplett ergeben und rafft nichts. Sie meint immer noch, er habe ihren Sohn kennenlernen wollen.«

»Jonas, können die beiden …?«

Er legte die Hand auf ihren Arm. »Mach dir keine Sorgen. Sie können uns Sammy nicht wegnehmen, und sie haben rechtlich nichts in der Hand, um eine Kontakterlaubnis zu erzwingen. Dass sie heute hier sind, basiert auf reinem Entgegenkommen von uns. Sie müssen begreifen, dass es darüber hinaus nichts geben wird.«

Stella nickte. Als sie und Jonas wieder ins Wohnzimmer traten, saßen Terry und Neil nicht mehr am Tisch. Terry stand im Erker und blickte auf die Straße hinaus. Neil stand vor dem kleinen Sekretär neben dem Kamin und hielt etwas in der Hand. Im Näherkommen sah Stella, dass es sich um den Prospekt über die North York Moors handelte, auf dem sie sich noch am Morgen den Ort angesehen hatten, in dessen Nähe ihr Ferienhaus lag. Jonas hatte das im selben Moment erkannt. Er trat an Neil heran und nahm ihm den Prospekt mit einer nachdrücklichen Bewegung aus der Hand.

»Wir mögen es nicht so gern, wenn man sich auf unseren Schreibtischen umsieht«, erklärte er.

Neil hob beide Hände, wirkte aber nicht im Mindesten

betroffen. »Sorry. Wollte mir nur den Sekretär anschauen. Ein tolles Teil. Echt alt?«

»Ja.«

Neil deutete auf den Prospekt. »Die North York Moors. Ihr Sommerurlaub in diesem Jahr?«

»Das wissen wir noch nicht«, sagte Jonas. »Meine Urlaubszeit ist noch nicht geklärt.«

»Traumhafte Gegend. Na ja, jedenfalls wenn man auf viel Natur steht. Außer Heidekraut und Schafen gibt es da nicht viel zu sehen.«

»Wie gesagt, wir haben noch keine Entschlüsse gefasst.«

Stella reichte ihm den Orangensaft. »Bitte sehr. Ihr Saft.« Sie blieb mitten im Raum stehen, Jonas ebenfalls. Keiner von ihnen forderte die Gäste auf, doch wieder Platz zu nehmen.

Neil trank in Seelenruhe sein Glas leer.

»Tja«, sagte er dann, »wir sollten wohl langsam aufbrechen.«

»Fahren Sie heute noch nach Truro zurück?«, erkundigte sich Jonas.

Neil stutzte einen Moment, dann lachte er, als habe Jonas eine komische Bemerkung gemacht. »Ich wohne doch nicht in Truro! Großer Gott! Terry stammt von dort, aber mich brächten keine zehn Pferde in das Kaff!«

Auch Terry lachte, eher pflichtschuldig und etwas gequält. »Wir leben in Leeds«, erklärte Neil. Er wies auf den Prospekt, den Jonas noch immer in der Hand hielt. »Deshalb kenne ich auch die Gegend ganz gut. Falls Sie dort Ferien machen wollen, könnte ich Ihnen gute Tipps geben.«

»Danke. Aber, wie gesagt, da steht nichts fest«, erwiderte Jonas nach einer Schrecksekunde.

Es dauerte noch gute zwanzig Minuten, bis die beiden

endlich gingen, denn Terry zelebrierte zunächst einen innigen Abschied von Sammy, den dieser etwas genervt über sich ergehen ließ. Als die Haustür hinter ihnen zugefallen war und das Geräusch des startenden Autos erklang, sagte Stella: »Das war's. Yorkshire kommt nicht in Frage für deinen Trip in die Abgeschiedenheit. Mein Gott, Leeds! Das ist ja um die Ecke!«

»Um die Ecke nicht direkt«, meinte Jonas, »aber auch nicht gerade am anderen Ende des Landes, das stimmt.« Er ging ins Wohnzimmer, ließ sich erschöpft auf eines der Sofas fallen. »Du meine Güte. Leeds! Du hattest auch keine Ahnung?«

Stella war ihm gefolgt. Sie lehnte in der Tür. »Nein. Ich habe einfach vorausgesetzt, dass sie beide in Truro wohnen, weil Terry damals dort lebte. Das war natürlich naiv. Es sind fünf Jahre vergangen. Warum sollte alles so sein, wie es war?«

»Terry hat sich sehr verändert.«

»Wenn du mich fragst, ist sie ihm hörig.« Stella blickte zum Fenster hinaus. Neil hatte gewendet, er und Terry fuhren in ihrem blauen Renault gerade wieder vorbei, um Kingston-upon-Thames auf hoffentlich Nimmerwiedersehen zu verlassen. »Sie hängt an seinen Lippen. Sie bettelt um jeden Funken Zuwendung, den sie bekommen kann. Sie tut, was er will. Und er ist ein widerlicher Typ.«

»Das ist richtig. Aber«, Jonas stand entschlossen auf, »ich lasse mir von diesem sauberen Pärchen nicht in unser Leben hineinpfuschen. Und du auch nicht. Dieses Haus in der Einsamkeit ist ein gutes Angebot, und wir machen das.«

Ein dumpfes, unbestimmtes Gefühl von Angst und Verunsicherung breitete sich in Stella aus, eine Art düstere Vorahnung.

»Wir sollten umdisponieren«, sagte sie.

»Stella, was soll denn passieren? Die haben doch keine Ahnung, wo genau wir uns aufhalten. Sie wissen auch nicht, wann das sein wird. Und überhaupt – aus welchem Grund sollten sie versuchen, uns dort aufzustöbern? Sehnsucht nach Sammy wird es kaum sein, was sie treibt, das haben wir ja heute bemerkt. Der Kleine interessiert doch alle beide nicht besonders.«

»Eben. Das ist es ja. Weshalb waren sie heute hier?«

Sie blickten einander an.

»Du weißt es«, beantwortete Stella schließlich selbst ihre Frage. »Du weißt, warum du betont hast, wie mühsam man hier die Häuser abbezahlt und wie viele Unsicherheiten das Leben für einen freiberuflichen Drehbuchautor bereithält. Was du ihnen mitteilen wolltest, war: Wir sind keine reichen Leute. Bei uns ist nichts zu holen. Weil du gespürt hast, dass es das ist, was hinter dieser ganzen Geschichte steckt. Terry hat ihm erzählt, dass sie einen Sohn hat. Der adoptiert wurde und jetzt ein sehr wohlhabendes Leben in einem der besseren Londoner Vororte führt. In ihrer Vorstellungswelt sind wir wahrscheinlich ziemlich reich, und das hat sie Neil vermittelt. Dessen Erbschaft geht vermutlich langsam zur Neige, und da überlegte er sich, einfach mal bei uns vorbeizuschauen und zu sehen, ob sich da irgendetwas abstauben lässt.«

»Okay. Das waren meine Gedanken. Aber wenn du das zu Ende denkst, Stella: Was sollte er schon tun? Vielleicht war es seine Vorstellung, dass wir über Sammy zu einer Art großer, glücklicher Familie werden, zumindest enge Freunde, und dass ihm dieser Umstand etliche Annehmlichkeiten zukommen lässt. Na und? Es liegt doch an uns, ob wir uns darauf einlassen. Und das werden wir nicht. Dies heute war das erste und letzte Treffen, weitere Besuche wird es nicht geben. Ich glaube übrigens, dass Neil das auch schon kapiert hat. Terry ist hoffnungslos naiv, aber er ist ein schlauer Typ. Ich vermute, er hat uns abgehakt.«

»Und wenn nicht?«

»Sollte das alles auf eine Art Stalking hinauslaufen, wenden wir uns an die Polizei. Notfalls erwirken wir eine gerichtliche Verfügung. Aber so weit sind wir noch lange nicht. Und ich glaube auch nicht, dass wir dahin kommen.«

Vor Stellas Augen stieg das Haus auf, von dem Jonas geschwärmt hatte. Jonas, der auf einen Burnout zulief und sich für mindestens zwei Wochen in die völlige Abkehr vom Rest der Welt begeben sollte. Der nächste Ort hieß Egton Bridge, ziemlich zentral im Hochmoor gelegen, aber auch von dort waren es gute zehn Meilen einsame Landstraße bis zu der ehemaligen Farm, die ein Kollege von Jonas gekauft und zu seinem Rückzugsrefugium ausgebaut hatte.

»Dort kann man schreiben«, hatte er Jonas erzählt, »völlig ungestört von Gott und der Welt. Kein Fernseher, kein Telefon, kein Radio. Um Handyempfang zu bekommen, musst du den nächsten Hügel hinaufklettern. Die einzigen Lebewesen, die du zu Gesicht bekommst, sind Schafe und Vögel. Und die quatschen dich garantiert nicht an. Du kannst völlig aussteigen. Wenn ich richtig im Termindruck bin und die totale Konzentration brauche, gehe ich dorthin. Und wenn dein Arzt meint, dass du dringend mal abschalten solltest, ist es genau das Richtige. Absolut langweilig!«

Jonas hatte Stella begeistert davon berichtet. Von seinem Arztbesuch und von der Lösung, die sich gleich darauf anbot. Stella war nicht ganz so euphorisch gewesen. Eine einsame Farm in der Mitte von Nirgendwo … Insgeheim hatte sie bereits überlegt, Jonas den Vorschlag zu machen, er solle doch allein seine Auszeit nehmen, während sie mit Sammy zu Hause blieb oder einfach in der Zeit ein paar Verwandtenbesuche, die schon lange anstanden, erledigte.

Aber nun sah alles etwas anders aus. Sie wusste, dass Jonas mit allem, was er zu ihrer beider Beruhigung hervorgebracht hatte, recht hatte, und trotzdem wollte das Gefühl nicht weichen, dass sie schon den ganzen Nachmittag über umklammert hielt, dass sie eigentlich sogar schon seit Terrys erstem Anruf bedrängte: ein Gefühl drohender Gefahr. Von der sie selbst nicht wusste, wie sie aussehen sollte. Sie hätte sie nicht definieren, nicht beschreiben können. Die Erkenntnis, die sich für sie daraus ergab, war nur die: Wir sollten uns jetzt nicht trennen.

»Und wir sollten nicht dorthin fahren«, sagte sie laut. »Nach Egton Bridge. Lass uns einen anderen Ort suchen, Jonas.«

Er entgegnete: »Lass uns darüber schlafen.«

Seine Entscheidung war längst gefallen.

Sie hatte im Bett ihres ermordeten Vaters geschlafen, weil sie gehofft hatte, sie werde sich ihm dann näher fühlen. Sie würde ihn überhaupt *irgendwie fühlen.* Es gab Menschen, die nach dem Verlust naher Angehöriger davon sprachen, dass sie ihre Präsenz spüren konnten. *Er ist nicht fort, auch wenn ich ihn nicht sehen kann. Er ist ganz bei mir.*

Kate war das seit Richards Tod noch nicht eine Sekunde lang so gegangen. Er war weit weg, und sie fühlte sich vollkommen verlassen. Weder hörte noch sah noch fühlte sie ihn. Sie erinnerte sich, ja, aber es war eine Erinnerung, die ihr die ganze Zeit über zuzuraunen schien: *Vorbei, vorbei, vorbei …*

Die Bettwäsche war nicht gewechselt worden seit jener Nacht, in der er ermordet worden war. Kate hatte es damals im Februar nicht fertiggebracht, und wahrscheinlich würde sie es auch jetzt nicht fertigbringen. Sie meinte, noch ganz schwach das Duschgel zu riechen, das Richard zu benutzen pflegte, aber das konnte auch eine Einbildung sein. Sie lag an diesem Morgen noch eine Weile wach zwischen den Kissen, das frühe Tageslicht erhellte das Zimmer. Bett, Schrank, Kommode, mehr Möbel gab es hier nicht. Auf der Kommode ein gerahmtes Bild von Kates Mutter. Ein Foto aus der Zeit vor dem Ausbruch ihrer Krankheit. Sie war noch die Frau mit den rosigen Wangen und den leuchtenden Augen. Später dann war sie eingefallen und fahl gewesen, hohläugig und von Schmerzen und Verzweiflung gezeichnet.

Kate stand um acht Uhr auf, duschte im nebenan gelegenen Bad, zog sich an und ging hinunter. Die eingeschlagene Tür, die vom Esszimmer in den Garten führte, hatte sie damals gleich reparieren lassen, aber die Tür zwischen Garten und Küche schloss noch immer nicht richtig. Kate spürte den kühlen Luftstrom, der durch die fingerbreiten Ritzen strömte. Diese Tür war eine Katastrophe, ein Energiefresser und Sicherheitsrisiko, aber tatsächlich hatte nicht sie dem Täter den Weg ins Innere des Hauses verschafft. Kate schloss daraus, dass der oder die Täter nicht vertraut waren mit den Räumen, in denen Richard gelebt hatte. Es war schwieriger, lauter und riskanter gewesen, die Glasscheibe zum nebenan gelegenen Esszimmer einzuschlagen; die Küchentür hingegen hätte man völlig lautlos praktisch aus den Angeln heben können. Der Täter hatte Richard zwar gezielt im Visier gehabt, gehörte jedoch nicht zu seinem näheren Bekanntenkreis, sonst hätte er das gewusst. Ebenso konnte man wohl Handwerker ausschließen, die möglicherweise in den Wochen vor dem Verbrecher im Haus gearbeitet hatten, ebenso wie Leute aus dem Umfeld von Richards Zugehfrau. Auch in diese Richtung war, wie Kate wusste, sofort ermittelt worden, aber erwartungsgemäß hatte sich daraus nichts ergeben.

Sie war überzeugt, dass das Verbrechen etwas mit Richards Vergangenheit zu tun hatte. Es galt, in dem großen Heuhaufen, der über vierzig Jahre beruflicher Tätigkeit angewachsen war, die Nadel zu finden.

Kate hatte sich am Vorabend eine Dose Bohnen in Tomatensoße heiß gemacht, die sie in einem der Küchenschränke gefunden hatte, aber für ein Frühstück sah es nun wirklich trostlos aus. Wahrscheinlich hätte sie Caleb Hales Vorschlag annehmen und sich im Supermarkt mit ein paar Vorräten eindecken sollen. Eine Scheibe Toastbrot mit Marmelade wäre jetzt das Richtige gewesen, aber natürlich war nichts in dieser Richtung zu finden. Es gab nur noch eine Reihe weiterer Dosen mit Bohnen. Kate musste lächeln. Seit dem Tod seiner Frau hatte sich Richard höchst einseitig ernährt.

Aber sie machte es auch nicht viel besser, wenn sie ehrlich war. Es war lange her, seit sie mit echtem Genuss eine wirklich schöne und aufwändig zubereitete Mahlzeit zu sich genommen hatte. Weihnachten war das gewesen. Sie hatte die Feiertage und den Jahreswechsel bei ihrem Vater verbracht, sie hatten zusammen gekocht, und zweimal hatte er sie in ein schönes Restaurant eingeladen. Wie immer hatten sie über alles Mögliche gesprochen, nicht aber über Probleme, die jeder von ihnen hatte. Kate hatte vermutet, dass ihr Vater sich sehr einsam fühlte, aber er hatte das nie erwähnt, ebenso wenig wie sie den Mut gefunden hatte, ihm zu sagen, wie schlecht es ihr ging. Vordergründig hatte sie sich eingeredet, ihn einfach nicht belasten zu wollen, er sollte sich keine Sorgen um sein einziges Kind machen müssen. Im Inneren wusste sie aber, dass etwas anderes dahintersteckte: Sie wollte ihn um keinen Preis enttäuschen. Er sollte nicht wissen, dass sie ihr Leben als eine einzige Pleite empfand. Sie wollte die Tochter sein, auf die er stolz sein konnte.

Sie stand in der Küche und wärmte ihre Finger an dem Keramikbecher, der mit heißem Kaffee gefüllt war. Kaffee immerhin gab es hier genug. Mit großer Willenskraft vermied sie es, den Stuhl anzusehen, auf dem ihr Vater in jener Nacht gefesselt gesessen hatte, auf dem er gestorben war.

Jemand hatte den Stuhl tief unter den Tisch geschoben, die Putzfrau vielleicht, die hier saubergemacht hatte, als der Tatort schließlich freigegeben worden war. Auf dem Fußboden waren damals, als Kate angereist war, Blutflecken gewesen; sie entsann sich, dass ihr bei diesem Anblick schwindelig geworden war und dass eine Polizistin sie gestützt und hinüber ins Wohnzimmer geführt hatte. Jemand hatte ihr einen Tee gebracht. Alle waren sehr nett und sehr fürsorglich gewesen.

Jetzt waren die Blutflecken verschwunden. Die Küche sah sehr sauber und aufgeräumt aus. Keine Spur mehr von dem Drama, das sich hier abgespielt hatte.

Ich müsste die Türen und Fenster öffnen, dachte Kate, es ist viel zu kalt hier drinnen, und es riecht fast modrig.

Fröstelnd zog sie die Schultern zusammen. Der Morgen war noch jung, trotzdem hatte sie den Eindruck, dass die Kälte hier im Haus nichts mit den Temperaturen draußen zu tun hatte. Sie hing mit der Tatsache zusammen, dass nichts und niemand mehr lebte hier im Haus, dass seit über zwei Monaten alles hermetisch verschlossen gewesen und die Heizung auf kleinster Stufe gelaufen war. Kate musste daran denken, wie lebendig es früher hier gewesen war, obwohl sie nur eine dreiköpfige Familie waren. Aber ihre Mutter hatte viel Fröhlichkeit und Wärme verbreitet, und ihr Vater hatte selbst nach härtesten Arbeitstagen gute Laune gehabt. Kate entsann sich ihrer Kindheit als einer glücklichen und geborgenen Zeit. Bis zum heutigen Tag vermochte sie nicht zu begreifen, weshalb sie dann später ihr Leben nicht hatte auf die Reihe bringen können. Es gab einfach keinen ersichtlichen Grund.

Ihre Bilanz: Mit neununddreißig Jahren noch immer allein lebend, ohne Mann, ohne Kinder, ohne Lebensgefährten, ohne Freunde. Beamtin der Metropolitan Police, bis vor einem Jahr auf dem Rang eines Detective Constable dümpelnd, was ungewöhnlich und peinlich war, gemessen an ihrem Alter und an all den Jahren, die sie bereits im Yard verbracht hatte. Im vergangenen September endlich die Prüfung und anschließende Beförderung zum Detective Sergeant. Geändert hatte sich dadurch nichts. Die Kollegen blieben auf Abstand, niemand suchte Kates Nähe, wenn es nicht unbedingt erforderlich war. Es war ihr nicht entgangen, dass man über sie tuschelte und dass man die Augen verdrehte, wenn sie in Gesprächsrunden das Wort ergriff. Irgendwie schien es immer falsch zu sein, was sie sagte, oder sie formulierte es in einer Weise, dass es falsch bei den anderen ankam. Sie war inzwischen so verunsichert, dass sie häufig gar nichts mehr sagte und auch versuchte, möglichst keine Entscheidungen zu treffen, vor lauter Sorge, es könnte das Verkehrte sein, was sie sagte oder entschied. Damit eckte sie natürlich ebenfalls an, denn von einer Polizeibeamtin, die noch dazu ihren Dienst bei der berühmtesten und angesehensten Behörde des Vereinigten Königreiches tat, erwartete man Entschlussfreudigkeit und konsequentes Handeln. Sie ahnte, dass man sich fragte, wie, um alles in der Welt, es ihr gelungen war, ihren Fuß ausgerechnet bei Scotland Yard in die Tür zu bekommen, und dass man vermutete, sie habe irgendwelche Beziehungen ihres Vaters genutzt. Was nicht stimmte. Kate hatte es allein geschafft. Es kam ihr vor, als sei es tausend Jahre her, aber es hatte eine Zeit gegeben, da war sie selbstbewusster und auch erfolgreicher gewesen. Dann hatte es ein oder zwei Fehlschläge gegeben, und danach hatte die Lähmung eingesetzt. Ihr Verstand hatte ihr immer wieder gesagt, dass Fehler nichts Ungewöhnliches waren und dass sie nicht die

Einzige war, die das eine oder andere auch schon gründlich vergeigt hatte, aber es half nichts: Ihr Selbstvertrauen war nachhaltig geschädigt, und es erholte sich nie. Im Gegenteil, es hatte sie nach und nach in eine Spirale nach unten geführt. Ohne Selbstvertrauen war ihr Job nicht zu bewältigen. Sie wartete inzwischen fast täglich darauf, dass man ihr nahelegte, sich etwas anderes zu suchen. Sie hatte Luft gewonnen, weil man sie nach der Ermordung ihres Vaters mit Samthandschuhen anfasste und weil selbst die Kollegen, die am meisten von ihr genervt waren, im Augenblick in erster Linie Mitleid mit ihr hatten. Aber der Chef hatte geradezu freudig zugestimmt, als sie um den verlängerten Urlaub gebeten hatte: um den Nachlass ihres Vaters zu regeln und um sich selbst neu zu ordnen. Vermutlich hoffte er inständig, dass sie nicht zurückkehren würde.

Sie hatte so lange nachgedacht und in den Garten gestarrt, dass sich der Becher in ihren Händen inzwischen kalt anfühlte. Sie probierte einen Schluck von dem Kaffee und verzog das Gesicht: lauwarm und bitter. Sie kippte ihn in die Spüle und schaute auf die Uhr. Kurz nach neun. Etwas früh für einen Sonntag, aber sie würde es trotzdem schon riskieren, jemandem einen Besuch abzustatten.

Eine Stunde später war sie nicht klüger als vorher. Sie hatte Robin Spencer aufgesucht, den Mann, dessen Freundin das Auto beobachtet hatte, dessen Fahrer sich auffallend verhalten hatte. Obwohl Caleb Hale, als er davon berichtete, keinen Namen genannt hatte, war es Kate doch sofort klar gewesen, um wen es sich handelte. Schließlich war sie in Scalby und noch dazu hier im Church Close aufgewachsen, und über ihren Vater war sie auch fast zwanzig Jahre nach ihrem Umzug nach London über jeden Menschen und alle

Vorkommnisse in der Gegend gut informiert. Robin Spencer galt schon immer als Schwerenöter, ein Mann, der einen regen Wechsel an Damenbekanntschaften pflegte, es jedoch sorgfältig vermied, sich jemals länger oder in irgendeiner Weise verpflichtend zu binden. Eine Affäre mit einer verheirateten Frau sah ihm ähnlich, weil das für ihn die risikoloseste Form einer Beziehung darstellte.

Tatsächlich gelang es Kate jedoch nicht, mehr aus ihm herauszubekommen, als sie ohnehin schon wusste. Robin war nicht allzu erfreut gewesen, sie am frühen Sonntagmorgen vor seiner Haustür stehen zu sehen, aber er hatte sie hereingebeten, hatte ihr verlegen zum Tod ihres Vaters kondoliert und ihr dann einen Kaffee eingeschenkt. Glücklicherweise war er alleine. Nein, den Namen seiner Freundin werde er ihr nicht sagen, die Ärmste habe schon genügend Probleme durch das alles. Die Polizei sei bei ihr gewesen, das reiche vorerst. Sie habe der Polizei alles gesagt, was sie wusste. Nein, sie wisse nicht sicher, ob es sich bei dem Auto um einen Peugeot gehandelt habe, aber sie vermute es. Ja, dunkelgrün ganz bestimmt. Der Fahrer? Mit hoher Wahrscheinlichkeit ein Mann. Beifahrer? Nein. Keine Chance wegen der Autonummer. Sie hatte überhaupt nicht darauf geachtet. Wer hätte auch ahnen können, dass etwas so Schreckliches hier in dieser spießigen Gegend passieren würde?

Als Kate sich verabschiedete, war ihr schwindelig vom vielen Koffein auf noch immer nüchternen Magen. Außerdem war es draußen inzwischen ziemlich warm geworden, und sie stellte fest, dass sie mit langer Hose, Wollpullover und Anorak völlig unpassend gekleidet war. Der Schweiß lief ihr den Rücken hinunter, als sie die Straße entlangging. Sie fühlte sich müde und frustriert.

Was hast du erwartet, dachte sie, dass du, ausgerechnet du, die unfähigste Polizistin von ganz Scotland Yard, hingehst, die richtigen Fragen stellst und – schwupps! – die entscheidende Antwort hervorlockst, die unmittelbar und in direkter Linie zum Täter führt? Spencers Freundin hat alles gesagt, was sie wusste. Auf Befehl wird ihr auch nicht mehr einfallen.

Schon von weitem sah sie, dass ein Auto vor ihrem Haus parkte, und im Näherkommen erkannte sie, dass es sich um Caleb Hales Auto handelte. Er selbst stand vor der Haustür, in der Hand eine Papiertüte, die, nach ihrem Aufdruck zu urteilen, von einem indischen Take-away stammte.

Er lächelte erleichtert, als er Kate erblickte. »Welch ein Glück! Ich dachte schon, ich muss unverrichteter Dinge wieder abziehen. Hier«, er schwenkte die Tüte, »die Vorstellung, dass Sie langsam verhungern, hat mir keine Ruhe gelassen. Ich hoffe, Sie mögen Curry?«

Kate schlich den Gartenweg entlang und hoffte, dass sie nicht ganz so schrecklich aussah, wie sie sich fühlte. Ihre Haare klebten im Nacken, und ihr Gesicht fühlte sich schweißnass an.

»Es ist noch nicht einmal zehn Uhr«, sagte sie anstelle einer Begrüßung. »Etwas früh für ein Mittagessen, oder?«

»Wir können es aufheben und später warm machen. Haben Sie eine Mikrowelle?«

Sie schloss die Haustür auf, leise seufzend. Es schien so, als habe er ihr nicht nur etwas zu essen gebracht, sondern sei auch entschlossen, da zu bleiben und zu verhindern, dass es ein einsames Mahl für sie würde. Sie wusste, dass sie sich unhöflich und unfreundlich benahm, aber sie konnte spüren, dass er sie bemitleidete, und dieses Gefühl sorgte immer dafür, dass fast unwillkürlich ihre Stacheln ausfuhren. Sie beurteilte sich selbst realistisch und wusste, dass sie weder eine Schönheit war noch über eine charmante oder fröhliche oder sonst irgendwie gewinnende Ausstrahlung verfügte. Solange sie lebte, war sie für Männer meist unsichtbar geblieben. Mit Ausnahme derer, denen sie leidgetan hatte. Mitleid war schlimmer als Nichtbeachtung, das hatte sie mittlerweile gelernt, und nun schien es, als wolle sich Caleb Hale in die Reihe der barmherzigen Samariter einordnen. Am liebsten hätte sie ihn gebeten, sie alleine zu lassen, aber: Er leitete die Ermittlungen im Fall ihres ermordeten Vaters. Er war wichtig. Er war darüber hinaus ihre Informationsquelle. Es wäre dumm gewesen, ihn zu verprellen.

Also rang sie sich ein Lächeln ab. »Tut mir leid. Ich wollte nicht so schroff sein. Es ist nett, dass Sie an mich denken. Es ist … wissen Sie … hier zu sein …«

Sie führte den Satz nicht zu Ende. Caleb nickte. »Ich kann mir das gut vorstellen. Deshalb dachte ich ja auch, Sie sollten nicht zu viel alleine sein. Und wenigstens anständig essen.« Er folgte ihr in den Hausflur. »Und ich möchte etwas mit Ihnen besprechen.«

In der Küche stellte er die Tüte auf den Tisch und schaute sich um. Auch sein Blick glitt sofort wieder weg, als er den Stuhl streifte, auf dem Richard gesessen hatte. Caleb war zwar nicht am Tatort gewesen, aber er hatte Fotos gesehen. Diese hatten ausgereicht, auch ihn, der schon mit viel Unschönem konfrontiert worden war, nachhaltig zu erschüttern.

Kate blieb mitten im Raum stehen. »Wie lange haben Sie mit meinem Vater zusammengearbeitet?«, fragte sie unvermittelt.

»Nicht lange«, sagte Caleb. »Ich kam in seine Abteilung ein knappes Jahr vor seiner Pensionierung. Insofern hatten wir nicht allzu viel Zeit, uns wirklich gut kennenzulernen oder so etwas wie eine gemeinsame berufliche Geschichte aufzubauen. Aber ich habe ihn sehr geschätzt, und ich habe es bedauert, als er fortging. Er war ein sehr guter und erfahrener Polizist, und er war ein ausgesprochen angenehmer Kollege.«

»Er war auch ein großartiger Vater«, sagte Kate leise, »und ein wunderbarer Mann für meine Mutter. Die Ehe meiner Eltern war sehr glücklich. Wir waren überhaupt eine glückliche Familie.«

Caleb nickte, schien etwas sagen zu wollen, verschluckte es aber. Beide schwiegen sie einen Moment. Dann sagte Caleb: »Ich will mich nicht einmischen, aber ich finde, Sie sollten etwas tun, die Atmosphäre dieses Hauses zu verändern. Hier ist seit Monaten kein Fenster offen gewesen, die Luft ist kalt und abgestanden, und selbst ohne dieses … schreckliche Geschehen würde ich hier depressiv werden. Schauen Sie mal, wie wunderschön der Garten blüht. Und es ist warm! Wollen wir nicht wenigstens die Tür nach draußen öffnen?«

Kate nickte. Sie öffneten die altersschwache Tür, deren Zustand bei Caleb ein Stirnrunzeln hervorrief, und traten auf die Terrasse. Sofort fühlte sich Kate umgeben vom Duft nach Gras und Flieder, und eine pelzige Hummel schwirrte an ihrem Gesicht vorbei.

Das Leben. Aber es gab ihr keine Freude und Zuversicht, stattdessen wurde der Klumpen im Hals dicker. Wie würde ihr Leben aussehen von nun an?

»Haben Sie … hatte Ihr Vater irgendwelche Gartenmöbel?«, fragte Caleb.

Sie nickte. »Im Schuppen. Da lagerte er sie über den Winter.«

»Wir sollten sie auf der Terrasse aufbauen und nachher draußen essen«, schlug Caleb vor.

Sie fühlte sich überrollt, genervt, fast so, als versuche jemand, sie gegen ihren Willen zu therapieren, aber sie verbiss sich die scharfe Bemerkung, die ihr auf der Zunge lag. Sie wollte über jeden Schritt der Ermittlungen unterrichtet sein, und Caleb war im Augenblick ihr einziger Zugang. Also nickte sie. »Kommen Sie«, sagte sie.

Gemeinsam schleppten sie den Tisch und die vier Stühle, die Richard sorgfältig im Schuppen gestapelt und sogar noch zusätzlich mit einer Plane abgedeckt hatte, auf die Terrasse. Kate holte einen Eimer mit warmem Wasser und wusch den Staub des Winters ab, während Caleb den Schirmständer über den Gartenweg rollte. Zuletzt legten sie die Kissen auf die Stühle und spannten den Schirm auf. Zwar hing die Sonne noch immer hinter den Wolken, aber der Schirm hatte eine warme, tiefrote Farbe und warf ein schönes Licht über die Terrasse.

Da es zum Mittagessen noch immer zu früh war, machte Kate noch einen Kaffee, und sie setzten sich nach draußen. Innerlich musste Kate zugeben, dass Calebs Idee nicht schlecht gewesen war. Es war viel schöner hier draußen als in der muffigen Atmosphäre des Hauses.

»Ich war bei Robin Spencer heute früh«, sagte Kate unvermittelt, »Sie wissen, der Mann, dessen Freundin ...«

»Ich weiß.« Caleb seufzte. »Sie sind hier nicht als Ermittlerin, Kate. Sie sind Polizistin, noch dazu Scotland-Yard-Beamtin. Aber Ihre Zuständigkeit ...«

»Ich weiß. Ich habe hier keinerlei Zuständigkeit. Ich bin aber auch nicht als Polizistin zu Robin Spencer gegangen. Sondern als Tochter meines Vaters.«

»Das kann ich verstehen. Und ich kann mir natürlich auch denken, weshalb Sie hierhergekommen sind. Es geht nicht nur darum, sich um das Haus zu kümmern und zu überlegen, was damit in Zukunft geschehen soll, nicht wahr? Sie finden, dass unsere Ermittlungen zu schleppend vorangehen, und Sie sind gekommen, um uns auf die Finger zu schauen und möglicherweise selber… na ja, nicht ganz untätig zu bleiben. Stimmt's?«

Sie schwieg. Er hatte es auf den Punkt gebracht, weshalb sollte sie ihm widersprechen?

Er lehnte sich vor. »Ich vermute, Kate, ich kann Sie nicht daran hindern, hier mit den Leuten zu reden, sich umzusehen, Gerüchten nachzugehen. Was auch immer. Ich könnte Sie von allen Informationen abschneiden, das wissen Sie. Von diesem ominösen Auto hätte ich nichts erzählen müssen. Und auch sonst könnte ich alles für mich behalten.«

»Aber…?«, fragte sie. Sein Tonfall hatte sich nach einem Aber angehört.

»Aber erstens würden Sie mit Ihren Beziehungen im Yard vermutlich ohnehin Mittel und Wege finden, an Informationen zu kommen«, sagte er resigniert, »und zweitens kann ich von einer Zusammenarbeit mit Ihnen profitieren. Niemand kannte Ihren Vater so gut wie Sie. Wenn es etwas in seiner Vergangenheit gibt, was möglicherweise mit diesem Verbrechen zu tun hat, dann könnten Sie der Mensch sein, über den ich das herausfinde.«

»Aber wir gehen doch davon aus, dass es sich um ein berufliches Ereignis aus seiner Vergangenheit handelt? Natürlich haben wir auch über solche Dinge gesprochen, aber er hat mir nicht alles erzählt, und vermutlich weiß ich nicht so detailliert Bescheid wie die Leute, mit denen er gearbeitet hat.«

»Wir müssen für alles offen bleiben«, sagte Caleb, und es

klang ein wenig so, als bete er eine Formel herunter, die er einmal gelernt hatte und an die er in diesem Fall selbst nicht recht glaubte. »Auch für die Möglichkeit, dass die Tat etwas mit Richards Privatleben zu tun hat.«

Kate rührte in ihrem Kaffee. »Das Privatleben meines Vaters war äußerst unspektakulär, Caleb. Gerade weil er einen so anstrengenden und aufreibenden Beruf hatte, gestaltete er sein übriges Leben eher ruhig und beschaulich. Wie gesagt, meine Mutter und er waren sehr glücklich – wenn man davon absieht, dass meine Mutter natürlich darunter litt, dass er so selten daheim war. In seiner dienstfreien Zeit arbeitete er viel im Garten. Alles, was hier blüht und gedeiht, ist sein Werk. Und er unternahm, wann immer er Zeit hatte, Dinge mit mir. Er brachte mir das Fahrradfahren und das Schwimmen bei, er ging im Winter mit mir zum Schlittenfahren und zum Eislaufen. Er nahm mich mit ins Theater und begleitete mich ins Kino, selbst wenn dort Filme gezeigt wurden, die ihn überhaupt nicht interessierten. Er war ein Familienmensch durch und durch. Er lebte für uns und für seinen Beruf.«

»Aber in den letzten Jahren … da übte er den Beruf nicht mehr aus. Seine Frau war verstorben. Seine Tochter längst aus dem Haus. Was wissen Sie über ihn aus dieser Zeit?«

»Wir haben fast täglich telefoniert. Er war einsam, aber er war nicht der Mensch, der je über etwas geklagt hätte. Er kümmerte sich verstärkt um den Garten. Er unternahm lange Spaziergänge. Er war gern draußen in der Natur. Er interessierte sich für alles, was in der Welt passierte, las mehrere Zeitungen täglich. Er sprach viel über Politik. Ich besuchte ihn, so oft ich nur konnte. Wenn etwas Ungewöhnliches in seinem Leben geschehen wäre, hätte er es mir erzählt.«

»Ich verstehe«, sagte Caleb. In seinem Blick, der nachdenklich auf ihr ruhte, erkannte Kate, dass er in diesem Moment dahinterblickte: Nicht hinter den verstorbenen Richard, sondern hinter sie, Kate. Er sah ihre Einsamkeit und Traurigkeit, und er begriff das Ausmaß ihres Verlustes.

Plötzlich zornig, weil sie das Gefühl hatte, er las in ihr wie in einem offenen Buch, sagte sie: »Ja, wir waren ungewöhnlich eng verbunden. Er hatte nur noch mich – und ich hatte nie jemand anderen als ihn. Es gibt niemanden in meinem Leben, Caleb. Ich habe meine Arbeit, und ich wohne in der anonymsten Wohnung, die man sich vorstellen kann, im Neubaugebiet von Brexley. Südlondon. Ansonsten ist da nichts. Und niemand. Mein Vater war alles für mich. Meine Anlaufstelle an langen Wochenenden, im Urlaub, an Weihnachten, an Ostern. An langen, dunklen Abenden. Wer immer ihn umgebracht hat, hat nicht nur ihn getötet, er hat, auf einer anderen Ebene, auch mich getötet. Ich will, dass der Täter gefunden wird. Ich will ihn sehen. Ich will wissen, warum er das getan hat. Ich will, dass er bestraft wird. Wenn ich jetzt, in diesem Moment, auch nur den Schatten einer Idee hätte, welches Ereignis oder welche Begegnung aus seinem Leben zu jener Februarnacht geführt haben könnte, ich würde es sofort sagen. Aber ich kann nichts sehen. Nichts erkennen.«

»Kate, ich muss mich darauf verlassen können, dass Sie sich, wenn Ihnen ein Gedanke kommt, sofort an mich wenden.« Caleb schien ein wenig beunruhigt wegen ihres Ausbruchs. »Ich kann Ihre Wut und Ihren Wunsch nach Vergeltung nur zu gut verstehen, aber Sie sind eine kluge Frau und eine ausgebildete Polizistin, und Sie wissen: keine Alleingänge. Und das letzte Wort hat dann die Justiz.«

Kate konnte genau spüren, woran er in dieser Sekunde

dachte. Die Pistole ihres Vaters. Sie hatte im Esszimmer auf dem Boden gelegen, man vermutete, dass Richard sie im Handgemenge mit seinen Gegnern verloren hatte. Nach Abschluss der ballistischen Untersuchungen war sie Kate wie alles, was ihrem Vater gehört hatte, ausgehändigt worden. Caleb wusste also, dass sie im Besitz einer Schusswaffe war.

»Natürlich hat die Justiz das letzte Wort«, bestätigte sie.

In das Schweigen des Frühsommertages hinein klang nur das Brummen der Hummel, die noch immer über der Terrasse umherschwirrte. Und das Zwitschern der Vögel.

»Haben Sie je den Namen Denis Shove gehört?«, fragte Caleb plötzlich.

»Nein. Wer ist das?«

»Er wurde von Ihrem Vater ins Gefängnis gebracht. Vor neun Jahren. Seine Verhaftung fiel also in die letzte Phase von Richards Berufsleben. Im August vergangenen Jahres wurde er wegen guter Führung und aufgrund einer sehr guten Prognose der ihn betreuenden Psychologin vorzeitig entlassen.«

»Dann war er zu einer noch höheren Strafe verurteilt? Das klingt nicht so, als handele es sich bei ihm um einen harmlosen Gauner.«

»Ein Tötungsdelikt. Er hat seine Freundin umgebracht.«

»Warum?«

»Besitzdenken, Eifersucht. Sie wollte sich von ihm trennen, da rastete er aus. Er hat sie buchstäblich totgeschlagen, war aber zu diesem Zeitpunkt schwer alkoholisiert und hatte wohl keine Tötungsabsicht. Er hat zwölf Jahre bekommen. Richard hat ihn damals überführt, nachdem Shove zunächst versucht hatte, die Tat jemand anderem in die Schuhe zu schieben.«

»Dann hatte er einen ziemlichen Hass auf meinen Vater?«

Caleb nickte. »Hatte er. Tatsächlich hatten das aber viele, die Richard im Laufe der Jahrzehnte hinter Gitter gebracht hat. Trotzdem gehörte Shove zu denen, die wir sofort in die ganz enge Wahl nahmen, aus zwei Gründen: Während seiner Vernehmungen und in der gegen ihn geführten Gerichtsverhandlung hat er mehrfach Drohungen gegen Ihren Vater ausgesprochen und angekündigt, ihm die Tatsache, dass er nun ins Gefängnis muss, später heimzuzahlen. Zudem ist er kurz nach Richards Ermordung untergetaucht. Hat sich bei seinem Bewährungshelfer nicht mehr gemeldet und ist bei Nacht und Nebel aus seiner Wohnung ausgezogen, ohne seinen nächsten Wohnsitz zu benennen.«

»Warum erzählen Sie mir erst heute von ihm?« Kate hörte selbst, wie aufgebracht sie klang. »Das gibt es doch nicht! Wieso wurde der Kerl überhaupt vorzeitig entlassen, nachdem er schon erklärt hatte, er werde meinem Vater dann etwas antun? Wieso wurde er nicht beschattet? Wieso wurde mein Vater nicht bewacht?«

Caleb klang resigniert. »Kate, Sie sind doch vom Fach. Sie wissen doch ...«

»Ja, klar, ich weiß. Nicht genug Leute, um jeden Kriminellen zu observieren, der irgendwann angedroht hat, einen Bullen umzulegen!«

»Tatsache ist, dass viele solche Dinge sagen, sie aber nie umsetzen. Laut der Psychologin hat Shove im Gefängnis übrigens nie wieder etwas davon erwähnt. Er hat seine Strafe akzeptiert und die Verantwortung dafür übernommen. Er wusste, dass er es war, der einen Fehler gemacht hat. Nicht Richard Linville.«

»Haben Sie mit dieser Psychologin selbst gesprochen?«

Caleb schüttelte den Kopf. »Leider nein. Unmittelbar vor Shoves Entlassung ist sie für ein Sabbatical nach Australien aufgebrochen und dort in der Versenkung verschwunden. Wie ich erfahren konnte, kehrt sie jetzt im Juni aber an ihren Arbeitsplatz in Hull zurück, und dann wird es sofort einen Gesprächstermin mit ihr geben. Ich habe jedoch ihr Gutachten über Shove sehr gründlich gelesen. Danach scheint Shove wirklich geläutert zu sein.«

»Trotzdem steht er ganz weit oben auf Ihrer Liste der Verdächtigen, stimmt's?«

»Ja. Natürlich. Weil er eben abgetaucht ist. Und weil …«

»… die optimistischen Sozialprognosen der Gefängnispsychologen meist von einer völlig realitätsfernen Verklärung ihrer Patienten bestimmt werden.«

»So pauschal kann man das nicht sagen. Aber natürlich sind Irrtümer möglich.«

Sie kam auf ihre erste Frage zurück. »Warum erzählen Sie mir erst heute von ihm?«

»Ich wollte uns alle nicht zu früh auf ihn festlegen. Sie wissen, wie blind man für die verschiedenen Möglichkeiten wird, wenn man sich auf eine einzige Richtung fokussiert. Sein Verschwinden muss absolut nichts mit dem Verbrechen an Richard zu tun haben. Er war schon vor dem Mord an seiner Lebensgefährtin ein krimineller Typ, der ständig durch kleinere Delikte auffiel. Es kann gut sein, dass er einfach dorthin zurückgekehrt ist – in ein Leben, in dem er nicht arbeiten muss, sondern sich auf andere Art durchbringt.«

»Arbeitete mein Vater noch mit Norman Dowrick zusammen, als er Shove verhaftete?«

»Nein. Das haben wir natürlich sofort überprüft, denn dann wäre ja auch Norman Dowrick gefährdet. Aber er hatte nichts damit zu tun. Ein gutes Jahr vorher war er bereits aus dem Polizeidienst ausgeschieden.«

»Fährt dieser Shove einen grünen Peugeot?«

Caleb schüttelte den Kopf. »Unseres Wissens besitzt er überhaupt kein Auto. Er ist jedenfalls als Fahrzeughalter nicht registriert.«

Denis Shove. Sie lauschte dem Klang des Namens nach, versuchte herauszufinden, ob da irgendeine Glocke in ihrem Kopf anschlug.

Caleb bemerkte das. »Ja, das ist mit ein Grund für meinen Besuch heute. Ich wollte Sie fragen, ob Ihr Vater in den Monaten vor seinem Tod diesen Namen irgendwann einmal erwähnt hat. Ihm ist mitgeteilt worden, dass Shove entlassen wurde, das weiß ich. Die Frage ist, ob er in irgendeiner Form mit Richard Kontakt aufgenommen hat. Vielleicht sogar ohne selbst in Erscheinung zu treten. Hat Richard etwas verlauten lassen, was in diese Richtung gehen könnte? Dass sich seit August letzten Jahres irgendetwas in seinem Umfeld oder in seinem Alltag verändert hat? Anonyme Anrufe vielleicht? Das Gefühl, da ist jemand in meinem Garten gewesen oder um mein Haus herumgeschlichen? Manchmal spürt man ja auch, dass man beobachtet wird, oder fühlt sich auf eine unerklärliche Weise bedroht.«

Sie überlegte, aber sie wusste, da war nichts. Nichts jedenfalls, das er ihr mitgeteilt hätte.

»Den Namen höre ich mit Sicherheit heute zum ersten Mal«, sagte sie. »Und mein Vater hat absolut nichts davon gesagt, dass er sich bedroht oder beobachtet fühlt. Aber das heißt nichts. Ohne einen konkreten Anhaltspunkt dafür, dass etwas nicht stimmt, hätte er so oder so nichts gesagt. Schon deshalb, um nicht als Spinner dazustehen, der sich irgendwelche komischen Dinge einbildet. Und sicher hätte er mich auch nicht beunruhigen wollen. Wir haben beide…« Sie brach den Satz ab. Warum sollte sie diesen Mann, den sie kaum kannte, mit privaten Angelegenheiten behelligen?

»Ja?«, fragte Caleb.

»Ach, nichts. Mir kam es nur gerade wieder zu Bewusstsein, dass mein Vater und ich viel Zeit damit verbracht haben, uns gegenseitig vorzumachen, dass in unserem jeweiligen Leben alles in Ordnung ist. Und jetzt frage ich mich so oft, warum wir das eigentlich getan haben.«

»Weil man das doch häufig so macht. Gerade gegenüber den Menschen, die man liebt. Wie Sie sagten: Man will einander nicht beunruhigen. Man will den anderen nicht enttäuschen. Ihr Vater wollte für Sie stark sein. Der Fels in der Brandung. Das ist wahrscheinlich ziemlich normal für Väter, speziell ihren Töchtern gegenüber, egal, wie erwachsen diese sind. Und die Töchter… ich kann nur vermuten, aber ich könnte mir denken, dass man immer ein bisschen diese idealisierte weibliche Person bleiben will, die der Vater von klein auf in einem sieht. Man will ihn nicht desillusionieren.«

Er hatte es ziemlich genau getroffen.

»Haben Sie Kinder?«, fragte Kate.

Caleb schüttelte den Kopf. »Nein. Und inzwischen nicht einmal mehr eine Frau. Wir haben uns getrennt. Vor ungefähr zwei Jahren.«

»Das tut mir leid.«

»Nicht zu ändern.« Er stand auf. »Wollen wir jetzt das Essen aufwärmen? Ich habe inzwischen ziemlichen Hunger.«

Überrascht stellte Kate fest, dass es ihr genauso ging. Als sie in die Küche traten, sagte Caleb: »Sie sollten unbedingt diese Tür reparieren lassen, Kate. Sie ist völlig kaputt. So, wie sie jetzt ist, könnten Sie sie nachts auch gleich offen stehen lassen.«

»Das hat meine Mutter meinem Vater auch immer gesagt. Aber er hat das nicht ernst genommen. Und wie man sieht: Es hätte ihn nicht gerettet. Der oder die Täter haben einen anderen Weg gefunden.«

»Aber jetzt wohnen Sie ganz allein hier«, sagte Caleb. »Und der Mensch, der Ihren Vater auf dem Gewissen hat, ist noch immer auf freiem Fuß. Und wir wissen nicht, was ihn antreibt. Sie sollten nicht zu leichtsinnig sein.«

Sie blickte ihn erstaunt an. »Was wollen Sie damit sagen?«

»Was ich gesagt habe. Nicht mehr und nicht weniger.« Er erwiderte ihren Blick. Er sah sehr ernst aus. »Wirklich, Kate. Bitte. Seien Sie vorsichtig. Tun Sie nichts Leichtsinniges.« Er zog seine Brieftasche hervor, nahm eine Karte heraus und reichte sie ihr. »Hier. Meine Nummer auf dem Revier. Und meine Privatnummer. Meine Adresse. Wenn irgendetwas ist, wenn Ihnen irgendetwas seltsam oder verdächtig erscheint – dann melden Sie sich bitte sofort bei mir!«

Seit Wochen schon zögerte Melissa Cooper an jedem Freitagnachmittag, ihre Stadtwohnung in Hull zu verlassen und hinaus in das Cottage zu fahren, das sie und ihre Kinder sich drei Jahre zuvor draußen im Marschland, an der Nordsee-Mündung des Flusses Humber, gekauft hatten. Sie hatte es damals zusammen mit ihren beiden erwachsenen Söhnen und deren Ehefrauen besichtigt, und obwohl sie alle sofort gesehen hatten, dass man eine Menge renovieren und wiederherstellen musste, hatte sie doch alle die Lage gleich hellauf begeistert. Direkt an der East Bank Road gelegen, einer schmalen Landstraße, die von Sunk Island aus an der immer breiter werdenden Flussmündung entlang bis fast zum Meer hin führte. Ringsum weites, flaches, grünes Land. Ganz selten nur Häuser, je weiter man sich von der Stadt entfernte, umso spärlicher wurde die Besiedelung. Das Cottage der Coopers schließlich stand ganz alleine, weit und breit gab es keine Nachbarn, jedenfalls keine, zu denen man Sichtkontakt gehabt hätte. Die nächsten Menschen wohnten fast drei Meilen die Straße hinunter, und auch sie kamen meist nur an den Wochenenden.

Das Haus hatte acht Zimmer und einen riesigen Garten, und als sie zusammenlegten und es kauften und schließlich in hingebungsvoller Eigenarbeit restaurierten, hatten sie von wunderbaren gemeinsamen Wochenenden und

Ferien dort geträumt. Die verwitwete Melissa, die Söhne mit ihren Frauen, die Kinder. Alle unter einem Dach, die kleinen, niedrigen Räume erfüllt von Lachen und Rufen, von Babygeschrei, vom Plaudern der Erwachsenen. Ihnen hatten Teestunden am Kamin, Wanderungen zum Meer, lange Abende auf der rückwärtig gelegenen Veranda vorgeschwebt. Spektakuläre Sonnenuntergänge erleben und dabei schon den Grill anwerfen. Freunde einladen.

Es einfach schön haben zusammen.

Es war natürlich anders gekommen. Noch während der letzten Renovierungsphase hatte sich die Frau von Melissas älterem Sohn mit der Frau des jüngeren Sohnes so gründlich und restlos zerstritten, dass beide Frauen von da an weder im Cottage noch sonst irgendwo je wieder aufeinandertreffen wollten. Da Melissa sich nicht darauf einließ, für den einen oder anderen Partei zu ergreifen, sondern sich in der ganzen Angelegenheit neutral verhielt, war sie zwar am Schluss mit niemandem verfeindet, aber die Beziehungen in beide Richtungen waren merklich abgekühlt. Letzten Endes war alles im Sand verlaufen. Irgendwann kam niemand mehr an den Wochenenden, und in den Ferien flogen die jungen Familien lieber in den Süden, als sich im milden, aber äußerst nassen Klima an der Nordostküste Englands in einem einsamen Häuschen für Wochen einregnen zu lassen. Melissa konnte es ihnen nicht einmal wirklich verdenken.

Bis zum Frühling dieses Jahres war sie an jedem Freitag in das Cottage gefahren und am Sonntagabend nach Hull zurückgekehrt. Sie tat es, weil sie das Haus nun einmal hatten und weil sich irgendjemand schließlich darum kümmern musste, aber auch, weil sie selbst den Tapetenwechsel brauchte. Sie liebte ihre Arbeit im Sekretariat einer Grundschule, und sie hatte dort den ganzen Tag über mit vielen Menschen zu tun, vor allem mit Kindern, und Kindern hatte ihr Herz schon immer gehört. Aber wenn sie nach Hause ging, war sie alleine, und vor allem die Wochenenden zogen sich endlos in die Länge. Es tat ihr gut, sich dann wenigstens nicht in der Zwei-Zimmer-Wohnung im Stadtzentrum von Hull einzuigeln, sondern sich ins Auto zu setzen, in die Weite dieser Meereslandschaft hinauszufahren und sich dann für zwei Tage eifrig in Haus und Garten dort draußen zu beschäftigen. Zum Glück fiel immer etwas an, das erledigt werden musste.

Dass sie seit Wochen nicht mehr draußen gewesen war und nun auch an diesem – ausnahmsweise sogar einmal richtig sonnigen – Maiwochenende um ein Haar in der Stadt geblieben wäre, hing mit einem eigenartigen Gefühl zusammen, das ihr seit einiger Zeit zusetzte und das sie mit immer größer werdender Unruhe erfüllte: Melissa fühlte sich beobachtet. Und das Schlimmste daran war, dass sie sich fragen musste, ob sie vielleicht drauf und dran war, den Verstand zu verlieren.

Erste Anzeichen von Altersdemenz? Mit neunundfünfzig Jahren?

Sie konnte nicht richtig erklären, woher genau das Gefühl kam. Es war nicht so, dass jemand sie angegriffen oder bedroht hätte. Es war nur... Einmal hatte sie spätabends aus dem Fenster ihrer Wohnung geschaut, und unter der Laterne auf der anderen Straßenseite hatte jemand gestanden, und ihr schien, als habe er zu ihr hinaufgeblickt. Sie war sofort vom Fenster zurückgewichen, und als sie wenig später erneut herzklopfend nach unten spähte, war die Gestalt verschwunden. Ein anderes Mal war sie aus der Schule gekommen, ziemlich spät, weil sie noch etwas für den nächsten Tag vorbereitet hatte, und draußen war ein Mann auf dem Parkplatz auf und ab gegangen, hatte eine Zigarette geraucht und augenscheinlich die Schule beobachtet. Als er ihrer ansichtig wurde, hatte er die Zigarette auf den Asphalt geworfen und ausgetreten und war eilig davongegangen.

Zweimal hatte morgens ihr Telefon geläutet, aber als sie sich meldete, hatte der Anrufer schweigend aufgelegt.

Sie hatte sich ein Herz gefasst und ihrem Nachbarn davon erzählt, aber dieser hatte gemeint, sie bausche da etwas auf. »Da wird sich jemand verwählt haben. Was meinen Sie, wie oft das bei mir passiert? Und die anderen Dinge … Dass jemand nachts unter der Laterne steht, muss absolut nichts mit Ihnen zu tun haben, und der Typ vor der Schule hat auf irgendjemanden gewartet … Ich glaube, Sie sehen Gespenster!«

Melissa hatte sich bemüht, fröhlich und ein wenig selbstironisch zu lachen. »Wahrscheinlich haben Sie recht. Ich bin zu viel alleine, da kommt man auf dumme Gedanken!«

»Sie sollten nicht immer in dieses gottverlassene Cottage da draußen fahren«, hatte der Nachbar gesagt, und Melissa hatte sofort alarmiert gefragt: »Wieso? Halten Sie das für gefährlich?«

Der Nachbar, ein ruhiger Mann um die vierzig, hatte die Panik in Melissas Stimme gehört und etwas irritiert gewirkt – zudem leicht besorgt. »Nein. Ich denke mir nur, wenn man so ganz allein in der Einsamkeit ist, dann kommt einem alles schnell etwas bedrohlich vor. Man hört unheimliche Geräusche und bildet sich vielleicht manchmal Dinge ein, die nicht da sind. Sie wirken sehr nervös, Mrs. Cooper. Vielleicht sollten Sie sich mal etwas zur Beruhigung verschreiben lassen.«

Na bitte, genau das hatte Melissa befürchtet. *Nervös* war in diesem Fall vermutlich die höfliche Umschreibung für *überspannt* oder *seltsam*.

Vielleicht war sie ja auch seltsam. Ein paar eigenartige Vorkommnisse, und schon entwickelte sie fast so etwas wie einen Verfolgungswahn.

Aber da war nun mal die Geschichte mit Richard Linville. Seine grauenhafte Ermordung. *Und das ist ein Fakt, den kennt niemand um mich herum. Zumindest nicht den Zusammenhang.*

Sie war schließlich am gestrigen Freitag endlich wieder hinausgefahren, sehr bewusst, um nicht auf schleichende Weise zur Gefangenen ihrer Ängste zu werden. Sie hatte sich jedoch vergewissert, dass die nächsten Nachbarn immerhin da waren, und erleichtert deren schweren Geländewagen vor dem Haus gesehen. Nicht, dass im Ernstfall eine Distanz von drei Meilen für sie eine echte Hilfe bedeutet hätte, aber es gab ihr trotzdem ein besseres Gefühl zu wissen, dass sie nicht vollkommen mutterseelenallein war.

Bei herrlichem Wetter hatte sie am Freitagabend auf der Terrasse gesessen und ein paar Gläser Wein getrunken, und bei anhaltend strahlender Sonne hatte sie am Samstag im Garten gearbeitet. Zwischendurch hatte sie einen Spaziergang ans Meer unternommen. Sie hatte sich gut gefühlt, bis am Mittag der Geländewagen der Nachbarn bei ihr vorgefahren war. Die Besitzer, ein Yuppie-Pärchen aus Scarborough, brachten ihr ein paar verderbliche Lebensmittel vorbei, die sie nicht hatten wegwerfen wollen, und verkündeten, noch heute nach London zu fahren und am späten Abend in Richtung Spanien abzufliegen.

»Drei Wochen Urlaub«, verkündete die junge Frau strahlend. »Wir haben nur noch das Haus in Ordnung gebracht und den Kühlschrank leer geräumt. Haben Sie Verwendung für die Sachen?«

»Gerne, natürlich«, sagte Melissa. Sie lächelte, aber das

Herz schlug ihr bis zum Hals. Sie winkte den beiden nach, bis sie verschwunden waren. Es war alles wie vorher, und trotzdem kam es Melissa stiller vor. Einsamer.

Sie betrachtete den Horizont, an dem die Wiesen in den Himmel übergingen, konnte aber nichts erkennen oder entdecken, was in irgendeiner Weise befremdlich, eigenartig oder gar unheimlich gewirkt hätte. Hin und wieder schrien ein paar Möwen. Bienen summten.

Du kannst jederzeit nach Hull zurückfahren, sagte sich Melissa, aber der Gedanke, diese sonnigen Tage in ihrer kleinen Wohnung, die nicht einmal einen Balkon hatte, zu verbringen, tat ihr weh.

Erneut ließ sie ihre Augen den Horizont entlangwandern und bemerkte plötzlich ein Blitzen. Ein kurzes, helles Aufleuchten von... irgendetwas. Sonne, die auf ein Glas fällt und gespiegelt wird.

Es kam von den Schafweiden, die im Landesinneren, zwischen Flussmündung und Meer lagen.

Sie starrte so angestrengt dorthin, dass ihre Augen zu brennen begannen. Sie konnte nichts Verdächtiges bemerken und wollte sich schon abwenden, da blitzte es erneut auf. Für den Bruchteil einer Sekunde nur. Aber unverkennbar. Irgendetwas war dort, was das Licht der Sonne reflektierte.

Ein Stück Glas im Gras? Manchmal kamen Ausflügler hier vorbei. Hatte jemand eine leere Wasserflasche weggeworfen? Oder ein Stück Stanniolpapier fallen gelassen? Aber wenn dort etwas herumlag, würde es dann nicht ständig reflektieren? Bedeutete dieses gelegentliche Aufblitzen, dass sich dort etwas *bewegte* und je nach Lage das Sonnenlicht auffing? Sie wünschte, sie hätte in der Schule im Physikunterricht besser aufgepasst, dann hätte sie jetzt vielleicht eine gute und einleuchtende Erklärung für den Lichtblitz.

War dort jemand? Jemand, der womöglich ihr Haus beobachtete? So wie der Mann unter der Laterne in Hull. Oder der vor ihrer Schule, der nervöse Raucher.

Spiegelte sich die Sonne in den Gläsern eines Fernglases?

Du fängst an zu spinnen, Mel, sagte sie zu sich, aber diese schroffe Ansage an sich selbst vermochte nicht zu verhindern, dass ihr Herz schneller ging und dass sie auf einmal das Gefühl hatte, nicht richtig Luft zu bekommen.

Da. Es blitzte erneut.

Das war nicht normal. *Irgendetwas war dort.*

Sie ging ins Haus zurück, verriegelte die Tür hinter sich. Ging ins Wohnzimmer und verschloss auch die Tür, die auf die Terrasse führte. Überlegte, was sie nun tun sollte. Wenn sie sich ohnehin nicht mehr nach draußen wagte, könnte sie auch gleich nach Hull zurückfahren und den Rest des Wochenendes in ihrer stickigen, kleinen Wohnung verbringen. Wenigstens gab es dort andere Menschen im Haus, und wenn man in Bedrängnis geriet und die Polizei rief, dann war diese innerhalb weniger Minuten vor Ort. Hier draußen … Sie hatte glücklicherweise noch nie einen Notruf absetzen müssen, aber sie fürchtete, dass es dauern konnte, bis Hilfe kam.

Sie zündete sich eine Zigarette an, obwohl sie gerade wieder einmal – zum ungefähr tausendsten Mal in ihrem Leben – beschlossen hatte, mit dem Rauchen aufzuhören, und inhalierte tief. Die Frage war, ob sie, wenn sie jetzt nach Hause fuhr, jemals wieder hierherkam. Oder manifestierten sich ihre Ängste und blockierten sie für immer?

Sie wünschte, sie würde endlich in der Zeitung lesen, dass man Richard Linvilles Mörder gefasst hatte. Und sie wünschte, dann endlich zu erfahren, was dessen Motiv gewesen war. Es musste nicht das Geringste mit ihr zu tun haben.

Sie trat an eines der vorderen Fenster, schaute wieder hinaus, sah aber nichts. Keine Bewegung, kein Blitzen. Ein sonniger, sehr warmer, windstiller Tag. Friedlich und hell. Aber sie hatte sich nichts eingebildet, da war sie sicher. Die Frage war nur, ob sie auf das, was sie gesehen hatte, hysterisch reagierte, wenn sie jetzt Hals über Kopf die Flucht ergriff. Oder ob es das Vernünftigste war, was sie tun konnte.

Sie überlegte noch hin und her, als das Telefon klingelte. Obwohl sie im ersten Moment erschrak, spürte sie im nächsten Erleichterung. Sie war nicht allein auf der Welt, auch wenn es sich in der letzten halben Stunde für sie so angefühlt hatte.

»Melissa Cooper«, meldete sie sich.

»Hi, Mum. Michael hier. Dachte ich mir doch, dass ich dich im Häuschen erreiche.«

Ihr älterer Sohn. Der sich, wenn sie ehrlich war, nur wenig und nur sehr sporadisch um sie kümmerte. Er wohnte drüben in Sheffield, das war nicht allzu weit weg, und er hätte sie ab und zu besuchen können, aber … na ja, er hatte eben seine eigene Familie. Und seinen Beruf. Und einfach wenig Zeit.

»Mike! Wie schön, dass du dich meldest! Wie geht es dir? Und den Kindern?«

»Uns geht es allen gut. Liz ist mit den Kindern dieses Wochenende zu ihrer Mutter gefahren. Ich sitze hier als Strohwitwer und genieße die Ruhe, und da dachte ich, ich rufe dich mal an.«

Es versetzte Melissa einen kleinen Stich, dies zu hören. Liz besuchte ihre Mutter. Mike saß allein zu Hause. Wäre es da nicht eine Idee gewesen, *seine* Mutter zu besuchen? Von

Samstag auf Sonntag? In dem Cottage, das sie immerhin alle zusammen gekauft hatten.

Aber sie mochte ihm keine Vorwürfe machen. Er hätte dann das Gespräch rasch beendet, und sie hätte sich weiter in ihre Angst hineingesteigert.

»Ja«, sagte sie daher nur, »ich bin mal wieder hier. Das Wetter ist herrlich. Ich habe gestern bis fast halb zwölf nachts draußen gesessen.«

»Genieß es. Du weißt, so richtig viel Sommer haben wir hier nie.«

»Kommt ihr eigentlich in den Ferien her?«

»Wir haben wieder Menorca gebucht wie letztes Jahr. Da haben wir garantiert Sonne. Das macht es mit den Kindern einfacher.«

Menorca. Spanien. Warum reisten alle immer nach Spanien?

Und warum haben wir dann dieses Cottage überhaupt gekauft?

Sie nahm einen tiefen Zug ihrer Zigarette. Michael hörte das offenbar, denn er lachte laut auf. »Mum! Ich dachte, du gewöhnst dir das Rauchen gerade wieder ab?«

Sie stimmte in sein Lachen nicht ein. »Manchmal kommt eben etwas dazwischen.«

»Wo dazwischen?«

»Zwischen die guten Vorsätze.«

Sie merkte, dass ihre Stimme seltsam klang. Etwas zittrig, etwas rau. Auch Michael merkte es, denn er hörte auf zu lachen. »Ist irgendetwas? Was hat dir denn die guten Vorsätze verhagelt? Ärger in der Schule?«

»Nein. Nein, da ist alles in Ordnung. Zum Glück.«

»Und wo ist etwas *nicht in Ordnung*?«

Sie fand keinen Aschenbecher. Die Asche rieselte auf den

Fußboden. »Na ja … das alte Lied. Du weißt ja, im Februar. Richards Ermordung.« Es war durch alle Zeitungen gegangen.

»Ja und?«

»Der Mörder läuft immer noch frei herum.«

»Kann sein. Das interessiert mich, ehrlich gesagt, nicht besonders. Irgendwann werden sie ihn schon erwischen.«

»Es gibt offenbar keinerlei heiße Spur oder Hinweise auf das mögliche Motiv.«

Michael seufzte. Melissa hatte das Gefühl, er bereute gerade, sie angerufen zu haben. »Linville war Polizist, Mum! Der hatte natürlich jede Menge Feinde. Irgendjemand hat sich dafür gerächt, dass er von ihm in den Knast gebracht wurde. Was irritiert dich daran so?«

»Mir sind ein paar seltsame Dinge aufgefallen in den letzten Wochen. Nenn mich verrückt, aber ich werde das Gefühl nicht los, dass ich … irgendwie beobachtet werde.«

»Beobachtet? Von wem?«

»Ich weiß es nicht. Jemand stand nachts vor meinem Haus in Hull und starrte zu meiner Wohnung hinauf. Jemand trieb sich vor der Schule herum. Ich wurde ein paarmal angerufen, aber der Anrufer legte auf, als ich mich meldete. Und eben gerade …« Sie stockte. Klang sie wie eine überspannte, alte, einsame Frau?

»Ja, Mum? Eben?«, fragte Michael mit müder Stimme. Er bereute jetzt definitiv, dass er sie angerufen hatte.

Sie berichtete von ihrer Beobachtung und fügte hinzu: »Es könnte sich um ein Fernglas handeln.«

»Das auf dich gerichtet ist?«

»Sonst ist hier niemand.«

»Mum, ehrlich, du steigerst dich da in etwas hinein. Okay, ein Fernglas. Könnte da nicht ein harmloser Wanderer umherstreifen, der Vögel beobachtet? Immerhin gibt es dort eine Menge seltener Exemplare, und es kommen oft Leute, um sie anzuschauen. Oder jemand genießt die Landschaft und betrachtet sie durch ein Fernglas. Das wäre schließlich nicht… völlig ungewöhnlich!« Er sagte dies in einem Ton, der Melissa eigentlich wissen ließ: *Du bist es, die sich gerade ungewöhnlich aufführt, Mum. Die Welt um dich herum ist ganz normal. Deine Sicht der Dinge ist seltsam.*

Wahrscheinlich hatte er recht. Hoffentlich hatte er recht.

Sie versuchte zu lachen. »Ich bin zu viel allein. Das ist wahrscheinlich der Grund für manches.«

Das fasste Michael natürlich als Vorwurf auf. »Mum, unser Leben ist verdammt eng getaktet, leider. Zwei kleine Kinder, Liz und ich berufstätig. Dazu der Haushalt, der Garten. Der Alltag eben. Ich würde dich wirklich gerne öfter besuchen, aber es geht nun einmal nicht.«

Aber Liz kann über das Wochenende zu ihrer Mutter fahren. Und du erstickst da ganz allein zu Hause bestimmt auch gerade nicht in Arbeit!

Aber sie sagte nichts. Wozu streiten?

Immerhin stellte sie, nachdem sie sich verabschiedet und das Gespräch beendet hatten, fest, dass Michael sie doch irgendwie beruhigt hatte. Er hatte ihre Gedankengänge völlig absurd gefunden, und diese Einstellung hatte tatsächlich ein wenig auf sie abgefärbt. Sie öffnete die Terrassentür wieder, schenkte sich, obwohl es erst fünf Uhr war, ein großes Glas Wein ein, zündete die nächste Zigarette an und setzte sich nach draußen. Sie würde bleiben. Ab Mitte der kommenden Woche sollte es anhaltend regnen, und das nächste Wochenende würde kühl und grau werden.

Ein triftiger Grund mehr, sich aus diesem kleinen Paradies hier jetzt nicht verscheuchen zu lassen.

Trotzdem hatte sie es auf der Terrasse nicht so lange ausgehalten wie am Abend zuvor. Als die Dunkelheit kam, war sie ins Haus gegangen, hatte alle Fenster und Türen fest verschlossen. Sämtliche Vorhänge fest zugezogen, um nicht auf einem hell erleuchteten Präsentierteller zu sitzen, sollte sich jemand dort draußen herumtreiben. Sie hatte noch ein weiteres Glas Wein getrunken, in eine Talkshow im Fernsehen hineingeschaut, war dann hinauf in ihr Schlafzimmer gegangen. Sie hoffte, dass sie genug Alkohol zu sich genommen hatte, um schnell einzuschlafen; für gewöhnlich funktionierte das gerade mit ein paar Gläsern Rotwein bei ihr immer sehr gut. Tatsächlich schaffte sie es nur noch, zwei Seiten in einem Buch zu lesen, dann verschwammen schon die Buchstaben vor ihren Augen. Sie knipste das Licht aus und schlief auf der Stelle ein.

Als sie erwachte, war sie sofort sicher, nicht allein zu sein. Sie hätte nicht begründen können, woher das Gefühl kam, aber es war da mit der Heftigkeit eines instinktiven Alarms, wie ihn vielleicht Tiere in der freien Wildbahn erlebten: galoppierender Herzschlag, Hochspannung. Trockner Mund. Ein schlagartiges Hellwachsein.

Sämtliche Symptome eines jähen Adrenalinschubes.

Sie setzte sich im Bett auf, schaltete das Licht ein, lauschte in die Nacht. Sie meinte, ihren eigenen Herzschlag zu hören, sonst war da nichts. Was hatte sie geweckt, was war in ihre Träume gedrungen und hatte eine derartige Panikreaktion ausgelöst? Oder war es nur ein Traum gewesen, der sie so entsetzt hatte? Aber müsste sie sich dann nicht wenigstens bruchstückhaft an seinen Inhalt erinnern?

Sie schaute auf ihre Armbanduhr, die sie auch nachts am Handgelenk trug. Es war kurz nach elf. Sie konnte kaum länger als eine halbe Stunde geschlafen haben.

Wahrscheinlich verfolgen mich nur die ganzen blödsinnigen Fantasien, die mich schon die ganze Zeit über begleiten, dachte sie. Im Grunde lebte sie seit einigen Wochen schon in einer ständigen latenten Furcht. Vielleicht sogar schon länger. Seitdem sie in der Zeitung gelesen hatte, dass Richard Linville in der Küche seines eigenen Hauses zu Tode gefoltert worden war, ließ sie die Frage nach den Zusammenhängen nicht los. Seitdem war die Angst zu einem steten Begleiter geworden, mal mehr, mal weniger bewusst. Aber sie war nie wieder ganz verschwunden.

So geräuschlos wie möglich stieg sie aus dem Bett, bemüht, keinen Laut zu verursachen, der möglicherweise andere Geräusche überdecken würde.

Was hatte sie denn bloß geweckt?

Sie tappte zu ihrer Zimmertür, öffnete sie, lauschte hinunter in das Haus. Vollkommene Stille. Jede Menge leere Zimmer. Neben ihrer Angst plötzlich wütend dachte sie: So war es nicht geplant. Sie haben mich alle im Stich gelassen. Was suche ich hier eigentlich noch? Warum halte ich ein Projekt am Leben, auf das ohnehin niemand mehr Wert legt?

Vielleicht sollte sie gleich die Polizei anrufen. Sich dann in ihrem Zimmer verbarrikadieren und warten, bis die Streife kam. Aber wie lächerlich würde sie dastehen? Eine ältere Frau, die schlecht geträumt hatte und sich überdies seit Wochen eigenartige Dinge einbildete.

Und genau in diesem Moment vernahm sie die Autotür. Draußen vor dem Haus. Sie wurde leise geschlossen.

Ein Auto hatte sie geweckt. Ein durch die Nacht heranfahrendes Auto.

Wie erstarrt blieb sie oben auf dem Treppenabsatz stehen, versuchte zu schlucken, schaffte es aber nicht. Es gab keine Erklärung dafür. Es war nach elf Uhr, es gab keinen Grund, dass jemand hierherkam. Anhielt. Ausstieg. Auf die Haustür zuging. Sie hörte den Kies unter den Schritten knirschen.

Sie konnte sich nicht bewegen. Das häufig zitierte Sprichwort von dem Kaninchen im Angesicht der Schlange ging ihr durch den Kopf. So kam sie sich vor, genau so. Erstarrt, gebannt.

Geh in dein Zimmer, schließ dich ein, ruf bei der Polizei an!

Aber sie konnte es nicht. Sie stand einfach da, mit bloßen Füßen auf den Dielenbrettern, und starrte in die Dunkelheit des Hauses.

Die Schritte verharrten vor der Haustür. Dann hörte sie, wie ein Schlüssel ins Schloss gesteckt wurde.

Wieso haben die einen Schlüssel?

Die Tür ging auf. Sie konnte es von oben sehen. Eine Gestalt trat ein. Ein großer, dunkler Schatten. Ein Mann?

Das Licht in der Diele flammte auf. Es war tatsächlich ein Mann, der dort unten stand. Dunkle Haare, breite Schultern. Jeans, Turnschuhe, ein schwarzer Pullover.

Er wandte sich um. Es war Michael.

Melissa atmete tief durch und spürte, dass sie sich wieder bewegen konnte. Arme und Beine gehorchten ihr wieder und ihre Stimme auch.

»Michael!« Sie hörte sich ganz merkwürdig und schrill an. »Michael!«

Er zuckte zusammen, schaute zu ihr hoch. »Mum? Was stehst du denn da oben? Ich dachte, du sitzt entweder vor dem Fernseher oder schläfst schon.«

Sie war so erleichtert, dass sie plötzlich zu weinen anfing. Sie lief die Treppe hinunter und warf sich mit einer Heftigkeit in seine Arme, die sonst nie ihre Art war. Michael hielt sie fest, wirkte jedoch irritiert und etwas verärgert. »Was ist denn los? Weinst du? Ist irgendetwas?«

Sie schniefte, versuchte, die Tränen zurückzuhalten. Sie wusste, dass Michael mit weinenden Frauen und speziell mit einer weinenden Mutter völlig überfordert war.

»Ich bin so froh, dass du da bist! So froh!«

Er schob sie ein Stück von sich und betrachtete sie. »Du zitterst ja. Was ist denn nur?«

»Ich dachte ... ich dachte schon ...«

»Du dachtest, ich bin ein Einbrecher? Dein ominöser Verfolger? Liebe Güte, Mum!« Er ließ sie los. »Einbrecher kommen ganz selten mit dem Auto bis in die Einfahrt vorgefahren. Und haben in den meisten Fällen auch keinen Schlüssel!«

»Stimmt!« Sie lachte. Es klang völlig unecht. »Du hast recht. Aber, na ja ... wenn man direkt aus dem Schlaf aufwacht ...«

»War vermutlich ein Fehler von mir, mein Auftritt hier«, meinte Michael. Er wirkte verstimmt. Es hatte ihn fast eineinhalb Stunden Fahrt gekostet, bis hierherzukommen, er hatte den Abend geopfert, den er gern allein vor dem Fernseher verbracht hätte – ohne das übliche Quengeln der Kinder und ohne das Nörgeln seiner Frau, weil er ständig hin und her zappte. Aber ein plötzliches heftiges Schuldgefühl hatte seine Pläne gestört. Seine Mutter hatte gar nicht gut am Telefon geklungen. Wie lange war es her, dass er sie zuletzt besucht hatte? Ihm war aufgegangen, dass es im Januar gewesen war, zu ihrem Geburtstag. Selbst an Ostern war sie alleine gewesen. Er hatte sich ihre Wochenenden in dem einsamen Haus vorgestellt und war sich plötzlich richtig schäbig vorgekommen. Egoistisch und kaltherzig. Er hatte sich ausgemalt, wie sie sich freuen würde, wenn er plötzlich bei ihr hereingeschneit käme. Sie konnten noch einen Wein zusammen trinken und sich unterhalten und am nächsten Morgen lange und ausgiebig frühstücken. Ein Spaziergang ans Meer, später vielleicht ein Mittagessen in einem Pub, ehe sie in ihre Wohnung in Hull zurückkehrte und er nach Sheffield. Das würde sie für einige Zeit aufbauen, und er konnte in die neue Woche mit dem guten Gefühl starten, seine Mutter endlich wieder einmal glücklich gemacht zu haben.

Stattdessen hatte er ihr einen Riesenschrecken eingejagt, sie heulte und zitterte und schien kurz vor einer Hysterie zu stehen.

Und dafür der ganze Stress!

Kurz entschlossen schob er sie ins Wohnzimmer, machte das Licht an, nahm zwei Gläser aus dem Schrank und die Karaffe mit dem Sherry von der Anrichte. »Lass uns erst mal einen Schluck trinken, Mum. Du bist ja kreideweiß. Meine Güte, ich hätte anrufen und dich warnen sollen. Das wäre schlauer gewesen.«

Sie zitterte immer noch, schaffte es aber, das Glas an die Lippen zu führen und einen Schluck zu trinken. »Nein, nein. Es ist eine wunderbare Überraschung, Michael. Ich freue mich so, dass du da bist. Dass du die weite Fahrt auf dich genommen hast nur meinetwegen!«

»So weit ist es gar nicht. Und ich hatte schließlich nichts anderes vor.«

»Ich hoffe, du hast dich nicht verpflichtet gefühlt zu kommen?« Sie sah ihn angstvoll an.

»Nein, nein«, log Michael. Er kippte den Sherry hinunter. Der Alkohol löste sofort seine Spannung und milderte seinen Ärger. Es war schon okay, dass er da war. Seine Mutter sah wirklich schlecht aus. Sie hatte abgenommen seit Januar, das erkannte er trotz des langen, weiten Nachthemds, das sie trug, und sie war … plötzlich sehr gealtert. Er hoffte, dass das nicht daran lag, dass sie um Richard Linville trauerte.

Er blickte sich um. »Ich sehe, du hast dich gut verbarrikadiert. War denn noch etwas? Ein geheimnisvolles Aufblitzen am Horizont? Ein Schatten im Garten?«

Er lachte, aber sie stimmte nicht ein. »Weißt du, Michael, seit Richards Tod …«

Er unterbrach sie. »Ich will eigentlich nicht über Linville reden, Mum, sei mir nicht böse. Von dem Kerl ist zu Lebzeiten nichts Gutes gekommen, und jetzt, da er tot ist, scheint es auch nicht besser zu werden. Ich habe dir gesagt, er ist von irgendeinem Exknacki umgebracht worden, und das alles hat überhaupt nichts mit dir zu tun.«

Sie schwieg. Er schenkte ihr und sich einen zweiten Sherry ein. »Komm, trink das noch, und dann gehen wir schlafen. Ich bin ja jetzt da und beschütze dich. Und morgen machen wir uns einen richtig schönen Tag, ja?«

Sie lächelte endlich, zum ersten Mal, seit Michael angekommen war. Obwohl er sie etwas barsch unterbrochen hatte, als sie von Richard angefangen hatte, taten ihr seine Nähe und seine Gelassenheit doch gut. Er kannte zwar nicht die ganze Geschichte, er kannte sie nicht einmal ansatzweise, aber trotzdem hatte er vermutlich recht: Sie hatte sich in etwas hineingesteigert. Sie sah Gespenster. Sie konstruierte wilde Geschichten und machte sich und andere damit verrückt.

»Ich freue mich auf morgen«, sagte sie.

Es war alles ganz genauso, wie Stella befürchtet hatte. Es regnete Bindfäden, und die Wolken ballten sich so tief und dick und grau über dem Hochmoor, dass man den Horizont nicht erkennen konnte und nicht sah, wo die Erde aufhörte und der Himmel anfing. Die Heidelandschaft wies kaum Farben auf, das tat sie zu keiner Jahreszeit, aber unter blauem Himmel und Sonne hätte sie dennoch einen Reiz haben können. An diesem Tag sah sie aus wie eine Landschaft im November. Und die völlige Einsamkeit ringsum verstärkte den Eindruck der Trostlosigkeit.

Schon auf den letzten Meilen der schmalen Landstraße waren ihnen nur noch in großem Abstand voneinander zwei Autos entgegengekommen, dann waren sie auf eine noch schmalere Nebenstraße abgebogen und überhaupt niemandem mehr begegnet. Zum Schluss ging es noch einen Feldweg entlang, der in ein Tal führte, in dem sich die ehemalige Farm befand. Ein langgestrecktes Gebäude aus dem grauen Stein gebaut, der überall in der Gegend zu finden war, mit tiefgezogenem Dach und kleinen Fenstern, die tief zurück in den dicken Mauern lagen. Es gab noch ein Nebengebäude, eine Art Schuppen oder Stall, der aber offenbar nicht genutzt wurde und mit einer schweren Holztür verschlossen war. Der ungepflasterte Hof ringsum versank im Schlamm.

»Hier ist es nicht schön, Mummy«, war Sammys erster Kommentar, als sie anhielten und ausstiegen.

Stella fluchte, weil sie mitten in eine Pfütze getreten war und im Handumdrehen einen durchweichten Schuh und triefend nassen Strumpf am Fuß hatte. »Nein, mein Süßer, du hast recht, heute sieht es hier gar nicht schön aus. Aber du wirst dich wundern, wie toll es ist, wenn die Sonne scheint, und wie gemütlich das Haus drinnen ist!« Letzteres konnte sie nur hoffen. Und was die Sonne anging: Im Augenblick war es schwer vorstellbar, dass es ihr jemals gelingen würde, in dieser Gegend wieder die Vorherrschaft zu gewinnen.

Jonas schloss die Haustür auf, und sie drängten alle drei schnell aus dem strömenden Regen ins Trockene. Sie standen auf grauen Steinfliesen, ließen das Wasser abtropfen und schauten sich um.

»Aha«, sagte Stella schließlich.

Es sah wirklich nicht schlecht aus. Immerhin.

Wie sich herausstellte, war das Haus sehr komfortabel eingerichtet, und es verfügte über alle Annehmlichkeiten, die man als verwöhnter Großstädter erhoffen konnte, wenn man davon absah, dass tatsächlich konsequent auf Geräte wie Fernseher, Radio, Computer verzichtet worden war. Aber es gab einen in der Mitte der Küche platzierten hochmodernen Herd, es gab eine Mikrowelle und eine große Tiefkühltruhe und sogar eine Maschine, die Eiswürfel produzieren konnte – als ob man das, wie Stella pessimistisch dachte, bei den vorherrschenden Temperaturen in dieser Gegend unbedingt brauchte. Ihre Stimmung besserte sich, als sie das Wohnzimmer mit den dicken Teppichen auf dem Boden und den schönen, alten Holzmöbeln betrachtete, und dann die liebevoll eingerichteten Schlafzimmer oben im ersten Stock. Die Luft fühlte sich etwas klamm an, aber sie entzündeten ein Feuer im Kamin und drehten die Gasheizungen an, solange die Flammen noch keine richtige Kraft entwickelt hatten.

»Hier kann man es aushalten«, sagte Jonas, nachdem er die Bücherregale inspiziert hatte. »Er hat tolle Literatur hier. Wir werden lesen, schlafen, zusammen kochen, spazieren gehen ... und ich werde ein neuer Mensch werden.«

Stella hätte gerne erwidert, dass das toll klang und dass sie sich mit ihm auf die vor ihnen liegende Zeit freute, aber Jonas hatte in seiner Planung zumindest für den Moment den Faktor Sammy völlig vergessen. Weder lesen noch schlafen noch spazieren gehen würde etwas sein, womit man den Jungen zufriedenstellen konnte, und am gemeinsamen Kochen würde ihn höchstens das Verzehren des Endproduktes interessieren, und auch das nur, wenn es sich dabei um die Gerichte handelte, die vor seinen Augen Gnade fanden: Chickennuggets mit Pommes, Pizza, Spaghetti mit Hackfleischsoße und Fischstäbchen mit Kartoffelbrei.

»Ich werde jetzt erst einmal losfahren und einkaufen«, sagte Stella.

Zu ihrer Erleichterung entschied Sammy, dass er lieber bei seinem Vater bleiben wollte, und Stella konnte alleine nach Whitby aufbrechen, wo es, nach Auskunft des Hausbesitzers, den nächsten richtig großen Supermarkt gab, in dem man angeblich einfach alles kaufen konnte. Jonas' Kollege hatte den Weg gut beschrieben, und Stella fand sich schnell zurecht. Glücklicherweise hatten sie eine große Tiefkühltruhe auf der Farm. Stella lud den gesamten Kofferraum ihres Kombis voll, was bedeutete, sie würden für gute acht Tage nichts einkaufen müssen.

Auf dem Rückweg hielt Stella den Wagen dort an, wo der Feldweg zur Farm abzweigte, parkte dicht am Straßenrand, lehnte sich im Sitz zurück und betrachtete das Tal mit den tiefliegenden Wolken und dem steinernen Gebäude, aus dessen Schornstein immerhin inzwischen anheimelnder Rauch emporstieg. Sicher war Jonas damit beschäftigt, die Koffer auszupacken, vielleicht hatte er auch schon die Betten bezogen. Sammy bemühte sich vermutlich, ihm zu helfen, und stand ihm dabei vor allem im Weg herum. Ob es Jonas bereits nervös machte, abgeschnitten zu sein von seinem Beruf, von seinem Alltag? Getreu des Rats von Dr. Bent hatte er konsequent auf seine sämtlichen Kommunikationsmittel verzichtet, hatte weder seinen Laptop noch sein Smartphone dabei und würde, da es auch kein Telefon gab, tatsächlich für niemanden erreichbar sein. Jonas, der für gewöhnlich im Zehn-Minuten-Takt seine E-Mails kontrollierte … Stella konnte sich vorstellen, dass er sich während der ersten Tage wie ein Junkie auf Entzug fühlen würde. Sie selbst hatte ihr Handy dabei, aber sie hatte nicht vor, es für etwas anderes als für mögliche Notfälle zu nutzen. Zudem hatte sie unten auf der Farm ohnehin keinen Empfang. Probehalber zog sie es hervor und begutachtete das Display. Zwei zittrige Balken bekam sie hier oben auf dem Hügel, was jedenfalls besser war als nichts. Wenn sie dringend jemanden erreichen musste, konnte sie hier hinauflaufen. Sie fand, dass es sich eigenartig anfühlte, selber nicht erreichbar zu sein, aber sie sagte sich, dass mit höchster Wahrscheinlichkeit während der zwei Wochen ihres Aufenthaltes nichts dort draußen in der Welt passieren würde, was sie unbedingt wissen mussten. Zu Hause hatte sie alles gut geregelt, eine Nachbarin kümmerte sich um die Post und goss die Blumen, und es stand nicht zu erwarten, dass dabei Schwierigkeiten auftreten würden.

Trotzdem wurde Stella das Gefühl der Unruhe nicht los, das sie begleitete, seitdem Jonas dieses ganze Yorkshire-Projekt auf den Weg gebracht hatte, und sie verstand selber nicht, woher diese untergründige Nervosität rührte. Vielleicht war es eine normale Reaktion auf dieses Vorhaben der *Entschleunigung*, das zwar nur Jonas verordnet worden war, das Stella aber nun komplett mittrug. Auch sie stand plötzlich ohne Verbindung zur Außenwelt da, und das war zumindest ein völlig ungewohntes und fast beklemmendes Gefühl. Plötzlich dachte sie, dass es ihr schon helfen würde, heute Abend den Fernseher anschalten und eine Nachrichtensendung sehen zu können, aber auch diese bislang so normale und unspektakuläre Gewohnheit war ja nun gestrichen.

Einsamkeit, Regen, Abgeschiedenheit. Sie fragte sich, ob sie in diesem Zusammenhang noch immer die Vorstellung verfolgte, Terry und Neil könnten plötzlich hier aufkreuzen. War das der Grund für ihre Angespanntheit?

Das junge Paar hatte sich seit jenem Samstag Anfang Mai nicht mehr gemeldet. Kein Anruf, keine Mail, nichts. Jonas hatte die beiden längst abgehakt. »Die rühren sich nicht mehr, du wirst sehen. Das war ein Erkundigungstrip, und er hat nicht die Ergebnisse gebracht, die sich die beiden erhofft hatten.«

Inzwischen glaubte Stella das auch. Nein, von dieser Seite konnte das Unbehagen nicht kommen.

Vielleicht, dachte sie plötzlich, liegt es daran, dass ich für vierzehn Tage wie eingesperrt mit Jonas zusammen sein werde. Macht mir das Angst?

Sie und Jonas hatten einander dreizehn Jahre zuvor bei den Dreharbeiten zu einem Fernsehzweiteiler kennengelernt. Jonas hatte das Drehbuch geschrieben, Stella war als Producerin im Auftrag einer Produktionsgesellschaft zum ersten Mal selbständig für ein Projekt verantwortlich gewesen. Jonas hatte sich, unüblich für den Autor, die ganze

Zeit über am Drehort herumgetrieben und war allen auf die Nerven gegangen. Jede Veränderung seines Textes hatte eine Krise bei ihm ausgelöst, jedes Streichen einer Szene hatte er als persönliche Kränkung aufgefasst, er hatte den Regisseur in ewige Diskussionen verwickelt, bis dieser sich eines Tages wutentbrannt an Stella gewandt hatte.

»Entweder der Typ verschwindet, oder ich schmeiße alles hin. Ich kann so nicht arbeiten, niemand kann so arbeiten. Ich kann nicht jede Änderung, die ich vornehme, stundenlang mit diesem Neurotiker besprechen!«

»Es ist das erste Mal, dass ein Drehbuch von ihm verfilmt wird«, hatte Stella beschwichtigend erklärt. Jonas war zu diesem Zeitpunkt eine Neuentdeckung, er galt als begabt, aber schwierig. »Er hat einfach noch keinerlei Erfahrung.«

»Mir egal. Schaff ihn weg. Geh mit ihm essen, erkläre ihm mit den liebevollsten Worten, dass er hier nicht erwünscht ist, und dann sorge dafür, dass er so schnell wie möglich im Zug sitzt und so weit weg fährt wie nur möglich!«

Stella hatte die Anregung tatsächlich aufgegriffen und Jonas zu einem Abendessen eingeladen. Jonas hatte kaum etwas gegessen, dafür die ganze Zeit geredet und ihr auseinandergesetzt, wie er sich den Film vorstellte und weshalb er meinte, dass der Regisseur dabei war, alles zu versieben. Seine Ausführungen und seine präzisen und durchdachten Ideen hatten Stella fasziniert, sie hatte ihm wie gebannt zugehört, festgestellt, dass er wunderschöne Augen und wunderschöne Hände hatte, dass er klug war und sensibel, dass er anders war als jeder andere Mann, den sie bislang gekannt hatte.

Sie hatte sich innerhalb weniger Stunden in ihn verliebt und er sich in sie. Ein knappes Jahr später hatten sie geheiratet.

Und jetzt, viele Jahre später, hatte Jonas einen beginnenden Burnout, und sie würden zwei Wochen lang auf einer verregneten Farm in den Hochmooren von Yorkshire sitzen, und wenn Dr. Bents Plan aufging, fand Jonas dabei ein Stück innere Gelassenheit wieder. Wobei *wiederfinden* vielleicht nicht der richtige Ausdruck war. Nach Stellas Ansicht hatte Jonas so etwas wie Gelassenheit ohnehin nie besessen.

Dass es ihm nicht gut ging, hatte sie schon lange bemerkt. Er war überfordert mit der Rolle, in die sie ihn gedrängt hatte. Dadurch, dass sie aufgehört hatte zu arbeiten, war er zum alleinigen Familienernährer geworden. Er musste für eine Frau sorgen und für ein Kind. Er musste die Hypothekenzinsen für das Haus in Kingston bezahlen. Alles stand und fiel damit, dass ihm Stoffe einfielen, dass er gute Plots entwickelte, dass ihm seine Ideen abgenommen und er mit der Erstellung von Drehbüchern beauftragt wurde. Seine Kreativität konnte sich schon lange nicht mehr in Ruhe entwickeln, sondern musste unter dem massiven Druck, Geld zu verdienen, funktionieren. Jonas machte seine Sache nach wie vor gut, er war gefragt und wurde gut bezahlt, aber es war spürbar, dass er immer mehr Kraft aufwenden musste, um den Anforderungen zu genügen, und dass der Druck sein Selbstvertrauen untergrub. Er hatte eine solche Angst vor dem Absturz entwickelt, dass er drauf und dran war, den Absturz selbst herbeizureden.

Er war in Stellas Augen ein Künstler. Vielleicht waren Künstler als Familienernährer nicht geeignet.

Noch am Vorabend der Reise hatte es einen Eklat gegeben, der Jonas fast zum Abbruch des gesamten Unternehmens getrieben hätte. Sein Projekt mit dem irakischen Folteropfer Hamzah Chalid war von der Produktionsfirma abgesagt worden. Jonas hatte nach seinem Treffen mit dem Iraker ein Filmexposé erstellt, und in der Mail hieß es ausdrücklich, die Absage habe mit seiner Arbeit nichts zu tun. Man sei nur firmenintern nach langen Diskussionen zu der Ansicht gelangt, dass Chalids Schicksal nicht geeignet war, eine ausreichend große Menge an Zuschauern anzusprechen. Die Themen des heutigen Irak seien andere, Saddam Hussein sei Geschichte, und damit interessierten auch seine Opfer niemanden mehr übermäßig. So tragisch das für die einzelnen Personen sein möge. Die Welt habe kein Ohr mehr für sie.

Jonas hatte sich aufgeregt, Stella hingegen, selbst lange Jahre für eine Filmproduktion tätig, hatte diese Sichtweise verstanden. Der Film hätte eine Therapie für den bedauernswerten Hamzah Chalid darstellen können, aber es war nicht die Aufgabe einer Produktion, therapeutisch für einzelne Menschen tätig zu werden. Sie hatte Jonas geraten, Chalid sogleich Bescheid zu geben, damit er sich nicht länger an einer Hoffnung festklammerte, die nun nicht mehr existierte, aber Jonas hatte es nicht fertiggebracht. »Es reißt ihn in einen Abgrund. Ich kann ihn in einer solchen Situation nicht hängen lassen, aber ich bin ab morgen weg und nicht erreichbar. Das kann ich nicht tun, Stella!«

»Du bist nicht sein Kindermädchen!«

»Aber ich kann das nicht. Dann müssen wir eben alles abblasen, ich muss Chalid aufsuchen und …«

»Nein. Nein, wir blasen das jetzt nicht ab. Es ist alles arrangiert, und Dr. Bent sagt, es ist wichtig. Dann warte zwei Wochen und informiere Chalid nach unserer Rückkehr.« Es war die einzige Möglichkeit gewesen, die Reise zu retten, aber Stella fand, dass Jonas dadurch, dass er Chalid nicht sofort verständigt hatte, nun eine unnötige Hypothek mit sich herumtrug. Die Aussicht, nach den Ferien als Erstes den armen Kerl aufsuchen zu müssen, würde ihn die ganze

Zeit über bedrücken. Hoffentlich machte das nicht alles zunichte, was Dr. Bent anstrebte.

Solche Dinge bringt man sofort hinter sich, dachte sie nun, und im nächsten Moment fragte sie sich, ob es die Art, wie Jonas mit Schwierigkeiten umging, war, die sie so nervös machte. Sie empfand ihn manchmal als schwach, das konnte sie bei aller Liebe zu ihm nicht anders sehen. Zwei Wochen jenseits der Welt mit einem schwachen Mann und einem fünfjährigen Kind. War es ein Wunder, dass sich diese Vorstellung bedrückend anfühlte?

Sie grübelte zu viel. Sie ließ den Motor an, bog in den Feldweg ein, rumpelte zur Farm hinunter. Die Lebensmittel mussten verstaut werden, sie mussten überlegen, was sie zu Abend essen wollten.

Als sie das Haus betrat, stellte sie fest, dass Jonas weder die Koffer ausgepackt noch die Betten bezogen hatte. Dafür drang ein köstlicher Geruch aus der Küche, und gleich darauf standen sie beide vor ihr, Sammy strahlend mit tomatenverschmiertem Mund und Jonas mit einem Kochlöffel in der Hand. »Wir haben eine Packung Spaghetti gefunden. Und eine Fertigsoße. Hast du Hunger?«

Ihr war ganz elend vor Hunger, wie sie jetzt, als sie danach gefragt wurde, merkte. Sie sah, dass der Tisch in der Küche gedeckt war und dass Kerzen brannten. Sammy hatte Blumen gepflückt, die tropfendnass in einer Vase standen und bereits die blütenweißen Servietten durchweicht hatten. Er sah seine Mutter an. »Wir haben alles ganz toll gemacht, Mummy! Gefällt es dir?«

Die düsteren Gedanken zerstoben, schmolzen buchstäblich unter der Wärme des Augenblicks. Sie nahm Sammy in den einen Arm, Jonas in den anderen.

Sie grübelte wirklich zu viel.

1

Es regnete seit Tagen, und es war viel zu kalt für Juni. Kate hatte den elektrischen Kamin im Wohnzimmer eingeschaltet. Sie wusste, dass sie langsam zu einem Entschluss kommen musste, was das Haus anging, aber im Grunde war sie seit dem Tag ihrer Ankunft vor vier Wochen keinen Schritt weitergekommen. Sie hatte vieles in Ordnung gebracht: Die Küchentür nach draußen war endlich repariert und gesichert, und sie hatte den Garten so versorgt, dass es ihrem Vater Freude gemacht hätte, hatte Unkraut aus den Beeten gezupft, Büsche zurückgeschnitten, den Rasen gemäht. Sie hatte die Rosen festgebunden, die sich neben der Küche an einem Gitter entlang die Hauswand emporrankten. Sie hatte den Schuppen mit den Gartengeräten aufgeräumt. Was sie nicht geschafft hatte, war, den Schrank in Richards Schlafzimmer in Angriff zu nehmen und die Kleidungsstücke zur Altkleidersammlung zu bringen. Sie hatte eines Tages damit begonnen, aber schon nach einer Stunde hatte sie nur noch tränenüberströmt zwischen Pullovern, Hemden und Hosen gesessen, hatte den leichten Geruch nach dem Aftershave ihres Vaters eingeatmet und war nicht in der Lage gewesen weiterzumachen. Schließlich hatte sie alles wieder eingeräumt. Wie das funktionieren sollte, wenn sie sich wirklich entschloss, das Haus zu verkaufen, wusste sie nicht. Sie konnte die Sachen nicht alle mit nach Bexley in ihre kleine Wohnung nehmen. Ihr graute vor der Vorstellung, am Ende einen Entrümpler kommen und alles leerräumen zu lassen. Und was würde sie dann tun? In ihr altes Leben zurückkehren, sich weiterhin über die nächsten Jahre als unbegabte Polizistin mit dem Abschaum der Gesellschaft herumschlagen, Mordfälle aufklären oder zumindest an ihrer Aufklärung mitwirken? Gemieden von den Kollegen, ohne Freunde. Ohne diese Anlaufstelle hier oben in Scalby, dem Ort, wo sie immer das Gefühl gehabt hatte, zu Hause zu sein. Ihr Leben erschien ihr wie ein dunkler Tunnel ohne Ende und ohne Licht. Finsternis, in die sie hineinging, ohne Hoffnung. Sie hatte den letzten Menschen verloren, für den sie von Bedeutung gewesen war. An manchen Tagen fragte sie sich, welchen Sinn das alles überhaupt noch machte.

Vielleicht, wenn das Verbrechen endlich aufgeklärt wäre. Vielleicht konnte sie dann abschließen. Sie würde um ihren Vater trauern, solange sie lebte, aber vielleicht konnte sie irgendeine Hoffnung für ihre eigene Zukunft entwickeln, wenn sie wenigstens wusste, wer sein Mörder war. Und warum diese furchtbare Tat geschehen war.

Jeden zweiten Tag rief sie bei Caleb an, aber er hatte ihr nichts Neues zu berichten. Denis Shove blieb weiterhin verschwunden. Sie fahndeten nach ihm, aber er schien wie vom Erdboden verschluckt zu sein.

»Wir kriegen ihn«, sagte Caleb immer, »niemand kann für ewig untertauchen.«

»Und wenn er längst das Land verlassen hat?«, fragte Kate.

»Unwahrscheinlich. Wir haben seinen Namen und sein

Bild sofort nach seinem Verschwinden an jede Grenzstelle weitergegeben. Er kommt nicht raus.«

Kate schwieg. Sie wusste, und natürlich wusste es auch Caleb, dass es genügend Möglichkeiten gab.

Ansonsten, so berichtete Caleb, wurden weiterhin Fälle aus Richards Vergangenheit überprüft, bislang jedoch ohne greifbares Ergebnis. Shove schien tatsächlich der aussichtsreichste Kandidat zu sein, aber er war nicht aufzustöbern. Caleb fand beschwichtigende Worte für die ganze Situation, aber Kate war selbst lange genug als Ermittlerin tätig, um zu wissen, dass die ganze Geschichte längst eine problematische Phase erreicht hatte. Es war nicht gelungen, Richards Mörder innerhalb kurzer Zeit nach der Tat zu stellen oder zumindest auf eine echte heiße Spur zu stoßen. Jeder Tag, der jetzt ergebnislos verging, arbeitete für den oder die Täter.

Und gegen die Ermittler.

An diesem Mittwoch wusste Kate, dass sie eine Entscheidung treffen musste. Nur noch zwei weitere Wochen, dann war ihr Urlaub zu Ende. Sie musste an ihren Arbeitsplatz zurückkehren. Sie musste eine Lösung für das Haus finden.

Und sie konnte nicht Tag für Tag hier sitzen und fröstelnd in den Regen starren. Sie spürte, wie ihre seelischen Kräfte zerrannen.

Wenn ich nur irgendetwas tun könnte!

Sie überlegte gerade, ob sie erneut bei Caleb anrufen sollte. Sie hatte ihn schon am Vortag gesprochen, und sie hatte sich eigentlich vorgenommen, keinesfalls *jeden* Tag bei ihm anzurufen, um ihn nicht zu verärgern und damit schließlich als immerhin nach wie vor ziemlich bereitwillige Auskunftsperson zu verlieren. Während sie noch mit sich rang, klingelte ihr Handy. Das hatte es so lange schon nicht mehr getan, dass sie einen Moment brauchte, um zu erfassen, woher dieses Geräusch kam und was es bedeutete. Dann stürzte sie in die Küche, wo das Telefon auf dem Tisch lag. Vielleicht Caleb. Vielleicht endlich ein Durchbruch.

»Ja? Hallo?«, meldete sie sich atemlos.

»Kate?« Es war eine weibliche Stimme am anderen Ende. »Bist du es? Hier ist Christy.«

»Ach, Christy!« Es gelang Kate nicht, ihre Enttäuschung zu verbergen. Detective Sergeant Christy McMarrow, ihre Kollegin bei Scotland Yard. Christy war Kate ein ewiger Dorn im Auge, weil sie eine sehr erfolgreiche Ermittlerin war, beim Chef einen dicken Stein im Brett hatte, überall beliebt und anerkannt war und jede Menge Freunde hatte. Christy lebte ebenfalls allein, genoss das Singledasein jedoch und zog in ihrer freien Zeit mit einer fröhlichen Clique durch die Bars und Pubs von London. Kate hatte immer gehofft, irgendwann den Zugang zum schier unermesslich großen Freundeskreis Christys zu finden, aber das war nie geglückt. Die beiden Frauen hatten keinen Draht zueinander. Sie mussten miteinander arbeiten, aber Christy hatte immer klargemacht, dass sie nach Dienstschluss an keiner weiteren Begegnung interessiert war.

Auch jetzt rief sie mit Sicherheit nicht aus Freundschaft an. Vermutlich hatte der Chef sie beauftragt, Kate zu erinnern, dass sie nun bald wieder auf der Matte zu stehen hatte.

»Und? Wie geht's?«, erkundigte sich Christy. Es klang eher pflichtschuldig als wirklich interessiert. Aber womöglich, dachte Kate, sehe ich das zu negativ. Christy war, wie auch die anderen Kollegen, nach dem Verbrechen an Richard Linville aufrichtig erschüttert gewesen. Bei aller Unbeliebtheit – *das* hatte niemand Kate gewünscht.

»Na ja«, sagte sie, »es geht.« Und dann setzte sie, ehrlicher, hinzu: »Nicht so gut, Christy. So richtig… habe ich das alles noch nicht verarbeitet.«

»Kein Wunder. Aber glaubst du, es ist sinnvoll, so viel Zeit dort… in dem Haus zu verbringen? Ich meine, du wirst da doch auf Schritt und Tritt an das erinnert, was geschehen ist.«

Als ob ich mich an irgendeinem anderen Ort der Welt nicht ständig erinnern würde, dachte Kate.

»Ich kann das Haus ja nicht einfach verkommen lassen«, sagte sie.

»Natürlich nicht. Aber du solltest vielleicht möglichst schnell versuchen, einen Käufer oder einen Mieter zu finden.«

»Ich müsste es erst einmal ausräumen«, sagte Kate verzagt.

»Hast du damit denn noch nicht angefangen?«, fragte Christy überrascht.

Sie hat einfach keine Bindung, dachte Kate, an nichts und niemanden. Sie weiß nicht, wie es sich anfühlt, den letzten Menschen zu verlieren, den man hat.

»Nein«, sagte sie, »habe ich noch nicht. Ich habe es versucht. Aber es ist… es fällt mir sehr schwer.«

»Ich sage dir, was ich machen würde«, sagte Christy, obwohl Kate sie nicht nach ihrer Einschätzung der Situation gefragt hatte. »Ich würde ein paar besondere persönliche Gegenstände behalten und für den Rest einen Entrümpler kommen lassen. Dann würde ich das Haus verkaufen und mir für das Geld eine schicke Eigentumswohnung hier in London kaufen. Ich meine, was willst du mit einem Haus in Yorkshire? Du arbeitest in London. Hier ist dein Lebensmittelpunkt!«

Eben nicht, dachte Kate, der war hier in Scalby. Mein Lebensmittelpunkt. Er war hier, und ich habe ihn verloren, und jetzt weiß ich nicht mehr, wohin ich gehöre.

»Ich werde schon das Richtige tun«, sagte sie, schroffer und kühler als beabsichtigt. Den Bruchteil einer Sekunde später dachte sie: Eigentlich klar, dass ich keine Freunde finde. Vielleicht hat Christy es wirklich nett gemeint. Vielleicht bin ich einfach immer zu abweisend.

»Entschuldige«, sagte sie rasch. »Ich weiß, du meinst es gut, aber...«

»Schon okay, es geht mich ja nichts an«, unterbrach Christy. Der kurze Moment von Vertraulichkeit zwischen den beiden Frauen war so schnell vorbei, wie er gekommen war. Christy fuhr fort: »Weshalb ich eigentlich anrufe... Es gab hier einen Anruf für dich. Eine...« Es raschelte leise. Christy schob offenbar ein paar Papiere auf ihrem Schreibtisch herum. »Hier. Eine Melissa Cooper. Aus Hull.«

»Hull? Das ist ja hier oben um die Ecke!«

»Sie dachte aber, du bist in London. Sie hat keine Ahnung, dass du dich in Scalby aufhältst, und ich habe es ihr auch nicht gesagt. Sie will dich unbedingt sprechen. Natürlich habe ich ihr nicht deine Handynummer gegeben, aber ich habe ihre. Du sollst sie so schnell wie möglich anrufen.«

»Melissa Cooper? Ich kenne niemanden, der so heißt. Hat sie gesagt, worum es geht?«

»Hm, ja. Sie sagte, sie müsse dich wegen deines Vaters sprechen.«

»Wegen meines Vaters?« Kates Herz begann sofort schneller zu pochen. War sie das – oder würde sie sich als solche entpuppen, als die entscheidende Information, auf die sie alle warteten? Das Puzzleteil, das die Ermittlungen endlich vorantrieb?

»Ja. Aber mehr war nicht aus ihr herauszubekommen. Ich sagte ihr, sie solle sich an die Polizei in Scarborough wenden, aber sie meinte, es handele sich um etwas Privates. Insofern weiß ich nicht, ob das, was sie zu sagen hat, in einem Zusammenhang mit dem Verbrechen an deinem Vater steht.«

»Er hat diesen Namen nie erwähnt, Christy. Ich kannte sein privates Umfeld, das ohnehin nicht groß war, und eine Melissa Cooper ist dort nie aufgetaucht. Ich denke eher, es hat etwas… mit dem Fall zu tun.« Vielleicht eine Bekannte des untergetauchten Denis Shove. Die etwas wusste. Die etwas gesehen hatte.

Woher kennt sie mich? Woher weiß sie, dass ich in London lebe und bei Scotland Yard arbeite?

Egal. Das würde sich klären.

»Du weißt schon, dass *du* in dem Fall nicht ermittelst?«, meinte Christy.

Ja, Miss Oberschlau. Leider scheint aber niemand hier wirklich zu ermitteln. Zumindest nicht so, dass man Hoffnung haben könnte, irgendwann ein brauchbares Ergebnis präsentiert zu bekommen. Es geht einfach nicht voran. Wahrscheinlich interessiert der Tod eines alten Polizisten eben niemanden.

Das war ungerecht. Sie wusste es.

»Christy, wenn diese Mrs. Cooper nur mit mir reden will, sollte ich ihr nicht statt meiner die Polizei auf den Hals hetzen und riskieren, dass sie verstummt. Kann ich die Nummer haben?«

Christy diktierte die Nummer. Kate kritzelte sie hastig auf die Rückseite des Kalenders, den ihr Vater in der Küche aufgehängt hatte.

»Du tust aber nichts Eigenmächtiges?«, fragte Christy noch einmal, und Kate verdrehte die Augen.

»Christy, ich bin kein Baby. Ich rufe jetzt diese Frau an, und wenn sie etwas zu sagen hat, was im Zusammenhang mit den Ermittlungen steht, behalte ich das ganz sicher nicht für mich.«

»Alles klar. Und, Kate – ich will dich nicht nerven, aber ... mach dich nicht so fertig. Dein Leben geht weiter.«

Ach ja? Weil ihr mich alle so nett und freundschaftlich behandelt?

»Danke für deinen Anruf, Christy. Bis bald.«

»Bis bald, Kate.«

Sie hatten kaum aufgelegt, da tippte Kate schon die Nummer von Melissa Cooper in ihr Handy. Sie hatte das sichere Gefühl, dass jetzt tatsächlich etwas in Bewegung kam.

Nachmittags um drei Uhr machte sie sich mit dem Wagen ihres Vaters auf den Weg. Sie fragte sich, wie sie es geschafft hatte, so lange zu warten. Um sich irgendwie abzulenken, hatte sie das Haus von oben bis unten geputzt, sogar die Fenster, und nun glänzte und blinkte alles und roch nach dem Zitronenduft des Reinigungsmittels. Die ganze Zeit hatte sie über die Fremde nachgedacht, und je länger sie nachdachte, desto unruhiger war sie geworden.

Melissa Cooper hatte eine sympathische Stimme, aber sie hatte wie jemand geklungen, der unter großem Druck steht. Gehetzt, angstvoll. Sie arbeite als Sekretärin einer Grundschule, hatte sie erklärt, und sie sei um halb fünf fertig. Da Kate ja nicht in London, sondern in Scalby sei – sie hatte überrascht und erleichtert reagiert, als sie das hörte –, könne sie vielleicht zu ihr kommen?

»Ich könnte gegen fünf Uhr in meiner Wohnung sein. Wollen wir uns dort treffen?«

Das Einzige, was Kate an diesem Vorschlag auszusetzen hatte, war der Zeitpunkt. Fünf Uhr! So spät!

»Ich würde Sie am liebsten sofort sehen«, sagte Melissa Cooper, »aber ich kann hier nicht weg, und wir können hier nirgendwo in Ruhe reden.«

Hatte sie immer diesen schrillen Ton in der Stimme? Sie klang wie jemand, der dicht davor stand durchzudrehen. Aber vielleicht war das auch überinterpretiert. Womöglich war diese Mrs. Cooper immer leicht hysterisch, immer gestresst, immer überlastet.

Trotzdem... Kate wurde ein Gefühl der Besorgnis nicht los. Sie hatte versucht, schon im Vorfeld wenigstens an ein winziges Stück Information zu kommen, aber Melissa hatte ihr bedeutet, nicht gut reden zu können.

»Ich bin nicht alleine«, hatte sie gezischt. »Später!«

Kate hatte sich die Adresse notiert. Richards Navigationsgerät rechnete ihr eine Fahrzeit von einer Stunde und dreißig Minuten aus. Sie war also etwas zu früh, als sie um drei Uhr aufbrach, aber sie sagte sich, dass sie ja notfalls noch eine Weile im Auto warten konnte. Außerdem wusste man nie, ob man nicht plötzlich im Stau steckte.

Und etwas sagte ihr, dass es eilte. Vielleicht war es ihr Polizistinneninstinkt. Er schien sie schon seit so langer Zeit verlassen zu haben, dass sie gedacht hatte, er habe sich für immer verabschiedet. Aber vielleicht hatte sie ihn nur nicht mehr gehört. Sie hatte an nichts mehr bei sich geglaubt, weshalb hätte sie dann noch ihrem Instinkt trauen sollen?

Zum Glück hatte es aufgehört zu regnen. Der Asphalt glänzte noch nass, aber die langen Gräser am Straßenrand trockneten bereits im aufkommenden Wind. Es herrschte dichter Verkehr. Kate war froh, dass sie zeitig losgefahren war. Bei Driffield hatte es einen Auffahrunfall gegeben, gute zwanzig Minuten lang bewegten sie sich alle nur im Schritttempo, weil alle Autos über den Seitenstreifen geleitet wurden. Kate vibrierte, rief sich aber zur Ordnung. Nicht die Nerven verlieren. Sonst war sie die Nächste, die einen Unfall verursachte.

Tatsächlich war es dann schon zehn Minuten vor fünf, als sie in der ruhigen Nebenstraße ankam, in der Melissa Cooper wohnte. Vierstöckige Mehrfamilienhäuser aus roten Klinkersteinen, weißgerahmte Sprossenfenster, weißlackierte Haustüren. Kleine, sauber gemähte Rasenflächen vor den Eingängen. Eine sehr gediegene Gegend, nicht ausgesprochen wohlhabend, aber sehr gepflegt. Etwas spießig. Kate fragte sich, was für ein Typ Frau Melissa Cooper sein mochte.

Sie wartete im Auto, zitternd vor Ungeduld, stieg um genau fünf Uhr aus und ging den gepflasterten Weg entlang zu der Eingangstür von Melissas Haus. Im dritten Stock wohne sie, hatte Melissa gesagt. Ob sie wohl schon daheim war? In den letzten zehn Minuten war niemand die Straße entlanggekommen. Kate fand das Klingelschild, läutete. Wartete. Nichts rührte sich.

Sie verspätete sich offensichtlich. Kate ging zu ihrem Auto zurück, setzte sich wieder hinein, behielt das Haus jedoch im Auge. Melissas Ankunft konnte ihr nicht entgehen.

Um zehn nach fünf war immer noch niemand erschienen, um Viertel nach fünf auch nicht. Kate zog ihr Handy aus der Tasche, rief Melissas Nummer auf und wählte. Es klingelte sechs Mal, ehe die Mailbox ansprang. »Hier ist die Mailbox von Melissa Cooper. Bitte hinterlassen Sie eine Nachricht.«

Vielleicht saß sie im Auto und konnte nicht an ihr Telefon gehen. Vielleicht quälte sie sich durch den Berufsverkehr, vielleicht hing sie auch wegen eines Unfalls fest. Weshalb rief sie dann nicht an? Kate hatte ihr ihre Nummer gegeben.

Um halb sechs versuchte sie es noch einmal telefonisch, wiederum ohne Erfolg. Diesmal hinterließ sie eine Nachricht.

»Hallo, Mrs. Cooper, hier ist Kate Linville. Ich stehe direkt gegenüber Ihrem Haus. Es ist halb sechs. Ich hoffe, es ist alles in Ordnung? Melden Sie sich doch bitte!«

Sie stieg wieder aus, ging zur Haustür, klingelte erneut. Erwartungsgemäß geschah daraufhin nichts. Schließlich klingelte sie am unmittelbar daneben befindlichen Schild. *Acklam* stand darauf. Vielleicht hatten die Nachbarn eine Idee, wo Melissa abgeblieben sein konnte.

Wenigstens hier war jemand zu Hause.

»Ja, bitte?«, erklang es aus dem Sprechgerät, während gleichzeitig bereits der Türöffner summte. Die Menschen waren unvorsichtig, aber diese Erfahrung hatte Kate gerade in ihrem Beruf schon oft gemacht.

Sie stieg die Treppen hinauf bis in den dritten Stock. Das Treppenhaus war hell, auf jedem Absatz standen Grünpflanzen in Tontöpfen. Es roch nach Putzmittel. Mit Ordnung und Sauberkeit nahm man es hier tatsächlich sehr genau.

Oben vor einer der beiden Wohnungstüren stand ein Mann und blickte Kate misstrauisch entgegen.

»Ja, bitte?«, wiederholte er seine Frage, auf die Kate bislang nicht geantwortet hatte.

Kate lächelte gewinnend. »Guten Tag. Ich möchte eigentlich zu Melissa Cooper. Wir waren für fünf Uhr verabredet, und nun warte ich schon seit über einer halben Stunde, und sie scheint nicht zu Hause zu sein.«

»Mrs. Cooper ist immer spätestens um fünf Uhr daheim«,

erklärte Mr. Acklam. »Manchmal kauft sie allerdings noch ein, aber das wird heute nicht der Fall sein.«

»Nein. Wir haben uns kurzfristig heute Mittag erst verabredet, das kann sie auch kaum vergessen haben.«

»Seltsam.« Mr. Acklam betrachtete Mrs. Coopers Wohnungstür. »Und außerdem höre ich es meistens, wenn sie nach Hause kommt. Hier ist alles sehr hellhörig, wissen Sie? Und heute habe ich nichts mitbekommen. Also ist sie wohl nicht daheim.«

»Das ist sehr eigenartig«, meinte Kate. Die Unruhe, die sie seit dem Vormittag begleitete, verstärkte sich. »Sie arbeitet ja in einer Schule, nicht? Wissen Sie zufällig, in welcher? Dann könnte ich dorthin fahren und nach ihr schauen.«

Jetzt stand wieder Misstrauen im Gesicht des Mannes. »Sind Sie eine Freundin? Oder eine Bekannte?«

Kate zögerte kurz. Sie war in ihrer augenblicklichen Situation absolut nicht befugt zu tun, was sie nun tat, aber es war das sicherste Mittel, ihr Gegenüber zu einer raschen Kooperation zu bewegen. Sie zog ihren Ausweis aus der Tasche. »Detective Sergeant Kate Linville, Metropolitan Police.«

Mr. Acklam war sichtlich beeindruckt. »Metropolitan Police? Scotland Yard?«

»Mr. Acklam«, sagte Kate, »ich müsste Melissa Cooper wirklich dringend sprechen.«

»Ich habe ihr das ja schließlich auch geraten«, sagte Mr. Acklam. »Sich an die Polizei zu wenden, meine ich. Ehe sie noch ganz verrückt wird, sollte sie mit jemandem sprechen, der sich auskennt. Es ist vernünftig, dass sie Sie angerufen hat.«

Kate runzelte die Stirn. »Sie haben ihr geraten, sich an die Polizei zu wenden?«

»Na ja, sie war fix und fertig in den letzten Wochen. Ehrlich gesagt, ich war mir nicht sicher, ob sie sich nicht etwas einbildet, aber ich dachte… man weiß ja nie. Und ich meinte, wenn die Polizei dem nachgeht und es stellt sich heraus, da ist nichts, dann kann sie wieder ruhig schlafen. Und das Ganze endlich abhaken.«

»Was genau hat Mrs. Cooper Ihnen denn erzählt?«

»Dass sie sich beobachtet fühlt. Dass sie den Eindruck hat, jemand sei hinter ihr her. Belauert sie, beschattet sie. Was weiß ich. Neulich kam sie mitten in der Nacht zu mir herüber, weil angeblich schon wieder jemand vor dem Haus stand und zu ihrer Wohnung hochschaute. Ich habe dann aus dem Fenster gesehen, aber da war niemand. Ich wusste nicht recht, was ich davon halten sollte. Eigentlich war Mrs. Cooper immer eine sehr vernünftige Person. Kein bisschen überspannt oder seltsam. Aber sie war viel allein. Zumindest abends und an den Wochenenden. Ihr Mann ist sehr früh gestorben, und die Söhne lassen sich so gut wie nie bei ihr blicken.«

Kates Gedanken überschlugen sich. Melissa Cooper fühlte sich verfolgt. Das entsprach genau dem Eindruck, den Kate während des kurzen Gesprächs mit ihr gewonnen hatte: eine gehetzte Frau, nervös, unruhig. In die Enge getrieben.

Und sie hatte irgendetwas mit ihrem Vater zu tun gehabt. Der grausam ermordet worden war.

Sie war plötzlich sicher, dass Melissa Cooper in Gefahr schwebte und dass es ein ganz schlechtes Zeichen war, dass sie noch immer nicht aufgetaucht war.

»Mr. Acklam, es ist absolut wichtig, dass ich Mrs. Cooper schnell spreche. Wo ist diese Schule?«

»Am Sutton-Park-Golfplatz. Das ist… wie beschreibe ich das jetzt…?«

»Kein Problem, ich habe ein Navi. Danke, Mr. Acklam.

Sie haben mir sehr geholfen.« Mit diesen Worten sauste Kate schon wieder die Treppe hinunter. Während sie zu ihrem Auto lief, kam ihr der Gedanke, dass sie, würde sie sich an die Vorschriften halten, jetzt sofort eine Streife zu der Schule schicken musste, da diese mit Sicherheit schneller dort sein konnte als sie selbst. Andererseits war sie nicht im Dienst und steckte nicht in einer offiziellen Ermittlung. Bis sie irgendeinem begriffsstutzigen Beamten auf einem Revier klargemacht hatte, weshalb sie, eine Polizistin von Scotland Yard, hier in Hull dringend Unterstützung haben musste, weil eine erwachsene Frau gerade mal seit einer Dreiviertelstunde abgängig war, verging vermutlich mehr Zeit, als sie selber brauchte, um zu der Schule am Sutton Park zu gelangen. Der einzige schnelle Weg wäre der über DCI Caleb Hale gewesen, aber Kate wusste genau, weshalb sie davor zurückschreckte: *Sie* wollte mit Melissa Cooper reden. Und zwar als Erste. Sie wollte nicht aus zweiter Hand und gefiltert von Caleb Hale hören, was diese Frau zu berichten hatte.

Sie gab den Sutton Park in ihr Navigationsgerät ein und fuhr los.

2

Der Sutton-Park-Golfplatz bestand aus einem riesigen grünen Areal, und auf Anhieb konnte Kate entlang seiner Grenzen nichts erkennen, was an eine Schule erinnert hätte. Sie kreuzte durch ein endlos anmutendes Gewirr immer gleich aussehender Siedlungsstraßen, Klinkersteinhäuser mit Erkern und Gauben, eine pseudoviktorianische Verspieltheit, die sich spätestens durch die flachen Garagen jenseits der gepflegten Vorgärten, die eher wie steinerne Container aussahen, endgültig als unecht entpuppte. Kate fluchte lautstark vor sich hin, während sie durch dieses Spielzeugland kurvte und sich irgendwann fragte, ob es in dieser Gegend wohl ein einziger Grashalm wagte, höher oder schiefer oder in einer anderen Farbe zu wachsen als seine Nachbarn. Und immer wieder tauchte der dunkelgrüne Stahlzaun auf, der das Golfgelände umschloss. Eine Sackgasse nach der anderen, ein Wendehammer nach dem anderen.

Es dauert zu lange! Ich hätte doch DCI Hale anrufen müssen.

Sie durchforstete eine Straße, die Gleneagles Road hieß und von der eine Unzahl kleiner Nebenstraßen abzweigten, die als die unvermeidlichen Sackgassen endeten, und sie war innerlich so weit, bei der nächsten Gelegenheit an den Straßenrand zu fahren und Hilfe herbeizutelefonieren, da sah sie die Schule. Am Ende einer Abzweigung gelegen, eingebettet in eine Menge Grün und ein gutes Stück von den nächsten Wohnhäusern entfernt errichtet. Ein großes Gebäude, daneben mehrere kleinere Pavillons, ineinander übergehende asphaltierte Schulhöfe zwischen den einzelnen Häusern, Rasenflächen und sogar ein Spielplatz mit Klettergerüsten. Eine schöne, neue, moderne Schule, noch nicht heruntergekommen und abgenutzt. Kein Graffiti an den Wänden oder an der Mauer, die das Gelände umschloss.

Obwohl, dachte Kate, es ist eine Grundschule. Da sprühen sie wahrscheinlich ohnehin noch keine Sauereien an jede freie Fläche, die sie finden können.

Sie fuhr durch das offene Tor und sah auf dem rechter Hand angrenzenden Parkplatz ein einziges einsames Auto stehen. Sie hätte wetten mögen, dass es sich um Melissa Coopers Auto handelte. Die Frau war vermutlich noch hier.

Warum ging sie nicht an ihr Handy? Warum meldete sie sich nicht von selbst? Es war inzwischen nach sechs Uhr. Das Gespräch mit Kate war ihr so wichtig gewesen, dass sie sogar bei der Metropolitan Police in London angerufen hatte. Sie *konnte* die Verabredung nicht vergessen haben.

Kate stieg aus. So ausgestorben und verlassen wirkte das Schulgelände um diese Zeit, dass es schwer vorstellbar war, wie hier Kinder herumtobten, lachten und schrien, Fangen spielten, rangelten und stritten. Und doch konnte es erst wenige Stunden her sein, dass hier das Leben pulsiert hatte. Dass Mütter ihre Kinder abgeholt und entnervt nach Haltemöglichkeiten gesucht hatten, dass Kinder herangetrödelt kamen, während andere gar nicht schnell genug durch das Tor stürmen konnten. Ein tosender Lärm musste hier geherrscht haben.

Während jetzt das vollkommene Schweigen über allem lag.

Das Sekretariat, so vermutete Kate, befand sich im Haupthaus, aber als sie die gläserne Schwingtür öffnen wollte, die in eine Eingangshalle führte, stellte sie fest, dass diese verschlossen war. Sie rüttelte noch ein paarmal, obwohl sie wusste, dass es keinen Sinn hatte. Wer hatte hier alles verriegelt? Melissa? War sie gegangen, war es nicht ihr Auto, das dort einsam auf dem großen Parkplatz stand? *Aber wo war sie?*

Kate umrundete das Gebäude, versuchte, in die Fenster zu spähen, aber die meisten waren durch heruntergelassene Jalousien vor neugierigen Blicken geschützt. Einmal konnte sie in einen Klassenraum sehen. An die Tafel standen ein paar Verse geschrieben. Die Stühle waren auf die Tische gestellt.

Alles war menschenleer.

Sie wandte sich ab, überlegte, was sie als Nächstes tun sollte, als sie eine Stimme hörte.

»Madam? Hallo? Suchen Sie etwas?«

Ein Mann überquerte den Schulhof. Er schob ein Fahrrad neben sich her. »Kann ich Ihnen helfen?«

»Ich habe eine Verabredung mit Melissa Cooper«, sagte Kate.

Der Mann schüttelte den Kopf. »Die ist längst nicht mehr da. Die geht spätestens um halb fünf.«

»Aber ihr Auto steht auf dem Parkplatz«, behauptete Kate.

Der Mann machte ein paar Schritte zur Seite, um den Parkplatz sehen zu können, und runzelte dann die Stirn. »Tatsache. Da ist ihr Auto. Das verstehe ich nicht.«

»Sie sind hier der Hausmeister?«

Er beäugte sie misstrauisch. »Wer will das wissen?«

Kate tat es zum zweiten Mal. Es gab einfach nichts, was schneller und sicherer funktioniert hätte. Sie zückte ihren Ausweis. »Detective Sergeant Kate Linville, Scotland Yard. Bitte schließen Sie mir die Tür auf.«

Der Mann änderte sofort Körpersprache und Mimik. Er wirkte so eingeschüchtert, dass es fast schon verdächtig erschien. »Scotland Yard, du liebe Güte! Ist etwas passiert mit Mrs. Cooper? Ist sie in Schwierigkeiten?«

»Können Sie jetzt bitte aufschließen?«, wiederholte Kate, anstatt auf seine Fragen zu antworten. Der Mann lehnte sein Fahrrad an die Hauswand und kramte mehrere Schlüssel aus seiner Hosentasche.

»Ich habe um halb sechs das Hauptgebäude abgeschlossen. Drüben«, er machte eine Kopfbewegung hin zu einem der Pavillons, »war der Strom heute ausgefallen, damit habe ich mich jetzt noch abgekämpft. Sonst wäre ich auch schon längst weg.« Sie liefen Richtung Eingang. Kate mit so schnellen, großen Schritten, dass der ziemlich behäbige Mann an ihrer Seite kaum mithalten konnte. »Um halb vier ist hier Schluss, wissen Sie? Dann kommt gleich die Putzkolonne und macht sauber bis etwa halb fünf. Solange ist auch Melissa meist noch da und erledigt die Arbeiten, zu denen sie tagsüber nicht richtig kommt. Herrscht immer viel Trubel hier, wie Sie sich bestimmt vorstellen können. Ich schließe oft schon um halb fünf gleich nach der Putzkolonne ab, aber das ist kein Problem für Melissa. Sie hat einen eigenen Schlüssel und kann jederzeit nach draußen.« Sie hatten die Eingangstür erreicht, er schloss auf.

»Wo ist das Sekretariat?«, fragte Kate.

»Mir nach!«, sagte der Hausmeister aufgeregt. Er fand allmählich Gefallen an der Situation. Kate hingegen wurde immer unruhiger. Für das alles fiel ihr inzwischen kaum noch eine auch nur einigermaßen harmlose Erklärung ein.

Lange, ausgestorbene Gänge. Auf dem Fußboden Linoleum, das unter den Schritten quietschte. Kleiderhaken an den Wänden, hier und da hing eine vergessene Jacke oder sogar noch ein gestrickter Schal vom Winter. Und über allem lag der typische Schulgeruch. Unverwechselbar und vermutlich überall auf der Welt gleich. Kate sah sich sofort in alte Zeiten zurückversetzt. Glücklichere Zeiten, wenn sie es genau nahm. Wie viele andere Kinder und Jugendliche hatte auch sie geglaubt, das Leben werde besser, wenn erst die Schule vorbei sei. Um dann festzustellen, dass die besten Jahre hinter ihr lagen.

»So, hier ist es«, sagte der Hausmeister und bog in einen Raum ein, dessen Tür offen stand. Im nächsten Augenblick schon wich er zurück, prallte gegen Kate, die ihm auf den Fuß folgte.

»Jesus!«, keuchte er. Er war mit einem Schlag kreideweiß im Gesicht.

Kate schob ihn zur Seite. »Betreten Sie nicht das Zimmer! Fassen Sie nichts an!«

Es war unnötig, ihm das zu sagen. Er schwankte zu einer der schmalen Holzbänke, die unterhalb der Reihen mit Kleiderhaken standen, und sank darauf nieder. Stützte den Kopf in die Hände. Seine Stirn glänzte von Schweiß.

Das Bild, das sich Kate bot, war grauenhaft, und sie zweifelte keinen Moment, dass es sich bei der Frau, die dort mitten im Raum auf einem Stuhl saß, um Melissa Cooper handelte. Ihre Hände waren mit Paketklebeband hinter der Stuhllehne gefesselt, auf dieselbe Art waren ihre nach außen gedrehten Füße jeweils an einem Stuhlbein fixiert. Ihr Rock war hochgerutscht, die Strumpfhose war zerrissen und von den Knien abwärts mit dickem, geronnenem Blut verklebt. Man hatte ihr die Kniescheiben zertrümmert, mit einem Hammer vielleicht oder mit einem Brett.

Auch ihr Oberkörper war voller Blut, Blut in solchen Mengen, dass sich nicht erkennen ließ, welche Farbe der Pullover hatte, den sie trug. Ihr Kopf hing schlaff zur Seite. Kate erkannte den tiefen Schnitt, der sich von einem Ohr zum anderen an ihrem Hals entlangzog. Etwas steckte in ihrem Mund und war ebenfalls mit Klebeband befestigt. Ein Strumpf wahrscheinlich oder ein Taschentuch. Sie hatte nicht schreien können, was erklärte, weshalb der Hausmeister von diesem Gemetzel in seiner Nähe nichts mitbekommen hatte. Man hatte Melissa Cooper gefesselt, gefoltert und dann getötet. Vor nicht allzu langer Zeit.

Kate zog ihr Handy aus der Tasche. Polizeinotruf, Krankenwagen. Und Caleb Hale. Sie rief endlich Caleb Hale an. Dann wandte sie sich zu dem Hausmeister um, weil sie ihm noch einmal einschärfen wollte, sich keinesfalls vom Fleck zu bewegen, aber diese Maßnahme erwies sich als überflüssig: Der Mann war von der Bank gerutscht und lag ohnmächtig auf dem Boden. Sie fühlte kurz seinen Puls und entschied, dass sie warten konnte, bis der Notarzt da war. Dann lief sie, immer wieder die Deckung etlicher offenstehender Türen ausnutzend, durch die Gänge. Die Frage war, ob sich der oder die Täter noch im Gebäude aufhielten. Sie glaubte es zwar nicht, folgte aber den Vorschriften, die sie für eine Situation wie diese gelernt hatte. Nicht ganz allerdings: Laut den Vorschriften hätte sie in diese ganze Situation niemals im Alleingang geraten dürfen.

Es wimmelte von Polizei und Sanitätern. Zuckendes Blaulicht von den Einsatzfahrzeugen im Hof tanzte über die Wände. Einsetzende Dämmerung draußen und immer mehr Menschen, wie es Kate schien. Jeder tat, was er tun musste. Man hatte sich um den Hausmeister gekümmert, und nun wurde er von einem Streifenwagen nach Hause gebracht. Fotos vom Tatort wurden gemacht, die Tote einer ersten Untersuchung unterzogen. Nach dem, was Kate mitbekam, war sie eindeutig an dem Schnitt durch die Kehle gestorben. Als man ihr die Knie zertrümmerte, hatte sie noch gelebt, vermutlich jedoch das Bewusstsein verloren. Geschätzter Tatzeitpunkt: zwischen halb fünf und fünf Uhr am Nachmittag.

Als ich tatenlos vor ihrem Haus stand und wartete, dachte Kate.

Sie saß apathisch auf derselben Bank, auf die sich zuvor auch der Hausmeister mit letzter Kraft geschleppt hatte. Soweit sie es hatte feststellen können, war tatsächlich niemand mehr im Gebäude gewesen, aber sie wusste, dass jeder

Quadratzentimeter des ganzen Geländes jetzt noch einmal abgesucht wurde. Niemand rechnete mehr damit, den Täter anzutreffen. Aber vielleicht stieß man auf Spuren, die sich verwenden ließen.

Eine Frau setzte sich neben Kate auf die Bank. Sie kam Kate bekannt vor, aber sie konnte sie nicht gleich einordnen.

»DC Jane Scapin. Wir kennen uns noch vom Februar.«

Richtig, Detective Constable Scapin aus Hales Team. Kate erinnerte sich. Sie war dabei gewesen, als man Kate in das Haus ihres Vaters begleitet hatte. Eine zarte, junge Person, die Kate damals ungeheuer nervös vorgekommen war. Und ziemlich abgekämpft.

»Oh, Constable, entschuldigen Sie. Ich habe Sie nicht gleich erkannt«, sagte Kate. Sie blickte sich um. »Wo ist Caleb Hale?«

Jane wies vage in die Richtung hinter sich. »Der diskutiert gerade mit dem Einsatzleiter aus Hull. Der hat noch ein paar Probleme damit zu akzeptieren, dass wir hier herumhängen und drauf und dran sind, uns den Fall unter den Nagel zu reißen. Aber Caleb kann sehr überzeugend sein.«

»Dann sehen Sie auch einen Zusammenhang?«

Jane nickte. »Ich habe mitbekommen, dass Sie DCI Hale am Telefon gesagt haben, diese…«

»Melissa Cooper.«

»Melissa Cooper habe Sie wegen Ihres Vaters sprechen wollen. Und kurz darauf ist sie tot, ermordet, und uns bietet sich hier ein ganz ähnliches Bild wie…« Sie sprach den Satz nicht zu Ende.

Das ist auch ein Grund, weshalb ich dauernd das Gefühl habe, außen vor zu sein, dachte Kate, diese Rücksichtnahme, die sie mir alle entgegenbringen. Ständig nur halbe Sätze, taktvolle Umschreibungen… Ich bin keine Kollegin in ihren Augen. Ich bin Angehörige eines Opfers. Das ist ein vollkommen anderer Status.

»Ein Bild wie damals bei meinem Vater«, ergänzte sie. »Das Opfer gefesselt auf einem Stuhl. Sadistisch gequält, ehe es getötet wurde.«

»Daher sehen wir natürlich den Zusammenhang«, sagte Jane. Sie machte eine kurze Pause. Sie wirkte erschüttert und fassungslos und musste sich sichtlich mühsam zusammenreißen, um ihren Aufgaben an diesem Tatort nachzukommen.

Sie ist noch so jung, dachte Kate, es nimmt sie viel mehr mit als alle anderen hier.

»Kate – darf ich Sie Kate nennen? –, Sie sind sicher völlig erschöpft, aber es wäre gut, wenn ich möglichst schnell eine Aussage von Ihnen hätte. Woher kennen Sie Melissa Cooper? Was wollte sie genau von Ihnen? Weshalb sind Sie hier?«

»Ich kann das leider in wenigen Worten erklären«, sagte Kate, »weil ich nicht viel mehr weiß als Sie.« Rasch berichtete sie von Melissas Anruf bei Scotland Yard, von dem Gespräch, das sie daraufhin mit ihr geführt hatte. Wie sie vor ihrer Wohnung gewartet hatte und schließlich zur Schule gefahren war.

»Ich habe keine Ahnung, was Mrs. Cooper mir sagen wollte«, schloss sie. »Ich habe ihren Namen nie vorher gehört. Mein Vater hat sie nie erwähnt. Ich weiß nur, dass sie auf mich äußerst angespannt wirkte. Dies bestätigte auch ihr Nachbar. Melissa Cooper fühlte sich bedroht. Beobachtet. Einmal soll nachts ein Mann vor ihrem Haus gestanden und zu ihr hinaufgestarrt haben. Sie hatte Angst. Und leider zu Recht, wie wir jetzt wissen.«

Jane machte sich ein paar Notizen. »Das unterscheidet

Melissa Cooper allerdings von Ihrem Vater, Kate. Er hat nichts in dieser Richtung erwähnt.«

»Aber das heißt nichts. Er hätte das schon deshalb nicht gesagt, um sich nicht lächerlich zu machen. Außerdem gibt es die Aussage, dass ein verdächtiges Auto vor seinem Haus herumkreuzte. Über Melissa wussten der oder die Täter jedenfalls recht gut Bescheid. Sie haben den richtigen Zeitpunkt abgepasst: Die Schule war leer, die Putzkolonne gerade gegangen. Normalerweise wäre auch der Hausmeister schon weg und das Gebäude verschlossen gewesen. Ich vermute, die Täter hatten vor, Melissa am Parkplatz abzufangen. Aber dann wurde der Hausmeister aufgehalten, und sie konnten sogar das Innere des Gebäudes betreten. Eine kleine Änderung des Plans. Doch insgesamt kannten sie Melissas Tagesablauf. Sie haben sie bestimmt schon länger beschattet.«

»Das sehe ich auch so«, stimmte Jane zu. »Wir werden natürlich auch noch sehr genau mit dem Nachbarn sprechen. Wir haben in der Brieftasche des Opfers Namen und Adressen zweier Angehöriger gefunden, es scheint sich um die Söhne zu handeln. Einer lebt in Sheffield, er wurde bereits verständigt. Ich erhoffe mir von ihm auch noch hilfreiche Informationen. In jedem Fall...« Sie sprach nicht weiter. Denn gerade tauchte Caleb Hale neben ihnen auf, und er sah, wie Kate sofort erkannte, ausgesprochen wütend aus.

»Kate, das war absolut nicht in Ordnung, und ich glaube, das wissen Sie. In dem Moment, da sich Melissa Cooper mit Ihnen in Verbindung gesetzt hatte, hätten Sie mich verständigen müssen. Ich hätte mich mit Sicherheit nicht auf ein Treffen mit ihr irgendwann am späten Nachmittag eingelassen, ich hätte sie sofort aufgesucht. Wahrscheinlich hätten wir dann jetzt einige wertvolle Informationen. Und sie würde noch leben. Diese grausame… Hinrichtung hätten Sie ihr ersparen können!«

»Sir…«, sagte Jane warnend, aber er wedelte ihren Einwurf mit einer ungeduldigen Handbewegung zur Seite.

»Ich habe Sie über alle Ermittlungen auf dem Laufenden gehalten, Kate. Sehr viel umfassender und konstanter, als ich das für gewöhnlich mit den Angehörigen von Mordopfern tue. Weil ich in Ihnen immer auch die Kollegin gesehen habe, die die Abläufe kennt und die weiß, wie sie die Informationen einzuordnen hat. Ich hätte kollegiales und faires Verhalten aber auch von Ihnen erwartet. Offensichtlich habe ich mich gründlich in Ihnen getäuscht!«

Unter der Wucht seiner Vorwürfe fühlte sich Kate wie ein kleines Häufchen Elend, das immer mehr in sich zusammensank. Er hatte recht mit allem, was er sagte. Sie hatte es wieder einmal vermasselt. Sie konnte ihre Kollegen in London förmlich seufzen hören. *Typisch Kate!* Und am schwersten wog, dass sie vielleicht wirklich den Tod der armen Frau hätte verhindern können, wenn sie etwas umsichtiger und weniger eigennützig agiert hätte.

»Ich dachte… es sei etwas Privates, was sie mir zu sagen hatte«, murmelte sie.

»Innerhalb einer Mordermittlung gibt es nichts, was privat wäre«, schnauzte Caleb. »Und zumindest können Sie das nicht alleine beurteilen! Sie hätten übrigens auch leicht direkt in das Tatgeschehen hineinplatzen können. Alleine. Vermutlich unbewaffnet. Sie könnten jetzt auch tot sein.«

»Es tut mir leid«, flüsterte Kate.

»Das ist eine späte Erkenntnis«, sagte Caleb.

Kate fühlte einen leichten Druck auf ihrer Schulter und sah auf. Jane berührte sie sanft mit der Hand und lächelte ihr kaum merklich zu. *Er kriegt sich schon wieder ein,* hieß das Lächeln.

Aber das ändert nichts an meiner Schuld, dachte Kate. Sie hätte heulen mögen. Sie verbiss es sich, weil sie wusste, das hätte nichts geändert. Und Caleb hätte sie noch mehr verachtet.

Detective Sergeant Stewart, ebenfalls aus Caleb Hales Team, trat an die kleine Gruppe heran. Ihm folgte ein großer, gutaussehender Mann mit dichten dunklen Haaren und einem verstörten Gesichtsausdruck.

»Mr. Michael Cooper, Sir«, sagte Stewart, »Melissa Coopers Sohn. Er ist von Sheffield hierhergekommen.«

»Kann ich sie sehen?«, fragte Cooper sofort. »Kann ich meine Mutter sehen?«

Caleb drückte ihm die Hand. »Mein Beileid, Mr. Cooper. Sie werden Ihre Mutter sehen können, aber nicht sofort. Sie ist auf dem Weg in die Rechtsmedizin. Es müssen einige Untersuchungen vorgenommen werden.«

Michael Cooper sah aus, als würde er jeden Moment zu schreien beginnen. Er schien fassungslos und vollkommen geschockt. »Sie sind ganz sicher, dass es sich bei … der Toten um meine Mutter handelt?«, fragte er.

Caleb nickte. »Der Hausmeister der Schule hat sie zweifelsfrei identifiziert. In der Handtasche, die neben ihrem Schreibtisch stand, haben wir ihre Papiere gefunden. Auch das Foto im Pass gab den klaren Hinweis. Leider. Ihre Mutter ist Opfer eines Verbrechens geworden.«

Coopers Schultern sackten nach vorne. In seinen Augen glänzten Tränen. »Ich bin wie ein Wilder hierhergerast, als ich die Nachricht bekam. Es ist ein Wunder, dass ich keinen Unfall gebaut habe. Mein Gott!« Er fuhr sich mit beiden Händen durch die Haare. »Das ist entsetzlich. Das ist grauenhaft. Unfassbar. Ich habe meinen Bruder angerufen. Er wohnt oben in Schottland, wissen Sie? Er kommt noch heute Nacht.«

»Das ist gut«, sagte Caleb sanft, »Sie brauchen einander jetzt. Mr. Cooper, ich würde gerne ungestört mit Ihnen reden. Kommen Sie doch bitte mit mir in einen der Klassenräume hier, und ich...«

Michael Cooper schien ihm überhaupt nicht zuzuhören, denn er unterbrach ihn mitten im Satz. »Es ist alles meine Schuld. Ich habe sie nicht ernst genommen. Ich habe gedacht, sie bildet sich etwas ein. Ältere Frau, dachte ich, zu viel alleine. Steigert sich in düstere Fantasien hinein. Seit der Sache mit Linville war sie vollkommen verändert, und ich dachte, sie überträgt da etwas auf sich ohne Sinn und Verstand...«

Alle erstarrten.

»Wie bitte?«, fragte Kate mit heiserer Stimme. Sie stand auf.

»Kate!«, sagte Caleb warnend, aber sie kümmerte sich nicht um ihn. Sie schob sich dicht an Michael Cooper heran. Er überragte sie um fast zwei Köpfe.

»*Die Sache mit Linville?* Was wissen Sie darüber? Was wissen Sie über meinen Vater?«

Michael erwachte schlagartig aus dem fast tranceähnlichen Zustand, der ihn einfach hatte reden lassen, ohne auf das einzugehen, was um ihn herum gesagt oder gefragt wurde. Er fixierte Kate mit einem Blick, als sei sie irgendeine seltsame Kreatur, wie man sie sonst nie zu sehen bekam.

»Ihr Vater? Sie sind...?«

»Ich bin Kate Linville. Richard Linvilles Tochter. Ihre Mutter hatte sich heute mit mir verabredet. Ich habe vorher nie von ihr gehört, ich weiß nicht, wer sie ist und was sie von mir wollte. Aber es hängt mit meinem Vater zusammen, nicht wahr? Kannten Sie meinen Vater?«

Er lachte. Es war kein fröhliches Lachen. »Und ob ich ihn kannte. Aber Sie haben tatsächlich keine Ahnung, stimmt's? Na ja, kein Wunder. Meine Mutter war Linvilles bestgehütetes Geheimnis bis ins Grab hinein, wie man sieht.«

Kate fühlte ihr Herz bis in den Hals hinauf schlagen. »Mr. Cooper…«

Er sah sie verächtlich an. »Es ist fast sechzehn Jahre her. Linville und meine Mutter fingen ein Verhältnis miteinander an. Ging etwa vier Jahre. Meine Mutter war verwitwet, hatte ihre Söhne alleine großgezogen. Sie verliebte sich unsterblich in Linville. Hoffte auf das große Glück. Aber er hielt sie hin. Ging mit ihr ins Bett und abends dann wieder nach Hause zu seiner Frau. Meine Mutter glaubte die ganze Zeit, er werde sich eines Tages endgültig für sie entscheiden. Tat er natürlich nicht. Ich habe sie immer gewarnt. Mein Bruder hat sie gewarnt. Wir waren schon aus dem Haus, studierten, aber eines Tages hat sie uns eingeladen und uns Linville vorgestellt. Ihm war das richtig unangenehm. Und ich wusste sofort: Der tut den Schritt nie. Der lässt sich nie scheiden. Der sülzt ihr irgendetwas vor, und dann lässt er sie fallen. Und genauso ist es gekommen. Er machte Schluss und kehrte in den Schoß der Familie zurück. Was aus meiner Mutter wurde, war ihm egal.«

Niemand sagte etwas. Alle standen sie wie erstarrt: Caleb Hale, Jane Scapin, sogar DS Stewart.

Kate versuchte, etwas zu sagen, brachte aber keinen Ton heraus. Ihr war plötzlich, als seien sie auf einer einsamen Insel, nur sie und Michael Cooper. Die Beamten der Spurensicherung, die geschäftig hin und her eilten, nahm sie nicht mehr wahr. Und selbst Calebs Team, das dicht um sie herum stand, schien nicht mehr anwesend. Da waren nur sie und Michael und die ungeheuerliche Behauptung, die er soeben in die Welt gesetzt hatte.

Endlich schaffte sie es, etwas zu sagen. »Das kann nicht sein.«

Irgendwie schien es ihm in seinem Schmerz zu helfen, ihr Schmerz zufügen zu können, denn er wiederholte es fast genüsslich: »Doch. Es war genau so, wie ich gesagt habe. Richard Linville hat meine Mutter benutzt, hat ihr immer wieder Hoffnung gemacht und sie am Ende einfach sitzengelassen. Sie hat sich nie wieder wirklich davon erholt, sie ist zu einer bedrückten, traurigen Frau voller Selbstzweifel geworden. Und als ich in der Zeitung las, dass jemand ihn ermordet hat, da habe ich gedacht, es trifft schon manchmal die Richtigen. Es hat mir richtig den Tag versüßt, vom Tod Ihres Vaters zu lesen. Und meinem Bruder auch. Tut mir leid, aber mit geheucheltem Bedauern kann ich leider nicht dienen.«

1

Stella wurde wach, weil jemand ihren Namen rief. Zunächst glaubte sie zu träumen, dann stellte sie fest, dass sie wach war, und fragte sich, ob sie vielleicht gerade geträumt *hatte*. Und dann hörte sie es wieder.

»Stella!«

Jemand rief tatsächlich ihren Namen. Ziemlich laut. Jemand, der draußen vor dem Haus stand.

Sie vergewisserte sich, dass Jonas neben ihr im Bett lag und schlief. Er atmete tief und gleichmäßig. Nach einem Moment des Zögerns stand sie auf, verließ leise das Zimmer und huschte die Treppe hinunter. Die Situation war mehr als merkwürdig, aber Stella beschloss, ihr auf den Grund zu gehen. Sie war nicht der Typ, der sich ängstlich die Decke über den Kopf zog, um möglichst nichts zu wissen.

Die Haustür besaß ein kleines Fenster knapp auf Kopfhöhe, das man öffnen konnte, ohne dass ein ungebetener Gast sofort hätte hineinkommen können. Stella schaute auf die Uhr, die in der Diele hing. Kurz nach Mitternacht. Tatsächlich nicht die Zeit für einen Besuch.

Sie öffnete das kleine rautenförmige Fenster und spähte hinaus. Die Nacht war dunkel, eine dichte Wolkendecke verbarg vollständig das Licht des Mondes. Aber ein warmer Wind wehte aus Südosten. Stella hoffte inständig, dass es ihm bis zum Morgen gelingen würde, die Wolken zu vertreiben. Sie lechzte nach einem Sonnentag.

Kaum hatte sie das Fenster geöffnet, da tauchte auch schon ein Gesicht direkt vor ihr auf, so plötzlich, dass Stella erschrocken zurückzuckte.

»Stella! Lieber Himmel, wie gut, dass Sie wach sind! Kann ich reinkommen? Bitte!«

Es war Terrys Stimme.

»Terry?«, fragte Stella völlig perplex.

»Ja, ich bin es. Bitte, Stella, machen Sie auf!«

»Sind Sie allein?«

»Ja.«

Stella löste die Sicherheitskette und schob den Riegel zurück. Terry drängte ins Haus, kaum dass die Tür auch nur einen Spalt weit offen war. Hinter sich schloss sie die Tür sofort wieder und schob den Riegel vor. »Ich weiß nicht … kann sein, er kommt mir nach …«

»Wer?«

»Neil. Er wird so wütend sein.«

»Kommen Sie erst einmal mit in die Küche«, sagte Stella. »Möchten Sie vielleicht einen Tee?«

»Haben Sie auch etwas Stärkeres?«, fragte Terry. Sie folgte Stella in die Küche. Stella knipste das Licht an und stieß gleich darauf einen Laut des Erschreckens aus. »Terry! Wie sehen Sie denn aus?«

Terry hob unsicher eine Hand an ihr Gesicht. »Sieht man es?«

Sie hatte eine geschwollene, aufgeplatzte Lippe und ein halb zugequollenes linkes Auge, um das herum sich die Haut bereits langsam violett zu verfärben begann. Aus der

Augenbraue führte eine dünne Spur geronnenen Blutes zur Schläfe hinunter.

»Und ob man es sieht!«, sagte Stella. »War das Neil?«

Terry nickte, dann sank sie auf die Bank am Küchentisch, stützte ihr zerschundenes Gesicht in die Hände und fing an zu weinen.

In der Tat, sie brauchte etwas Stärkeres als einen Tee.

Stella schenkte Whisky in ein Glas. »Hier. Trinken Sie erst einmal. Und dann erzählen Sie der Reihe nach.« Eine Frage brannte ihr ganz besonders auf der Zunge. »Woher wussten Sie denn, wo wir sind?«

Terry antwortete zunächst nicht, sondern weinte nur. Endlich hob sie den Kopf, wischte sich mit dem Ärmel ihrer Jacke die Tränen vom Gesicht, wobei sie einen leisen Schmerzenslaut ausstieß, und griff dann nach dem Glas. Sie kippte das Getränk mit einem Schwung hinunter, genau in dem Moment, als ein verschlafener Jonas im blauen Bademantel und barfuß in der Küche erschien.

Er blinzelte ins Licht. »Was ist los?«

»Terry ist zu Besuch gekommen«, sagte Stella ironisch.

Er starrte Terry an. Allmählich gewöhnten sich seine Augen an die Helligkeit. »Du liebe Güte«, sagte er, »was ist denn mit Ihnen passiert?«

»Das war ihr netter Freund Neil«, erklärte Stella, »vor dem sie auf der Flucht ist, wenn ich das richtig verstanden habe. Leider fielen nur wir ihr als Anlaufstelle ein.« Sie sah Terry an. »Terry! Sie haben meine Frage noch nicht beantwortet. *Woher wussten Sie, wo wir sind?*«

Es schien Terry schwerzufallen, Stellas Blick zu erwidern. Sie schaute zu Boden. »Wir sind hier herumgefahren«, sagte sie leise. »Am Wochenende.«

Stella und Jonas sahen einander ungläubig an. »Hier im

Hochmoor?«, fragte Stella. »Sie sind hier die Gegend abgefahren und haben ... uns gesucht?«

Terry nickte mit unglücklicher Miene. »Ich fand das ja auch ... Na ja, es war nicht meine Idee. Aber Neil meinte, wir könnten doch mal schauen ...«

»Woher wussten Sie denn, dass wir jetzt gerade hier sind?«, fragte Jonas. Er war mittlerweile hellwach. Er sah, fand Stella, ziemlich alarmiert aus.

Terry schniefte. Sie drehte ihr leeres Glas vor sich auf der Tischplatte hin und her. »Neil hat das herausgefunden«, berichtete sie leise. »Sie hatten ja von Ihrer Arbeit erzählt, Jonas, und Sie nannten eine Fernsehproduktionsfirma, für die Sie oft arbeiten. Dort hat Neil einfach angerufen und bekam die Antwort, dass Sie im Urlaub sind. Mehr brauchte er gar nicht zu wissen. Er hatte ja diesen Prospekt auf Ihrem Schreibtisch gesehen, und er meinte, wir könnten doch mal ein bisschen herumfahren und Ausschau halten ... Die Gegend ist so einsam, da fährt man ewig, und dann taucht wieder mal ein Haus oder eine Farm oder ein winziges Dorf auf ... Na ja, und von dem Hügel oben«, sie machte eine unbestimmte Handbewegung hinaus in die Nacht, »da haben wir Ihr Auto gesehen. Das stand ja auch in Kingston vor Ihrem Haus, daher kannten wir es, und Neil sagte, aha, da machen sie also Ferien. Und dann fuhren wir weiter.«

Stella griff ein zweites Glas, setzte sich an den Tisch und schenkte sich einen Whisky ein. »Ich brauche jetzt auch einen«, sagte sie. »Das ist ungeheuerlich, was Sie erzählen, Terry, wissen Sie das eigentlich?«

»Wir hatten nichts Böses vor«, verteidigte sich Terry sofort, »bestimmt nicht. Das müssen Sie mir glauben!«

»Nichts Böses? Aber was hatten Sie denn dann vor?«,

fragte Jonas. »Wie hat Ihnen Neil denn diese ganze Aktion erklärt?«

»Er sagte einfach, es sei doch ganz schön zu wissen, wo Sie Urlaub machen. Vielleicht könnten wir Sie ja noch mal besuchen. Ich habe natürlich gesagt, das geht nicht so einfach, wenn wir gar nicht eingeladen sind. Aber ...« Sie zuckte die Schultern.

»Aber?«, hakte Stella nach.

»Aber ... er wurde dann ungeduldig, und ich wollte nicht ... Es ist dann nicht so gut, wenn man ihn weiter nervt, verstehen Sie?«

»Wenn ich mir Ihr Gesicht so anschaue, verstehe ich das schon«, sagte Stella. »Sind Sie eigentlich sicher, dass Sie mit dem richtigen Partner zusammen sind, Terry?«

Terry schaute wieder nach unten. »Er kann ganz anders sein. Total lieb und zärtlich. Man darf ihn eben nicht nerven.«

»Und womit haben Sie ihn heute Nacht genervt?«, erkundigte sich Jonas. »Sie müssen ihm ja erheblich auf den Wecker gegangen sein, nach seiner Reaktion zu schließen!«

Terry gab ein Schluchzen von sich, das sie schnell wieder zu unterdrücken versuchte.

»Das war wegen der Arbeit. Ich hatte ja keinen Job mehr, schon seit einiger Zeit, und jetzt hatte er mir etwas Neues verschafft. Als Bedienung in einem Pub. Aber es war wirklich der letzte Schuppen, total heruntergekommen, und einfach jeder dort war nach kürzester Zeit sturzbetrunken. Ich wurde ständig angefasst und belästigt, und man hat mir obszöne Dinge nachgerufen ... Ich sagte Neil, dass ich dort nicht mehr hingehen möchte, aber davon wollte er nichts wissen. Weil wir ja Geld für die Miete brauchten.«

»Ich denke, Neil hat diese tolle Erbschaft gemacht?«, warf Stella ein.

»Ja, aber die reicht nicht für ewig, und außerdem ist die Miete meine Sache. Es ist ja meine Wohnung. Neil ist damals zu mir gezogen«, erklärte Terry.

»Verstehe«, sagte Jonas. »Er lebt also umsonst bei Ihnen und nötigt Sie, in einer heruntergekommenen Kneipe zu arbeiten, damit Sie die Miete bezahlen können und er seine Erbschaft möglichst selten anzutasten braucht? Ein ausgesprochen faires Arrangement, das muss ich schon sagen.«

»Jedenfalls fiel es mir immer schwerer, dort hinzugehen«, sagte Terry. Sie war nach Jonas' Worten schon wieder den Tränen nahe. »Und gestern Abend…«

»Ja?«, ermunterte sie Stella.

»Neil war schon den ganzen Nachmittag über nicht zu Hause. Hat sich mit irgendeinem Kumpel getroffen. Sagt er. Ich war alleine. Und da bin ich einfach nicht hingegangen. Zur Arbeit, meine ich. Um sechs Uhr hätte ich dort sein sollen, aber ich habe mich stattdessen aufs Sofa gelegt und ferngesehen. Ich war wie erlöst, aber um halb elf kam Neil nach Hause und war erstaunt, mich anzutreffen. Normalerweise bin ich nie vor Mitternacht daheim, weil ich noch spülen und aufräumen muss.«

»Und offensichtlich ist er ziemlich wütend geworden«, sagte Jonas. Er setzte sich jetzt ebenfalls zu den beiden Frauen an den Tisch. Er wirkte deprimiert und ratlos. Es war klar, dass man Terry nicht einfach die Tür weisen konnte, aber ebenso wie Stella behagte es ihm gar nicht, in diese ganze Geschichte hineingezogen zu werden. Dieser Neil Courtney war möglicherweise ein gefährlicher Typ, und er hatte gezielt den Aufenthaltsort der Familie Crane ausgekundschaftet. Warum? Sicher nicht einfach aus menschlichem Interesse. Es bereitete Jonas einiges Unbehagen zu wissen, dass Courtney die einsame Farm kannte und dass er sich überdies ausrechnen konnte, dass Terry dorthin geflüchtet war. Vermutlich war es nur eine Frage der Zeit, bis er hier ebenfalls aufkreuzen würde.

Stellas Gedanken gingen sogar noch einen Schritt weiter: Sie fragte sich, ob Terrys Geschichte überhaupt stimmte. Oder war das Ganze eine Inszenierung, um sich auf der Farm einzunisten? Terry war wahrscheinlich nicht raffiniert genug, einen solchen Plan auszuhecken, aber Courtney war schlau und skrupellos. Er schreckte mit Sicherheit auch nicht davor zurück, Terry blutig zu schlagen, um ihrem Auftritt mehr Glaubwürdigkeit zu verleihen. Und Terry war ihm dermaßen ergeben, dass sie es mit sich machen ließ. Andererseits wirkte sie tatsächlich völlig verstört. Weil das, was sie erzählte, stimmte? Oder weil sie unter extremem Druck handelte und darüber ständig in Tränen ausbrach?

Wir sollten zusehen, dass wir sie loswerden, und dann sollten wir selber das Weite suchen.

»Ja, er wurde richtig wütend«, sagte Terry nun auf Jonas' Feststellung hin. »Er rastete förmlich aus. Weil er meinte, dass ich den Job nun verliere und dass es dann wieder Probleme mit dem Geld gibt. Ich versprach ihm, alles zu tun, um etwas anderes zu finden, aber er hörte gar nicht zu. Er brüllte und tobte, und schließlich …« Sie sprach nicht weiter. Es war ja nur zu offensichtlich, auf welche Weise der Streit am Ende eskaliert war.

»Und Sie wussten außer uns niemanden, zu dem Sie gehen konnten?«, fragte Stella. »Was ist mit Ihren Eltern? Mit Freundinnen? Es muss doch Menschen geben, die Sie aufnehmen würden?«

Terry schüttelte den Kopf. »Ich habe keinen Kontakt mehr zu meinen Eltern. Unser Verhältnis ist zerstört seit … damals …«

Stella erriet, wovon sie sprach. »Sammy?«

»Ja. Sie haben mir das nicht verziehen. Dass ich mit sechzehn schwanger wurde, dass ich sie vor allen Bekannten und Freunden damit blamierte. Dass ich Sammy weggegeben habe, empfanden zwar auch sie als die einzige Lösung, aber sie hatten einfach kein Verständnis dafür, dass man überhaupt in eine solche Lage gerät. Als ich achtzehn war, bin ich abgehauen, und seitdem haben wir einander nicht gesehen oder gesprochen.«

»Und Freunde?«

Terry sprach jetzt sehr leise. »Aus der Schulzeit ist da niemand mehr. Die sind alle einen anderen Weg gegangen. Machen eine vernünftige Ausbildung oder besuchen sogar die Universität. Ich hingegen habe keinen Abschluss und halte mich mit verschiedenen Jobs über Wasser. Ich … passe nicht mehr in das Leben der anderen. Und neue Freunde … die paar Bekanntschaften konnte ich nicht aufrechterhalten. Neil wollte das nicht. Es gab immer Ärger mit ihm, wenn ich mich verabredet hatte, und dann habe ich schließlich ganz damit aufgehört.«

»Wann und wie haben Sie Neil eigentlich kennengelernt?«, fragte Jonas.

Obwohl sie seit ihrer Ankunft auf der Farm im Grunde nur von den Einschränkungen, Gewalttätigkeiten und Problemen erzählte, denen ihr Leben ausgesetzt war, seitdem sie sich mit Neil Courtney zusammengetan hatte, leuchteten Terrys Augen auf. Sie schien den attraktiven Parasiten, der sich in ihrem Leben eingenistet hatte, noch immer für den großen Glücksfall zu halten. Nach Stellas Erfahrung passierten diese Verschiebungen in der Wahrnehmung vor allem bei Menschen, die sehr einsam waren oder sehr wenig Selbstbewusstsein hatten. Bei Terry traf vermutlich beides zu. Sie fühlte sich durch Neil Courtney aufgewertet, und zugleich sorgte er dafür, dass sie sich nicht mehr mutterseelenallein durchs Leben schlagen musste. Im Gegenzug ließ sie sich ausbeuten, reglementieren und misshandeln und verbrachte sicher viel Zeit damit, sich diese unguten Begleiterscheinungen ihrer Beziehung irgendwie schönzureden.

»Ich habe ihn im letzten Jahr kennengelernt«, sagte sie, »Ende Oktober, um genau zu sein. Er hat mich in einem Pub angesprochen, in dem ich damals bediente. Ein guter Laden, nicht so ein Schuppen wie der andere jetzt. Ich hatte gemerkt, dass er mich schon den ganzen Abend über beobachtete, und dann fasste er sich ein Herz...«

Fasste sich ein Herz, höhnte Stella in Gedanken.

»...und wollte wissen, wie ich heiße. Und sagte, dass er mich sehr attraktiv findet. Und am nächsten Abend kam er wieder. Und wieder. Und meinte, er kommt nur wegen mir. Und... ja, irgendwann wurden wir ein Paar.«

Glückwunsch, hätte Stella fast gesagt, aber sie hielt sich zurück. Es war ohnehin nicht sicher, dass Terry die Ironie verstanden hätte.

Sie und Jonas warfen einander einen Blick zu. *Und was jetzt?,* hieß er.

»Sie sind mit dem Auto hier?«, vermutete Jonas.

Terry nickte. »Es ist mein Auto. Daher dachte ich... Er wird trotzdem sehr wütend sein. Er hat ja jetzt kein Fortbewegungsmittel mehr.«

»Das ist nun wirklich sein Problem«, meinte Jonas. Stella wusste, dass ihn der Gedanke, dass Neil nun zumindest nicht innerhalb der nächsten Stunden ebenfalls vor ihrer Tür aufkreuzen konnte, mit Erleichterung erfüllte: Es würde ihm kaum gelingen, noch in der Nacht ein Fahrzeug aufzutreiben und Terry in diese Einöde zu folgen, und ein Taxi wäre ihm wahrscheinlich zu teuer. Was nicht hieß, dass sie nicht noch irgendwann mit ihm zu rechnen hatten. Die Schmach, dass ihm seine Freundin weggelaufen war, würde er nicht einfach hinnehmen.

Stella stand auf. »Sie können heute Nacht hierbleiben, Terry. Ich zeige Ihnen Ihr Zimmer. Morgen sollten wir dann überlegen, was zu tun ist. Ich an Ihrer Stelle würde zur Polizei gehen und Courtney wegen Körperverletzung anzeigen.«

Terry schaute entsetzt drein. Es war ziemlich klar, dass sie das nicht tun würde.

Nachdem Stella Terrys Bett bezogen und der jungen Frau ein Handtuch ausgehändigt hatte und als Terry daraufhin endlich in ihrem Zimmer verschwunden war, saßen Stella und Jonas noch eine Weile zusammen in der Küche. Stella wurde noch immer von dem Gedanken verfolgt, dass eine schnelle Abreise das Beste sei, aber zugleich empörte sich ihr Gerechtigkeitsgefühl: Sollten sie sich denn alle von diesem Typen einschüchtern lassen? Schlimm genug, dass Terry vollständig nach seiner Pfeife tanzte, aber das war ihre Sache und ging die Familie Crane eigentlich nichts an.

»Ich finde es ein absolut grenzwertiges Verhalten, dass er hier herumgekurvt ist und unser Haus gesucht hat«, sagte Jonas. »Außerdem hat er sich damals in Kingston unser Auto eingeprägt und sich wahrscheinlich auch das Kennzeichen notiert. Das ist doch nicht normal!«

»Courtney ist nicht normal«, sagte Stella. »Zumindest ist er kein anständiger Mensch. Er lebt vollständig auf Terrys Kosten und zwingt sie, in einer heruntergekommenen Kaschemme zu arbeiten… Er ist gewalttätig und arbeitsscheu und schnorrt sich durchs Leben. Wahrscheinlich steht er zumindest mit einem Fuß im kriminellen Milieu.«

»Was will er von uns? Ich meine, ihm ist doch bestimmt aufgegangen, dass wir keinesfalls im Geld schwimmen, und selbst wenn wir es täten: Wieso glaubt er, für ihn könnte irgendetwas abfallen?«

»Nach seinen Maßstäben sind wir vermutlich ziemlich wohlhabend, selbst wenn wir keine Reichtümer besitzen. Ich vermute, er hatte gehofft, dass wir Terry als die leibliche Mutter unseres Sohnes wie eine Art Familienmitglied begrüßen und ihn als ihren neuen Lebenspartner gleich mit. Hätten wir etwas mehr Entgegenkommen gezeigt, hätten die beiden wahrscheinlich begonnen, sich ununterbrochen Geld von uns zu leihen und sich immer häufiger bei uns einzuladen.«

»Er muss gemerkt haben, dass wir keineswegs begeistert waren über den Besuch im Mai«, sagte Jonas, »und dass sein möglicher Plan *Wir sind jetzt eine große, glückliche Familie* nicht funktionieren würde. Warum also spioniert er jetzt noch hinter uns her?«

»Er hat offenbar noch nicht aufgegeben«, sagte Stella, und beide schwiegen sie bedrückt und nachdenklich. Sie waren sich der abgeschiedenen Lage der Farm noch einmal deutlicher bewusst und der Tatsache, dass sie hier nicht einmal schnell Hilfe herbeitelefonieren konnten; sie mussten ein gutes Stück laufen und den Hügel erklimmen, ehe sie überhaupt eine wackelige Telefonverbindung bekamen. Andererseits übertrieben sie vielleicht mit ihrem unguten Gefühl. Neil Courtney mochte als Partner gewalttätig, rücksichtslos und völlig egozentrisch auftreten, aber wie weit er sich dieses Verhalten gegenüber einer fremden Familie erlauben würde, blieb fraglich. Terry war das perfekte Opfer, fand

Stella, sie forderte es geradezu heraus, von Neil schlechter als ein Fußabstreifer behandelt zu werden. Er hatte sie damals in jenem Pub erspäht und instinktiv erkannt, dass sie der Typ Frau war, den er zu seiner ergebenen Sklavin machen konnte.

Die Cranes waren ein anderes Kaliber. Letztlich waren Typen wie Courtney feige. Sie vergriffen sich an Schwächeren, nicht an Menschen, die ihnen ebenbürtig oder sogar stärker als sie waren.

»Lass uns ins Bett gehen«, sagte Stella, »und uns nicht verrückt machen wegen all dem. Aber wir sollten sehen, dass Terry uns möglichst rasch wieder verlässt. Wir müssen bei unserem klaren Signal bleiben, dass wir keinen Kontakt wollen. Und dass wir uns in nichts hineinziehen lassen. Sollen die beiden ihren Zoff untereinander aushandeln.«

Jonas nickte. Auf dem Weg ins Schlafzimmer spähte Stella noch kurz in Sammys Zimmer hinein: Der kleine Junge atmete tief und gleichmäßig und hatte von der nächtlichen Ruhestörung nichts mitbekommen. Auch vor Terrys Tür verharrte Stella einen Moment. Kein Laut war zu hören, kein Lichtschein drang nach draußen.

Für den Rest der Nacht würde alles friedlich bleiben.

Trotzdem kontrollierte Stella noch einmal die Haustür sowie die Türen, die von der Küche, dem Esszimmer und dem Wohnzimmer aus hinaus ins Freie führten. Sie waren fest verschlossen.

Besser, sie achtete in der nächsten Zeit verstärkt auf solche Feinheiten.

Kate war nach Michael Coopers Auftritt so verstört, dass Caleb Hale und Jane Scapin durch einen einzigen wortlosen Blickwechsel übereingekommen waren, sie nicht alleine mit ihrem Auto nach Scalby zurückfahren zu lassen. Caleb wollte noch ein detailliertes Gespräch mit Michael Cooper führen und bat Jane deshalb, Kate nach Hause zu bringen. Er selber hatte kein eigenes Auto vor Ort, weil er mit Jane gekommen war, aber er würde später Kates Wagen nehmen und nach Scalby fahren.

Kate wehrte sich nicht gegen dieses Arrangement. Sie war so betäubt, dass sie einer eigenen Planung sowieso nicht fähig war.

Sie hatte nicht gemerkt, wie spät es geworden war. Bis sie und Jane schließlich daheim ankamen, war es elf Uhr, und bis ein übermüdeter Caleb zu ihnen stieß, war es schon nach Mitternacht. Jane hatte Tee gekocht, und Kate hatte ihn apathisch in kleinen Schlucken getrunken. Sie starrte vor sich hin und dachte immer nur: *Das kann doch nicht sein. Mein Vater und eine andere Frau. Es kann nicht sein!*

Caleb bekam ebenfalls einen Tee und berichtete von seinem Gespräch mit Michael Cooper. Die Aussage des Nachbarn war von ihm bestätigt worden: Melissa Cooper hatte sich seit einiger Zeit beobachtet und beschattet gefühlt, und sie hatte Angst gehabt. Sie hatte immer wieder von der Ermordung Richard Linvilles gesprochen und sich gefragt, ob es einen Zusammenhang gab. Ihre beiden Söhne hatten geglaubt, dass sie sich etwas einbildete, weil sie mit dem Tod ihres einstigen Liebhabers nicht fertigwurde.

»Mitte Mai hat Michael Cooper seine Mutter zuletzt gesehen«, sagte Caleb. »In ihrem Wochenendhaus, irgendwo an der Mündung des Humber in die Nordsee. Muss gottverlassen einsam dort sein. Melissa Cooper war längere Zeit nicht dort gewesen, aber das Wetter war sehr schön, also fuhr sie raus. An jenem Tag berichtete sie ihrem Sohn am Telefon wieder einmal, dass sie verfolgt werde. Sie hatte das Aufblitzen von Glas in der Sonne gesehen, mehrfach offenbar, und sie war überzeugt, ihr Haus werde von jemandem mit einem Fernglas beobachtet. Michael Cooper fuhr kurz entschlossen am späteren Abend zu ihr. Er glaubte keinen Moment lang, dass an der Sache mit dem Fernglas etwas dran war, aber er hatte gespürt, wie fertig seine Mutter mit den Nerven war, und er fühlte sich schuldig, weil er sie monatelang nicht besucht hatte. Heute ist er natürlich überzeugt, dass sie recht hatte und dass sein Auftauchen möglicherweise verhinderte, dass die Tat schon damals begangen wurde. Das abgelegene Haus wäre für den Täter eine viel geeignetere und sicherere Option gewesen als die Schule, aber nach jenem Wochenende ist Mrs. Cooper nicht mehr dorthin gefahren. Sie hatte zu viel Angst.«

»Ist dem Sohn damals irgendetwas aufgefallen?«, fragte Jane. »Etwas, das keine Bedeutung zu haben schien, jetzt aber doch relevant sein könnte?«

»Leider nein«, sagte Caleb, »aber er hat versprochen, sein Gedächtnis zu durchforsten. Er ist im Augenblick völlig verstört und erschüttert, möglich also, dass ihm später doch noch etwas einfällt. Wir werden das Haus und die Umgebung natürlich gründlich absuchen und auch die Nachbarn befragen, die allerdings in äußerst großen räumlichen Abständen zueinander angesiedelt sind. Ich habe nicht allzu viel Hoffnung.«

»Die Frage ist«, sagte Jane, »wie sich diese Entwicklung

nun mit unserem Verdächtigen Denis Shove in Verbindung bringen lässt. Wenn wir davon ausgehen, dass Melissa Cooper von demselben Täter umgebracht wurde, der auch Richard Linville getötet hat, dann müssen wir nach dem Motiv suchen, das Shove gehabt haben könnte, nun auch diese Frau ...«

Caleb warf ihr einen warnenden Blick zu. *Keine Details in Kates Gegenwart. Wir sprechen später darüber.*

Jane verstand und nickte. Ihrer Ansicht nach hörte Kate allerdings ohnehin nicht zu. Sie war noch immer versunken in eigene düstere Gedanken.

Caleb blickte auf seine Uhr. »Verdammt spät. Wie ist es, Jane, könnten Sie vielleicht heute Nacht bei Kate bleiben? Sie sollte nicht allein sein.«

Jane schüttelte bedauernd den Kopf. »Es tut mir leid, aber ich muss dringend zu Dylan zurück. Die Nachbarin ist bei ihm, und sie wird mich ohnehin schon einen Kopf kürzer machen, weil ich so spät komme. Ich kann es nicht riskieren, mich mit ihr zu überwerfen.«

»Könnte Sean nicht auch einmal ausnahmsweise einspringen?«

»Kein Kontakt im Moment«, sagte Jane kurz angebunden und mit einem erstarrten Gesichtsausdruck. Caleb hielt es für besser, nicht zu insistieren.

»Okay«, seufzte er, »dann fahren Sie.« Er wünschte, es gäbe jemanden in Kates Leben, irgendjemanden, der ihr nahestand und den man jetzt hätte verständigen können. Schon die ganze Zeit über, seitdem er sie am Flughafen abgeholt hatte, war ihm dieser Gedanke durch den Kopf gegangen: Es war nicht gut, dass sie tagelang, wochenlang allein in diesem Haus herumsaß. Wie konnte ein vergleichsweise junger Mensch derart einsam sein? Sie grübelte zu viel und geriet seiner Ansicht nach in einen gefährlichen Zustand völliger Perspektivlosigkeit. Der schnell in eine Depression münden konnte. Nach der Ermordung ihres Vaters folgte nun noch die Demontage seiner Person – jedenfalls stellte es sich für Kate so dar. Caleb selbst war in seiner Meinung über Richard Linville keineswegs erschüttert. Affäre hin oder her, er war ein großartiger Polizist gewesen, kompetent, erfahren, integer. Daran änderte sich nichts, nur weil sein Privatleben nicht so lupenrein gewesen war, wie es immer den Anschein gehabt hatte. Für Kate sah das natürlich anders aus. Ihr Vater war in ihren Augen immer direkt hinter, wenn nicht gleich neben dem lieben Gott gekommen. Sie hatte ihn auf einen monumentalen Sockel gehoben, über allen menschlichen Schwächen und Lastern stehend. Dieser Sockel hatte nun einen so tiefen Riss bekommen, dass er dicht vor dem Einsturz stand, wenn er nicht ohnehin schon in Teilen zerbrochen war. Kate war in ihren Grundfesten erschüttert. Und das nach allem, was die letzten Monate und nun auch die letzten Stunden gebracht hatten. Caleb hatte tatsächlich den Eindruck, dass man sie jetzt nicht alleine lassen durfte.

»Ich bleibe noch eine Weile«, sagte er. »Ich nehme dann später ein Taxi.«

Jane verschwand erleichtert nach draußen, und gleich darauf konnte Caleb ihr Auto starten hören. Es war fast halb eins. Noch mehr Überstunden konnte man wirklich nicht von ihr verlangen.

Kate, die bislang schweigend auf dem Sofa gesessen hatte, hob den Kopf. »Vor sechzehn Jahren«, sagte sie, »wissen Sie, was damals war? Der Brustkrebs meiner Mutter war entdeckt worden. Sie durchlief das volle Programm – Operation, Chemotherapie, Bestrahlung. Es ging ihr richtig schlecht, psychisch und physisch. Ich versuchte, so oft ich konnte, von London hierherzukommen, aber insgesamt hatte ich viel zu wenig Zeit. Ich tröstete mich damit, dass mein Vater sich beide Beine ausriss, um bei ihr im Krankenhaus sein zu können. Aber oft rief er mich an, es sei doch wieder später geworden, er sei einfach von der Arbeit nicht weggekommen. Arbeit!« Sie lachte schrill. »Er muss ganz schöne logistische Probleme gehabt haben. Beruf, kranke Ehefrau, Geliebte. Kein Wunder, dass er damals immer so erschöpft aussah.« Sie rutschte vom Sofa, griff nach einer Flasche, die auf der Anrichte stand, öffnete sie und nahm einen tiefen Schluck.

Caleb sah, was sie erwischt hatte. »Chivas Regal. Der haut ganz schön rein, Kate. Seien Sie vorsichtig.«

»Glauben Sie, dass es stimmt? Was der Sohn von Melissa Cooper behauptet hat?«

»Er wirkte auf mich glaubwürdig. Aber es ist *seine* Sicht der Dinge. Er ist bestimmt nicht objektiv. Was wirklich war, werden wir wahrscheinlich nie wissen, da beide tot sind, Melissa Cooper und Ihr Vater.«

»Wie konnte er das tun? Meine Mutter kämpfte gegen eine tödliche Krankheit, und er …«

»Verurteilen Sie ihn nicht zu sehr. Für Ihren Vater ist das sicher eine sehr schwere Zeit gewesen. Er hat einen Ausweg gesucht, und wahrscheinlich ist er dabei nicht auf die beste Variante verfallen, aber …«

Sie nahm den nächsten Schluck. »Nicht die beste Variante? Aber die typisch männliche Variante, oder? Das Leben ist trist, der Job anstrengend, die Ehefrau kämpft sich durch ihre Chemo … Was hilft dann besser, als hin und wieder mit einer anderen Frau ins Bett zu springen?«

»Ich kann Ihre Verletztheit nachvollziehen, Kate«, sagte

Caleb. »Aber im Moment tun Sie sich nur selbst weh, indem Sie Ihren Vater attackieren. Wir wissen doch nichts Genaues. Vielleicht war Melissa Cooper seine große Liebe und nicht nur ein sexuelles Verhältnis. Immerhin war sie schon damals kein ganz junges Ding mehr, mit dem er sich einfach nur schmücken konnte. Sondern eine gestandene Frau, Witwe, die zwei Söhne alleine großgezogen hat. Ich vermute, er hat mehr in ihr gesehen als eine bloße Bettgefährtin.«

Kate trank noch einen Schluck. »Und das soll mich trösten?«, schrie sie plötzlich.

Caleb trat zu ihr hin und versuchte, ihr die Flasche aus der Hand zu nehmen, aber sie umklammerte sie so fest, dass es ihm nicht gelang. »Kate! Hören Sie auf zu trinken. Sie sind das nicht gewöhnt, fürchte ich.«

»Sie ja dafür umso mehr!«, schnappte Kate.

Er zuckte zurück. Er hatte geglaubt, sie wüsste es nicht. Gleichzeitig fragte er sich, wie er so naiv sein konnte. Diese Dinge sickerten immer durch. Und erreichten letztlich jeden.

Er bemühte sich um Ruhe. »Ja«, sagte er gefasst, »ich bin sozusagen ein Experte. Aber deshalb weiß ich auch, dass es nichts bringt. Geben Sie mir die Flasche, Kate.«

Anstatt seiner Bitte nachzukommen, trank sie in großen Zügen weiter. Der Geruch des Whiskys stieg in Calebs Nase, und sogleich empfand er den Geschmack, den der Alkohol auf der Zunge hinterließ, spürte das Brennen in der Kehle, die Wärme, die sich im Magen ausbreitete, die Leichtigkeit, die seinen Kopf erfüllte, das Verschwimmen aller harten Linien. Probleme schienen lösbar, Verluste wurden erträglich. Das Leben nahm sanfte Konturen an. Man fragte sich, weshalb man gerade eben noch verzweifelt gewesen war.

Er trat schnell einen Schritt zurück. Er spürte, dass sich

Schweiß auf seiner Stirn gebildet hatte und dass sein Herz raste. Eine leichte Übelkeit erfasste ihn.

Sie bleiben für immer Alkoholiker, Caleb. Immer. Er konnte seinen Therapeuten aus der Entzugsklinik hören. *Sie dürfen sich nie der Illusion hingeben, es sei einfach vorbei. Sie werden immer eine körperliche Reaktion auf Alkohol haben, und wenn Sie ihn nur riechen.*

Vielleicht war es falsch, wenn er versuchte, Kate am Trinken zu hindern. Sie war nicht gefährdet, so wie er. Manchmal musste man sich richtig zuknallen und sich dann eben am nächsten Tag durch die Folgen quälen.

»Ihr Vater hatte *sein* Leben, Kate«, sagte er. »Und das können Sie, vor allem rückblickend, nur bedingt beurteilen. Auch Ihre Mutter hatte *ihr* Leben, und die beiden hatten ihre Ehe und ihre Gemeinsamkeit, und vielleicht wissen Sie viel weniger darüber, als Sie glauben.«

»Sie waren immer glücklich!«

»Zumindest hatte es wohl für Sie den Anschein«, sagte Caleb.

Sie sah ihn wütend an. »Ach, und das wissen ausgerechnet Sie? Dass meine Eltern mir etwas vorgespielt haben?«

»Nein. Ich habe natürlich keine Ahnung. Ich bin mir nur nicht sicher, ob *Ihr* Bild in allem stimmt. Es ist das Leben anderer Menschen, das Sie zu bewerten versuchen, und selbst wenn es sich dabei um Ihre Eltern handelt, sollten Sie vorsichtig sein.«

»Es ist auch mein Leben. Mein Leben und das meines Vaters waren sehr eng verbunden, wir wussten alles voneinander.«

»Nun ja, von Melissa Cooper wussten Sie zum Beispiel nichts«, sagte Caleb. »Und als wir darüber sprachen, ob Richard vor seinem Tod vielleicht bedroht wurde, erklärten

Sie mir, so etwas hätte er Ihnen gegenüber vermutlich nicht zugegeben, um sich nicht lächerlich zu machen. Sie wussten natürlich *nicht* alles voneinander.«

Sie trank weiter und schaute ihn dann provozierend an. »Aha. Und jetzt fühlen Sie sich als Sieger, ja? Weil Sie mir nachgewiesen haben, dass mein Vater... dass ich und mein Vater... dass wir...« Sie hatte schon eine ziemlich schwere Zunge, verhedderte sich völlig in dem Satz und schien plötzlich nicht mehr zu wissen, was sie eigentlich hatte sagen wollen.

»Ich glaube, Ihr Problem ist, dass Sie in einer ungesunden Weise mit Ihrem Vater verbunden sind«, sagte Caleb. »Sogar über seinen Tod hinaus. Mir erscheint es so, als hätten Sie kein eigenes Leben. Nichts, was Ihnen jetzt einen Halt geben könnte.«

Sie schwankte leicht. »Ich? Kein eigenes Leben? Wie kommen Sie denn darauf? Ich bin Detective Sergeant bei der Metropolitan Police! Ich bin...«

Sie verstummte.

»Nur weiter«, sagte Caleb. »Was noch? Wo ist denn irgendein Mensch, der sich um Sie kümmert? Dem Sie wichtig sind? Der Sie gestützt hätte, als Sie Ihren Vater zu Grabe tragen mussten? Sie sitzen jetzt seit über einem Monat völlig allein in diesem Haus, vergraben in Ihre Einsamkeit und in all die Erinnerungen. Meines Wissens ist nicht ein einziges Mal eine Freundin bei Ihnen aufgetaucht. Oder ein Freund. Oder wenigstens irgendwelche Kollegen. Nachbarn aus London. Verdammt, Kate, nennen Sie das *Leben*, wenn es weit und breit keinen Menschen gibt, der sich für Sie interessiert? Und dafür, wie es Ihnen geht?«

»Raus!«, sagte sie. Und wiederholte es gleich darauf lauter und schärfer. »Raus!«

Er nickte. »Ich gehe. Tut mir leid, dass Sie sich so elend fühlen, Kate. Aber wahrscheinlich kann ich Ihnen nicht helfen.«

Er wandte sich zur Tür. Im nächsten Moment war Kate direkt hinter ihm. Die Flasche hatte sie einfach fallen gelassen, die goldfarbene Flüssigkeit sickerte in den Teppich.

»Nein! Bitte! Bleiben Sie! Caleb!«

Er blieb stehen, drehte sich zu ihr um. »Kate, Sie sollten ...«

»Lass mich nicht allein. Ich kann jetzt nicht alleine sein. Ich habe Angst. Ich habe furchtbare Angst!« Sie fing an zu weinen. »Bitte bleib bei mir. Nimm mich in die Arme, bitte. Ich brauche jemanden, der mich ... ich brauche jemanden, der mich festhält.«

Sie klammerte sich plötzlich an ihn. Er mochte nicht mit hängenden Armen stehen bleiben, daher umschloss er sie. Am nächsten Tag würde ihr diese Szene wahrscheinlich sterbenspeinlich sein, aber warum sollte er ihr nicht für den Moment geben, wonach sie so heftig verlangte. Es war eine Situation, die er als sehr bizarr empfand: Tiefe Nacht, er stand im Haus seines einstigen Vorgesetzten und hielt dessen betrunkene und verzweifelte Tochter im Arm.

Es wäre wirklich besser gewesen, wenn Jane hätte hierbleiben können, dachte er.

»Es wird alles gut, Kate«, sagte er. Er sprach so beruhigend wie mit einem untröstlichen kleinen Kind. »Sie werden sehen, alles kommt in Ordnung. Alles wird gut.«

Sie hob den Kopf. Ihre Augen waren weit aufgerissen, wirkten größer als sonst in ihrem ausgemergelten Gesicht. »Komm mit nach oben, Caleb. Komm!«

Er ließ sie so erschrocken los, als habe ihn plötzlich etwas Heißes verbrannt, und trat einen Schritt zurück. Sie griff sofort nach seiner Hand und versuchte, ihn zur Tür zu ziehen. »Komm mit, Caleb. Bitte!«

Er schaffte es tatsächlich nicht, ihr seine Hand zu entziehen. Sie hielt sie wie mit Eisenfingern umklammert. Sie war sturzbetrunken, und er erkannte, dass sie tatsächlich wenig Alkohol vertrug. Andererseits hatte sie fast die halbe Flasche Whisky auf vermutlich ziemlich leeren Magen getrunken – und zwar im Eiltempo.

»Kate, Sie sind im Moment nicht völlig zurechnungsfähig. Der Tag war furchtbar für Sie, und der Whisky ist Ihnen auch nicht besonders gut bekommen. Sie gehen jetzt ins Bett. Haben Sie irgendwo Aspirin im Haus, das ich Ihnen auflösen kann?«

»Ich will nicht alleine sein.«

»Ich gehe nicht weg. Okay? Ich verspreche Ihnen, dass ich bleibe. Bis morgen früh.«

»Komm mit nach oben.«

Es gelang ihm endlich, ihr seine Hand zu entwinden. »Ich würde Ihnen gerne ein Aspirin bringen.«

Ein angestrengter Ausdruck trat in ihre Augen. »Aspirin?«

»Am besten zwei oder drei. Es fängt wenigstens einen Teil der Kopfschmerzen ab, die Sie morgen erwarten.«

»Im Bad«, sagte sie. »Oben.«

»Also gut. Kommen Sie. Schaffen Sie die Treppe alleine?«

Sie schwankte vor ihm her. Er blieb dicht hinter ihr, aber sie schaffte es recht gut, die steilen Stufen zu bewältigen. Oben blieb sie im Gang stehen, während er in das Bad trat und auf gut Glück das Schränkchen über dem Waschbecken öffnete. Tatsächlich, hier wurden die Medikamente aufbewahrt. Er füllte ein Zahnputzglas mit Wasser, warf drei Tabletten hinein und wartete, bis sie sich sprudelnd aufgelöst hatten. Dann reichte er Kate, die noch immer im

Gang stand und vor sich hin starrte, das Glas. »Trinken Sie das. Dann wird es nicht so schlimm.«

Sie trank das Glas leer. Dann fragte sie: »Warum willst du nicht mit mir schlafen, Caleb?«

Er fragte sich, wie viel sie von dem, was er antwortete, überhaupt verstehen und reflektieren konnte. Er wollte sie keinesfalls verletzen, daher flüchtete er sich in eine neutrale Korrektheit, die sie nicht als eine Abwertung ihrer Person empfinden musste. »Sie haben zu viel getrunken, Kate. Und das nutze ich nicht aus.«

Die Wahrheit wäre gewesen: S*ie sind nicht mein Typ. Weder betrunken noch nüchtern. Sie sind so ziemlich die reizloseste Frau, die mir je begegnet ist, und es gibt kaum einen Gedanken, der mir ferner liegen könnte als der, mit Ihnen ins Bett zu gehen.*

»Aber … ich würde mich nicht … nicht …« Sie hatte Mühe mit den Formulierungen. »Ich würde mich nicht ausgenutzt fühlen.«

»Sie müssen jetzt schlafen. Sie sind völlig fertig. Ich bin unten im Wohnzimmer. Okay?«

Sie schaute ihn an, eine Mischung aus Trauer, Schmerz und Hoffnungslosigkeit im Blick, und er hatte plötzlich das Gefühl, dass sie, so betrunken und am Ende ihrer Kräfte sie auch war, doch ganz genau wusste, was in ihm vorging. Sie hatte begriffen, dass er ihr eben eine Absage erteilt hatte, die über diese Nacht hinausging und die nichts mit dem Alkoholgehalt in ihrem Blut zu tun hatte. Es war die hundertste oder tausendste Absage dieser Art in ihrem Leben. Sie ließ sich nicht täuschen, dafür war sie zu vertraut mit dieser Situation.

Sie nickte, dann wandte sie sich um und schlich in ihr Schlafzimmer. Sie schloss die Tür nachdrücklich hinter sich.

Caleb wartete noch einen Moment, dann ging er nach

unten. Obwohl ihm daheim meistens die Decke auf den Kopf fiel und er die Leere und Stille dort nur schwer ertrug, wäre er jetzt für sein Leben gerne nach Hause gefahren. Aber er hatte ihr ein Versprechen gegeben, und wahrscheinlich hätte er sich ohnehin die ganze Zeit über nur Sorgen gemacht. Kate war in einem psychischen Zustand, in dem es unverantwortlich gewesen wäre, sie allein zu lassen. Er fragte sich, wie das weitergehen sollte.

Unten im Wohnzimmer hob er die Whiskyflasche auf, die noch immer mitten im Zimmer lag. Der Geruch, der aus dem Teppich aufstieg, ließ ihn sofort wieder weiche Knie bekommen. Es wäre nach allem, was geschehen war, absolut der Moment gewesen, sich einen harten Drink zu genehmigen, und jeder normale Mensch hätte das getan. Seitdem er aus der Klinik gekommen war, hatte Caleb nicht mehr eine solche Begierde gespürt. Verzweifelt schaute er die Flasche an – verzweifelt in erster Linie über sich selbst. Er spürte, dass er kaum noch eine Sperre hatte in diesem Moment, kaum noch Kraft, sich zurückzuhalten. Wenn er ehrlich war, war *kaum* untertrieben. Es gab *nicht die geringste Sperre* mehr.

Außer der, dass die Flasche leer war.

Vollkommen leer.

3

Helen Jefferson saß am Frühstückstisch in ihrer kleinen Wohnung in Leeds und hatte vollkommen vergessen, ihr Müsli zu essen und ihren Kaffee zu trinken. Der Kaffee war inzwischen kalt geworden, und in der Müslischale verklumpten Haferflocken und Milch zu einem klebrigen Brei. Sie achtete nicht darauf. Vor ihr lag die Zeitung, aber bislang hatte sie nur die Schlagzeilen auf der Titelseite gelesen und nicht einmal wirklich begriffen, was sie eigentlich las.

Sie starrte an die Wand. Sie dachte nach.

Über das Thema *Zivilcourage*, und sie fand, dass das ein schwieriges Thema war.

Sie tauchte aus ihren Gedanken auf, als Peggy, ihre Lebensgefährtin, in die Küche trat. Peggy hatte sich wie immer stundenlang im Bad gestylt und sah einfach hinreißend aus. Wunderschöne lange, goldblonde Locken. Wimpern wie dichte, schwarze Strahlenkränze. Peggy hatte das Gesicht eines Engels, war aber weit davon entfernt, einer zu sein. Sie konnte fluchen wie ein Müllkutscher, und sie verfügte über ein unerschöpfliches Repertoire an schmutzigen Witzen, die so derb waren, dass sie gestandene Männer hilflos erröten ließen.

»Du isst ja gar nichts«, sagte Peggy. »Hast du irgendein Problem?«

Helen nickte. »Du hast wahrscheinlich nichts mitbekommen, oder? Gestern Nacht? Oder eher später Abend?«

Peggy hatte mit Schlafproblemen zu kämpfen, immer schon. Sie steckte sich jeden Abend beim Zubettgehen Stöpsel in die Ohren, weil sie vom kleinsten Geräusch sofort aufwachte und dann über Stunden nicht mehr einschlafen konnte. Der Vorteil war, dass sie auf diese Weise nicht von Helens Schnarchen belästigt wurde. Der Nachteil war, dass sie auch sonst nicht mitbekam, was sich im Haus abspielte. Und nicht vor allem und jedem sollte man immer die Ohren verschließen, fand Helen.

»Sie hatten wieder Streit«, berichtete sie, »Terry und

Neil. Sehr laut und sehr heftig. Und so, wie sie schließlich schrie … Ich glaube, er hat sie wieder geschlagen. Genau genommen, bin ich mir ziemlich sicher. Und jetzt frage ich mich die ganze Zeit …«

»Ja?«, hakte Peggy ein, während sie sich Kaffee einschenkte und eine Scheibe Brot in den Toaster steckte.

»Es ist nicht das erste Mal. Und ich weiß nicht, ob wir uns immer nur raushalten sollten. Das war zunächst unsere Strategie, aber vielleicht nicht die richtige.«

»Hm«, machte Peggy. Sie und Helen kannten den Freund ihrer Mithausbewohnerin noch immer nicht näher, hatten sich aber von Anfang an entsetzt gefragt, wieso die junge Frau immer nur schreckliche Typen an Land zog und diesmal ein besonders furchtbares Exemplar erwischt hatte. Dieser Neil schien extrem von sich überzeugt und trat äußerst arrogant auf, und die ganze Zeit über fragte man sich, worauf er sich eigentlich so viel einbildete. Peggy und Helen hatten den Eindruck gewonnen, dass er sich bei Terry nur durchschnorrte, jedenfalls war nicht erkennbar, dass er einer geregelten Arbeit nachging, auch wenn er immer wieder das Haus verließ und dann offenbar stundenlang verschwunden blieb. Er hatte einen unheilvollen Einfluss auf Terry: Früher war sie abends manchmal nach oben gekommen und hatte mit Helen und Peggy eine Flasche Wein getrunken. Ab und zu waren sie auch zu dritt weggegangen, hatten sich amüsiert und durchaus Spaß gehabt, auch wenn Peggy hinterher oft gesagt hatte, zusammen mit Terry sei es immer ein bisschen anstrengend.

»Sie ist so rasend naiv. Wirklich, manchmal möchte ich sie schütteln. Wenn sie über Politik redet, könnte ich ausflippen. Sie hat von nichts eine Ahnung!«

Trotzdem, sie hatten die Einsamkeit gespürt, in der das

Mädchen lebte, und hatten sich gekümmert. Terry hatte immer wieder einmal einen Mann angeschleppt und sich jedes Mal eingebildet, der großen Liebe ihres Lebens begegnet zu sein, aber ebenso schnell waren die Liaisons dann auch wieder vorbei gewesen. Mit dieser neusten Errungenschaft, diesem Neil Sowieso, dauerte es erstaunlich lange. Über ein halbes Jahr nun schon. Und das war nun wirklich nicht zu Terrys Bestem.

Nicht nur, dass sie sich optisch völlig verwandelt hatte – »Wenn sie nur den Müll runterbringt, tut sie das in einer Aufmachung, in der andere Frauen anschaffen gehen«, hatte Peggy es unverblümt auf den Punkt gebracht –, sie hatte sich ganz offenbar auch von den wenigen Menschen, die es in ihrem Leben überhaupt noch gab, zurückgezogen. Keine Besuche mehr in der oberen Wohnung, keine gemeinsamen Unternehmungen. Einmal hatte Helen spontan bei ihr geklingelt und gefragt, ob sie Lust auf einen Kaffee habe. Terry, die ihre Wohnungstür nur einen Spalt breit geöffnet hatte, hatte unsicher und zwiespältig gewirkt, und dann hatte Helen auch schon Neil aus dem Hintergrund gehört.

»Wer ist es denn?«

»Helen. Es ist Helen. Sie fragt, ob ich einen Kaffee mit ihr trinke.«

»Du hast keine Zeit. Sag ihr das!«

Terry hatte hilflos gelächelt. »Geht leider nicht. Ein anderes Mal vielleicht ...«

Aber natürlich hatte es kein *anderes Mal* gegeben.

Helen und Peggy hatten festgestellt, dass Neil Terry einschüchterte und reglementierte, während sie ihn zwar anhimmelte, aber zugleich offensichtlich Angst vor ihm hatte, und dass das alles eine bedrohliche Entwicklung zu nehmen schien. Zweimal hatten sie Terry angetroffen, als sie ziemlich wirkungslos mit einer großen Sonnenbrille und einer zentimeterdicken Puderschicht Spuren im Gesicht zu verdecken suchte, die darauf hindeuteten, dass Neil mitunter auch die Hand ausrutschte. Sie war jedoch eisern dabei geblieben, unglücklich gestolpert zu sein und sich dabei gestoßen zu haben. Peggy hatte daraufhin erklärt, man könne für Terry nichts tun, es sei einfach unmöglich, ihr diese unselige Errungenschaft wieder auszureden. Man konnte nur hoffen, dass sich das alles eines Tages von selbst erledigte.

»Sie ist ihm ausgeliefert«, sagte Helen, »sie ist ihm komplett ergeben. Sie wird von alleine nicht die Kraft finden, sich von ihm loszusagen. Und als ich heute Nacht so dalag und diesem Drama unter uns zuhörte, da kam ich mir vor wie die Leute, von denen man oft liest und die man nie versteht: die Nachbarn, die sich immer rausgehalten haben und die hinterher ganz erstaunt dreinblicken, wenn jemand richtig schwer verletzt oder sogar tot ist. Wir haben solche Menschen doch immer verachtet.«

»Ja, aber trotzdem muss Terry mitziehen. Solange sie weiterhin dabei bleibt, dass zwischen ihr und Neil alles in Ordnung ist, solange können wir überhaupt nichts machen.«

»Wir müssen noch einmal mit ihr reden. Wir können das alles doch nicht einfach ignorieren.«

Sie beschlossen, nach dem Frühstück auf dem Weg nach unten bei Terry anzuklopfen und sie ganz unverfänglich zu einem Glas Wein am Abend einzuladen, um »etwas mit ihr zu besprechen«.

»Und dann können wir nur hoffen, dass dieser Arsch uns nicht wieder einen Strich durch die Rechnung macht«, sagte Peggy. »Denn er ist nicht blöd. Wenn es wirklich diesen … Zusammenstoß letzte Nacht gab, wird er sich zusammenreimen können, worum es geht.«

Sie rechneten sich eine gute Chance aus, Terry alleine zu erwischen, denn sie hatten sie öfter schon um diese Zeit auf dem Weg zum Einkaufen angetroffen, während ihr Freund offensichtlich im Bett lag und schlief, aber als sie jetzt unten leise anklopften in der Hoffnung, dass Terry sie hörte, Neil aber nicht wach wurde, ging die Tür plötzlich auf und Neil stand auf der Schwelle.

»Ja?«, fragte er. Er war unrasiert, trug ein schmutziges Sweatshirt und roch verschwitzt. Er sah nicht aus, als sei er überhaupt im Bett gewesen in der Nacht. Er starrte die beiden Frauen an.

»Ja?«, wiederholte er.

»Äh … ist Terry zufällig da?«, fragte Peggy. Sie war immer die Mutigere von beiden, und von Männern wie Neil ließ sie sich schon gar nicht einschüchtern.

»Sie ist nicht da«, sagte Neil.

»Wo ist sie denn?«

»Was wollt ihr denn von ihr?«, fragte Neil anstelle einer Antwort zurück.

Peggy war auch immer recht gut im blitzschnellen Erfinden überzeugender Ausreden. »Helen und ich haben heute unseren fünften Jahrestag«, log sie. »Da wollen wir eine Flasche Sekt aufmachen heute Abend, und wir dachten, es wäre schön, wenn Terry dabei wäre.«

Neil legte die Stirn in Sorgenfalten. »Tja, sie wird kaum in der Stimmung dazu sein. Sie hat heute Nacht einen Anruf bekommen. Ihre Mutter ist sehr krank.«

»Ihre Mutter?« Endlich bekam auch Helen den Mund auf. »Aber ich dachte … sie hat doch gar keinen Kontakt mehr zu ihrer Mutter?«

»Sie hatten seit ein paar Wochen wieder Kontakt. Im Übrigen wäre es bei einem Schlaganfall so oder so normal, die

Tochter zu verständigen. Selbst wenn man sich überworfen hat.«

»Um Gottes willen! Ein Schlaganfall?«

»Sie liegt in Scarborough im Krankenhaus«, fuhr Neil fort. »Terry hat sich entsetzlich aufgeregt. Hat geweint und geschrien...«

»Wieso in Scarborough?«, fragte Peggy. »Terrys Familie lebt in Cornwall.«

»Das ist ja das Tragische. Ihre Mutter ist seit gestern in Scarborough. Heute wollten sich die beiden dort in ihrem Hotel treffen. Es sollte endlich zu einer Versöhnung kommen, zu einer Annäherung nach Jahren. Und dann muss so etwas passieren!«

Stimmte das oder nicht? Die Geschichte klang mehr als weit hergeholt. Helen und Peggy sahen einander nicht an. Im Grunde trauten sie beide Neil keinen Schritt weit, aber würde er in einer Angelegenheit lügen, in der er so leicht auffliegen konnte?

»Und dann ist Terry noch heute Nacht zu ihr gefahren. Sie war nicht aufzuhalten.«

Und eine so erschütterte, verzweifelte Frau lässt du alleine fahren, dachte Peggy, da hätte doch Gott weiß was passieren können.

Aber sie sagte dazu nichts. Die Hilfsbereitschaft in Person war Neil ganz sicher nicht.

»Ich würde jetzt gerne zu ihr«, sagte Neil. »Ich weiß bloß nicht, wie. Sie hat ja das Auto.«

»Ich fahre jetzt nach Scarborough«, sagte Peggy. »Ich könnte dich mitnehmen.«

»Echt? Das wäre total nett!«

Helen blickte Peggy entgeistert an. Das, fand sie, ging zu weit. Diesen Typ im Auto mitzunehmen... Keine zehn

Pferde hätten Helen dazu gebracht. Schließlich wusste man nicht, ob er überhaupt die Wahrheit sagte, und außerdem war er möglicherweise gewalttätig … Sie warf Peggy einen flehenden Blick zu: *Tu es nicht!*

Aber Peggy schien jetzt entschlossen zu sein, die näheren Umstände der rätselhaften vergangenen Nacht zu klären. Sie würde Neil in die Klinik nach Scarborough fahren und dann erfahren, ob Terrys Mutter wirklich nach Yorkshire gekommen war und einen Schlaganfall erlitten hatte. Oder ob stattdessen vielleicht Terry selbst eingeliefert worden war – wegen Verletzungen, die ihr Neil zugefügt hatte. Sie schwenkte ihren Autoschlüssel.

»Wir müssen aber gleich los. Ich muss ja arbeiten.«

Neil nickte. »Alles klar. Ich bin fertig.«

Zu dritt liefen sie die Treppe hinunter. Unten verabschiedete sich Helen von den beiden anderen. Sie arbeitete in der Anzeigenredaktion einer Zeitung in Leeds und nahm morgens immer den Bus. Peggy hatte nach einer längeren Phase der Arbeitslosigkeit eine Stelle in einem Altersheim in Scarborough gefunden, was bedeutete, dass sie täglich anderthalb Stunden hin- und zurückfahren, insgesamt also drei Stunden auf der Landstraße verbringen musste. Keine dauerhaft tragbare Situation, aber sie war zunächst einfach froh gewesen, endlich wieder Arbeit zu haben. Sie und Helen überlegten schon die ganze Zeit, ob es Sinn machte, von Leeds nach York zu ziehen, weil sie dann ungefähr in der Mitte wohnen würden. Aber bisher hatten sie noch keine günstige Wohnung gefunden. York war teurer als Leeds. Irgendwie schien es keine wirklich befriedigende Lösung zu geben, und inzwischen hatte sich Peggy schon fast an ihr umständliches Arbeitsleben gewöhnt.

Neil schien guter Dinge zu sein, als sie aus Leeds hinaus auf die A 64 fuhren. Er wirkte, fand Peggy, eigentlich nicht wie jemand, der etwas zu verbergen hatte. Vielleicht hatte sich Helen doch getäuscht, was ihre Einschätzung der nächtlichen Ereignisse anging. Am Ende hatte Terry wirklich einen Zusammenbruch gehabt, als sie von der Erkrankung ihrer Mutter erfuhr, hatte geweint und geschrien, und Helen hatte das als einen heftigen Streit zwischen ihr und Neil interpretiert.

Womöglich haben wir uns auch ein bisschen in ein Feindbild hineingesteigert, dachte Peggy, obwohl... er ist schon ziemlich unsympathisch...

Sie wollte ihm verstohlen von der Seite einen Blick zuwerfen, zuckte aber zusammen, als sie dabei feststellte, dass er sie seinerseits unverhohlen musterte. Er setzte ein leises, anzügliches Grinsen auf.

»Was ist denn?«, fragte sie. »Warum schaust du mich so an?«

»Du bist eine echt hübsche Frau«, sagte er. »Wieso findest du eigentlich keinen Kerl?«

»Ich stehe nicht auf Männer.«

Er machte eine wegwerfende Handbewegung. »Blödsinn. Das hast du dir irgendwann eingeredet... Du bist viel zu attraktiv, um dich an andere Frauen zu verschwenden... und dann noch an eine, die so hässlich ist wie Helen.«

»Siehst du, da haben wir beide eine sehr unterschiedliche Einstellung. Ich sehe Beziehungen mit Frauen nicht als Verschwendung. Und ich finde Helen ganz und gar nicht hässlich.«

Er grinste. »*Ich* persönlich sehe Beziehungen mit Frauen auch keineswegs als Verschwendung. Und Helen *ist* hässlich, das weißt du auch. Die typische Lesbe, und zwar auf zehn Meilen. Du hast so viel Besseres verdient.«

»Ich glaube nicht, dass ich dieses Gespräch weiterführen möchte«, sagte Peggy kühl.

»Hattest du eigentlich irgendwann mal etwas mit einem Kerl? Mich interessiert das immer bei euch Lesben. Kommt ihr so verquer auf die Welt, oder werdet ihr einfach irgendwann von einem Typen so versaut, dass ihr von da an einen Bogen um jeden Schwanz macht und euch den anderen Mädels zuwendet?«

»Pass auf, was du sagst«, warnte Peggy. »Es macht mir nicht das Geringste aus, dich hier irgendwo am Straßenrand stehen zu lassen, und dann kannst du selbst sehen, wie du weiterkommst.«

»Habe ich einen wunden Punkt getroffen?«

»Ich habe keine wunden Punkte.«

»Jeder hat die.«

»Ich nicht. Und jetzt halte einfach die Klappe. Ich habe keine Lust auf deine blöden Anzüglichkeiten.«

Er grinste wieder, blieb aber zumindest still. Peggy ärgerte sich über sich selbst. Wieso war sie so dumm gewesen, sich diesen furchtbaren Menschen ans Bein zu binden? Eigentlich nur, weil Helen plötzlich gemeint hatte, man müsste Terry helfen. Als ob ihr zu helfen wäre! Wer sich mit solch einem Widerling einließ, der war wahrscheinlich sowieso resistent gegen die gutgemeinte Hilfe von außen. Mit einem solchen Mann blieb eine Frau nur zusammen, wenn sie massive psychische Defizite mit sich herumschleppte. Das war ein Fall für einen Therapeuten.

Wir können nichts machen, dachte Peggy, Terry muss sich an den eigenen Haaren aus dem Sumpf ziehen.

Sie waren auf freier Strecke, nur Wiesen und Felder ringsum. Neil sagte plötzlich: »Kannst du mal anhalten? Ich muss pinkeln.«

»Jetzt?«

»Ja, klar. Nicht erst in einer Stunde.«

Sie bog in einen schmalen Wiesenweg, der linker Hand abzweigte, ein Stück weit in die Wiesen hineinführte und dann versandete. Sie hielt an.

»Okay. Steig aus.«

Er rührte sich nicht. Sie runzelte die Stirn. »Ich denke, du musst so dringend. Jetzt mach schon. Ich will nicht zu spät zur Arbeit kommen.«

Erst in diesem Moment entdeckte sie die Waffe, die er in der Hand hielt. Eine Pistole. Ihr Lauf richtete sich auf Peggy.

Sekundenlang hielt sie die Luft an, versuchte zu begreifen, was gerade passierte. Sie wurde mit einer Schusswaffe bedroht. Von einem Mann, der eine Visage wie ein Krimineller hatte und von dem sie bislang nur Schlechtes gehört hatte.

Trotzdem, es konnte nicht wahr sein. Solche Dinge passierten im Film. Nicht im wirklichen Leben.

Als sie endlich wieder atmen konnte, probierte sie es mit Forschheit. »Was soll das denn? Bist du verrückt geworden? Nimm das Ding weg!«

»Ich brauche dein Auto«, erklärte Neil. »Tut mir leid, aber es ist dringend.«

»Mein Auto? Du spinnst ja wohl. Du glaubst doch nicht, dass ich ...«

Er ließ sie nicht zu Ende sprechen. Mit seiner linken Hand griff er plötzlich in ihre langen Haare und zog so brutal daran, dass sie aufschrie. Er brachte sein Gesicht dicht an ihres. Gleichzeitig spürte sie, wie sich die Pistole zwischen ihre Rippen bohrte.

»He, das ist kein Spaß, also lass deine frechen Bemerkungen, okay? Du tust, was ich dir sage. Wir steigen jetzt beide aus, und du solltest keinen Trick versuchen, klar?« Er ruckte noch einmal an ihren Haaren. Sie schrie wieder. Es war ein Gefühl, als reiße er ihr ein ganzes Büschel Haare aus. Sie begriff, dass er ein Mann war, der es nicht bei Drohungen beließ. Diese Sache konnte übel für sie ausgehen, wenn sie Widerstand leistete. Sie war klar in der unterlegenen Position: Er hatte eine Waffe. Sie zweifelte nicht daran, dass sie geladen war. Und dass er sie einsetzen würde.

»Okay«, flüsterte sie, »okay. Ich steige aus.«

Langsam öffnete sie die Fahrertür. Warme Luft schlug ihr entgegen, der Geruch von Blumen und Gras. Direkt neben ihr blühte eine Weißdornhecke. Es würde ein sonniger Tag werden, ein Tag wie ein Geschenk nach all dem Regen der vergangenen Wochen. Über Nacht hatten sich die Wolken am Himmel zerteilt. Ein sanfter Wind wehte.

Ihr schossen plötzlich die Tränen in die Augen. Das war kein Tag, um zu sterben. Durch die Hand eines Verrückten, irgendwo am Rande der Landstraße zwischen Leeds und Scarborough.

Helen wollte nicht, dass ich ihn mitnehme. Sie hatte recht. Sie hatte den besseren Instinkt.

Er rutschte hinter ihr her über den Sitz und stieg direkt hinter ihr aus. Sie klemmten jetzt beide zwischen dem Auto und der Hecke. Peggy versuchte, einen Blick zur Straße zu werfen, konnte aber kaum etwas sehen. Sie war zu weit in die Wiese hineingefahren, stand jetzt vom Weißdorn verborgen auf dem schmalen Pfad. Wer immer dort oben entlangkam, er konnte höchstens einen Teil des Autohecks sehen. Keinesfalls würde er erkennen können, dass hier eine Frau von einem Mann mit einer Waffe bedroht wurde.

Ehe Peggy es sich versah, schnappten Handschellen auf und schlossen sich um ihre Handgelenke. Ihre Arme waren dabei auf den Rücken gebogen. Woher hatte er denn diese Dinger? Letztlich war die Beschaffung allerdings wohl kein Problem, Utensilien dieser Art gab es in jedem Sexshop zu kaufen.

»Tut mir leid«, sagte er erneut, aber es klang nicht so, als bedaure er wirklich irgendetwas, »aber ich kann nicht zulassen, dass du gleich an den Straßenrand rennst, das nächste Auto anhältst und mir die Polizei hinterherschickst. Du bleibst eine Weile hier. Setz dich hin!«

»Du kannst mich hier nicht anketten! Hier findet mich doch niemand!«

»Irgendwann kommt schon jemand vorbei.« Er wies auf ein paar zerknäulte Papiertaschentücher und eine leere Coladose, die im Gras herumlagen. »Hierher kommen die Leute zum Pinkeln, zum Trinken und zum Vögeln. Dauert wahrscheinlich gar nicht lange.«

Peggy sah das anders. Sie sah sich unter der Weißdornhecke kauern, Stunde um Stunde, vielleicht den ganzen Tag, vielleicht die nächste Nacht. Es war unwahrscheinlich, dass sie durch Schreien auf sich aufmerksam machen konnte. Es gab keine Fußgänger auf der Straße, und in den vorbeifahrenden Autos würde man sie nicht hören. Sollten Bauern auf den hinter ihr liegenden Feldern aufkreuzen, hatte sie vielleicht eine Chance, aber im Moment war weit und breit niemand zu sehen.

»Bitte«, sagte sie, »tu das nicht. Ich verspreche, ich warte hier eine Stunde und …«

Er lachte. »Klar. Und an den Osterhasen glaube ich auch noch.« Er zerrte an den Handschellen, so dass ihr das Metall schmerzhaft ins Fleisch schnitt. »Runter jetzt mit dir!«

Sie hörte ein Auto kommen. Das tiefe Brummen eines Lastwagens. Die ganze Zeit über war es still gewesen.

Jetzt, dachte sie.

Sie riss sich los. Es gelang ihr tatsächlich, weil Neil mit Gegenwehr nicht gerechnet hatte. Er rechnete bei Frauen nie damit, weil er sich sein Leben lang nur mit solchen umgeben hatte, die vor ihm kuschten. Starke, selbstsichere Frauen wie Peggy waren ihm ein Gräuel.

Sie schob sich blitzschnell an der noch immer offen stehenden Autotür vorbei, blieb mit ihrer Jacke hängen. Sie hörte, wie der Stoff riss. Egal, sie musste die Straße erreichen.

»Bleib stehen, du Nutte!«, brüllte Neil.

Sie rannte. Der Lastwagen kam näher. Sie musste rechtzeitig oben sein. Sie musste ihn anhalten. Der Fahrer musste ihr helfen. Er konnte nicht einfach weiterfahren, wenn eine Frau mit auf den Rücken gefesselten Händen aus einem Wiesenweg gestolpert kam. Er würde …

Der Schuss zerriss ihre Gedanken. Er war so laut, dass er in den Ohren wehtat, und im ersten Moment dachte sie, ihre Ohren seien von jetzt an taub für immer. Sonst spürte sie nichts, also konnte er sie nicht getroffen haben. Zu ihrer größten Überraschung jedoch knickte plötzlich ihr Bein ein, es brach einfach unter ihr weg, und sie fiel zu Boden. Sie versuchte aufzustehen, aber es gelang ihr nicht. Ihr Bein war nicht mehr zu gebrauchen. Da sie sich auch mit den Händen nicht abstützen konnte, lag sie wie ein gestrandeter Fisch im Gras, bäuchlings, das Gesicht auf der Erde, die nach dem tagelangen Regen noch feucht war, kühl und die eher frühlingshaft frisch als sommerlich roch.

Im nächsten Moment wurde ihr Kopf an den Haaren nach oben gerissen.

»Du verdammtes Miststück. Du blödes, dummes, verdammtes Miststück!«

Grobe Hände zerrten sie in die Höhe. Sie stand an Neil gelehnt, das linke Bein angewinkelt. Sie blickte an sich hinunter. Ihre Jeans war blutgetränkt.

Sehr langsam setzte sich die Erkenntnis in ihrem Kopf durch. *Ich bin doch getroffen worden. Er hat mein Bein erwischt.*

Oben auf der Straße donnerte der Lastwagen vorüber. Der Fahrer hatte nichts bemerkt.

Neil schleifte Peggy zum Auto und hinter das Dickicht der Hecke zurück. Allmählich meldeten sich Schmerzen in ihrem Bein, aber sie waren noch nicht schlimm. Bedenklich erschien Peggy das viele Blut. Sie blutete wie verrückt.

»Neil. Ich muss zum Arzt.«

Er drückte sie grob ins Gras hinunter. Mit einer Nylonschnur fesselte er ihre zusammengebundenen Hände um einen der dicken, kräftigen Stämme der Hecke.

»Das hast du dir selber zuzuschreiben. Ich kann nichts für dich tun. Glaubst du, ich liefere dich beim Arzt ab und warte dann dort noch, bis er die Bullen gerufen hat?«

Sie starrte auf ihr Bein. Der Stoff ihrer Hose war bereits völlig durchweicht. Die Schmerzen wurden stärker.

»Ich verblute, wenn du mich hier sitzen lässt. Neil, das kannst du nicht machen. Bitte. Bring mich wenigstens bis zur Straße rauf. Neil…«

Er kümmerte sich nicht weiter um sie. Er stieg ins Auto, schlug die Tür zu. Fassungslos sah sie zu, wie er den Motor anließ, wie er rückwärts anfuhr.

»Neil!« Sie schrie, so laut sie konnte. So laut es ihre Kräfte zuließen. Und diese wurden bereits jetzt deutlich weniger. Sie verlor viel zu schnell viel zu viel Blut. »Neil!«

Er hörte sie nicht, und selbst wenn er sie gehört hätte, er hätte sich nicht gekümmert. Sie konnte ihn schon nicht mehr sehen, hörte aber, dass er auf den Asphalt der Straße bog. Gleich darauf heulte der Motor laut auf. Neil startete mit quietschenden Reifen.

Völlig sinnlos und ohne jede Hoffnung schrie sie noch immer. »Neil! Neil, komm zurück, bitte! Bitte!«

Sie hielt inne. Es war still. Das Motorengeräusch ihres eigenen Autos vernahm sie schon nur noch in der Ferne. Ansonsten brummte irgendwo weit weg ein Flugzeug. In der Weißdornhecke schwirrten und summten die Bienen. Nirgends ein Landwirtschaftsfahrzeug. Nirgends ein Mensch.

Die Schmerzen kamen jetzt mit Macht. Als stünde das Bein in Flammen. Das Blut sickerte ins Gras.

Ihr Herz, so kam es ihr vor, pumpte viel zu schnell und viel zu stark. Ihre Lippen, ihr Mund, ihr Hals waren in wenigen Augenblicken völlig ausgedörrt.

»Wasser«, murmelte sie.

Die letzten Wolken segelten davon, die Sonne, die man so herbeigesehnt hatte, brannte gnadenlos zur Erde.

Sie würde jetzt hier sterben, Peggy wusste es genau.

Sie hoffte, sie würde schnell die Besinnung verlieren.

4

Caleb Hale, DC Scapin und DS Stewart saßen in Calebs Büro in Scarborough. Jeder hatte einen großen Kaffeebecher vor sich stehen, und alle sahen sie völlig übernächtigt aus.

Am schlimmsten, wie Jane Scapin dachte, ging es Caleb.

Er war grau im Gesicht und hatte Ringe unter den Augen; die Tatsache, dass er unrasiert war und in den verknitterten Klamotten vom Vortag steckte, ließ ihn nicht frischer wirken. Jane hatte jedoch den Eindruck, dass sein schlechter Zustand nicht nur mit seiner Müdigkeit zu tun hatte; er wirkte nicht nur wie jemand, der nachts kein Auge zugetan hatte, sondern er sah fast krank aus. Er war mit dem Taxi gekommen, sie hatte es aus dem Fenster gesehen. Dies legte den Schluss nahe, dass er direkt von Kate Linville kam, dass er nicht noch irgendwann in den ersten Morgenstunden nach Hause gefahren war. Typisch Caleb. Er war auch als Chef so, fürsorglich, besorgt. Sein Verständnis von seiner Tätigkeit endete nie dort, wo sich tatsächlich die Grenzen befanden, die das Berufsbild umrissen. Er ließ Menschen nicht im Regen stehen, nur weil er allen Vorschriften Genüge getan hatte und alles Weitere nicht in seinen Zuständigkeitsbereich fiel. Er tat immer mehr, als er tun musste.

Jane hatte sich schon manchmal gefragt, ob er nicht letztlich zu empfindlich war für seinen Job. Ob er nicht das, was er sah und erlebte, viel zu nah an sich heranließ. Auch das Leid der Betroffenen. Es fiel ihm ganz offensichtlich schwer, Distanz zu wahren und sich selbst in Sicherheit zu bringen. Vielleicht war er aber auch einsam. Sie hatte oft den Eindruck, dass er, seitdem seine Frau auf und davon war, nicht mehr gerne nach Hause ging. Er nutzte jede Gelegenheit, den eigenen vier Wänden zu entkommen, notfalls sogar dadurch, dass er bei der verstörten Tochter eines ermordeten Exkollegen eine Nachtwache schob. Auch wenn es ihn überforderte.

Immerhin, er blieb wohl tatsächlich trocken. Früher hatte man es allzu oft in seinem Büro gerochen, dass er alles andere als nüchtern war. Jetzt trank er Unmengen an Kaffee, sonst aber nichts.

»Wie geht es Kate, Chef?«, fragte Jane.

Er zuckte mit den Schultern. »Heute früh habe ich sie nicht mehr gesehen. Was hoffentlich bedeutet, dass sie einigermaßen gut schlafen konnte. Aber sie ist in einem schrecklichen psychischen Zustand. Wenn man nur irgendjemanden finden könnte, der ihr jetzt zur Seite steht. Aber da scheint weit und breit niemand zu sein.«

»Ihr Vater war wirklich der einzige vertraute Mensch in ihrem Leben?«

»Scheint so, ja. Sie ist erbärmlich einsam, aber«, er fuhr sich mit der Hand über die müden Augen, die danach stark gerötet waren und noch müder aussahen, »da kann ihr vermutlich von uns niemand so richtig helfen. Sie muss ihr Leben neu ordnen und sich selbst wieder aufrichten. Wahrscheinlich gelingt so etwas nur aus eigener Kraft.«

»Ein Mann wäre jetzt nicht schlecht«, meinte DS Stewart. »Gib ihr doch mal den Tipp, es über das Internet zu versuchen, Jane. Macht doch heute jeder so.«

»Damit sie dann so glücklich ist wie du, oder?« Es war ein offenes Geheimnis auf dem ganzen Revier, dass Robert Stewart schon seit Jahren über die verschiedensten Singlebörsen eine Frau zu finden versuchte, bislang allerdings ohne Erfolg.

Robert schien nicht gekränkt. »Okay, aber ihre Chancen würden sich trotzdem verbessern. Es ist doch höchst unwahrscheinlich, dass der Mann ihres Lebens dort in dieses Haus in Scalby hineinspaziert kommt und ihr seine Liebe erklärt.«

»Diese Dinge sollten wir Kate überlassen«, setzte Caleb dem Gespräch ein Ende. »Es ist ihr Leben, und sie muss sehen, was sie daraus macht. Wir haben jetzt anderes zu tun. Der Tag ist noch jung, aber haben Sie irgendwelche neuen Erkenntnisse zum Fall Melissa Cooper?«

Robert nickte. »Ich habe höchstwahrscheinlich herausgefunden, bei welcher Gelegenheit sich DCI Linville und Melissa Cooper kennengelernt haben. Natürlich weiß ich nicht, ob das für den Fall relevant ist, aber ich dachte mir, es sei sinnvoll, Schnittstellen zu untersuchen – da ja beide mit einer hohen Wahrscheinlichkeit Opfer desselben Täters geworden sind.«

Caleb nickte. »Richtig. Worauf sind Sie gestoßen?«

»Ich war schon ziemlich früh heute hier und bin alte Akten durchgegangen. Aus dem Jahr 1998, da die Beziehung ja vor sechzehn Jahren begonnen haben soll.«

»Gute Idee, dieser Ansatz!«

Robert war sichtlich glücklich über das Lob. »Im September 1998 gab es hier in Scarborough einen Raubüberfall auf eine der Spielhallen unten am Hafen. Am hellen Tag. Zwei mit einer Pistole bewaffnete Jugendliche stürmten einfach hinein und erzwangen die Herausgabe der Kasse. Der Besitzer wehrte sich vehement, daraufhin schossen sie auf ihn. Er starb, noch ehe er in ein Krankenhaus gebracht werden konnte. Die Jugendlichen sind mit einer Menge Geld abgehauen und in ein wartendes Fluchtfahrzeug gesprungen, das von einem dritten Täter gefahren wurde. Es gab Zeugen – unter anderem Personen, die sich gerade zufällig am Hafen aufhielten. Darunter Melissa Cooper, die mit einer Freundin in einem Pub verabredet war. Sie konnte eine ungefähre Beschreibung der Täter geben, daher war sie zur Vernehmung hier auf dem Revier. Linville selbst hat mit ihr gesprochen. Ich könnte mir vorstellen, dass dies der Moment ihres Kennenlernens war. Das ließe sich aber vielleicht noch über die Söhne herausfinden.«

Caleb überlegte. »Könnte in diesem Überfall auch der Schlüssel zu den Verbrechen heute liegen? Wurden die Täter geschnappt?«

»Ja. Allerdings …«

»Ja?«

»Man hatte sie ziemlich schnell. Aber nicht wegen Melissa Coopers Aussage und Beschreibung, und es war auch nicht Linville, der sie dingfest machte. Zwei Tage nach dem Überfall, der ja ungeplant zu einem Tötungsdelikt geworden war, verlor einer der Täter die Nerven und stellte sich freiwillig. Dabei verpfiff er dann auch gleich die beiden anderen. Mit Melissa Cooper hatte das alles also überhaupt nichts zu tun, und ich würde vermuten, dass die Täter nicht einmal ihren Namen je gehört haben.«

»Trotzdem, der Sache muss nachgegangen werden. Robert, Sie machen da am besten direkt weiter. Ich vermute, die drei haben eine Haftstrafe abgesessen und befinden sich schon seit einiger Zeit wieder auf freiem Fuß?«

»Das habe ich auch überprüft, Sir.« Robert musste tatsächlich schon vor Tau und Tag auf den Beinen und im Einsatz gewesen sein. »Alle drei sind draußen und sind auch nicht wieder auffällig geworden. Zwei von ihnen leben in Hull, einer hier in Scarborough. Ich habe die Adressen.«

Caleb fiel auf, dass Robert und Jane an diesem Morgen die Rollen vertauscht hatten. Für gewöhnlich war Jane diejenige, die durch große Aktivität und eine gute Portion Eigeninitiative auffiel, während Robert ein zwar fähiger, aber eher etwas gemütlicher Polizist war. Heute jedoch schien Jane völlig in den Seilen zu hängen. Sie war sehr blass und sah so erschöpft und gequält aus, dass Caleb ihr, wenn er es sich hätte leisten können, am liebsten einfach einen freien Tag geschenkt hätte. Es war extrem spät für Jane in der Nacht geworden. Und sicherlich hatte sie dann auch noch Ärger mit der Nachbarin bekommen, die auf Dylan aufgepasst hatte.

»Okay. Robert, Sie fühlen also diesen Rowdies auf den Zahn. Und dann müssen wir unbedingt an Denis Shove dran bleiben. Mir ist zwar noch nicht klar, wie wir ihn in eine Verbindung zu Melissa Cooper bringen, aber…«

»Sir, Denis Shove wurde zwar erst im Jahr 2005 festgenommen, also drei Jahre *nachdem* sich Linville bereits wieder von Melissa Cooper getrennt hatte – jedenfalls nach Aussage des Sohnes«, sagte Jane. »Ich frage mich aber, ob Shove auf irgendeine Weise herausgefunden hat, dass Linville und Cooper eine Zeitlang ein Liebespaar waren. Vielleicht reicht es ihm nicht, sich nur an Linville zu rächen. Wir haben das ja manchmal, dass Täter dann auch im Umfeld wüten.«

»Hm. Woher sollte er von der Affäre wissen?«

»Solche Dinge sickern oft durch«, sagte Jane. »Ich könnte mir denken, dass zum Beispiel etliche hier auf der Dienststelle genau wussten, was los war. Während Linville noch glaubte, ein großes Geheimnis zu hüten, tratschte man wahrscheinlich schon ziemlich unverhohlen hinter seinem Rücken.«

Caleb seufzte. Sie hatte sicher recht. Er dachte an sein eigenes Erschrecken in der vergangenen Nacht, als ihn Kate, wütend wie ein gereiztes Tier, mit seinem Alkoholproblem konfrontiert hatte. Vermutlich war es völlig naiv von ihm, noch immer an der Bypass-Variante festzuhalten. Jeder wusste Bescheid, und selbst bei Scotland Yard in London hatte man davon gehört.

Was ihn ziemlich lächerlich dastehen ließ.

»Da passt manches noch nicht«, sagte er. »Selbst wenn die Kollegen etwas wussten – wie soll es zu Denis Shove vorgedrungen sein? Und außerdem, hätte er in diesem Fall nicht *zuerst* Melissa Cooper getötet und *dann* erst Richard Linville? Cooper sozusagen als einen Warnschuss an Linville, um ihn zu verwirren und in Angst zu versetzen? Der tatsächliche Ablauf macht so aber wenig Sinn.«

»Shove kann ja zunächst eine andere Reihenfolge geplant haben«, meinte Jane. »Und dann hat es sich anders ergeben. Mit Melissa Cooper war vielleicht etwas schiefgelaufen, dafür bot sich bei Richard Linville eine gute Gelegenheit. Der Täter musste umdisponieren.«

»Aber warum dann Melissa Cooper noch töten? Er hätte sie auch am Leben lassen können, denn Linville konnte er damit nun nicht mehr treffen.«

»Er hatte sie aber in der Planung«, sagte Jane, »und er wollte sich nicht mit der halben Umsetzung zufriedengeben.«

Caleb trommelte mit seinem Bleistift auf dem Schreibtisch herum. Für ihn klang das alles ziemlich bizarr.

»Man hat Melissa Cooper gefesselt und geknebelt. Man hat ihr bei vollem Bewusstsein beide Kniescheiben mit einem Hammer zertrümmert. Man hat ihr anschließend die Kehle auf eine Art durchgeschnitten, dass es leicht zu einer Enthauptung hätte werden können. So viel Hass, so viel Entschlossenheit, diese Frau nicht nur zu töten, sondern zuvor leiden zu lassen. Nur um einen Plan zu erledigen, der sich eigentlich schon erledigt hatte? Das überzeugt mich noch nicht.«

Darauf wussten die beiden anderen zunächst nichts zu erwidern. Schließlich meinte DS Stewart: »Was ist mit Melissa Coopers Söhnen? Michael Cooper hatte definitiv einen extremen Hass auf Linville, das wurde ja gestern sehr deutlich.«

»Ja, aber er hatte keinen Hass auf seine Mutter«, sagte Caleb, »und er war wegen der Todesnachricht vollkommen erschüttert. Er müsste ein erstklassiger Schauspieler sein, wenn seine Verzweiflung und sein Entsetzen nicht echt gewesen sein sollten. Trotzdem werde ich ihn aufsuchen. Vielleicht ist ja auch sein Bruder schon bei ihm eingetroffen. Ich werde noch einmal ausführlich mit den beiden sprechen. Sie müssen uns alles über die Beziehung ihrer Mutter zu Linville erzählen.«

»Die wirklich von der Affäre betroffenen Menschen kommen als Täter ja leider nicht in Frage«, sagte Jane. »Die jeweiligen Ehepartner. Melissas Mann lebte damals schon nicht mehr. Und Linvilles Frau ist seit drei Jahren tot.«

»Nein, diese relativ einfache Lösung bietet sich bedauerlicherweise überhaupt nicht an«, meinte Caleb. Er stand auf. »Wir tun jetzt Folgendes: Robert, Sie überprüfen wie besprochen die Typen von jenem Raubüberfall damals. Jane, Sie gehen noch einmal durch sämtliche Akten und Berichte zum Fall Shove. Ich möchte wissen, ob es irgendeinen Hinweis auf Melissa Cooper gibt – was ich allerdings nicht glaube, aber wir müssen es überprüfen. Ich fahre nach Sheffield und spreche mit Michael Cooper. Darüber hinaus habe ich bereits Leute nach Hull entsandt. Sie durchsuchen Melissa Coopers Wohnung, sprechen mit dem Nachbarn und mit dem Hausmeister der Schule, und sie schauen sich ganz genau in der Umgebung dieses Wochenendhauses draußen an der Flussmündung um. In jedem Fall möchte ich außerdem die Fahndung nach Denis Shove intensivieren. Selbst wenn er nichts mit all dem zu tun hat, können wir ihn nur dann von der Liste streichen, wenn wir ihn vernommen und mögliche Alibis überprüft haben. Am besten...«

»Sir, ich habe das gestern Abend noch in die Wege geleitet«, sagte Jane. »Sein Bild ist heute noch einmal in etlichen Tageszeitungen der Umgebung. Mit Beschreibung und allem Drum und Dran.«

Das war wieder die Jane, die er kannte. Caleb nickte ihr anerkennend zu. »Sehr gut. Sie machen einen guten Job, Jane, wirklich.«

Janes müde Augen blickten gleich ein wenig lebendiger drein.

DS Stewart schüttelte kaum merklich den Kopf. Nicht, weil er nicht einer Meinung mit dem Chef gewesen wäre, was Janes Qualitäten anging. Aber beide, Caleb und nun auch Jane, schienen sich seiner Ansicht nach ein wenig zu sehr auf Denis Shove zu fokussieren.

Und für ihn passte das vorne und hinten nicht zusammen.

5

Obwohl schon lange wach, war sie noch eine halbe Ewigkeit in ihrem Zimmer geblieben, aus Angst, sie könnte Caleb unten im Haus begegnen. Nie wieder im Leben wollte sie ihm gegenübertreten. Es ging ihr schlecht, sie spürte sämtliche Nachwirkungen der halben Flasche Whisky, die sie auf leeren Magen innerhalb kürzester Zeit getrunken hatte: hämmernde Kopfschmerzen, einen völlig ausgetrockneten Mund, brennende Augen, die schon vor dem schwachen Licht, das durch die geschlossenen Vorhänge am Fenster drang, kapitulierten. Aber nichts von all dem war so schlimm wie die Erinnerung an das, was in der Nacht vorgefallen war. Sie und Caleb Hale im Wohnzimmer. Sie hatte sich in seine Arme geworfen, ihn angefleht, sie festzuhalten. Was er getan hatte, und es hatte sich stark und tröstlich und sicher angefühlt. Aber dann war sie noch weiter gegangen, sie hatte ihn gleich mit in ihr Bett nehmen wollen, und obwohl sie so betrunken gewesen war, versank die Szene nicht im wenigstens teilweisen Vergessen. Stattdessen hatte sie eine klare, scharf umrissene Erinnerung an sein Entsetzen, sein Zurückweichen, sein Unbehagen. Er hatte die Situation ganz grauenhaft gefunden, und sie fragte sich, wie sie sich nur derart enthemmt und ohne jedes Warnsignal im Kopf hatte benehmen können.

Sie versuchte, die Bilder zu verdrängen, aber sie schoben sich immer wieder von neuem in ihr Gedächtnis, überlagerten sogar die vielen anderen Bilder des gestrigen, grauenhaften Tages. Obwohl sie versuchte, sie heranzuziehen, die Bilder des Tatorts in Hull, der blutüberströmten, gefesselten und hingemetzelten Melissa Cooper, weil die Erinnerung daran immer noch leichter zu ertragen war als die an ihr unwürdiges Verhalten Caleb gegenüber. Wie er sie angeschaut hatte, als er sagte, er wolle die Situation nicht ausnutzen. Sie hatte die Wahrheit in seinen Augen erkannt. Er fand sie unattraktiv und reizlos. Sie war eine Frau, die er unter normalen Umständen nie zur Kenntnis genommen hätte, um die er sich nur kümmerte, weil er ihren Vater sehr geschätzt hatte und Mitleid mit ihr empfand.

Das alte Lied, die ewig gleiche Geschichte: völliges Desinteresse oder Mitleid, etwas anderes bekam sie von Männern nicht. Und ausgerechnet Caleb Hales Mitleid dürfte sie nun noch angeheizt haben. Er sah sie mit Sicherheit als einen tragischen Fall – und dazu noch als einen Menschen, dem er in Zukunft besser aus dem Weg ging.

Irgendwann hörte sie, dass ein Auto vorfuhr, und gleich darauf klappte unten die Haustür. Caleb hatte sich wahrscheinlich ein Taxi bestellt. Sicherheitshalber wartete sie noch eine Weile, dann stand sie auf und tappte auf wackeligen Beinen zur Tür. Sie lauschte nach unten, spähte ins Treppenhaus. Völlige Stille.

Gott sei Dank, er war wirklich weg.

Es dauerte lange, bis sie geduscht und sich angezogen hatte. Die Kopfschmerzen verhinderten jede schnelle Bewegung. Ihr Spiegelbild sagte ihr, dass sie grauenhaft aussah, bleich und hohläugig und so, als sei sie plötzlich um Jahre gealtert. Sie war noch keine vierzig, aber sie fand, sie sah aus wie fünfzig. Sie hätte am liebsten geweint über ihr Aussehen, über ihr Wesen, über die gesammelten Ablehnungen, denen sie im Laufe ihres Lebens begegnet war, aber sie hielt die Tränen zurück. Sowohl das Kopfweh als auch der Schmerz hinter ihren Augen würden nur schlimmer werden.

Schließlich ging sie nach unten. In der Küche fand sie eine volle Kanne Kaffee auf der Wärmeplatte der Kaffeemaschine vor. Allerdings keinen Brief, keine Nachricht, keinen Gruß.

Aber hast du das erwartet?, fragte sie sich. *Caleb wird von nun an auf größtmögliche Distanz gehen. Er wird absolut nichts tun, was von dir missverstanden werden könnte.*

Sie merkte, dass sie nichts essen konnte, aber sie schenkte sich einen großen Becher Kaffee ein. Sie trank ihn im Stehen, blickte dabei zum Fenster hinaus. Ganz allmählich kehrten erste Lebensgeister zurück, ihre Augen konnten das Licht des sonnigen Tages besser ertragen. Vieles ging ihr durch den Kopf, und neben der brennenden Scham wegen ihres eigenen Benehmens schob sich nun auch Entsetzen über ihren Vater in den Vordergrund.

Er hatte eine Affäre gehabt.

Eine billige, miese, verlogene Affäre. Ihr großartiger, wunderbarer, über jeden Zweifel erhabener Vater.

Zu einer Zeit, da es Brenda erbärmlich schlecht ging und sie vollkommen hilflos gewesen war, hatte er sie betrogen.

Und nicht nur sie: Er hatte damit auch Kate betrogen. In einem Ausmaß, wie ihr das nie von einem anderen Menschen widerfahren war.

Was hatte ihm diese Melissa Cooper bedeutet? Hatte er sie geliebt? Hätte er sich ganz für sie entschieden, wäre Brenda, seine Frau, nicht so krank gewesen? Hatte ihn nur der Krebs in den Church Close zurückgetrieben? Wäre sonst damals die Trennung erfolgt und hätte Kates Gefühl von Sicherheit und Nestwärme, das ihre Eltern ihr auch als erwachsene Frau noch vermittelten, jäh zerstört? Möglicherweise hatte nur der Anstand – der *Rest von Anstand*, wie Kate dachte – Richard Linville daran gehindert, das Weite zu suchen. Denn Brenda hatte die Krankheit zwar zunächst besiegt, aber innerhalb eines Jahres war ein Rezidiv aufgetreten, und die ganze Qual hatte von neuem begonnen. Noch einmal hatte Brenda die Abwehrschlacht gewonnen, dann folgten unglaubliche neun Jahre, während derer sie den Krebs mit jeder nur denkbaren alternativen Heilmethode tatsächlich in Schach hielt, aber wahrscheinlich hatte ihr Mann dem Frieden nie mehr getraut. Zu Recht: 2010 brach alles wieder los und diesmal schlimmer, schneller und heftiger als je zuvor. Brendas Körper war überschwemmt von Metastasen, ihre Widerstandskraft restlos aufgebraucht. Sie starb im Januar des Jahres 2011.

Und danach... hatte es offenbar keine Neuauflage zwischen Richard und Melissa gegeben. Alle Feuer brennen irgendwann aus.

Kate wollte mehr darüber wissen. Was war damals passiert, und warum war es passiert? Weshalb waren sie am Ende nun beide tot, Richard und Melissa, beide buchstäblich hingerichtet von jemandem, der sie abgrundtief hassen musste.

Sie hatte Michael Cooper am Vortag als extrem unsympathisch und unangenehm empfunden, aber ihr würde kaum eine Wahl bleiben, als mit ihm erneut Kontakt aufzunehmen. Für den Moment zumindest kannte sie keinen einzigen Menschen, der ihr unter Umständen noch ein paar Informationen zukommen lassen konnte.

Dass er in Sheffield wohnte, hatte sie mitbekommen. Über das Internet rief sie das Adressenverzeichnis der Stadt auf und stellte fest, dass es zwei Michael Cooper dort gab. Immerhin, es hätte schlimmer kommen können. Sie notierte beide Adressen. Anrufen wollte sie nicht, weil sie fürchtete, sofort abgewimmelt zu werden. Sie hatte seine Aversion gespürt. Er hatte ihren Vater gehasst, und diese Ablehnung übertrug er nun auf die Tochter. Aber natürlich hatte er auch unter Schock gestanden. Inzwischen war ihm vielleicht klar geworden, dass Kate ein eigener Mensch und nicht verantwortlich für ihren Vater war. Während sie dies dachte, stellte sie verwundert fest, dass sie selbst *zum allererston Mal* einen solchen Gedanken hatte – und trotz allem, was geschehen war, klang er fast ketzerisch in ihren Ohren: *Ich bin ein eigener Mensch und nicht verantwortlich für meinen Vater.*

Das hatte sie immer ganz anders empfunden. Sie und Richard als eine Einheit. Verschmolzen. Einer ein Teil des anderen. Und damit so verantwortlich füreinander, wie man für sich selbst verantwortlich ist.

Und nun stellte sich heraus, dass Richard ein eigenes Leben geführt hatte. Ganz für sich, fern von seiner Frau und seiner Tochter.

Ich habe mich nie von ihm gelöst, und ich dachte, er fühlt ge-

nauso. Dabei ist er ganz eigene Wege gegangen. Mit einer Frau, die ich nicht kannte. Von der er mir nie ein Sterbenswort erzählt hat. Er hat unsere ganze Familie verraten. Er hat mich verraten. Und meine Gefühle für ihn.

Es tat so weh, dass ihr die mühsam zurückgehaltenen Tränen nun doch noch in die Augen stiegen. Ehe sie es verhindern konnte, saß sie mitten auf dem Küchenfußboden und weinte so heftig, dass sie am ganzen Körper zitterte. Irgendwie gelang es ihr, sich eine Küchenrolle zu angeln, von der sie ein Blatt nach dem anderen abriss, um die Tränenflut einigermaßen aufzufangen und sich immer wieder die Nase zu schnäuzen. Schließlich konnte sie nicht mehr, blieb ermattet, leer, schwer atmend noch eine Weile sitzen, starrte aus ungewohnter Perspektive auf die Möbel ringsum, merkte, dass ihr ziemlich kalt von unten wurde, war aber zu kraftlos, um aufzustehen. Sie fühlte sich traurig und trostlos und doch ein wenig erleichtert, weil Tränen auf zuverlässige Weise immer die schlimmste Spannung lösen.

Irgendwann raffte sie sich auf, ging hinauf ins Bad, wusch sich das Gesicht mit kaltem Wasser, legte entgegen ihrer sonstigen Gewohnheit ein wenig Puder auf, um die Rötungen an den Augen und auf den Wangen zu kaschieren. Vernünftiger wäre es gewesen, jetzt nicht nach Sheffield zu fahren.

Sie tat es trotzdem.

Sie war lange unterwegs, bei dichtem Verkehr erreichte sie Sheffield erst nach zweieinhalb Stunden, dann verfuhr sie sich auf der Suche nach der ersten Adresse, und schließlich stellte sich auch noch heraus, dass sie den falschen Michael Cooper erwischt hatte. Der Mann, der ihr nach langem Warten und dreimaligem Klingeln schließlich öffnete, musste um die neunzig Jahre alt sein, und als ihm Kate erklärte, dass sie sich geirrt hatte und sich dafür entschuldigte, verstand er nicht, was sie meinte, und fragte so lange nach, bis sie sich irgendwann entnervt umdrehte und ihn einfach stehen ließ. Sie hoffte, dass sich wenigstens der andere Michael Cooper als der Richtige erweisen würde. Es blieb auch die Möglichkeit, dass der Gesuchte sich nicht hatte registrieren lassen, dann würde es für sie sehr schwierig werden, ihn ausfindig zu machen. Aber nicht unmöglich. Sie hatte noch Scotland Yard im Hintergrund. Wenn sie es halbwegs geschickt anfing, würde DS Christy McMarrow ihr helfen.

Eine weitere halbe Stunde später stand sie vor einem hübschen Einfamilienhaus am südlichen Stadtrand von Sheffield, und hier sah schon alles viel mehr nach einer jungen Familie aus. Ein großer Garten, ausgestattet mit Schaukel, Rutschbahn und Trampolin. Über einen von Blumenrabatten gesäumten Weg ging Kate zur Haustür. Auf ihr Klingeln wurde rasch geöffnet. Michael Cooper stand vor ihr. Der Richtige.

Er erkannte sie ebenfalls sofort. »Mrs. Linville«, sagte er. Er wirkte nicht mehr so aggressiv wie am Tag zuvor. Eher völlig erschöpft, zu kaputt, um noch irgendjemanden zu attackieren.

»Guten Morgen, Mr. Cooper«, sagte Kate. »Es tut mir leid, dass ich Sie unangemeldet aufsuche, aber … haben Sie etwas Zeit für mich?«

Er wirkte nicht begeistert. »Ehrlich gesagt … mein Bruder ist vor ein paar Stunden angekommen, und wir sprechen gerade über die Trauerfeier … aber …« Er trat einen Schritt zurück. »Kommen Sie rein.«

Im Flur lag jede Menge Kinderspielzeug herum, und vom ersten Stock her konnte Kate Kinderstimmen hören.

Michael führte sie ins Wohnzimmer. Auf dem Sofa saß ein Mann, der Michael sehr ähnlich sah – groß und schwarzhaarig, und er wirkte ebenfalls vollkommen erledigt.

»Mein Bruder Andrew Cooper«, stellte Michael vor. »Andrew, das ist Kate Linville. Richard Linvilles Tochter. Ich habe dir ja erzählt, dass sie …«

Bei der Erwähnung des Namens *Linville* war Andrew Cooper zusammengezuckt. Er schien dem ehemaligen Liebhaber seiner Mutter ebenso ablehnend gegenüberzustehen wie sein Bruder.

Er riss sich deutlich mühsam zusammen, stand auf und streckte Kate die Hand hin. »Ja, ich weiß. Sie haben meine Mutter gestern … gefunden.«

»Es tut mir sehr leid, was geschehen ist«, sagte Kate.

»Ja, es ist …« Andrew suchte nach Worten, fand keine, die hätten ausdrücken können, was er empfand. »Es ist unfassbar«, sagte er schließlich, »einfach unfassbar. Als mich mein Bruder gestern anrief … Es war wie ein böser Traum. Es ist *immer noch* ein böser Traum. Ich bin fast die ganze Nacht durchgefahren. Ich lebe oben in Schottland. Meine Mutter …« Er rang um seine Beherrschung.

Sie verstand ihn. Sie verstand ihn nur zu gut.

»Ich wollte sie an Ostern besuchen«, fuhr Andrew fort, »und dann war ich doch zu bequem. Jetzt denke ich mir … mein Gott, ich kann es nicht mehr gutmachen. Ich kann es nie wiedergutmachen.«

»Andrew, es bringt nichts, sich zu quälen«, sagte Michael leise.

»Ich habe sie zuletzt an ihrem Geburtstag gesehen«, sagte Andrew. »Am siebten Januar. Damit habe ich meine Pflicht erfüllt, dachte ich. Dabei wusste ich, dass sie einsam war. Dass sie eigentlich niemanden wirklich hatte, mit dem sie …«

die Wochenenden verbringen konnte. Die Abende. Unser Vater ist gestorben, da waren wir noch Kinder…« Seine Mundwinkel zitterten. Der Mann war komplett am Ende seiner Kräfte und völlig erschüttert. Kate hatte plötzlich ein schlechtes Gewissen. Sie hätte hier nicht einfach hineinplatzen dürfen.

»Ich hole uns erst einmal einen Kaffee«, sagte Michael. »Setz dich, Andrew. Und atme tief durch.«

Andrew sank auf das Sofa zurück. Er schloss für einen Moment die Augen. In seinem Gesicht war nicht der kleinste Anflug von Farbe.

Kate setzte sich in einen Sessel. Michael verschwand in die Küche. Sie konnte hören, wie er mit Tassen und Besteck klapperte.

Andrew öffnete die Augen. Er hatte sich wieder unter Kontrolle. »Sie sind also Kate.«

»Ja. Und ich weiß, dass Sie und Ihr Bruder meinem Vater eine Menge nachtragen. Ich… habe gestern von der ganzen Sache erst erfahren. Von der Beziehung zwischen meinem Vater und Ihrer Mutter, meine ich. Davor war ich vollkommen ahnungslos. Und jetzt bin ich schockiert. Ich dachte… ich war immer sicher, dass die Ehe meiner Eltern sehr glücklich war.«

Andrew musterte sie nachdenklich. Sie meinte, so etwas wie Mitleid in seinen Augen zu erkennen. »Ja, das muss schlimm sein für Sie. Es stimmt, wir hielten nicht viel von Ihrem Vater, Mrs. Linville. Er hat unserer Mutter immer wieder versprochen, seine Frau zu verlassen und sich ganz zu ihr zu bekennen. Aber am Ende tat er den Schritt doch nicht. Unsere Mutter hat sehr gelitten.«

»Meine Mutter war sehr krank. Es schien dann zwar für einige Zeit so, als habe sie den Krebs besiegt, aber wahrscheinlich blieb mein Vater skeptisch. Ich vermute, dass dies der Grund war, weshalb er ... letztlich bei ihr blieb.« *Arme Mummy,* dachte sie voller Schmerz, *meine arme Mummy, aus diesem Grund hättest du ihn gar nicht haben wollen. Du wolltest nie Mitleid.*

Andrew nickte. »Ich weiß. So hat er es laut Aussage meiner Mutter begründet. Trotzdem ... Er hätte das alles nicht so weit kommen lassen dürfen. Unsere Mutter war danach ein anderer Mensch. Sie hat das nie verwunden.«

So viel Leid. Richard hatte so viel Leid verursacht.

Was hatte er noch getan? Was hatten *er und Melissa* getan, dass jemand sie derart hasste? Jahre, nachdem ihre Beziehung geendet hatte.

Das brachte sie auf einen Gedanken. »Wissen Sie, wann genau die Beziehung anfing? Und wann sie endete? Und ob sie tatsächlich vorbei war? Ich meine, ob die beiden wirklich keinen Kontakt mehr hatten?«

Andrew überlegte kurz. »Meiner Erinnerung nach begann das alles im Herbst 1998. Ich hatte im Sommer die Schule beendet und mich an der Universität eingeschrieben. Mein Bruder war schon seit zwei Jahren aus dem Haus. Richard und meine Mutter lernten sich kennen, weil meine Mutter einen Raubüberfall auf eine Spielhalle in Scarborough beobachtet hatte. Richard vernahm sie als Zeugin.« Er lachte gequält. »So banal können Liebesgeschichten wahrscheinlich manchmal beginnen.«

Kate runzelte die Stirn. »Ein Raubüberfall? Wissen Sie darüber mehr?«

Er zuckte die Schultern. »Nein. Es war kurz vor Beginn meines Studiums, ich jobbte bei einer Möbelspedition in Liverpool und wohnte nicht zu Hause. Außerdem ist das alles ziemlich lange her.«

Kate machte sich eine Notiz im Gehirn. *Raubüberfall, Scarborough, 1998. Unbedingt recherchieren.*

»Nun ja, und dann ging das alles bis ... 2002, würde ich sagen«, fuhr Andrew fort. »Und danach war definitiv Schluss, da bin ich sicher. Meine Mutter hat ja oft von ihm gesprochen und war genau darüber verzweifelt – dass er sich gar nicht mehr meldete, dass sie nicht einmal zu Weihnachten oder zu ihrem Geburtstag von ihm hörte. Es war, als habe er sie komplett aus seinem Leben gelöscht, als habe es sie nie gegeben. Das konnte sie nicht verstehen.«

Es musste schwer gewesen sein. Aber Kate wusste, wie konsequent Richard gewesen war, wenn er sich einmal zu etwas entschlossen hatte. Keine halben Sachen. Was Andrew berichtete, passte nur zu gut zu ihrem Vater.

»Hat Ihre Mutter jemals den Namen Denis Shove erwähnt?«, fragte Kate, gerade als Michael das Wohnzimmer betrat. Er trug ein Tablett, auf dem eine Kaffeekanne und mehrere Tassen standen.

»Das hat mich dieser Polizist gestern auch gefragt«, antwortete er anstelle seines Bruders, »dieser Detective Chief Inspector ... so war, glaube ich, sein Rang ...«

»DCI Caleb Hale«, sagte Kate.

»Genau. Er kommt übrigens hierher. Er hat vorhin angerufen.«

Auch das noch. Caleb Hale war der allerletzte Mensch, dem Kate begegnen wollte. Sie musste sich beeilen und dann zusehen, dass sie verschwand.

»Ich habe den Namen nie gehört«, sagte Andrew. »Denis Shove. Du?« Er sah seinen Bruder an.

Michael verteilte die Tassen, schenkte Kaffee ein und schüttelte den Kopf. »Nein. Nie. Aber heute früh war ein Bild von ihm in der Zeitung. Die Polizei fahndet nach ihm.

Ist er verdächtig, mit dem Tod unserer Mutter etwas zu tun zu haben?«

»Er ist hochgradig verdächtig, mit der Ermordung meines Vaters etwas zu tun zu haben«, erklärte Kate. »Dafür hat er ein Motiv. Unklar ist, weshalb er auch Ihre Mutter getötet haben sollte. Mein Vater hat Shove im Jahr 2005 gejagt, verhaftet und hinter Gitter gebracht. Damals war er mit Ihrer Mutter schon nicht mehr zusammen – ganz abgesehen davon, dass sie auch sonst kaum etwas damit zu tun gehabt haben könnte. Mein Vater hat seinen Beruf und sein Privatleben immer strikt getrennt. Andererseits muss man wohl von demselben Täter ausgehen, darauf weist die gesamte Struktur beider Verbrechen hin.«

Die beiden Männer sahen einander an. »Sie ist bei Scotland Yard«, sagte Michael. »Ich erinnere mich, dass Mum das ein paarmal erwähnte.«

»Ehrlich?« Andrew sah Kate überrascht an. Es war klar, dass er sich eine Scotland-Yard-Beamtin völlig anders vorgestellt hatte. Diese Reaktion kannte Kate. Sie begegnete selten einem Menschen, der es ihr zutraute, eine gute Polizistin und dann auch noch bei der prominentesten Behörde des Landes zu sein.

Vielleicht kein Wunder. Sie traute es sich schließlich selbst nicht zu.

»Ja«, sagte sie auf Andrews Frage hin. »Und ich möchte unbedingt herausfinden, wer für den Tod meines Vaters verantwortlich ist. Und für den Ihrer Mutter.«

»Wissen Sie, es war seltsam«, sagte Michael, »aber nachdem Mum von Linvilles Tod in der Zeitung gelesen hatte, wurde sie ungeheuer nervös. Sie sprach mich mehrfach am Telefon darauf an. Leider hatte ich schon lange die Angewohnheit, immer dann, wenn sie *seinen* Namen nannte, sofort auf Durchzug zu schalten und sie mit irgendwelchen Allgemeinplätzen abzuwimmeln. Ich wollte einfach nicht über ihn reden. Ich wollte nicht, dass *sie* über ihn redet… Und nachdem er tot war, dachte ich, du lieber Gott, jetzt trauert sie auch noch um ihn, um dieses…« Er verschluckte, was er hatte sagen wollen. Am Vorabend war er grob und direkt gewesen, aber inzwischen hatte er begriffen, dass er Kate nicht in Sippenhaft nehmen konnte. Und dass sie so traumatisiert war wie er selbst.

»Im Nachhinein«, fuhr er fort, »wird mir klar, dass sie eigentlich gar nicht wie eine Trauernde wirkte. Sondern wie jemand, der Angst hat. Ich habe das nur nicht erkannt, weil ich immer sofort jedes Gespräch darüber blockiert habe. Und dann fing sie ja auch mit ihrem… mit diesem Gefühl, verfolgt und beobachtet zu werden, an. Sie fürchtete, ihr könnte dasselbe passieren wie Linville. Und ich habe sie behandelt wie eine alte Frau, die an Verfolgungswahn leidet.«

»Ich auch«, sagte Andrew leise, »ich doch auch.«

»Es muss etwas geben«, sagte Kate, »es muss etwas geben aus ihrer gemeinsamen Zeit. Etwas, das Ihre Mutter ganz deutlich hat vermuten lassen, sie könnte in Gefahr sein. Ich nehme an, genau darüber hat sie mit mir sprechen wollen. Und ich bin zu spät gekommen. Ich hätte…«

Sie sprach nicht weiter. Sie brauchte sich vor diesen beiden Männern nicht auch noch als völlig unfähig darstellen. Aber sie hatte den Fehler gemacht, sich von Melissa auf den Nachmittag verschieben zu lassen. Caleb hatte recht: Sie hätte ihn sofort verständigen müssen, und er hätte Melissa sofort aufgesucht – einfach deshalb, weil sie sich anschickte, in einer komplett festgefahrenen Mordermittlung eine Aussage zu machen. Zumindest bestand die Möglichkeit. Er hätte nicht Stunde um Stunde gewartet und dem Täter eine komfortable Zeitspanne eingeräumt, sein zweites Opfer zur Strecke zu bringen.

»Wo lebte und arbeitete Ihre Mutter in der Zeit, als sie mit meinem Vater zusammen war?«, fragte sie. »Auch schon in Hull?«

Andrew schüttelte den Kopf. »Wir stammen aus Whitby. Dort wohnten wir, und Mum arbeitete in Newcastle an einer Schule. Zweimal eineinhalb Stunden Fahrt jeden Tag mit dem Auto, aber sie hatte nichts anderes gefunden. Sie war manchmal furchtbar erledigt, aber was blieb ihr übrig? Sie musste zwei Kinder großziehen. Viel später, vor nun mehr als zehn Jahren, zog sie nach Hull. Sie hatte dort eine neue Stelle bekommen, und sie dachte, ein Neuanfang könnte ihr guttun. Nach der Sache mit Richard.«

»Letztlich ist sie dann in Hull aber völlig vereinsamt«, sagte Michael. »Sie hatte zwei wirklich enge Freundinnen in Whitby, die sie dann kaum noch treffen konnte, und es ist ihr nicht gelungen, in Hull neue Freunde zu finden.«

Whitby. Immerhin ein Ansatzpunkt.

»Könnte ich die Namen dieser Freundinnen haben? Und die Adressen? Ich würde gerne ...«

Sie wurde unterbrochen von der Haustürklingel. Sie ahnte, wer kam.

»Wir machen das mit den Namen und Adressen später am Telefon«, sagte sie hastig. Caleb würde platzen vor Wut, wenn er sie hier bei einem Gespräch mit den Söhnen des jüngsten Mordopfers antraf. Sie stand hastig auf. Michael hatte sich schon in Richtung Haustür entfernt. Gleich darauf hörte sie Calebs Stimme.

»Ich muss jetzt gehen«, sagte sie. Am liebsten hätte sie Andrew gefragt, ob es einen Hinterausgang gab, aber damit hätte sie sich eine zu große Blöße gegeben. Es half nichts, sie musste jetzt an Caleb Hale vorbei.

Er starrte sie entgeistert an, als sie in den Flur trat.

»Guten Morgen, Caleb«, sagte Kate. *Jetzt nicht an die letzte Nacht denken.* Ihr Gesicht fühlte sich heiß an. Sie spürte, dass sie zu allem Überfluss auch noch puterrot geworden war.

»Einen Moment bitte«, sagte Caleb zu Michael. Dann wandte er sich an Kate. »Kate, ich möchte Sie einen Moment sprechen. Setzen wir uns in mein Auto.«

Sie hatte nicht den Eindruck, dass es Sinn machen würde, sich zu weigern.

Sie folgte ihm.

6

Terry kam erst gegen zwölf Uhr aus ihrem Zimmer, was immerhin bedeutete, dass sie offenbar tief geschlafen hatte. Sie sah im Tageslicht noch abenteuerlicher aus als zuvor in der Nacht. Die Verfärbungen in ihrem Gesicht vertieften sich, die Haut um ihr linkes Auge erstrahlte jetzt in einem intensiven Lila. Ihre Haare standen in alle Himmelsrichtungen ab. Sie sah aus wie ein hilfloses, verstörtes Kind, höchstens fünfzehn Jahre alt und ohne jede Vorstellung, was als Nächstes geschehen sollte.

Stella hatte Jonas bedeutet, dass es besser sei, sie und Terry alleine zu lassen, und er war darüber sehr erleichtert gewesen. Endlich einmal ein Tag, der warm und sonnig zu werden versprach, und so hatte er beschlossen, mit Sammy an die Küste zu fahren und eine Stelle zu suchen, an der man baden und Sandburgen bauen konnte. Am frühen Nachmittag wollten sie zurück sein. Stella räumte unterdessen im Haus auf und wurde mit jeder Minute, die verging, ärgerlicher. Tagelanger Dauerregen, und nun, da man endlich etwas unternehmen konnte, saß sie hier fest, weil sie diesen unerwarteten und ungebetenen Logierbesuch hatten. Sie wollte Terry so schnell wie möglich klarmachen, dass sie ihr Leben allein in Ordnung bringen musste und dass ihre Beziehung zu Neil Courtney ausschließlich ihre Sache war.

Als Terry schließlich in der Küche vor einer Tasse Kaffee saß, nahm Stella ihr gegenüber Platz, sah ihr fest in die Augen und fragte: »Was haben Sie als Nächstes vor, Terry?«

Terry spielte mit ihrer Tasse herum. Sie wich Stellas Blick aus. »Ich weiß nicht. Wirklich, ich habe keine Ahnung. Ich weiß nicht, wohin ich gehen soll.«

»In Ihre Wohnung in Leeds zurück. Es ist *Ihre* Wohnung. Sie haben das Recht, sich dort aufzuhalten, und wenn Neil Sie bedroht, können Sie ihn notfalls durch die Polizei entfernen lassen. Apropos: Wie ich schon heute Nacht sagte, ich würde an Ihrer Stelle ohnehin Anzeige erstatten. Haben Sie schon in den Spiegel geblickt? Sie sind übel zusammengeschlagen worden, Terry, und damit sollten Sie ihn nicht einfach davonkommen lassen.«

Sofort schien Terry wieder den Tränen nahe zu sein. »Aber das kann ich nicht. Ich kann Neil nicht anzeigen. Ich will auch nicht, dass er bei mir auszieht. Ich liebe ihn.«

»Sie *glauben*, ihn zu lieben«, korrigierte Stella. »Und er tut Ihnen definitiv nicht gut.«

»Sie kennen ihn nicht wirklich. Er kann so liebevoll sein. Ehrlich, zu mir ist noch nie jemand so zärtlich gewesen wie er.«

»Zärtlichkeit ist nicht unbedingt der erste Begriff, den

man mit Neil Courtney verbindet, wenn man Ihr Gesicht anschaut«, meinte Stella sarkastisch. Sie stand auf, starrte auf Terry hinunter. »Lieber Himmel, Terry! Ich bin nicht blöd, und ich weiß, dass diese Geschichten kompliziert sind. Sie sind völlig verstrickt in Ihre Beziehung, und leider werden Sie nicht aufhören, von diesem Mann abhängig zu bleiben, selbst wenn er Sie jede Woche so zurichtet wie jetzt. Sie glauben, dass Sie niemanden außer ihm haben, aber ...«

»Ich glaube das nicht«, unterbrach Terry, »sondern *es ist so.* Ich habe niemanden. Meine Familie ...«

»Ihre Familie hat sich von Ihnen abgewandt, das ist offenbar richtig. Aber Sie haben von Freunden gesprochen, die Sie hatten, ehe Courtney in Ihr Leben trat. Von denen haben Sie sich getrennt, weil er das so wollte. Verstehen Sie doch, den Zustand, scheinbar nur noch ihn auf der Welt zu haben, haben Sie selbst herbeigeführt, er ist nicht schicksalhaft über Sie gekommen. Courtney hat Sie dazu gezwungen, um Macht über Sie zu gewinnen. Das ist perfide und böse. Ein solcher Mensch hat alles andere als Ihr Glück im Sinn.«

»Meine Freunde waren eher Bekannte. Ich hatte niemanden, der mich liebte. Den ich lieben konnte. Hätte ich Sammy bloß damals behalten ...«

Stella spürte, wie ihre Fingerspitzen kalt wurden und sich in ihrem Bauch etwas krampfte. *Hände weg von Sammy,* hätte sie am liebsten gesagt, *du kommst mir zu nahe, und das lasse ich nicht zu!*

»Sie waren zu jung. Sie hatten gute Gründe, ihn zur Adoption freizugeben. Und, ehrlich gesagt, ich bin auch gerade für Sammy ziemlich froh. Wenigstens gerät er dadurch nicht in die Fänge eines Stiefvaters wie Neil Courtney.«

Terry war blass geworden, und Stella merkte, dass sie zu

schroff gewesen war. Sie setzte sich wieder. »Entschuldigen Sie. Das war jetzt etwas direkt.«

»Schon gut«, murmelte Terry. Sie spielte immer noch mit ihrer Tasse, ohne den Kaffee anzurühren.

Dann hob sie den Blick, sah Stella zum ersten Mal an. »Kann ich nicht für eine Weile hierbleiben? Bitte. Sie sind die einzigen Menschen, die ich habe.«

Sie haben uns nicht. Das ist ein Irrtum.

Das Krampfen in Stellas Bauch verstärkte sich. »Das geht nicht, Terry.«

»Warum denn nicht? Irgendwie … sind wir doch ein bisschen eine Familie. Wegen Sammy.«

»Das sind wir nicht, Terry. Wir haben Sammy adoptiert, aber nicht Sie. Unter normalen Umständen würden wir einander gar nicht kennen.«

Und das wäre auch wesentlich besser.

»Aber wir kennen uns nun einmal!« Jetzt glänzten die Tränen bereits in Terrys Augen. Nicht mehr lange und sie würde losheulen. »Und ich habe mich schon damals gleich zu Ihnen hingezogen gefühlt. So, als hätte ich Sie schon immer gekannt. Und als könnten wir richtig gute Freunde werden.«

Von unserer Seite sieht das ganz anders aus.

»Bitte, Stella. Wo soll ich denn hin?«

»Terry, wir sind keine Lösung für Ihr Problem mit Neil. Sie können doch jetzt nicht den Rest Ihres Lebens mit uns verbringen, nur weil Sie sich nicht in Ihre Wohnung zurücktrauen!«

»Aber solange Sie hier sind, könnte ich doch bleiben?«

»Was gewinnen Sie denn damit?«

»Ein bisschen Zeit.«

Stella sah vor ihrem geistigen Auge die verbleibenden Ferientage in trauter Gemeinsamkeit mit Terry, und ihr wurde flau zumute. Diese einundzwanzigjährige junge Frau vor ihr, die die Reife einer Dreizehnjährigen hatte, würde sich als ein weit anstrengenderes Kind entpuppen, als Sammy es war. Es war klar, dass Terry Hilfe brauchte, aber …

Wir sind nicht verantwortlich. Und ich will mich, verdammt noch mal, in diese Verantwortung auch nicht drängen lassen.

Am Ende würde sie noch mit nach Kingston zurückreisen wollen. Schließlich war sie arbeitslos, es gab keinen Job, der sie an Leeds fesselte. Wo sie sich die nächste Stelle als Kellnerin suchte, war schließlich egal.

Der Gedanke daran, dass sich Terry auf unabsehbare Zeit bei ihnen zu Hause im Gästezimmer einquartierte und auf schleichende Weise zum vierten Familienmitglied wurde, gab Stella den Rest. Sie musste jetzt den Schlussstrich ziehen, es wurde höchste Zeit.

»Nein, Terry. So leid es mir tut. Aber das hier sind unsere Ferien. Jonas hat einen sehr anstrengenden Beruf, und wir haben nie viel Zeit miteinander. Uns ist dieser Aufenthalt hier wichtig, und wir wollen unter uns bleiben.«

Terry fing an zu weinen. »Aber ich traue mich nicht zurück!«

»Dann gehen Sie zur Polizei.«

»Ich will Neil nicht verlieren!«

Stella hätte sich fast die Haare gerauft, ließ es aber, weil ihre Haare an diesem Tag ohnehin schon schrecklich aussahen. »Wir drehen uns im Kreis«, sagte sie erschöpft.

Sie schwiegen beide.

Terry schluchzte leise in ihre Serviette.

Auf dem Hof fuhr ein Auto vor.

Jonas und Sammy konnten noch nicht zurück sein, und es war Stella sofort klar, wer da kam.

»Ach du Scheiße«, sagte sie. Ein Blick aus dem Fenster bestätigte ihre finsterste Befürchtung.

Es war Neil Courtney.

Das Erste, was Stella auffiel, war, dass er schlecht roch. Verschwitzt und so, als habe er seit Tagen weder seine Kleidung gewechselt noch sich gewaschen. Von der bislang einzigen Begegnung in Kingston her erinnerte sie sich an einen zwar auf lässig gestylten, aber eben doch *gestylten* Mann, der den Eindruck vermittelt hatte, auf ein gepflegtes Äußeres Wert zu legen und dabei nichts dem Zufall zu überlassen. Jetzt schien er ganz verändert. Vielleicht lag es an dem warmen Tag in Verbindung mit dem Streit in der Nacht zuvor. Neil hatte vermutlich nicht geschlafen und das Duschen dann auch gleich vergessen.

Er wirkte abgekämpft, aber nicht weniger selbstbewusst und unverschämt als sonst.

Stella war nach draußen gegangen, Terry blieb in der Küche.

»Guten Tag, Neil«, sagte sie kühl.

Er grinste. »Hallo, Stella.«

»Wie ich hörte, haben Sie eine Menge Energie darauf verwandt, unseren Aufenthaltsort ausfindig zu machen. Ich finde das mehr als befremdlich.«

»Tja, ich dachte, man könnte sich ja mal wiedersehen. Ich fand es nett damals mit Ihnen in Kingston. Und ich denke, es ist auch legitim, wenn Terry ab und zu ihren Sohn besuchen möchte.«

»Über das Stattfinden solcher Besuche befinden wir, Neil. Es geht dabei ausschließlich um Sammy. Nicht um Terry und schon gar nicht um Sie.«

Er grinste wieder. »Nicht so aggressiv. Niemand will Ihnen den Kleinen wegnehmen.«

Sie versuchte, gelassen zu wirken. »Das würde auch kaum möglich sein.«

Er schaltete sein Grinsen endlich aus. Mit der Hand wies er hinüber zu Terrys im Hof geparkten Wagen. »Terry ist bei Ihnen, wie ich sehe. Und wie ich es mir gedacht habe.«

»Sie kam heute Nacht, ja. Sie sah ziemlich schlimm aus. Sie *sieht* ziemlich schlimm aus.«

»Leider. Es ist etwas eskaliert zwischen uns.«

»Ich habe ihr geraten, Sie anzuzeigen.«

»Wirklich? Sie haben Haare auf den Zähnen, Stella, stimmt's? Immer gleich das Kriegsbeil schwingen. Man kann die Dinge auch anders lösen.«

»Ich fürchte, Terry möchte sie anders lösen«, sagte Stella. »Sie wird wohl nicht zur Polizei gehen.«

»Kluge Entscheidung. Sie weiß, dass wir zusammengehören. Auch wenn wir uns manchmal fetzen.«

»Wie auch immer«, sagte Stella, »klären Sie Ihre Beziehung, vertragen Sie sich oder streiten Sie weiter – aber bitte nicht hier. Ich möchte mit all dem nichts zu tun haben.«

Er hob abwehrend die Arme. »Ich habe ihr nicht gesagt, dass sie hierherfahren soll. Aber, na ja, Terry hat eben niemanden sonst. Deshalb bin ich ja auch so wichtig für sie.«

»Nach allem, was ich gehört habe, haben Sie intensiv an ihrer Isolation mitgewirkt.«

»Ich habe sie vor ein paar falschen Freunden bewahrt. Das habe ich als meine Pflicht angesehen.«

Sie sahen einander an.

Er weiß, dass ich ihm nicht ein einziges Wort von seinem dummen Gerede abnehme, dachte Stella, aber es ist ihm völlig egal.

Sie war sich der einsamen Lage der Farm wieder einmal sehr bewusst. Nur sie und Terry waren hier, sonst niemand.

Sollte es brenzlig werden, konnte sie nicht einmal Hilfe herbeitelefonieren, denn Neil würde kaum in aller Ruhe zusehen, wie sie den Hügel erklomm, um ihr Handy in Betrieb nehmen zu können.

Sie spürte, dass ihr Schweiß auf die Stirn trat, und hoffte, dass man es nicht sah. Die Sonne stach extrem, und Feuchtigkeit stieg ringsum aus dem sich endlos erstreckenden Heidekraut. Es roch nach nasser Erde, nach nassem Gras. Der Wind, der in der Nacht und in den frühen Morgenstunden die Wolken vertrieben hatte, war inzwischen völlig eingeschlafen. Stella wünschte sich einen Hauch von frischer Luft, etwas, das ihre Wangen kühlen und den modrigen Moorgeruch vertreiben würde.

Hau jetzt ab, dachte sie, *nimm Terry und verschwinde, und dann lasst ihr euch nie wieder blicken.*

Er lächelte, und sie dachte schon, er habe ihre Gedanken erraten und amüsiere sich darüber, aber dann erkannte sie, dass er über ihre Schulter auf einen Punkt hinter ihr blickte. Sie drehte sich um. Terry stand in der Tür. Auch sie lächelte. Man sah, dass es ihr wehtat, das Gesicht zu verziehen, aber das änderte nichts an dem hoffnungsvollen Leuchten ihrer Augen.

»Neil!«, sagte sie.

Sein Lächeln vertiefte sich. »Hallo, Süße«, sagte er.

Stella begann etwas von der Wirkung zu verstehen, die er auf Terry ausübte. Natürlich musste man unfassbar naiv sein, um ihm seine Show abzukaufen, aber die Inszenierung selbst war nicht schlecht gemacht. Es gelang ihm tatsächlich, Wärme in sein Lächeln zu legen, und er sah Terry auf eine Art an, dass das Mädchen glauben konnte, er bringe ihm echte Gefühle entgegen.

Er trat ein paar Schritte vor und streckte die Arme aus,

und Terry lief auf ihn zu, schmiegte sich an seine Brust, vergrub ihr Gesicht an seiner Schulter.

»Tut mir leid, Süßes«, flüsterte Neil.

Sie hob den Kopf, strahlte ihn an. »Schon gut.«

Vorsichtig berührte er ihr geschwollenes und verfärbtes Auge, strich sacht über die lila schillernde Haut.

Terry sah ihn hingerissen an.

Stella schaffte es kaum, ein Stöhnen zu unterdrücken. Ein Fingerschnippen. Es kostete diesen raffinierten Schaumschläger ein Fingerschnippen, und Terry fraß ihm schon wieder aus der Hand. Klar, dass sie nie zur Polizei gehen, klar, dass sie sich nie von ihm trennen würde. Die Art, wie sie ihn anschaute, legte den Verdacht nahe, dass sie vom nächsten Kirchturm springen würde, wenn er sie dazu aufforderte. Stella hatte einiges über Hörigkeit gelesen, aber tatsächlich war die Konstellation zwischen Terry und Neil der erste Fall, dem sie leibhaftig begegnete.

Mehr denn je wünschte sie, die beiden würden schnell verschwinden und sich nie wieder blicken lassen. Sie konnte Neil nicht ausstehen, aber auch Terrys Verhalten war ihr zuwider. Zwei Menschen, die sie nicht einmal am äußersten Rand ihres eigenen Lebens integrieren mochte.

»Also«, sagte sie, »nachdem ja nun das Happy End geglückt ist, könnten Sie nach Leeds zurückfahren. Wäre das nicht eine gute Idee?«

Jetzt erst nahm Terry den roten Ford wahr, mit dem Neil gekommen war.

»Woher hast du denn dieses Auto?«, fragte sie überrascht.

»Von einem Kumpel geliehen. Ohne Auto kommt man ja nicht in diese Einöde.«

»Du wolltest mich unbedingt zurückholen«, stellte Terry verklärt fest.

Er strich ihr über die Haare. »Natürlich.«

Stella verdrehte die Augen.

Neil blickte sich um. »Wo ist denn Jonas? Und Sammy?«

»Am Meer«, sagte Terry. »Sie sind ans Meer gefahren. Stella ist bei mir geblieben.«

»Es ist in der Tat der richtige Tag für einen Ausflug. Ehrlich gesagt, ich habe keine besonders große Lust, ihn in unserer engen, stickigen Wohnung zu verbringen. Warum gehen wir hier in diesem Paradies nicht noch ein wenig spazieren?«

Stella konnte seine Begeisterung für die eintönig braune, dampfende Heidelandschaft nicht recht nachvollziehen.

»Es gibt doch wirklich schönere Orte. Warum fahren Sie nicht auch ans Meer?« *Wo ich jetzt ebenfalls wäre, zusammen mit meiner Familie, wenn ihr eure Probleme alleine bewältigen würdet.*

»Ich finde es traumhaft hier«, erklärte Neil. »Du nicht auch, Terry?«

»Wunderschön«, sagte Terry. Hätte er ihr einen Spaziergang durch die verstrahlte Umgebung von Fukushima vorgeschlagen, sie wäre auch entzückt gewesen. Stella begann sich erstmals ein paar leise Sorgen wegen Sammys genetischem Code zu machen.

Gebe Gott, dass er mehr Grips mitbekommen hat als diese Frau, dachte sie unwillkürlich.

»Sie haben ja sicher nichts dagegen, wenn wir unsere Autos hier stehen lassen?«, fragte Neil. »Uns sind Sie los, Stella, genießen Sie den Tag, wie Sie mögen. Wir machen jetzt eine schöne, lange Wanderung, und danach fahren wir nach Leeds zurück. Danke übrigens, dass Sie sich um Terry gekümmert haben.«

»Ja, vielen Dank«, sagte auch Terry. »Ich wusste schon damals, dass Sie ein wirklich toller Mensch sind!«

Stella rang sich ein Lächeln ab. Sie wünschte, es hätte jenes *Damals* nie gegeben. Aber dann wäre Sammy heute nicht bei ihnen, und das war unvorstellbar.

Für den Moment hatte sie keine Ahnung, wie sie mit all ihren widersprüchlichen Gefühlen umgehen sollte.

7

Sie saßen in Calebs Auto, und Kate konnte sich nicht erinnern, sich jemals von einem Ort so weit weg gewünscht zu haben wie von diesem. Sie konnte sich allerdings auch nicht erinnern, sich je im Leben gegenüber einem anderen Menschen so unmöglich benommen zu haben wie gegenüber Caleb in der vergangenen Nacht. Seit dem gestrigen Tag schien es, als stolpere sie im Minutenabstand von einem Albtraum in den nächsten: Erst fand sie die hingemetzelte Melissa Cooper, dann erfuhr sie, dass es sich bei ihr um die einstige Geliebte ihres Vaters handelte, als Nächstes schüttete sie Whisky bis zum Abwinken in sich hinein, und schließlich versuchte sie, Caleb Hale in ihr Bett zu ziehen. Sein Alkoholproblem hatte sie ihm, soweit sie sich dunkel erinnerte, auch noch um die Ohren gehauen.

»Es ist wahrscheinlich überflüssig, Sie zu fragen, was Sie hier heute zu suchen haben«, sagte Caleb. »Bei den Söhnen des Mordopfers.«

»Das Mordopfer war die Geliebte meines Vaters. Ich möchte mehr über diese Geschichte herausfinden.«

»Damit greifen Sie aber in die Ermittlungen ein. Und tun Sie nicht so, als seien Sie wild entschlossen, diese Dinge sauber zu trennen!« Er klang sehr verärgert. »Unsere Leute waren heute früh bei Mr. Acklam, dem Nachbarn von Melissa Cooper. Dieser war ganz aufgeregt, weil Scotland Yard in der Sache ermittelt – eine Information, die die Kollegen sehr verwundert hat. Dasselbe erfuhren sie von dem Hausmeister, der heute ebenfalls vernommen wurde. Sie haben Ihren Dienstausweis vorgezeigt, Kate, und sich damit die Türen geöffnet. Und das geht absolut nicht.«

Ihr brummte noch immer der Kopf von dem Besäufnis der letzten Nacht, und sie empfand seine Stimme als kalt, durchdringend und schmerzhaft. Sie wagte es endlich, ihn anzusehen. In seinen Augen war nichts mehr von der Freundlichkeit und Sympathie, die er ihr früher entgegengebracht hatte.

»Sie sind einen Fingerbreit von einer Dienstaufsichtsbeschwerde entfernt«, sagte er, »und zwar von einer, die ich gegen Sie einreichen werde. Haben Sie das verstanden?«

Sie nickte.

»Ja«, fügte sie dann noch hinzu.

Er wirkte ein wenig besänftigt. »Ich kann verstehen, dass Sie wissen wollen, wer Ihren Vater ermordet hat. Und dass diese Geschichte mit Melissa Cooper jetzt weitere und sehr bestürzende Fragen für Sie aufgeworfen hat. Aber wir sind diejenigen, die den Job machen, meine Leute und ich. Sie haben doch weiß Gott genug mit sich selbst und Ihrem Leben zu tun.«

Ihre Wangen wurden erneut heiß. Spielte er auf die Nacht an? Auf ihr unmögliches Verhalten?

»Sie sollten so bald wie möglich nach London zurückkehren«, fuhr Caleb fort. »Es ist nur ein Rat, aber es tut Ihnen überhaupt nicht gut, in diesem verlassenen Haus in Scalby zu sitzen und zu grübeln. Ich würde das auch nicht aushalten, niemand würde das. Sie müssen in Ihren normalen Alltag zurück. In Ihr normales Leben.«

Sie wusste, dass er nicht der richtige Ansprechpartner für ihre Sorgen und Nöte war, jetzt schon überhaupt nicht mehr, trotzdem platzte sie heraus: »Ich habe kein Leben. Das ist ja eben das Schlimme.«

Sie sah, dass Caleb kurz auf seine Armbanduhr schielte und dann zu Michael Coopers Haus hinüberschaute. Er stand inmitten eines harten Arbeitstages und hatte eine Menge Dinge zu erledigen, und natürlich hatte er im Grunde keine Zeit, Kates Probleme zu diskutieren.

Trotzdem sagte er: »Aber sicher haben Sie ein Leben. Es ist etwas sehr Schreckliches passiert, aber Ihr Leben geht weiter – ob Sie das wollen oder nicht. Ich habe gemerkt, dass Sie sehr einsam sind. Sie sollten versuchen, an diesem Umstand etwas zu ändern. Vermutlich würde es Ihnen dann besser gehen.«

»Aha. Danke. Ich versuche, *an diesem Umstand* seit sehr vielen Jahren etwas zu ändern. Leider funktioniert es nicht.«

»Vielleicht versuchen Sie nicht wirklich, etwas zu ändern«, meinte Caleb. »Vielleicht tun Sie sich meistens nur sehr leid.«

Sie sah ihn schockiert an. Sein Tonfall war neutral, nicht schroff oder unfreundlich, aber dennoch hatte er noch nie so schonungslos offen und so grausam, wie sie fand, mit ihr gesprochen.

»Ich tue mir leid?«

»Ich glaube, Sie kreisen ständig um die Widrigkeiten Ihres Lebens. So, als gebe es kein anderes Unglück als Ihres auf der ganzen Welt. Aber, Kate, Sie wissen doch, wie es da draußen zugeht. Während wir hier sitzen, passieren viele schreckliche Dinge. Menschen erhalten eine todbringende Diagnose. Menschen verlieren ihren Partner. Menschen bricht die gesamte wirtschaftliche Existenz zusammen, und sie haben keine Ahnung, wie es weitergehen soll. So viele Leute tragen wirklich schwere Päckchen mit sich herum. Für manche ist jeder einzelne Tag eine Herausforderung, weil die Lebensumstände so kompliziert sind. Man muss manchmal gar nicht weit gehen, jemanden zu finden, dem es alles andere als rosig geht. DC Scapin zum Beispiel, die seit ihrer Scheidung völlig allein mit …« Er brach ab. Plötzlich war er nicht mehr sicher, ob seine Mitarbeiterin Jane Scapin an dieser Stelle das richtige Thema war.

Aber Kate ahnte, was er hatte sagen wollen. Obwohl sie die vergangene Nacht in einer Art Betäubung verbracht hatte, erinnerte sie sich, dass Jane davon gesprochen hatte, dringend nach Hause zu müssen »wegen Dylan«. Vermutlich ihr Sohn. Von dessen Vater sie also geschieden war. DC Jane Scapin gehörte zu den vielen alleinerziehenden Müttern, die ihr Leben und das ihres Kindes zwar mit Bravour bewältigten, für die aber dennoch der Alltag einen andauernden Spagat darstellte, weil sie eigentlich ständig an zwei Orten gleichzeitig sein mussten. Wenn es so war, dann hatte es Jane sicher nicht leicht.

Aber sie war wenigstens nicht allein.

Sie respektierte, dass Caleb das Thema nicht vertiefen wollte, und sagte nur: »Ja. Ich verstehe.«

Er schien noch etwas hinzufügen zu wollen, öffnete dann aber stattdessen die Autotür und stieg aus. »So. Ich muss jetzt mit den Coopers reden. Ich muss zwei bösartige Morde aufklären, Kate, und ich verspreche Ihnen: Ich werde sie aufklären.«

Was immer ich von jetzt an in dieser ganzen Sache unternehme, dachte Kate, ich muss sehr vorsichtig sein. Wenn ich noch einmal mit ihm kollidiere, bekomme ich ernsthafte Schwierigkeiten.

Eine Dienstaufsichtsbeschwerde war genau das, was ihre ohnehin mehr als schwerfällige Karriere jetzt gar nicht gebrauchen konnte. Falls es eine weitere Karriere überhaupt geben würde. Im Grunde wusste sie ja von keinem Bereich ihres Lebens, wie er weitergehen sollte.

»Ach, Kate, eines noch. Es würde mich interessieren.« Caleb zögerte. Dann fuhr er fort: »Woher wussten Sie das? Mein Alkoholproblem. Der Entzug. Wer hat es Ihnen gesagt?«

»Es tut mir leid, dass ich davon angefangen habe«, murmelte sie.

»Schon gut. Ich möchte nur wissen, woher Sie die Information haben.«

Sie wunderte sich, dass ein gestandener Mann mit Calebs Lebenserfahrung und seinen beruflichen Qualifikationen so naiv sein konnte.

»Mein Chef bei Scotland Yard hat es mir gesagt. Es wurde dort ja oft über die Ermittlungen im Fall meines Vaters gesprochen. Alle wussten, dass der leitende Ermittler ... nun ja, sie wussten es eben.«

»Durchgesickert«, sagte Caleb resigniert. »Blöd von mir zu denken, diese Dinge ließen sich verheimlichen. Okay, Sie wissen also Bescheid. Aber ich habe die Sache hinter mir. Ich bin in Ordnung, und es gibt keinerlei Schwierigkeiten.«

Sie hätte ihn gern gefragt, was es mit seinen Alkoholproblemen auf sich hatte, wo die Gründe lagen. Wie schwer es gewesen war, den Teufel zu besiegen. Aber sie wagte es nicht. Ohnehin war es nicht der Moment für ein solches Gespräch. Und dann spürte sie auch, dass sich etwas geändert hatte: Zu Anfang hatte tatsächlich eine gewisse Vertrautheit zwischen ihnen geherrscht. Sie erinnerte sich an jenen Sonntag im Mai, als sie einträchtig die Gartenmöbel ihres Vaters aus dem Schuppen geräumt und zusammen gegessen und geredet hatten.

Eine solche Situation wäre heute nicht mehr vorstellbar, das war ihr intuitiv klar. Er würde nicht mehr mit einem Currygericht bei ihr anrücken, weil er sich sorgte, dass sie Hunger hatte und es ihr auch sonst schlecht ging. Er würde persönliche Begegnungen vermeiden. Er hoffte wirklich, dass sie rasch nach London zurückkehrte und ihm weder beruflich noch auf sonst irgendeine Weise je wieder in die Quere kam.

Sie war erstaunt, wie traurig diese Erkenntnis sie stimmte.

8

Stella versuchte, sich irgendwie zu beschäftigen, aber sie merkte, dass sie zerstreut und nervös war und keine echte Ablenkung fand. Sie zog die Wäsche von Terrys Bett ab und steckte sie in die Waschmaschine, und dies war immerhin ein Akt, der ihr einige Befriedigung verschaffte, weil sie damit einen Schlussstrich zog: fertig. Eine weitere Nacht wird es nicht geben.

Sie staubsaugte das Wohnzimmer und wischte die Küche auf. Sie schlug vier Eier in eine Schüssel, mischte sie mit Mehl, Butter und Kakao und machte sich daran, einen Schokoladenkuchen zu backen. Sammy und Jonas würden sich freuen. Sie liebten selbstgebackenen Kuchen. Außerdem war es eine Tätigkeit, die beruhigte. Stella zumindest hatte beim Backen immer das Gefühl, ihre innere Mitte wiederzufinden.

Diesmal allerdings funktionierte die Methode nicht wie

sonst. Stella blieb zutiefst beunruhigt. Immer wieder lief sie ans Fenster und schaute hinaus in der Hoffnung, Terrys und Neils Autos seien verschwunden, obwohl sie wusste, dass sie das eigentlich hätte hören müssen. Aber vielleicht... während sie in der Waschküche war... während der Rührstab lief... während die Spülmaschine rauschte... Neil hatte gesagt, sie würden nach ihrer Rückkehr von der Wanderung einfach nach Hause fahren. »*Sie sind uns los, Stella.*«

Aber die Autos parkten im Hof, und von den beiden jungen Leuten war weit und breit nichts zu sehen.

Wo trieben die sich bloß so lange herum? Natürlich, man konnte tagelang durch die Hochmoore ziehen. Aber inzwischen herrschte eine wirklich unangenehme Schwüle draußen, und Stella stellte es sich sehr anstrengend vor, über die baumlosen Ebenen zu wandern. Terry war zudem schwer angeschlagen und körperlich kaum fit genug für eine solche Unternehmung. Andererseits würde sie alles tun, was Neil von ihr verlangte, und wenn sie auf dem Zahnfleisch kriechen musste. Irritierend war nur, dass auch zu Neil diese Art der Freizeitgestaltung nicht recht passte. Stella hätte ihn nie im Leben als einen Naturliebhaber eingeschätzt, dem es Spaß machte, durch eine vergleichsweise öde Gegend zu spazieren und Vögel und Schafe zu beobachten. Irgendwo hegte sie noch immer den Verdacht, dass das Ganze letztlich eine Verzögerungstaktik war. Solange die Autos auf dem Hof standen, hatte Neil bei ihnen praktisch noch einen Fuß in der Tür.

Am späteren Nachmittag kehrten Jonas und Sammy zurück, beide strahlend gut gelaunt und glücklich erschöpft vom Schwimmen, Sandburgenbauen und Frisbeespielen.

»Wir haben eine tolle Bucht entdeckt«, sagte Jonas, als er in die Küche trat. »Du musst unbedingt morgen mitkommen, wenn das Wetter wieder schön ist.« Er stellte zwei prall gefüllte Einkaufstüten auf den Tisch. »Wir haben noch ein paar schöne Sachen gekauft. Ich werde groß kochen heute Abend.«

»Eine gute Idee«, meinte Stella. Sie zog gerade den Kuchen aus dem Backofen und stellte ihn zum Abkühlen auf den Herd. Die Küche war erfüllt von köstlichem Schokoladenduft, gemischt mit dem Geruch nach Meer, Sand, Wind und Sonnenöl, den Jonas und Sammy mitgebracht hatten. Zum ersten Mal, seit sie hier waren, hatte Stella ein Gefühl von Ferien – es war wie in ihrer Kindheit, als sie jeden Sommer am Meer verbracht hatte und als jeder Sommer, zumindest in ihrer Erinnerung, sonnig und heiß gewesen war. Aber die Leichtigkeit fehlte. Weil die Autos *noch immer* draußen standen.

Jonas machte eine Kopfbewegung zum Fenster hin. »Terry ist noch da. Und wem gehört das andere Auto?«

»Wem wohl? Neil ist natürlich hier aufgekreuzt. Terry ist im Handumdrehen dahingeschmolzen und hat ihm alles verziehen.«

»Und wo sind die beiden jetzt?«

»Sie wollten einen Spaziergang durch das Moor machen. Das war allerdings vor vielen Stunden.«

»Meine Güte, es ist wirklich schwül draußen. Am Wasser geht es, aber hier ist es unerträglich drückend. Wer wandert denn jetzt da draußen herum?«

»Mir ist das auch nicht geheuer. Vor allem, weil sie ihre Autos hier stehen haben. Dadurch sind wir das saubere Pärchen noch immer nicht los. Neil hat allerdings versprochen, sie würden uns nicht mehr behelligen, sondern einfach wegfahren.«

»Dann hoffen wir mal, dass er sein Versprechen hält«,

murmelte Jonas. Er wedelte sich mit der Hand durch die Haare, und eine Wolke feiner Sand rieselte herunter. »Ich gehe schnell duschen. Kannst du die Lebensmittel einräumen?«

Sie nickte. Jonas verschwand. Sammy kam in die Küche und beäugte gierig den Schokoladenkuchen. Stella packte die Vorräte aus, sortierte sie in den Kühlschrank ein. So ein friedlicher, wunderbarer Tag.

Es war idiotisch, dass ihr Herz härter und schneller ging als gewöhnlich. Wahrscheinlich war ihre Nervosität einfach nur albern.

In der zweiten Tüte entdeckte sie eine Tageszeitung. Jonas hatte offenbar nicht widerstehen können, aber das war gegen die Absprache. Wie Nachrichtensendungen auch standen Zeitungen auf dem Index in diesen Wochen des völligen Loslassens. Stella überlegte kurz, aber dann beschloss sie, pedantisch zu sein. Es ging Jonas wirklich besser, er wirkte ruhiger, ausgeglichener und entspannter, war nicht mehr das gehetzte Nervenbündel, als das sie ihn so oft während der letzten Monate erlebt hatte. Er schlief die Nächte durch, was an ein Wunder grenzte. Man sollte jetzt kein Risiko eingehen.

Sie reichte die Zeitung an Sammy. »Hier. Du kannst sie als Unterlage beim Malen nehmen. Oder schauen, ob du etwas zum Ausschneiden findest. Nimm sie aber bitte mit in dein Zimmer.«

Sammy nickte und trottete in sein Zimmer. Stella räumte die Küche auf, schaute dazwischen wieder einmal hoffnungsvoll nach draußen. Unverändert.

Nebenan rauschte jetzt die Dusche.

Schnelle Schritte auf dem Flur, dann stürmte Sammy in die Küche. Er schwenkte die Zeitung. Er war aufgeregt.

»Mummy! Mummy, schau mal!« Er warf die Zeitung auf den Tisch, zappelte hin und her. »Der Mann ist in der Zeitung!«

»Welcher Mann?«

»Der Mann, der bei uns zu Besuch war. Du weißt schon, wer. Neil! Neil heißt der Mann!«

»Neil ist in der Zeitung?« Stella trat an den Tisch. Sammy deutete auf die aufgeklappte Seite. Das Foto des Mannes nahm fast ein Viertel davon ein. Stella erkannte Neil sofort, auch wenn er auf dem Bild anders aussah als heute, ungepflegter und schlampiger. Er trug die Haare schulterlang und war schlecht rasiert. Aber zweifellos handelte es sich um Neil.

»Wieso ist er denn …?« Sie las, was unter dem Bild stand: *Denis Shove.*

»Denis Shove?«

»Das ist aber Neil!«, beharrte Sammy.

»Das ist er.« Ihr Mund trocknete in Sekundenschnelle völlig aus. Ihr Herz ging noch schneller. Sie hatte ein komisches Rauschen in den Ohren.

Sie las weiter: *Die Polizei von Yorkshire fahndet nach dem zweiunddreißigjährigen Denis Shove. Shove hat eine achtjährige Haftstrafe abgesessen, nachdem er seine Lebensgefährtin Angela H. im Affekt schwer verletzt hatte. Angela H. erlag später ihren Verletzungen. Shove wurde im August 2013 auf Bewährung entlassen und ist seit Februar 2014 untergetaucht. Er steht im dringenden Verdacht, an der Ermordung eines ehemaligen Polizeibeamten in Scalby beteiligt gewesen zu sein. Shove gilt als extrem gefährlich und gewaltbereit. Hinweise zu seiner Person werden an jeder Polizeidienststelle entgegengenommen oder auch unter folgender Nummer …*

Stella starrte auf das Blatt. Sekundenlang konnte sie sich

nicht bewegen. Und gleichzeitig hämmerte in ihrem Kopf die Frage: Was mache ich jetzt? Was mache ich jetzt?

Nebenan war das Wasserrauschen verstummt.

Eine Kette von Gedanken raste durch Stellas Gehirn. Im Gegensatz zu ihrem Körper, der in eine Art Starre gefallen schien, arbeitete der Kopf auf Hochtouren.

Er ist ein Mörder. Möglicherweise ein mehrfacher Mörder. Heute ist sein Bild in der Zeitung. Wahrscheinlich in mehreren Zeitungen der Region. Der Boden wird heiß für ihn. Er kann nicht länger in Terrys Wohnung irgendwo mitten in Leeds bleiben. Er muss erneut untertauchen.

Und dann überschlugen sich die Erkenntnisse.

Es ist kein Zufall, dass die Autos noch draußen stehen. Er und Terry wandern auch nicht irgendwo herum. Die sind ganz in der Nähe. Die haben nur gewartet, dass Jonas und Sammy zurückkommen. Die wollen unser Haus. Es ist der ideale Unterschlupf. Aber was haben sie mit uns vor? Was machen sie mit uns?

»Jonas!«, schrie sie.

Doch nebenan setzte gerade der Föhn ein. Jonas hörte sie nicht.

Sie hatte das sichere Gefühl, sehr schnell eine Entscheidung treffen zu müssen. Knappe zwanzig Minuten waren seit der Rückkehr von Jonas und Sammy vergangen. Wenn sich Neil – oder Denis – zusammen mit Terry ganz in der Nähe aufhielt, dann hatte er mitbekommen, dass die Familie jetzt komplett war. Der richtige Zeitpunkt für ihn, die Falle zuschnappen zu lassen. Allerdings wusste er nicht, dass Stella soeben hinter seine wahre Identität gekommen war. Hier lag ihr Vorsprung.

»Pass auf, Sammy, wir müssen noch einmal wegfahren«, sagte sie. »Wir müssen ...«

»Wohin denn?«

»Das ist eine Überraschung. Ich sage Daddy Bescheid.«

»Fahren wir noch mal ans Meer?«

»Das wirst du dann schon sehen.« Stella näherte sich vorsichtig dem Fenster. Bevor sie zu dritt das Haus verließen und in ihr Auto stiegen, wollte sie die Lage erkunden. Sie spähte hinaus. Nichts.

Der Hof lag still in der nun schon deutlich tiefer stehenden Sonne. Alle Pfützen waren getrocknet. Die Autos von Terry und Neil parkten gleich neben dem Schuppen – eine günstige Stelle, weil man sie von der Landstraße oben auf dem Hügel nicht sehen konnte. Zufall oder bereits Teil eines ausgeklügelten Plans? Der Wagen der Cranes stand ein gutes Stück entfernt vom Schuppen unter dem einzigen Baum weit und breit. Stella vermutete, dass Jonas ihn dort in der Voraussicht, dass der nächste Tag wieder sehr warm werden würde, abgestellt hatte, um ein wenig Schatten zu haben. In der gegenwärtigen Situation bedeutete dies leider, dass sie weiter laufen mussten als sonst. Sie mussten den gesamten Hof überqueren und das Grundstück verlassen, ehe sie ihr Auto erreichten. Stella rechnete in Gedanken. Eine halbe Minute ungefähr, wenn sie rannten. Aber vielleicht war es besser, wenn sie sich ganz normal bewegten. Wurden sie beobachtet, dann sah es so aus, als wollten sie bloß noch einmal losfahren, um vielleicht irgendetwas einzukaufen. Wenn sie rannten wie aufgescheuchte Hühner, stand fest, dass sie kapiert hatten, was los war.

Sie wollte sich gerade vom Fenster abwenden, da sah sie Terry.

Wie aus dem Nichts war sie neben ihrem Auto aufgetaucht, öffnete es auf der Beifahrerseite und lehnte sich hinein. Sie schien nach irgendetwas zu suchen.

Stella zuckte zurück. Zu spät. Die beiden waren nicht mehr nur *in der Nähe*, sie waren jetzt tatsächlich *da*. Und verbargen ihre Anwesenheit nicht. Terry musste wissen, dass sie vom Haus aus gesehen werden konnte.

Und wo war Neil?

Innerhalb von Sekunden ließ Stella den Plan, mit dem Auto zu flüchten, fallen. Neil würde nicht gelassen zusehen, wie die gesamte Familie Crane den Hof überquerte, ins Auto stieg und davonfuhr.

»Schnell!« Sie schubste Sammy vom Tisch weg. »Ganz schnell! Wir müssen alle Türen verriegeln! Beeil dich!«

Er starrte sie enttäuscht an. »Ich denke, wir wollen wegfahren?«

Stella war schon an der Tür, die von der Küche nach draußen führte, und schob den Riegel vor. Sie rannte zur Haustür. Sammy folgte ihr.

»Mummy! Ich denke, wir ...«

»Später, Schatz. Hilf mir jetzt!« Sie stieß die Badezimmertür auf, aber der Raum war leer. Jonas war inzwischen vermutlich ins Schlafzimmer gegangen, um sich anzuziehen, und befand sich somit im ersten Stock des Hauses. Sie wagte nicht, nach ihm zu rufen, aus Angst, dass man es draußen hören konnte. Wenn Neil erkannte, dass Stella Bescheid wusste, waren sie verloren.

Stella sauste weiter Richtung Haustür. Schlüssel umdrehen, Riegel vorschieben.

Weiter. Es gab so schrecklich viele Türen nach draußen. Esszimmer noch und Wohnzimmer. Das Esszimmer lag direkt neben der Küche. Sie durchquerte es, stellte fest, dass dort ohnehin abgeschlossen war.

Das Wohnzimmer befand sich am anderen Ende des Hauses. Von Sammy war keine Hilfe zu erwarten. Er klebte an

Stellas Fersen und nörgelte herum, weil er nicht begriff, weshalb es jetzt doch keinen Ausflug gab. Stella rannte den Flur entlang. Ihr war klar, dass sie gnadenlos festsaßen, wenn sie sich hier verbarrikadierten. Kein Telefon. Kein Handyempfang, kein Internet. Sie waren komplett abgeschnitten, eingesperrt auf einer einsamen Farm irgendwo inmitten der Hochmoore von Yorkshire und belagert von einem polizeilich gesuchten Killer. Es gab keine Chance, Hilfe zu holen. Sie mussten warten, dass es zu Beginn der nächsten Woche jemandem auffiel, dass sie nicht aus den Ferien zurückgekehrt waren – der Nachbarin, die die Blumen goss, und vielleicht jemandem, mit dem Jonas einen beruflichen Termin hatte. Der Kollege, dem die Farm gehörte, würde sicher wissen wollen, ob ihr Aufenthalt schön gewesen war – würde er sich wundern, wenn er Jonas ständig nicht erreichte? Egal jetzt, es zählte nur der Augenblick. Sie stürmte ins Wohnzimmer.

Sie prallte gegen Neil Courtney, der soeben aus dem Garten hereinkam.

»Hoppla! Sie haben es aber eilig, Stella.«

Sie bemühte sich, ihre Atmung zu beruhigen. Sie durfte nicht kreideweiß und hyperventilierend vor ihm stehen, sonst begriff er sofort, dass sie Bescheid wusste. Ihre einzige winzige Chance bestand jetzt noch darin, sich völlig ahnungslos und arglos zu geben. Nur dann ergab sich unter Umständen noch eine Möglichkeit zur Flucht.

Stellas erster Impuls war, Neil entwaffnend anzulächeln, aber noch rechtzeitig fiel ihr ein, dass sie unter normalen Umständen einen Mann, der ihr ohnehin zutiefst unsympathisch war, nicht ausgerechnet dann anlächeln würde, wenn er unaufgefordert in ihr Haus eindrang.

»Was tun Sie in unserem Wohnzimmer?«, fragte sie. »Wollten Sie nicht Ihre Autos holen und verschwinden?«

Er setzte das Grinsen auf, das sie an ihm kannte und hasste. »Na, ganz so stillos müssen wir es ja auch nicht machen. Ich wollte mich schon noch von Ihnen verabschieden.«

»Und da können Sie nicht an der Haustür klopfen? Wie das unter zivilisierten Menschen üblich ist?«

»Ich weiß nicht, warum, aber …« Er legte seine Stirn in nachdenkliche Falten. »Aber irgendwie hatte ich das Gefühl, dass Sie mir vielleicht nicht öffnen.«

»Wir sind nicht gerade Freunde, Mr. Courtney, das wissen Sie. Ich finde es sehr fragwürdig, wie Sie mit Terry umgehen, aber solange Terry dieses Problem nicht lösen will, kann ich nichts machen. Ich möchte jedoch möglichst keinen weiteren Kontakt mit Ihnen haben.«

»Sind Sie immer so direkt?«

Sie bemühte sich, ihm fest in die Augen zu blicken. »Im Allgemeinen ja.«

Er fixierte sie. Schien in ihr lesen zu wollen.

Von draußen konnte man Terry hören. »Neil! Neil, komm doch mal!«

Er zögerte. Stella wies in Richtung Tür. »Bitte. Terry ruft nach Ihnen.«

Es war eine Sekunde. Nur eine Sekunde. Er erwog tatsächlich, nach draußen zu gehen. Stella hatte seinen Argwohn zerstreut. Er hielt sie für ahnungslos, wusste nicht, dass sie dabei war, alle Türen zu verriegeln, und dass sie diese letzte Tür schließen würde, kaum dass er draußen war.

»Neil!«, rief Terry erneut.

Er wandte sich um.

Geh, dachte Stella. Es wunderte sie, dass er ihren Herzschlag nicht hörte. *Geh. Jetzt. Raus.*

Sammy, der hinter ihr gestanden hatte, trat einen Schritt nach vorne.

»Wir haben dich gerade in der Zeitung gesehen«, sagte er.
Neil blieb stehen. Seine Augen begannen zu glitzern.
Und dann grinste er wieder.

9

DCI Caleb Hale saß im Eingangsbereich des Scarborough
General Hospital einer völlig verweinten Frau gegenüber, von der er wusste, dass sie Helen Jefferson hieß und
in einer für ihn noch nicht ganz durchschaubaren Verbindung zu dem gesuchten Denis Shove stand. Ein unglaublicher Glücksfall, nachdem es seit Monaten schien, als sei
Shove vom Erdboden verschwunden, habe sich in Luft aufgelöst und dabei keinerlei Spuren hinterlassen. Obwohl
man das Wort *Glücksfall* natürlich nicht denken durfte, wie
sich Caleb immer wieder zur Ordnung rief: Immerhin gab
es noch eine schwer verletzte Frau, eine Peggy Wild, wie er
seinen Unterlagen entnommen hatte, und die lag nach einer
Notoperation noch immer in Narkose im Aufwachraum des
Krankenhauses.

Die Ereignisse hatten sich an diesem Tag überschlagen,
zunächst jedoch in einer Weise, die noch nicht auf einen
Zusammenhang mit dem Fall Shove hingedeutet hatte: Am
späten Vormittag hatte eine Helen Jefferson bei der Polizei
in Leeds angerufen und ihre Lebensgefährtin Peggy Wild
als vermisst gemeldet. Nach Auskunft des Beamten, der den
Anruf entgegengenommen hatte, war Helen Jefferson sehr
aufgeregt gewesen und hatte Mühe gehabt, einigermaßen
klar und verständlich vorzutragen, was sie eigentlich wollte.
Demnach war ihre Lebensgefährtin, die in einem Alten-

heim in Scarborough arbeitete, am frühen Morgen dorthin aufgebrochen und hatte einen Mann mitgenommen, dessen Lebensgefährtin im General Hospital bei ihrer Mutter sein sollte, die in der Nacht zuvor mit einem Schlaganfall dort eingeliefert worden war. Helen hatte mehrfach versucht, ihre Freundin über deren Handy zu erreichen, war aber immer nur auf der Mailbox gelandet, auf der sie hektische Nachrichten und die dringende Bitte um Rückruf hinterlassen hatte. Schließlich hatte sie in dem Altenheim direkt angerufen – sie hatte diesen Schritt eine Weile vor sich hergeschoben, weil man private Anrufe für die Angestellten dort höchst ungern sah –, und dort hatte sie zu ihrem Schrecken erfahren, dass Peggy an diesem Tag unentschuldigt nicht zur Arbeit erschienen war.

Daraufhin rief Helen im Krankenhaus an.

»Und da stellte ich fest, dass er gelogen hat. Neil Courtney. Es war überhaupt keine Mrs. Malyan in der Nacht zuvor eingeliefert worden.«

Dem Polizisten hatte der Kopf geschwirrt. »Mrs. Malyan?«

»Ja, die Mutter von Therese Malyan. Die Frau, die unter uns wohnt. Mit deren Freund Peggy losgefahren ist. O mein Gott, es ist etwas passiert! Ganz sicher. Courtney ist ein schlimmer Mensch. Ich wollte Peggy ja daran hindern, dass sie ihn mitnimmt, aber …« An dieser Stelle war Helen in Tränen ausgebrochen.

Der Beamte hatte ihr immerhin sagen können, dass keine Unfälle aus der Gegend gemeldet waren. Er hatte alle Angaben aufgenommen, konnte jedoch im Moment nichts tun. »Eine erwachsene Frau … und es sind erst ein paar Stunden vergangen. Ich melde mich sofort bei Ihnen, wenn ich etwas höre, in Ordnung? Machen Sie sich nicht zu große

Sorgen, Miss Jefferson. Vielleicht findet sich am Ende eine ganz harmlose Erklärung.«

»Das glaube ich nicht. Courtney ist nicht harmlos. Ich weiß, dass Peggy etwas Schreckliches zugestoßen ist. Können Sie mir denn überhaupt nicht helfen?«

Der Beamte konnte zunächst tatsächlich nicht helfen, aber eine knappe Stunde später ging ein Notruf ein. Ein Mann, der auf dem Weg von Leeds nach Scarborough gewesen war, hatte am Straßenrand gehalten, um in Ruhe eine Zigarette zu rauchen und mit seiner Freundin zu telefonieren, und zu seinem Entsetzen war er dabei auf eine offenkundig schwer verletzte, völlig regungslose Frau gestoßen, die dort gefesselt neben einem Gebüsch lag. Er hielt sie für tot und rief über sein Handy sofort Polizei und Rettungswagen herbei. Die eintreffenden Sanitäter stellten fest, dass die Frau noch lebte, dass sie eine Schussverletzung erlitten und aufgrund des hohen Blutverlustes seit geraumer Zeit das Bewusstsein verloren hatte. Die Frau hatte keine Handtasche dabei, oder sie war ihr entwendet worden, aber glücklicherweise steckte ein zerknitterter Bankauszug in ihrer Jeanstasche. Darüber wurde sie als Peggy Wild, wohnhaft in Leeds, identifiziert.

Da Peggy Wild bereits vermisst gemeldet war, konnte ihre Lebensgefährtin sofort verständigt werden. Ein Polizeibeamter holte sie an ihrem Arbeitsplatz ab und brachte sie zum Revier, damit sie eine genaue Aussage zu den Abläufen des Vormittages und zu jenem Neil Courtney machen konnte, mit dem Peggy sich auf den Weg nach Scarborough gemacht hatte. Helen betrat das Revier, stutzte und ging auf ein Fahndungsplakat zu, das im Eingangsbereich hing.

»Da ist er ja«, sagte sie.

»Wer?«, fragte der sie begleitende Beamte überrascht.

»Neil. Neil Courtney.« Sie las den Text, der unter dem Bild stand. »Wieso heißt er Denis Shove?«

Es war dieser unerwarteten Entwicklung zu verdanken, dass man sofort die Polizei in Scarborough anrief und dort wiederum den Leiter jener Ermittlungsgruppe verständigte, die mit der Aufklärung der Morde an Richard Linville und Melissa Cooper beschäftigt war. Und die in diesem Zusammenhang nach Denis Shove fahndete.

Jane Scapin hatte für den Chef und Helen Jefferson eine Ecke organisiert, in der sie weitgehend ungestört von den übrigen Abläufen innerhalb des Krankenhauses miteinander reden konnten. Helen war verstört und verzweifelt, schien sich aber langsam zu beruhigen. Sie hatte mit dem Arzt gesprochen, der Peggy operiert hatte. Peggy würde überleben. Sie hatte großes Glück gehabt, dass sie gerade noch rechtzeitig gefunden worden war.

DC Scapin hatte sofort die Fahndung nach Peggys rotem Ford eingeleitet. Allerdings machte sich Caleb da nicht allzu viel Hoffnung: Shove war mit allen Wassern gewaschen, ein erfahrener Krimineller. Er würde das Auto so schnell wie möglich abstoßen und kaum den Fehler begehen, damit noch lange herumzukurven. Er musste damit rechnen, dass man Peggy Wild fand und dass es dann überall in der Gegend Polizeikontrollen geben würde.

Sie fahndeten ebenfalls nach dem Auto der verschwundenen Therese Malyan – leider kein grüner Peugeot, das war bereits geklärt. Helen Jefferson hatte ausgesagt, dass sie damit möglicherweise in der Nacht mit unbekanntem Ziel davongefahren war.

»Mrs. Jefferson, sehen Sie sich in der Lage, mit mir zu sprechen?«, fragte Caleb. Von den Kollegen in Leeds hatte er bereits genaue Informationen darüber bekommen, weshalb sich Helen im Laufe des Vormittages an die Polizei gewandt hatte. Dennoch waren viele Fragen offen.

Helen nickte und betupfte sich noch einmal mit ihrem Taschentuch die Augen. »Ja. Natürlich. Ich will Ihnen helfen. Vielleicht schwebt ja Terry in großer Gefahr.«

Caleb blickte in seine Aufzeichnungen. »Therese Malyan? Die Lebensgefährtin von Denis Shove?«

»Ja. Sie wohnt unter uns. Unter Peggy und mir.«

»Seit wann?«

Helen überlegte. »Seit etwa zweieinhalb Jahren.«

»Und Shove? Ebenso lange?«

»Nein. Sie war zunächst allein. Ziemlich einsam. Ab und zu mal Männer, aber nichts hielt lange. Deshalb haben Peggy und ich uns ja immer wieder um sie gekümmert, obwohl…«

»Ja?«, hakte Caleb nach, als sie stockte.

»Peggy mochte sie nicht besonders. Sie war so naiv. Peggy fand sie unreif. Weltfremd. Ich fand sie eigentlich ganz nett.«

»Und Shove?«

»Der zog dieses Jahr bei ihr ein. Im… das muss im Februar gewesen sein. Die beiden kannten sich aber seit Oktober oder November des letzten Jahres.«

»Wissen Sie, wo sie ihn kennengelernt hatte?«

»Ja. In dem Pub, in dem sie damals arbeitete. *Orchads House* in Leeds. Neil… äh, Denis kam als Gast dorthin.«

Caleb notierte sich den Namen. Er erfuhr, dass Terry den Job inzwischen verloren hatte und einige Monate lang arbeitslos gewesen war. Schließlich hatte sie etwas gefunden, aber sie war an ihrem neuen Arbeitsplatz extrem unglücklich gewesen.

»*The Dark Moon.* Eine echt üble Spelunke. Terry hasste

es, dort zu bedienen. Aber sie fand nichts anderes, und ich glaube, Neil bestand darauf, dass sie dort blieb.«

»Er selbst arbeitete nicht?«

Helen schüttelte den Kopf. »Nein. Terry erzählte, er habe eine Erbschaft gemacht, aber sehr üppig kann die nicht gewesen sein. Was wir so mitbekamen, lebte er eigentlich komplett auf Terrys Kosten.«

Erbschaft. Nach Calebs Erkenntnissen über Denis Shove handelte es sich bei etwaigem Geld in seinem Besitz, sollte es solches überhaupt geben, mit hoher Wahrscheinlichkeit eher um die Beute aus irgendeinem Raubzug als um eine tatsächliche Erbschaft. Trotzdem musste dem nachgegangen werden. Hatte Shove Verwandte, die ihm etwas vermacht haben konnten?

»Okay. Shove zog also im Februar bei Therese Malyan ein. Wie ich bislang heraushören konnte, sehen Sie diese Beziehung nicht als glücklich an?«

»Oh nein. Überhaupt nicht. Peggy und ich fanden den Typ auf den ersten Blick absolut unsympathisch. Zum Glück bekamen wir ihn ziemlich selten zu Gesicht. Er schottete sich total ab.«

Kein Wunder, dachte Caleb. Er wurde polizeilich gesucht, weil er, indem er plötzlich untergetaucht war, gegen seine Bewährungsauflagen verstoßen hatte. Und weil ein Mann ermordet worden war, gegen den er zuvor Drohungen ausgesprochen hatte. Sich bei einer naiven jungen Frau einzunisten, war in seiner Situation sicher zunächst ein geschickter Schachzug gewesen, aber auch dort konnte der Boden heiß werden. Ihm musste daran gelegen sein, möglichst selten mit Terrys privatem Umfeld in Kontakt zu treten. Die Gefahr, dass ihn jemand erkannte, war zu groß.

Als ahne sie seine Gedanken, fügte Helen hinzu: »Terry

durfte sich auch praktisch mit niemandem mehr treffen. Die beiden igelten sich regelrecht ein. Am Anfang dachten Peggy und ich noch, na ja, das machen Verliebte ja manchmal in den ersten Wochen. Aber irgendwann schien es nicht mehr normal zu sein. Und dann fiel mir auf ...«

»Ja? Was?«

»Ich glaube, dass Neil Terry manchmal geschlagen hat. Ich bin ihr ein paarmal im Treppenhaus begegnet, da hatte sie eindeutig Verletzungen im Gesicht. Natürlich gab sie nichts zu. Aber sie wich uns ja sowieso aus. Man erwischte sie kaum noch, um einmal in Ruhe mit ihr zu reden. Vor ein paar Wochen habe ich sie abends getroffen, als sie sich gerade auf den Weg zur Arbeit machte. Sie wirkte verweint und sagte mir, dass es schrecklich für sie sei, dort arbeiten zu müssen. Im nächsten Moment beschwor sie mich, Neil bloß nichts davon zu erzählen, dass sie gejammert hat. Es sei ihr rausgerutscht, ich solle diese Bemerkung möglichst vergessen. Sie hatte Angst vor ihm. Aber sie wollte ihn auf keinen Fall verlieren.«

»Berichten Sie mir bitte noch einmal ganz genau von der letzten Nacht. Und dem heutigen Tag«, sagte Caleb.

Helen wiederholte die ganze Geschichte und brach am Ende erneut in Tränen aus. »Ich mache mir solche Vorwürfe«, schluchzte sie. »Ich habe heute früh zu Peggy gesagt, wir müssen uns um Terry kümmern. Nur deshalb haben wir unten geklingelt, und nur deshalb hat Peggy Neil im Auto mitgenommen. Sie wollte herausfinden, ob Terrys Mutter wirklich hier im Krankenhaus und Terry bei ihr ist. Das war nämlich deshalb so eigenartig, weil Terrys Eltern in Truro leben und keinen Kontakt mehr zu Terry haben. Ich habe mich als besorgte Nachbarin aufgespielt, aber Peggy ist dann schließlich aktiv geworden. Und jetzt liegt sie hier, und um ein Haar wäre sie...« Sie weinte heftiger und konnte nicht weitersprechen.

»Sie haben es gut gemeint, und Sie konnten diese Entwicklung nicht ahnen«, tröstete Caleb. »Machen Sie sich keine Vorwürfe. Immerhin – Ihre Lebensgefährtin konnte gerettet werden und wird sich erholen. Das ist es, was zählt.«

Helen nickte, schien aber nur wenig beruhigt. »Und Terry? Was wird mit ihr?«

Leider tappte Caleb, was Therese Malyan anging, vorläufig auch noch im Dunkeln. Fest stand, dass sowohl sie als auch ihr Auto offenbar verschwunden waren. Beamte waren inzwischen in der Wohnung gewesen – es war ein klarer Fall von Gefahr im Verzug – und hatten dort niemanden angetroffen; ebenso hatten sie den Wagen zumindest im Umkreis des Wohnhauses nirgendwo geparkt vorgefunden. Es sprach manches dafür, dass Therese tatsächlich schon am Morgen, als Helen und Peggy bei ihr klingelten, verschwunden war. Und Denis Shove hatte sich ein Auto beschaffen müssen, hatte also wohl keinen Zugriff auf den Wagen seiner Freundin gehabt. Was ein Indiz dafür sein konnte, dass sie ohne ihn das Weite gesucht hatte – und hoffentlich nicht im Moment akut von ihm bedroht wurde.

Mittlerweile war Caleb überzeugt, es bei Shove mit dem Mann zu tun zu haben, den er im Zusammenhang mit den beiden Verbrechen suchen und fassen musste. Umso mehr, als es vermutlich kein Zufall war, dass Shove nun genau einen Tag nach dem Mord an Melissa Cooper offenbar erneut das Versteck gewechselt hatte. Es war dies in Hast und ohne Planung geschehen; er hatte nicht damit rechnen können, dass Peggy Wild ihm anbieten würde, ihn mit nach Scarborough zu nehmen. Er hatte spontan gehandelt, hatte eine günstige Gelegenheit genutzt, dabei aber erneut eine schwerwiegende Straftat begangen: Es war eine Sache, ein Auto zu klauen. Eine andere war es, eine Frau anzuschießen und sie stark blutend und gefesselt hinter eine Weißdornhecke zu legen, wo sie von kaum jemandem gesehen werden konnte und eine geringe Chance auf Rettung hatte. Peggy war dem Tod gerade noch von der Schippe gesprungen. Denis Shove hatte in Kauf genommen, wegen eines weiteren Tötungsdeliktes angeklagt zu werden. Ein Zeichen dafür, dass es ihm nach den Morden an Linville und Cooper auch schon egal war, ob noch etwas dazukam, weil er, sollte er gefasst werden, so oder so mit der Höchststrafe rechnen musste? Oder ein Zeichen für Panik? Denis Shove neigte dazu, die Kontrolle über sich zu verlieren, wenn er sich provoziert fühlte, dennoch war er im Normalfall nicht der nervenschwache Typ. Andererseits war an diesem Tag sein Bild in allen Zeitungen der Region. Aber damit hatte er rechnen müssen, als er Melissa Cooper tötete. Weshalb diese chaotische, planlose Flucht? Bei einem Mann, der sich zuvor ausgesprochen umsichtig verhalten hatte.

Weil Therese plötzlich abgehauen war? Vielleicht hatten sie gemeinsam geplant, Leeds zu verlassen, aber irgendetwas war zwischen ihnen passiert, und Therese hatte Hals über Kopf das Weite gesucht. Wenn Helens Verdacht stimmte und Denis seiner Freundin gegenüber immer wieder gewalttätig geworden war, mochte es in dieser Richtung einen Auslöser gegeben haben. Therese floh, und Shove stand plötzlich ohne Auto da. Öffentliche Verkehrsmittel kamen in seiner Situation nicht in Frage. Es wurde brenzlig für ihn.

Dies alles warf auch Fragen zu der Person von Therese Malyan auf. Was war sie, Opfer oder Komplizin? Oder beides gleichzeitig – das eine musste das andere nicht ausschließen.

»Was wissen Sie über Therese Malyan?«, fragte er. »Über ihre Familie? Freunde? Über ihr persönliches Umfeld?«

Helen überlegte. »Sie schien immer ganz alleine zu sein«, meinte sie dann. »Ich glaube, richtige Freunde oder ein echtes persönliches Umfeld gab es gar nicht. Sie hatte ein paar Bekannte, die sie in den Pubs und Kneipen kennengelernt hatte, in denen sie während der letzten Jahre gearbeitet hatte. Neil – oder Denis – hatte genau deshalb so ein leichtes Spiel bei ihr: Sie war einsam, und sie war wie erlöst, weil es plötzlich eine Bezugsperson in ihrem Leben gab. Mir kam es so vor, dass sie bereit war, eine Menge zu ertragen, nur um nicht wieder allein leben zu müssen.«

»Sie sagten, sie hat keinen Kontakt mehr zu ihren Eltern?«

»Sie hat das ein paarmal erwähnt, ja. Sie hat die Schule abgebrochen, als sie achtzehn wurde, und wie ich es verstanden habe, konnten ihre Eltern ihr das nicht verzeihen. Geschwister hat sie keine.«

»Wie kam es, dass es sie aus Truro hier hinauf in den Norden verschlagen hat? Hat sie da etwas erzählt?«

»Es hing mit dem Schulabbruch zusammen. Sie wollte so weit wie möglich von daheim weg. Ein ganz neues Leben beginnen. Und so ging sie eben bis fast an das andere Ende von England.«

»Und es gab nicht die geringste Verbindung mehr zu ihrer Familie?«

»Nein. So sagte sie zumindest.«

Man musste trotzdem die Eltern aufsuchen. Es war nicht auszuschließen, dass Therese in einer Situation, in der ihr der Boden unter den Füßen wegzubrechen drohte, doch wieder zu ihrer Familie flüchtete. Sie hatte sich mit einem Kriminellen eingelassen, was ihr vielleicht zunächst gar nicht klar gewesen war. Möglicherweise hatte sie sich in seine Straftaten hineinziehen lassen, darüber aber schließlich die Nerven verloren. In der Nacht nach Melissa Coopers Ermordung hatte es einen heftigen Streit zwischen Therese und Denis Shove gegeben. Weil Therese Shoves Rachefeldzug – oder was immer es war – nicht länger mittragen mochte?

Helen sah Caleb aus weit aufgerissenen Augen an. »Stimmt es?«, fragte sie. »Was auf diesem Fahndungsplakat stand? Dass Neil einen Polizisten ermordet hat?«

»Wir suchen im Zusammenhang mit dieser Tat nach ihm«, sagte Caleb. »Ob er es wirklich getan hat, weiß ich nicht.«

»Ich mache mir riesige Sorgen um Terry«, sagte Helen und fing erneut an zu weinen. Sie war restlos am Ende mit ihren Nerven.

»Wir werden Shove finden«, versicherte Caleb. »Und wir werden Therese in Sicherheit bringen. Falls sie überhaupt in Gefahr schwebt. Vielleicht hat sie sich längst abgesetzt und Shove kennt ihren Aufenthaltsort genauso wenig wie wir.«

Seine beruhigende Stimme bewirkte, dass Helens Tränen wieder versiegten. Dabei fühlte sich Caleb nicht einmal halb so zuversichtlich, wie er sich gab. Auch er machte sich Sorgen um Therese Malyan. Und seine anfängliche Euphorie, weil der spurlos verschwundene Denis Shove plötzlich wieder sichtbar geworden war, begann bereits Ernüchterung zu weichen: Letzten Endes hatte er der Polizei erneut ein Schnippchen geschlagen. Er war weg.

Und sie hatten nicht den leisesten Schimmer, wo er sich aufhielt.

10

Er hielt plötzlich eine Pistole in der Hand. Hervorgezaubert unter seinem Sweatshirt.

»Wo ist Jonas?«, fragte er.

Es machte wenig Sinn, irgendetwas zu erfinden.

»Im Schlafzimmer«, sagte Stella.

Von draußen hörte man erneut Terry rufen. »Neil? Wo bist du denn?«

Er wandte halb den Kopf, um ihr zu antworten, ließ Stella und Sammy dabei jedoch nicht aus den Augen. »Hier drinnen. Im Wohnzimmer. Komm her!«

»Was wollen Sie?«, fragte Stella. Sie hatte Sammy dicht an sich herangezogen und schützend den Arm um ihn gelegt. Sie fragte sich, ob der Mann, der vor ihr stand, bereit war, eine ganze Familie zu ermorden, darunter ein fünfjähriges Kind.

»Erst einmal will ich vor allem, dass ihr Ruhe gebt«, erklärte er auf Stellas Frage.

Vielleicht will er verschwinden und nur dafür sorgen, dass wir nicht sofort zur Polizei gehen, dachte Stella. Sie hatte die vage Hoffnung, dass er sie alle hier einsperren und dann mit ihrem Auto und ausgerüstet mit Geld und Bankkarten das Weite suchen würde. Aber das war nicht allzu wahrscheinlich. Er hatte Stunden Zeit gehabt, in aller Ruhe zu flüchten, und er hatte es nicht getan. Stella fürchtete, dass sie mit ihrem ersten Gedanken, der gleich, nachdem sie den Zeitungsbericht gelesen hatte, in ihr erwacht war, recht gehabt hatte: Neil Courtneys – oder Denis Shoves – Hauptproblem bestand im Moment darin, dass er nicht wusste, *wohin* er fliehen sollte. Die einsam gelegene Farm bot sich

ihm als geradezu geniale Lösung an – zumindest vorübergehend. Hier konnte er ungestört verharren und weitere Pläne
schmieden. Er musste nur sehen, dass er die Familie Crane
unter Kontrolle behielt.

Terry kam zur Gartentür herein. »Komisch, es sind alle
Türen abgeschlossen und …«, begann sie, dann sah sie, dass
ihr Freund eine Waffe auf Stella und Sam richtete, und verstummte.

»Was ist los?«, fragte sie schließlich verwirrt.

»Die wollten sich gerade hier einschließen«, erklärte Neil.
»Alles dichtmachen und in Ruhe die Bullen rufen.«

Terry sah aus, als verstehe sie kein Wort. »Die Bullen?«

»Wer sagt Ihnen, dass wir das nicht schon getan haben?«,
fragte Stella. »Die Polizei angerufen? Vielleicht sollten Sie
zusehen, dass Sie schleunigst verschwinden.«

Seine Augen wurden schmal. »Terry, du gehst jetzt durch
das ganze Haus. Schau mal, ob du ein Telefon findest. Einen
Computer. Irgendeine Verbindung zur Außenwelt. Ich kenne
diese verdammte Gegend hier. Es gibt etliche solche Far-
men – die völlig abgeschottet sind. Handyempfang gibt es
hier unten jedenfalls schon mal nicht. Habe ich bereits ge-
prüft.«

»Aber, Neil, warum …«, setzte Terry an, aber er unterbrach sie. »Tu, was ich dir sage. Ich habe jetzt keine Zeit, dir
das alles zu erklären.«

Terry zog los. Stella spürte, dass Sammy, der sich dicht an
sie schmiegte, am ganzen Körper zitterte.

»Sie machen ihm Angst«, sagte sie.

Neil zuckte mit den Schultern. »Pech. Da muss er jetzt
durch.« Er überlegte einen Moment, dann fragte er: »Wo ist
der Schlüssel zu der Scheune?«

»Keine Ahnung. Das hier ist ja nicht unser Haus.«

Er fuchtelte mit der Waffe. »Du solltest ein bisschen kooperativer sein, Stella. Du willst doch nicht, dass diese ganze Geschichte hier böse ausgeht? Für dich und deine nette kleine Familie?«

»Ich will, dass Sie verschwinden«, sagte Stella.

»Da wirst du warten müssen.« Er ließ sich in einen Sessel fallen, streckte beide Beine weit von sich. Der Lauf der Pistole richtete sich unverändert auf die beiden Menschen, die vor ihm mitten im Zimmer standen. »Da wirst du eine ganze, ganze Weile warten müssen.«

»Es gibt Leute, die wissen, dass wir hier sind. Die uns vermissen werden.«

»Jaja«, sagte Neil gelangweilt.

Terry kehrte ins Wohnzimmer zurück. »Jedenfalls hier im Erdgeschoss gibt es kein Telefon. Und keinen Computer. Soweit ich das feststellen konnte. Soll ich jetzt oben nachschauen?«

Neil winkte ab. »Warte erst mal. Soll ich wetten, was für eine Art Ferien das sind, die ihr hier macht? Das sind Ferien nach dem Motto *Wir steigen jetzt mal komplett aus. Wir lassen die Welt hinter uns. Wir sind jetzt mal ganz und gar nicht erreichbar.* Das trifft sich ziemlich gut, Stella, denn genau so einen Ort suche ich gerade. Einen Ort, an dem ich nicht erreichbar bin.«

»Den gibt es nicht«, sagte Stella. »Nicht einmal hier. Man wird uns vermissen. Jonas hat dieses Haus von einem Kollegen gemietet. Anfang nächster Woche will der den Schlüssel zurückhaben. Will sein Geld bekommen. Will hören, wie es uns hier so ergangen ist. Es wird ihm sehr komisch vorkommen, wenn wir plötzlich wie vom Erdboden verschluckt sind.«

»Nächste Woche!« Neil lachte. »Mein Gott, denkst du,

ich zerbreche mir jetzt schon den Kopf darüber, was nächste Woche sein wird?« Er machte eine Kopfbewegung zu Terry hin. »Du suchst jetzt mal den Schlüssel zu dieser Scheune oder diesem Stall da draußen.«

»Neil, was ist denn nur los?«, fragte Terry. Sie schien beinahe mehr Angst zu haben als Stella.

Sie weiß nichts, dachte Stella, sie weiß nicht, dass sie sich mit einem Verbrecher eingelassen hat. Sie weiß nicht, dass er polizeilich gesucht wird. Dass er überhaupt nicht der ist, für den er sich ausgibt.

Hier lag ein Keim der Hoffnung. Vielleicht ließ sich Terry bewegen, ihnen zu helfen. Sie mochte naiv und sogar relativ beschränkt sein, aber offenkundig war sie nicht kriminell. Sam war ihr leiblicher Sohn, und sie hatte die Cranes immer gemocht. Sie würde nicht zulassen, dass einem von ihnen ein Haar gekrümmt wurde. Oder? Sie war Neil rettungslos verfallen, und sie hatte eine Heidenangst vor ihm. Würde sie erkennen, dass sie an seiner Seite in ihr Verderben lief, und würde sie die Kraft finden, sich von ihm zu lösen?

»Such jetzt den Schlüssel!«, fauchte Neil. »Verdammt, hör endlich auf, dumme Fragen zu stellen. Ich erkläre dir das später.«

Terry wagte keine Widerrede und verschwand aus dem Zimmer. Neil erhob sich von seinem Sessel.

»Ihr geht jetzt schön vor mir her«, befahl er. »Hinaus auf den Gang. Und wenn ihr irgendeinen Mist macht, dann schieße ich. Klar?«

»Klar«, bestätigte Stella.

Er grinste wieder. Sie hätte keine Worte gefunden zu sagen, wie sehr sie dieses Grinsen hasste.

»Du bist eine kluge Frau, Stella. Und vernünftig. Und du

bist eine liebende Mutter. Du wirst nichts tun, was den kleinen Sammy in Gefahr bringt, nicht wahr?«

Sie schüttelte den Kopf. »Nein. Werde ich nicht.«

»Mummy!«, sagte Sam mit wackeliger Stimme, in der
Tränen schwangen.

»Keine Angst, mein Schatz. Alles wird gut.«

»Klappe halten«, sagte Neil. »Und jetzt macht schon.
Geht vor mir her.«

Sie traten durch die Tür hinaus auf den Flur. Von Terry
war nichts zu sehen und zu hören. Vermutlich hatte sie
irgendwelche Schlüssel gefunden und probierte sie nun
hektisch drüben am Scheunentor aus. Sie schien nicht im
Mindesten zu kapieren, was das alles sollte, aber wie üblich
war ihr in erster Linie daran gelegen, keinesfalls Neils Ärger zu erregen.

»Weiter«, sagte Neil.

Sie bewegten sich den Gang entlang. Sammy weinte jetzt
leise. Stella schlug das Herz bis zum Hals. Jeden Moment
musste ein ahnungsloser Jonas die Treppe herunterkommen
und sich unversehens in einer schockierenden Situation
wiederfinden. Sie sandte ein Stoßgebet zum Himmel, dass
er nichts tun würde, was die ganze Lage eskalieren ließe.
Jonas war nicht zum Helden geboren. Sollte er versuchen,
seine Familie zu retten, würde das, da machte sich Stella
keinerlei Illusionen, vollkommen danebengehen.

Jonas, in Jeans und T-Shirt und nach Duschgel duftend,
nahm gerade die letzten Stufen, als der kleine Zug nur noch
wenige Schritte von der Treppe entfernt war. Er starrte
Stella, Sam und Neil an.

»Oh«, sagte er.

»Jonas«, setzte Stella an, aber schon schnauzte Neil: »Halt
den Mund!«

»Wie reden Sie denn mit meiner…«, begann Jonas, dann gewahrte er die Waffe in Neils Händen. Er sprach nicht weiter. Seine Augen wurden groß und starr.

»Was, um Himmels willen…« Er brachte auch diesen Satz nicht zu Ende. Er schien nicht glauben zu können, was er sah, und schien nicht zu wissen, was man zu einer solch absurden Situation sagen sollte. Er hatte derartige Szenen in Drehbüchern beschrieben. Er war bekannt für seine scharfsinnigen und ironischen Dialoge. In der Realität aber fand er einfach keine Worte.

»Wir gehen jetzt alle hinüber zu der Scheune«, sagte Neil. »Jonas, Sie gehen vor. Und keine Tricks. Ich schieße euch sonst alle über den Haufen.«

»Tu, was er sagt!«, flehte Stella.

In diesem Moment beschloss Jonas Crane, zum ersten Mal in seinem Leben doch ein Held zu sein.

Er hätte sich dafür keinen ungeeigneteren Augenblick aussuchen können.

Der Schuss fiel sofort. Genau in derselben Sekunde, in der Jonas einen Satz auf Neil zumachte, vermutlich in der Absicht, ihn durch den Aufprall zu Fall zu bringen und ihm dabei die Waffe zu entwenden. Es war ein absurder Plan für einen Mann wie Jonas, der in seinem Leben noch nie in eine körperliche Auseinandersetzung verwickelt gewesen war, sah man von Rangeleien auf dem Schulhof während seiner Kindheit ab, und auch da hatte er, wie er Stella einmal berichtet hatte, immer den Kürzeren gezogen. Die Tatsache, dass er am Schreibtisch sitzend manchmal auch Stoffe entwickelte, in denen starke Männer mit den Fäusten aufeinander losgingen, wild um sich schossen oder ihren jeweiligen Gegner mit ein paar geübten Griffen irgendeiner asiatischen Kampfkunst zu Boden warfen, hatte nicht dazu geführt, dass er von diesen Dingen über die graue Theorie hinaus irgendetwas verstand. Geschweige denn fähig gewesen wäre, jemandem die Faust ins Gesicht zu schmettern oder wenigstens das Knie zwischen die Beine zu rammen. Seine Stärke lag im Kopf, nicht in den Muskeln. Es war daher Wahnsinn, sich ausgerechnet mit einem Mann wie Denis Shove körperlich messen zu wollen.

Der Schuss stoppte ihn mitten im Sprung. Er hielt inne, starrte sein Gegenüber völlig entgeistert an, so als sei es in seiner Vorstellung völlig undenkbar gewesen, dass ein Mann, der eine Waffe auf ihn gerichtet hielt, von dieser Waffe auch tatsächlich Gebrauch machen würde. Er bemühte sich einen Moment noch, das Gleichgewicht zu halten, schwankte ein wenig und sah aus wie ein Seiltänzer, der verzweifelt versucht, den Sturz in die Tiefe zu vermeiden. Er ruderte mit beiden Armen, dann fiel er zu Boden. Er blieb bewegungslos liegen.

Stella wollte schreien, brachte aber keinen Ton heraus. Sie fiel neben ihm auf die Knie und umfasste mit beiden Händen seinen Kopf. Es war für sie nicht ersichtlich, wo er eigentlich getroffen worden war.

Sie wandte sich zu Neil um. »Sie haben auf ihn geschossen. Wir brauchen sofort einen Arzt. Er muss in ein Krankenhaus. Er …«

Neil machte einen Schritt auf sie zu, packte sie grob am Arm und zog sie in die Höhe. »Weiter. Raus. Auf den Hof.«

»Aber er ist verletzt. Er …«

Er hielt ihr den Lauf der Pistole direkt ans Gesicht. »Weiter. Ich kümmere mich um ihn. Und je länger du hier stehst und jammerst, umso länger dauert es. Geh jetzt weiter!«

»Daddy!«, heulte Sam.

Sie nahm seine Hand. Eine zitternde Kinderhand, aber auch sie selbst zitterte. Ihre Knie fühlten sich so weich an, dass sie einen Moment lang glaubte, sie werde gleich erneut neben Jonas auf den Boden fallen.

»Bitte, Neil. Helfen Sie ihm. Er hat Ihnen nichts getan.«

»Er ist dumm«, sagte Neil. »Schrecklich dumm. Und jetzt geh endlich. Du machst alles schlimmer mit deinem Gelaber.«

Eisern hielt sie die Tränen zurück, während sie aus der Haustür trat. Terry hatte offenbar schon aufgeschlossen. Sie hätte heulen und schreien mögen, aber sie beherrschte sich Sammy zuliebe. Der kleine Junge wirkte schon jetzt völlig traumatisiert, und es würde alles noch schlimmer für ihn werden, wenn seine Mutter die Nerven verlor.

Der Hof lag nur noch zum Teil in der Sonne, die Schatten waren länger geworden. Ein wunderschöner Sommerabend. Sie hätten auf der rückwärtigen Terrasse essen können. Sie hätten am nächsten Tag alle zusammen zum Schwimmen gehen können. Wie hatte das alles so unversehens kippen, sich in einen Albtraum verwandeln können?

Nicht unversehens, dachte Stella. Sie beide, Jonas und sie, hatten alle Warnungen missachtet. Sie hatten ein ungutes Gefühl gehabt, praktisch schon beim ersten Blick auf Neil Courtney. Oder Denis Shove. Ein Krimineller, wie er im Buche stand. Es hatte sie misstrauisch gemacht, dass er sie in Kingston aufgesucht hatte. Es hatte sie noch misstrauischer gemacht, als sie in der vergangenen Nacht von Terry erfahren hatten, dass er in den Hochmooren herumgefahren war und nach ihnen gesucht hatte. Sie hätten sich spätestens am nächsten Morgen aus dem Staub machen müssen. Sie hatten ihr Bauchgefühl ignoriert. Dafür zahlten sie jetzt einen hohen Preis.

Terry kam ihnen entgegen, einen großen Schlüsselbund in der Hand. »Die Scheune ist offen.« Sie sah sehr verstört aus. »Neil, ich habe einen Schuss gehört. Was...«

»Geh ins Haus. Kümmere dich um Jonas. Er musste sich unbedingt aufspielen. Schau mal, was du für ihn tun kannst. Und ihr«, er schwenkte die Waffe in die Richtung von Stella und Sam, »ihr geht weiter!«

Es war klar, dass er sie in der Scheune einsperren wollte. In diesem fensterlosen, steinernen Gebäude, aus dem es keinerlei Fluchtmöglichkeit gab. Keine Hoffnung, Hilfe zu holen. Einen Arzt für Jonas. Nie im Leben würde Neil selbst den Rettungsdienst informieren.

Er wird wegen Mordes an einem Polizisten gesucht. Er kann sich nicht aus der Deckung wagen. Warum nur musste Jonas etwas so Wahnsinniges tun? Auf einen bewaffneten Mann losgehen. Er hatte keine Chance. Er hätte das wissen müssen.

Sie stolperten in die Scheune. Stella hatte völlige Finsternis erwartet, stellte jedoch fest, dass zumindest ein graues Dämmerlicht herrschte. Sie blickte nach oben und sah, dass es entgegen ihrer ersten Vermutung doch ein Fenster gab, verschlossen durch eine schmutzige, trübe Glasscheibe. Hier sickerte das Licht ein. Da der ganze Raum gut vier Meter hoch war und sich das Fenster unmittelbar unterhalb des Daches befand, hätte man eine Leiter gebraucht, um bis zu ihm hinaufzugelangen. Und selbst dann blieb fraglich, ob es sich öffnen ließ. Um zu entkommen, war es zu schmal; man hätte höchstens den Kopf hinausstrecken und um Hilfe schreien können. Aber wer würde das hören? In der ganzen Zeit, die sie nun schon hier waren, hatte Stella ein einziges Mal einen Wanderer gesehen, und auch der war ein ziemliches Stück von der Farm entfernt vorbeigezogen. Allerdings war das Wetter auch extrem schlecht gewesen, vielleicht bevölkerte sich die Gegend bei Sonnenschein ein wenig. Aber das blieb eine vage Option, zumal nicht sicher war, ob sie hier drinnen die Leiter finden würden, die die Grundvoraussetzung für alle weiteren Schritte darstellte.

»Ihr bleibt jetzt erst einmal hier«, befahl Neil, »und verhaltet euch ruhig, klar? Je weniger Ärger ihr mir macht, umso größer ist eure Chance, unversehrt aus dieser ganzen Sache herauszukommen.«

»Was wird mit Jonas?«, fragte Stella.

»Wir kümmern uns um ihn. Er ist nicht lebensgefährlich getroffen«, behauptete Neil.

Stella hatte den Eindruck, dass er log. Zumindest konnte er sich noch gar kein Bild von Jonas' Verletzung verschafft haben, also verkündete er Dinge, die er möglicherweise hoffte, aber nicht wusste. Ihm lag wahrscheinlich nichts daran, sich einen weiteren Mord auf sein Straftatenregister zu laden, aber ehe er irgendein Risiko einging, würde er Jonas verbluten lassen.

»Können Sie ihn hierherbringen? Dass ich mich um ihn kümmern kann?«, bat sie.

»Wir werden das alles sehen. Setzt euch jetzt hier irgendwo hin und haltet die Klappe. Ihr bekommt nachher etwas zu essen.«

»Wir brauchen vor allem Wasser.«

»Ihr bekommt auch Wasser. Und jetzt Ruhe. Bis später.« Die schwere, schmiedeeiserne Tür schlug zu, der Schlüssel wurde herumgedreht. Es war gleich noch etwas dunkler, aber immerhin konnte man die Umrisse sämtlicher herumstehender und -liegender Gegenstände erkennen: alte, ausrangierte Möbel, gestapeltes Kaminholz, mehrere Katzentransportkörbe, Terrakottatöpfe, zusammengerollte Teppiche, zwei

Fahrräder. Und etliches mehr. Die Scheune diente als Rumpelkammer und Unterstand. Trotz der Wärme draußen war die Luft hier drinnen noch kalt und klamm. Stella fröstelte heftig, und sie hatte den Eindruck, dass sich auch Sams Zittern verstärkte und nicht mehr nur von seinem Schock herrührte.

»Sammy, du musst keine Angst haben, ja? Wir suchen jetzt erst einmal etwas Warmes, eine Wolldecke vielleicht, in die wir uns hüllen können. Wir holen uns sonst eine Erkältung.«

Der Junge rührte sich nicht vom Fleck. »Er hat Daddy erschossen.«

»Nein, er hat ihn nicht erschossen. Nur angeschossen. Du hast doch gehört, was er gesagt hat. Daddy wurde nicht schlimm getroffen. Ein Streifschuss bestimmt nur. Er bekommt jetzt einen Verband, und dann geht es ihm bald besser.«

»Warum ist Daddy nicht bei uns?«

»Weil Terry und Neil ihn jetzt erst verbinden müssen.«

»Kommt er dann zu uns?«

»Ich hoffe es, Sammy. Mach dir keine Sorgen. Es wird alles gut werden.«

»Warum hat Neil auf Daddy geschossen?«

»Neil hat uns bedroht, und da wollte Daddy ihm die Waffe wegnehmen. Deshalb hat Neil geschossen.« *Wie es vorauszusehen gewesen war.*

»Warum hat uns Neil bedroht?«

»Neil ist ein böser Mensch. Aber er will sich hier nur ein paar Tage ausruhen, dann wird er abhauen. Uns wird er dann wieder freilassen.« Sie konnte das alles nur hoffen, aber offenbar hatte sie sich halbwegs überzeugend angehört, denn Sammy fragte nicht weiter. Allerdings war er auch keiner Handlung fähig. Er stand noch immer einfach nur da und zitterte.

Kurzerhand drückte ihn Stella auf ein verschlissenes kleines Zweisitzersofa, das an der Wand stand und so aussah, als sei es seit ungefähr hundert Jahren nicht mehr in Gebrauch gewesen, dann machte sie sich alleine auf die Suche nach einer Decke. Während sie herumstöberte, erwog sie die Optionen, die sie hatten: Es war Donnerstag. Am Sonntag hatten sie vorgehabt, sich auf den Heimweg zu machen. Am Montag sollte Sammy in seine Spielgruppe zurückkehren. Würden die Mitarbeiterinnen Nachforschungen anstellen, wenn er nicht erschien?

Man wird vielleicht bei uns daheim anrufen, niemanden erreichen und denken, dass wir länger geblieben sind als geplant, dachte Stella. Der Besuch der Spielgruppe erfolgte schließlich freiwillig, Himmel und Hölle würde man dort nicht in Bewegung setzen, weil eine Familie ihren Urlaub verlängerte und Bescheid zu sagen vergaß.

Was war mit dem Kollegen, der ihnen die Farm vermietet hatte? Großspurig hatte sie gegenüber Neil behauptet, dass er am Montag seinen Schlüssel zurück und sein Geld haben wolle. Tatsache aber war, dass Jonas die Miete bereits im Vorfeld überwiesen hatte, und was den Schlüssel anging, so hatte Stella keine Ahnung, was die beiden Männer besprochen hatten. Es war ja nicht so, dass die beiden in einer Firma arbeiteten, in der sie sich zwangsläufig jeden Tag sahen. Beide waren sie freiberuflich tätige Autoren. Es war eher unwahrscheinlich, dass sie sofort für den Montag ein Treffen vereinbart hatten. Gut möglich, dass der andere in Arbeit und Termindruck steckte oder zu Dreharbeiten unterwegs und weit weg war. Sie konnten sich ganz lapidar *für irgendwann* verabredet haben.

Ebenso spekulativ blieb es auch mit anderen Terminen, die Jonas haben mochte. Es konnte gut sein, dass für die ersten Tage nach der Rückkehr gar nichts Konkretes anstand. Natürlich, irgendwann würde es jemandem auffallen, dass Jonas offensichtlich aus dem Urlaub nicht nach Hause gekommen war. Aber wann?

Okay, es brachte nichts, in diese Richtung zu denken. Welche Möglichkeiten gab es noch? Die Nachbarin, die ihre Blumen goss und die Post hereinholte. Sie zumindest würde tatsächlich gleich merken, dass die Familie länger fortblieb als angekündigt. Stella überlegte, was sie ihr über den Ort ihres Ferienaufenthaltes gesagt hatte. »Wir tauchen einfach einmal unter. Mitten in der Einsamkeit von Nordengland.«

Konkreter war sie nicht geworden, was bedeutete, dass die Nachbarin, selbst wenn sie in ihrer Besorgnis zur Polizei ginge, keine allzu genauen Angaben machen konnte.

Nordengland. Das war ein riesiges Territorium. Die Frage war, wie gründlich sich die Polizei in mögliche Ermittlungen vertiefen würde. Sollten sie in Jonas' beruflichem Umfeld Nachforschungen anstellen, würden sie sicher irgendwann auf jemanden treffen, der über das Arrangement Bescheid wusste und den entscheidenden Hinweis geben konnte. Stella hatte allerdings keine Vorstellung, wie schnell und mit wie viel Einsatz man von polizeilicher Seite aus nach einer Familie suchen würde, die nicht pünktlich aus dem Urlaub zurückgekehrt war. Sie dachte an die ältliche und manchmal etwas zerfahren wirkende Nachbarin. Wäre sie selbst bei der Polizei, sie würde eher vermuten, dass diese Frau sich in der Woche geirrt hatte und kein Grund zur Besorgnis vorlag.

Ihre Augen hatten sich inzwischen ziemlich gut an das dämmrige Licht gewöhnt, aber leider brachte ihr dieser

Umstand nur die Erkenntnis, dass es hier drinnen keine Leiter gab. Das Fenster blieb in unerreichbarer Höhe.

Immerhin fand sie endlich eine Wolldecke. Als sie sie anhob, stieg eine solche Staubwolke auf, dass Stella einen Hustenanfall bekam. Hoffentlich reagierten sie nicht allergisch, wenn sie sich dieses zerschlissene Ding um die Schultern legten. Stella schüttelte die dreckige, raue Wolle aus, so gut sie es konnte, und kehrte dann damit zu dem Sofa zurück, auf dem Sammy noch immer genau so saß, wie sie ihn hingesetzt hatte. Er zitterte vor Kälte. Sie setzte sich neben ihn, zog ihn in ihre Arme und legte die Decke über sie beide. »Komm her, mein Kleiner. Ich wärme dich. Du musst nicht so zittern.« Sie strich ihm sanft über die Haare. »Du wirst sehen, alles kommt in Ordnung.«

»Wo ist Daddy?«

»Sie verbinden seine Wunde. Dann bringen sie ihn zu uns.«

»Mummy, wird jemand kommen und uns hier herausholen?«

Er schien sich dieselben Gedanken zu machen wie sie. »Bestimmt. Man wird uns ja vermissen.«

»Aber wer weiß denn, dass wir hier sind?«

»Nun, der Kollege von Daddy zum Beispiel. Dem die Farm gehört.« Leider blieb er nach wie vor der Einzige.

»Wird er zur Polizei gehen?«, fragte Sam.

»Garantiert geht er zur Polizei!«

»Und die befreien uns dann hier?«

»Darauf kannst du Gift nehmen. Das wird eine ganz große Befreiungsaktion. Du wirst deinen Freunden eine Menge zu erzählen haben. Ich wette, die platzen alle vor Neid!«

Die Vorstellung, zu seinen Freunden als bewunderter Held mit einer filmreifen Geschichte zurückzukehren, elektrisierte Sammy. Er begann, den bevorstehenden Polizeieinsatz in glühenden Farben auszumalen, und hörte darüber sogar zu zittern auf. Stella hing eigenen Gedanken nach. Wie ging es Jonas? Und was hatte Neil vor? Würde er sich überhaupt um seine Gefangenen kümmern? Sie konnten eine Weile ohne Nahrung aushalten, nicht aber ohne Wasser. Wie gefährlich, wie skrupellos und brutal war dieser Mann? Und würde sich Terry im Zweifelsfall gegen ihn stellen?

Sie musste sich gegen die dunklen Gedanken wehren, die sie bedrängten; wenn sie den Ängsten zu viel Raum gab, konnte sie Sammy kein Halt mehr sein und nicht mehr vernünftig agieren. Immerhin – Neil Courtney alias Denis Shove wurde bereits polizeilich gesucht. Sie saßen hier nicht fest mit einem Irren, von dessen Machenschaften niemand eine Ahnung hatte. Sein Bild war in den Zeitungen, die Polizei fahndete unter Hochdruck nach ihm. Vielleicht war man ihm dichter auf der Spur, als es irgendjemand ahnte, er selbst eingeschlossen. Vielleicht war das Bild des großen Befreiungseinsatzes, das Sam mit Hingabe zeichnete, gar nicht so weit hergeholt.

Sie merkte plötzlich, dass ihr Sohn aufgehört hatte zu plappern. Er war eingeschlafen, sein Kopf lag auf ihrem Arm. Er atmete tief und gleichmäßig. Gott sei Dank litt er offenbar nicht an Hunger und Durst – noch nicht.

Die Nacht brach herein, und niemand hatte sich blicken lassen. Sie wussten nicht, wie es Jonas ging. Sie wussten überhaupt nichts.

Stella begann leise zu weinen.

I

Es war so etwas wie eine verspätete Tatortbesichtigung. Sie standen am Hafen von Scarborough, wenige Schritte entfernt von dem kleinen Vergnügungspark, der dort betrieben wurde, und betrachteten den Spielsalon, der sechzehn Jahre zuvor an einem Frühlingstag von halbwüchsigen Rowdies überfallen worden war. Die Jungs hatten Geld erbeuten wollen, aber am Ende hatte es ein Todesopfer gegeben. Und durch die seltsamen Schachzüge, die das Leben manchmal spielt, hatte diese ganze Geschichte zu dem Treffen zwischen einem Inspector der Yorkshire Police und einer zufälligen Zeugin geführt. Jahre später wurden beide ermordet. Lag der Schlüssel hier? In ihrer beider ersten Begegnung?

Es war einer von Calebs Grundsätzen, ein Wollknäul immer bis ganz zum Anfang aufzuwickeln. Den Beginn zu betrachten. Nach seiner Erfahrung führte es häufig zu einem Ergebnis, wenn man den Ereignissen in ihrem chronologischen Verlauf folgte.

Zu der Spielhalle waren er, DC Scapin und DS Stewart allerdings nicht nur gegangen, um ein Gefühl für die Szenerie von damals zu bekommen, sondern auch, um sich dort am Hafen ein schnelles Mittagessen zu gönnen. Es war nach zwei Uhr, und ihnen allen hing der Magen in den Kniekehlen. Es gab eine Fischbude am Vergnügungspark, in der man erstklassige Pommes frites bekommen konnte, sehr knusprig und sehr heiß, und dazu grässliche rot-weiße Ketchup-Mayonnaise. Sie hatten sich jeder eine große Portion geholt, auch wenn Jane Scapin etwas davon gemurmelt hatte, dass diese Art von Ernährung dauerhaft zu ernsthaften Erkrankungen führen konnte. Caleb, der sich weit mehr noch als seine beiden Mitstreiter tatsächlich überwiegend von Fast Food ernährte, hatte für sich längst die Philosophie entwickelt, dass es nicht in erster Linie das minderwertige Essen war, was krank machte, sondern die Schuldgefühle, von denen man sich während des Verzehrs quälen ließ, und die vielen warnenden, mahnenden Stimmen, mit denen man bombardiert wurde. Er hatte daher mögliche eigene Zweifel an seiner Lebensweise konsequent ausgeschaltet.

Sie standen am Straßenrand und pickten mit kleinen Holzgäbelchen die heißen Fritten aus den fettigen Papiertüten. Hinter ihnen klatschte das Wasser müde gegen die Mohlen, und manchmal schabten die Fender der vertäuten Schiffe leise gegen das Holz der Anlegestelle. Der Tag war heiß und vollkommen windstill. Es roch nach Fisch und Bratfett aus den verschiedenen Verkaufsbuden ringsum, außerdem nach Meerwasser, Schlick und Algen. Dazu kam der Benzingestank vorbeifahrender Autos. Caleb hatte so direkt am Wasser selten eine so klare Abgrenzung einzelner Gerüche erlebt. Meist strich der Wind von der See herein und mischte alles ineinander.

»Hier, ziemlich genau, wo wir jetzt stehen«, sagte Robert Stewart, »muss laut Ermittlungsakte Melissa Cooper gewesen sein, als es passierte. Als drinnen der Schuss fiel, die Täter herausstürmten und in das wartende Auto sprangen.

Mrs. Coopers Auto parkte ein Stück weiter entfernt, unmittelbar am Marines Drive. Sie kam von dort und wollte sich weiter vorne in einem Pub mit einer Bekannten zum Lunch treffen.«

»Hm«, machte Caleb. Er musterte die Spielhalle mit der zur Straße hin weit geöffneten Glasfront. Rote, grüne und blaue Lichter zuckten an den Rahmen der verschiedenen Automaten entlang, die drinnen standen und bei entsprechendem Einsatz großartigen Gewinn verhießen. Im Augenblick war nicht viel los. Ein paar Leute hingen in der Halle herum, die Mehrzahl allerdings an der Bar, nicht an den Automaten. Auch auf der Straße waren nur wenige Passanten unterwegs. Es war zu heiß. Eine schläfrige Mittagsstimmung lag über der Stadt.

»Ich hätte mir ein Eis kaufen sollen«, sagte Jane, »nicht dieses heiße, fettige Zeug.«

»Bei Hitze braucht man aber Salz«, sagte Caleb. Er war dermaßen hungrig, dass er Jane gerne angeboten hätte, auch noch ihre Portion zu essen, falls sie keine Lust mehr darauf hatte, aber irgendwie schien ihm das zu vertraulich. Sie arbeiteten schon eine ganze Zeit zusammen, aber Jane war eine Frau, die nur wenig Nähe zuließ.

»Robert, Sie haben die Täter von damals aufgesucht?«, fragte er.

Robert nickte eifrig. »Ja. Ich war bei allen dreien. Gestern noch.« Er war stolz. Es war ein harter Tag gewesen. Das Aufsuchen der randalierenden Teenager von einst, die heute erwachsene Männer mit Gefängniserfahrung waren. Und dazu jede Menge Aktenstudium. Er hatte bis in die Nacht hinein in seinem Büro gesessen.

»Um es gleich vorwegzunehmen«, fuhr er fort, »ich bin zu fast hundert Prozent sicher, dass keiner von ihnen etwas mit den Morden an Linville und an Mrs. Cooper zu tun hat. Der Name Melissa Cooper sagte ihnen überhaupt nichts, und ihre Ahnungslosigkeit schien mir echt. Andernfalls müssten alle drei brillante Schauspieler sein, und das kann ich mir nicht vorstellen. Sie haben meiner Ansicht nach nie erfahren, wer die Zeugen des Verbrechens damals waren, wie sie hießen und was sie im Einzelnen aussagten. Es war ja auch letztlich unerheblich für den Fortgang ihrer persönlichen Schicksale, da sie nicht aufgrund einer Zeugenaussage verhaftet und verurteilt wurden, sondern deshalb, weil einer von ihnen die Nerven verlor und selbst zur Polizei ging.«

»Was für Typen sind das? Ihrer Einschätzung nach?«

»Meiner Ansicht nach waren das damals dumme, gelangweilte Jungs, die einen Kick suchten, der dann ganz fatal danebenging und in eine Tragödie mündete. Die waren nicht einmal sauer, als einer von ihnen zur Polizei ging, die anderen beiden hätten über kurz oder lang dasselbe getan. Die waren fix und fertig und völlig geschockt. Und jetzt sind sie vollständig geläutert. Der Knast war eine harte Erfahrung, und sie wollen niemals wieder in die Nähe von Polizei und Justiz geraten. Alle drei gerieten sie fast in Panik, als ich meinen Dienstausweis zeigte.«

»Haben sie Arbeit?«

»Einer lebt ja hier in Scarborough, er hat das väterliche Kücheneinrichtungsgeschäft übernommen. Von den beiden anderen in Hull ist der eine im Moment arbeitslos, der andere hält sich als Hilfsarbeiter auf Baustellen über Wasser. Er ist verheiratet und Vater eines einjährigen Sohnes. Ich habe mir von allen die Akten kommen lassen und durchgearbeitet. Im Gefängnis haben sie mustergültiges Benehmen gezeigt. Nach der Entlassung auf Bewährung haben sie versucht, ihr Leben in den Griff zu bekommen. Keinerlei Auffälligkeiten.«

Caleb musste zugeben, dass dies tatsächlich nicht so klang, als wäre einer von ihnen oder alle drei hingegangen und hätten zwei Menschen grausam zu Tode gefoltert. Im Grunde hatte er jedoch nichts anderes erwartet. Mehr denn je hielt er Shove für den Täter.

»Okay«, sagte er, »dann dürfte dieser Überfall hier innerhalb unserer derzeitigen Geschichte wohl wirklich nur insofern relevant sein, als er zu der ersten Begegnung zwischen Melissa Cooper und DCI Linville geführt hat. Trotzdem, Robert, überprüfen Sie noch einmal mögliche Querverbindungen. Vor allem zu Shove. Alle vier saßen sie im Gefängnis in Hull. Sie könnten einander dort kennengelernt und hinterher gemeinsame Sache gemacht haben. Obwohl ich das für unwahrscheinlich halte. Aber immerhin bleibt eine Auffälligkeit: Im Fall Shove spielte Linville eine entscheidende Rolle. Im Fall der drei Jugendlichen spielten Linville *und* Melissa Cooper eine Rolle – wenngleich in äußerst untergeordneter Form. Trotzdem, sollte sich jetzt eine Bekanntschaft herausstellen, müssen wir uns die Jungs noch einmal sehr genau vornehmen.«

»Sir, ich habe für heute Nachmittag einen Termin bei der Gefängnisleitung in Hull«, sagte Robert. »Ich werde genau diese Frage abklären.«

»Und sicherheitshalber suchen Sie bitte auch noch die anderen Zeugen des damaligen Überfalls auf. Alle, die vernommen wurden. Ich möchte nicht, dass sie dasselbe Schicksal erleiden wie Melissa Cooper. Wir müssen wissen, ob auch sie seltsame Vorkommnisse in ihrem Leben beobachtet haben – Sie wissen schon, Anrufe, Verfolgungen, das Gefühl, beobachtet zu werden.«

»Alles klar«, sagte Robert.

»Sir, ich bin die Akte Shove dezidiert durchgegangen«, meldete sich Jane zu Wort. Sie trat einen Schritt zur Seite und warf ihre Tüte, die noch zu drei Vierteln mit Fritten gefüllt war, in einen Abfallkorb. Caleb seufzte leise.

»Und?«

»Leider kein Hinweis auf Melissa Cooper. DCI Linville hat Shove gejagt und schließlich gefasst. Denis Shove hat unmittelbar nach seiner Verhaftung und auch noch im Gerichtssaal geschworen, sich an Linville zu rächen. Sonst erwähnte er niemanden, aber meiner Meinung nach heißt das nicht zwingend, dass er nicht auch vorhatte, Freunde und Familienmitglieder von Linville in seinen Rachefeldzug miteinzubeziehen.«

»Woher sollte er denn von Melissa Cooper wissen?«, fragte Robert.

»Shove saß ziemlich lange im Gefängnis«, meinte Caleb. »Von irgendeiner Seite kann er durchaus gehört haben, dass Linville ein Verhältnis mit Melissa Cooper hatte. Man weiß zum Beispiel nicht, wie weit die Geschichte auch unter den Strafvollzugsbeamten in Hull ihre Runde gemacht hatte.«

Robert blickte höchst zweifelnd drein.

Caleb dachte daran, dass man bei Scotland Yard in London über sein Alkoholproblem Bescheid wusste. Er hielt inzwischen nichts mehr für ausgeschlossen.

»Nur die Reihenfolge«, murmelte er, »die stimmt nach wie vor nicht. Weshalb nicht Cooper zuerst? Nur dann hätte er Linville erschüttern und quälen können.«

»In dieser Frage drehen wir uns ständig im Kreis«, meinte Robert.

Was sehe ich noch nicht, fragte sich Caleb, irgendetwas hakt, und ich kann es nicht sehen.

Er sprach einen anderen Punkt an. »Sagt uns der Name *Neil Courtney* etwas? Gibt es in Shoves Umfeld jemanden, der so heißt und dessen Namen er angenommen hat? Oder hat er ihn ganz willkürlich gewählt?«

»Dazu konnte ich in der Akte nichts finden«, sagte Jane, »aber ich bleibe dran.«

»Ich werde die Namensfrage auch im Gefängnis zur Sprache bringen«, sagte Robert. »Vielleicht war ein Neil Courtney ja eine Knastbekanntschaft von ihm. Übrigens kehrt die Psychologin, die Shove betreut hat, dieses Wochenende zurück. Wir wollten sie ja auf jeden Fall befragen. Ich kann sie heute noch nicht sprechen, werde aber am Montag mit ihr telefonieren.«

»Sehr gut. Jane, noch irgendwelche Erkenntnisse aus der Durchsuchung der Wohnung in Leeds?«

Jane schüttelte bedauernd den Kopf. »Nichts, was uns wirklich weiterbringt. Von Shove haben wir außer ein paar Klamotten überhaupt nichts gefunden. Weder Briefe noch Papiere noch sonst irgendetwas. Die Spezialisten untersuchen noch Thereses Computer, aber wie es scheint, wurde auch der nur von ihr benutzt.«

»Shove ist eine ziemliche Schattengestalt geblieben«, stellte Caleb fest.

»Das musste er«, sagte Robert. »Nach dem Mord an Linville hatten wir ihn auf dem Radar, und das war ihm klar.«

»Was wissen wir über Therese Malyan?«, fragte Caleb.

»Irgendwie«, sagte Jane, »kommt auch sie mir ein bisschen wie eine Schattengestalt vor. Anhand der Wohnung ist nicht viel über sie herauszufinden. Wie gesagt, der Computer wird noch ausgewertet, aber erste Erkenntnisse über ihren E-Mail-Verkehr und den Besuch verschiedener Websites sagen nicht wirklich etwas über sie aus. Sie scheint nicht viel Kontakt nach außen zu haben, ist vermutlich tatsächlich eine ziemlich verlorene Person. An einer Pinnwand in der Küche hängen ein paar Ansichtskarten, die ihr Bekannte aus diversen Ferienorten geschrieben haben, aber laut Poststempel ist das auch schon länger her. In einer Schublade im Schlafzimmer haben wir Kinderfotos gefunden.«

»Kinderfotos?«

»Ja. Sie zeigen einen etwa einjährigen Jungen. Keine Ahnung, um wen es sich handelt, vielleicht um das Kind einer Freundin? In der Wohnung gibt es keinen Anhaltspunkt dafür, dass dort ein Kind wohnen könnte, überdies hätten das ihre beiden Freundinnen aus der oberen Wohnung ja auch gemerkt.«

»Haben Sie mit den Eltern telefoniert?«

»Ja. Laut ihrer Aussage ist Therese nicht bei ihnen, und sie haben seit drei Jahren keinerlei Kontakt. Sie wussten nicht einmal, dass sie in Leeds lebt. Entsprechend natürlich auch nicht, dass sie einen Lebensgefährten hat. Weder den Namen *Neil Courtney* noch den Namen *Denis Shove* haben sie je gehört.«

»Ein ziemlich radikaler Bruch innerhalb dieser Familie, finde ich«, sagte Caleb. »Und das wirklich nur, weil die Tochter die Schule geschmissen hat?«

Jane zuckte mit den Schultern. »Manche Eltern verzeihen so etwas nicht.«

»Wer ist diese Therese Malyan wirklich?«, fragte Caleb nachdenklich. »Das naive Ding, als das Helen Jefferson sie beschrieben hat? Eine ziemlich einfältige junge Frau, die sich von einem Kriminellen ausnutzen lässt, ohne hinter seine Fassade zu schauen? Oder wusste sie, mit wem sie sich eingelassen hat? Und ist zu seiner Komplizin geworden?«

»Schwer zu sagen.« Jane überlegte. »Etwas einfach ge-strickt scheint sie zu sein«, meinte sie dann. »Sie hat ein ganzes Bücherregal voll schlichtester Liebesromane. Mills & Boone-Hefte ohne Ende. Sie wissen schon, das sind die mit den Covern, auf denen schöne, junge Frauen in den Armen starker Männer liegen und von ihnen gerade aus irgendeiner Gefahr gerettet werden.«

»Klingt ein wenig so, als flüchte Therese gerne aus dem öden Dasein in eine Scheinwelt, oder?«

»Zweifellos. Darin liegt der Reiz dieser Hefte. Als Frau weiß man, dass man in der Wirklichkeit nie so traumhaft schön und begehrenswert sein wird wie die Mädchen in den Geschichten. Und auf so starke, kühne, ritterliche Män-ner trifft man in der Realität auch höchst selten. Eher nie«, fügte Jane noch bedauernd hinzu.

»Zumindest hat sie mit Denis Shove gründlich daneben-gegriffen. Falls sie ihn ursprünglich für einen Prinzen hielt, und so scheint sie es ja ihrer Umwelt gegenüber zu Anfang dargestellt zu haben.«

»Noch etwas ist mir aufgefallen«, sagte Jane, »und zwar, dass sie entweder sehr überstürzt ihre Wohnung verlassen hat oder zumindest nicht vorhatte, längere Zeit wegzublei-ben. Keine leeren Bügel in ihrem Kleiderschrank, rand-voll gefüllte Wäscheschubladen in der Kommode. Ich habe nicht den Eindruck, dass sie etwas zum Anziehen oder we-nigstens zum Wechseln eingepackt hat.«

»Das würde mit Helen Jeffersons Aussage übereinstim-men«, meinte Caleb. »Sie ist ja sicher, dass mitten in der Nacht eine heftige Auseinandersetzung zwischen Shove und Therese stattfand. Und dass er tätlich wurde – was wohl nicht zum ersten Mal vorkam. Diesmal aber flüchtete sie. Weshalb er auch plötzlich ohne Auto dastand – jedoch dringend untertauchen musste. Weil er am Vortag Melissa Cooper ermordet hatte?«

»Oder weil er am Morgen sein Bild in der Zeitung sah«, gab Robert zu bedenken.

»Sir, darf ich etwas vorschlagen«, meldete sich Jane erneut. Caleb hatte die ganze Zeit über schon das Gefühl gehabt, dass ihr noch etwas auf dem Herzen lag.

»Ja?«

»Ich würde gern mit Therese Malyans Eltern direkt sprechen. Ich hatte bei dem Telefonat das Gefühl ... Es war seltsam, aber ich hatte den Eindruck, als sagten sie mir nicht alles. Ich kann das nicht logisch begründen, aber es war für mich intuitiv erfassbar. In der Familie stimmt etwas nicht, und möglicherweise eröffnet es uns einen neuen Anhaltspunkt, wenn wir herausfinden, was dort los ist.«

»Die leben in Truro!«

»Ich weiß. Ich könnte über das Wochenende hinfahren.«

»Ich wollte ohnehin die Kollegen in Cornwall bitten, die Familie zu überprüfen. Falls sie entgegen ihrer Aussage Therese doch bei sich verstecken. In diesem Fall sind sie nämlich möglicherweise auch in Gefahr.«

»Aber die Kollegen vor Ort können nicht herausfinden, worin das Problem bei den Malyans besteht. Dafür sind sie mit dem Fall nicht vertraut genug. Ich wäre da besser geeignet«, beharrte Jane.

»Können Sie denn zwei Tage weg? Ich meine wegen Dylan ...«

»Ich kriege das schon organisiert. Vielleicht kann ich ja doch mal bei Sean nachfragen«, sagte Jane. Sie lächelte, wirkte dabei jedoch angestrengt und verkrampft. Zwei Tage Abwesenheit von zu Hause konnten nicht einfach für sie sein, aber Caleb verbot sich eine weitere Bemerkung. Jane war erwachsen. Sie musste wissen, was sie tat. »Okay«, meinte er daher und blickte auf seine Uhr. Es wurde für sie alle Zeit weiterzuarbeiten. Ende der Mittagspause. »Dann fährt Robert jetzt nach Hull ins Gefängnis. Bericht darüber möglichst noch heute Abend, Robert. Und, Jane, tun Sie mir einen Gefallen: Suchen Sie noch einmal Kate Linville auf. Ich mache mir Sorgen.«

»Um ihre Psyche, Sir?«

»Ja. Aber auch ganz konkret. Wenn es zu Shoves Racheplan gehört, all jene Menschen umzubringen, die Linville nahestanden, dann müsste man zweifellos seine Tochter in die Reihe der Gefährdeten aufnehmen. Insbesondere, wenn ihm die Reihenfolge, in der er seine Opfer aufsucht, egal ist.«

»Was soll Kate Linville tun?«, fragte Jane.

»Am liebsten wäre es mir, sie würde endlich nach London zurückkehren«, entgegnete Caleb, »um wieder ihr altes Leben und ihren Beruf aufzunehmen. Ich wüsste sie zumindest tagsüber lieber in den Räumen von Scotland Yard als ständig hier im Haus ihres Vaters. Sie sitzt dort wie auf dem Präsentierteller.«

»Ich rede mit ihr«, versprach Jane. Sie machte sich kaum Hoffnung, aber das behielt sie für sich. Zudem sah sie sich in ihrer Vermutung bestätigt, dass zwischen Kate und dem Chef irgendetwas vorgefallen war. Seit der vorletzten Nacht. Das war wieder so etwas, das sie nur schwer hätte begründen können, aber ihre Intuition sprach eine deutliche Sprache. Und normalerweise hätte Caleb Kate selbst aufgesucht. Stattdessen schickte er nun seine Mitarbeiterin vor.

Jetzt blickte auch Robert auf seine Uhr. »Ich muss los. Ist ein ganzes Stück bis Hull.«

»Und ich fahre direkt nach Scalby«, sagte Jane, »und rede

mit Kate. Dann habe ich noch Zeit, daheim alles vorzubereiten und morgen in aller Frühe nach Truro aufzubrechen. Und Sie, Sir?«

»Ich lasse hier noch einen Moment den Ort auf mich wirken«, erklärte Caleb, »und hänge meinen Gedanken nach.«

Er sah den beiden nach, die zu ihren Autos gingen. Fragte sich, ob sie ihm seine Behauptung abgekauft hatten, und zuckte schließlich mit den Schultern. Egal.

Dann ging er zu der Fischbude und tat, worauf er die ganze Zeit gewartet hatte: Er kaufte sich eine weitere Portion Pommes frites.

2

Sie hieß Sue Burley, wohnte noch immer in Whitby und erinnerte sich gleich an Melissa Cooper. Auch auf den Namen *Linville* reagierte sie sofort.

»Mein Gott, ja, das war ein Drama. Richard Linville. Eine unheilvolle Geschichte. Wurde er nicht *ermordet*? Und Sie sind seine Tochter?«

»Ja, die bin ich«, sagte Kate. Sie hatte Sues Namen und ihre Adresse von Michael Cooper bekommen, den sie verabredungsgemäß wegen der Freundinnen seiner Mutter aus früheren Zeiten angerufen hatte. Ihm war nur noch Sue Burley eingefallen, aber er meinte, sie werde weitere Namen nennen können.

»Und ich hoffe, sie lebt noch in Whitby«, hatte er hinzugefügt. »Ich habe seit endlosen Zeiten nichts mehr von ihr gehört, und soweit ich weiß, hatte auch meine Mutter keinen Kontakt mehr.«

Kate hatte die Telefonnummer im Internet recherchiert und zu ihrer Erleichterung die Gesuchte sofort am Apparat gehabt. Noch dazu entpuppte sich diese als äußerst redselig und frei von jeglichem Misstrauen.

»Wie geht es Melissa denn?«, fragte sie schließlich.

Viele Zeitungen hatten von dem Verbrechen berichtet, aber nur einige wenige hatten den vollen Namen des Opfers genannt. Offensichtlich hatte Sue Burley noch nicht die richtigen Schlüsse gezogen.

Sowohl in ihrem beruflichen Alltag als Polizistin als auch im Privatleben hasste es Kate, schlechte Nachrichten überbringen zu müssen, aber es half nichts.

»Melissa Cooper wurde ebenfalls ermordet. Gestern. Von vermutlich demselben Täter, der auch meinen Vater auf dem Gewissen hat.«

Fassungsloses Schweigen am anderen Ende der Leitung. Dann hektisches Atmen.

»*Was*?«, fragte Sue entsetzt.

»Mrs. Burley, ich weiß, das muss Sie jetzt in diesem Moment alles überfordern. Auch ich bin ... ziemlich durcheinander. Erst im Zusammenhang mit dem gestrigen Verbrechen habe ich erfahren, dass mein Vater ... dass er eine Affäre hatte. Mit Melissa Cooper. Zuvor hatte ich keine Ahnung und auch den Namen noch nie gehört.«

»*Ermordet*?«, fragte Sue.

Kate erkannte, dass im Augenblick konkrete Sondierungsversuche keinen Sinn hatten. Sue war nicht wirklich gesprächsfähig.

»Mrs. Burley, wenn Sie Zeit hätten ... Ich würde Sie gerne in Whitby besuchen. Nur für eine Stunde vielleicht. Ich muss mehr über all das herausfinden. Nicht über das Verbrechen, dies aufzuklären überlasse ich natürlich der

Polizei«, beeilte sie sich hinzuzufügen. *Falls* Caleb Hale auch noch auf diese Freundin des Mordopfers stieß, sollte er nicht sofort hören, hier sei bereits jemand gewesen und habe polizeilich ermittelt. Diesmal, das schwante ihr, würde es nicht bei der bloßen Drohung mit einer Dienstaufsichtsbeschwerde bleiben. »Ich bin nur so durcheinander wegen dieser … Liaison. Das Bild, das ich von meinem Vater hatte, ist komplett verändert. Ich muss versuchen, ihn zu *verstehen*.«

»Aber wer könnte denn Ihren Vater und Melissa ermordet haben? Das ergibt doch keinen Sinn.«

»Hätten Sie morgen Nachmittag Zeit?«, fragte Kate sanft.

Es gelang ihr schließlich, mit der völlig erschütterten Sue Burley einen Termin um drei Uhr zu vereinbaren und sie sogar zu bewegen, eine weitere Freundin von Melissa dazu einzuladen. Dann beendete sie das Telefonat. Sue musste jetzt erst einmal den Schock verarbeiten.

Sie beschloss gerade, sich mit einem kühlen Getränk auf die Terrasse zu setzen, als es an der Haustür klingelte. Ganz kurz keimte in Kate die Hoffnung – und zugleich die Furcht –, es könnte Caleb Hale sein, der sie besuchte. Aber es war Jane Scapin.

Caleb Hale hatte sich ganz klar zurückgezogen.

»Ich dachte einfach, ich schaue mal nach Ihnen«, sagte Jane. Kate hatte sie auf die Veranda gebeten und ihr ein Mineralwasser mit Eis und Zitrone in die Hand gedrückt, das Jane nur zu gerne annahm. Der Tag war wirklich richtig heiß geworden. Die Luft stand.

»Hat Caleb Sie geschickt?«, fragte Kate.

Jane zögerte kurz, nickte dann aber. »Ja. Er macht sich Sorgen.«

»Muss er nicht.«

»Er tut es aber. Sie gehen ohnehin durch eine schwere Zeit, und diese Entdeckung über das … nun, die Geschichte aus dem Leben Ihres Vaters … Das macht es nicht leichter.«

»Nein. Aber wenn er das versteht, müsste Caleb auch verstehen, dass ich nicht die Hände in den Schoß legen kann. Ich will nicht in seinem Fall herumpfuschen, Jane. Aber ich muss wissen, was meinen Vater mit Melissa Cooper verbunden hat. Ich muss versuchen, diese Geschichte mit seinen Augen zu sehen und nachzuvollziehen. Damit ich wieder Frieden mit ihm schließen kann.«

»Ich verstehe das«, sagte Jane. »Und Caleb auch. Aber das Ganze lässt sich von der polizeilichen Ermittlungsarbeit nur schwer trennen, das ist das Problem. Caleb möchte vor allem nicht, dass Sie in Gefahr geraten.«

»Was sollte mir passieren?«

»Caleb macht sich Gedanken wegen Denis Shove. Wenn er der Täter ist, dann hatte er ein Motiv, Ihren Vater zu töten, aber er hatte keines für Melissa Cooper. Zumindest kennen wir es nicht, und daher müssen wir davon ausgehen, dass er in seinem Hass von dem Wunsch getrieben wird, auch Menschen zu verfolgen, die Ihrem Vater nahestanden.«

»Und dazu gehöre zweifellos auch ich«, schlussfolgerte Kate.

Jane nickte. »So ist es.«

»Ja, aber das ändert sich auch nicht, wenn ich nun gar nichts mehr tue. Selbst wenn ich nach London zurückkehre …«

Jane lehnte sich vor. London. Ihr Stichwort. »Sie wären sicherer. Ich meine, Sie verbringen dort immerhin einen Großteil Ihrer Zeit im Gebäude von Scotland Yard. Kein schlechter Ort in Ihrer Situation.«

»Ich schlafe dort nicht. Ich bin dort nicht an den Wochenenden. Kommen Sie, Jane! Wenn Shove mich umbringen will, kann er es in London genauso gut tun wie hier.«

»Er ist aber noch in Yorkshire. Und im Moment kann er sich kaum bewegen.«

Sofort setzte sich Kate aufrecht hin, spannte ihre Muskeln. »Gibt es etwas Neues von ihm? Bislang schien er ja wie vom Erdboden verschluckt.«

Jane zögerte. Schließlich entschied sie, die Geschichte zumindest in Teilen zu erzählen. Im Zuge der Fahndung würde einiges ohnehin in der Zeitung erscheinen.

Sie ließ die Namen der beteiligten Personen weg, berichtete nur, dass Shove eine Frau aus Leeds überfallen und deren Auto geklaut hatte, dass er es aber wegen der intensiven polizeilichen Suche nach ihm kaum riskieren konnte, mit diesem Auto bis nach London zu fahren.

»Er kann nur in ein nahegelegenes Versteck geflohen sein. Alles andere wäre Wahnsinn in seiner Lage. Zumal wir nun auch eine aktuelle Beschreibung von ihm haben. Er hat einiges getan, um sich äußerlich zu verändern, aber damit ist er jetzt ebenfalls aufgeflogen. Er muss vorerst Ruhe geben. Shove ist zu schlau, um unkalkulierbare Risiken einzugehen.«

»Dann wird er auch nicht hierherkommen und mir den Schädel einschlagen«, meinte Kate.

Jane schüttelte den Kopf. »Die Wahrscheinlichkeit, dass Scalby in der Nähe des Ortes liegt, an dem er sich aufhält, ist viel größer. London ist sicherer.«

Kate aber war mit ihren Gedanken schon weiter. »Er überfällt eine Frau und kapert ein Auto. Unmittelbar nach Melissa Coopers Ermordung. Das dürfte Calebs Theorie erhärten, dass Shove der Täter ist.«

»Ja. Aber auch in meinen Augen und in denen der Kollegen gewinnt diese Theorie stark an Gewicht.«

Eine Weile schwiegen sie beide, tranken ihr Wasser, hingen ihren Gedanken nach. Irgendwo in der Ferne brummte ein Flugzeug, ansonsten lag der heiße Nachmittag in völliger Stille. Schließlich sagte Jane: »Okay, Kate, Sie wissen Bescheid. Niemand kann Sie zwingen, Scalby zu verlassen, aber wenn Sie bleiben – dann seien Sie wenigstens vorsichtig. Und strecken Sie Ihren Kopf nicht zu weit vor.«

»Versprochen«, sagte Kate.

Jane stellte ihr Glas ab. »Ich muss gehen. Ich verreise beruflich über das Wochenende und muss noch eine Menge organisieren.«

Dylan vermutlich war es, der *organisiert* werden musste. Kate fasste sich ein Herz. Sie wusste, dass sie schließlich deshalb mit anderen Menschen so selten warm wurde, weil sie es nie wagte, persönlich zu werden. »Sie … sind geschieden?«

Jane nickte. »Seit einigen Jahren. War eine jung geschlossene und leider schnell beendete Ehe.«

»Das tut mir leid.«

»Na ja, wer ist heute nicht geschieden? Ich komme ganz gut klar.«

Bei sich dachte Kate, dass es schwierig und anstrengend sein mochte, *ganz gut klarzukommen,* etwa vor jedem Termin und jeder Reise eine Kinderbetreuung finden zu müssen, aber es bedeutete auch, dass man gebraucht wurde und nicht allein war. Sie selbst konnte kommen und gehen, wie sie wollte. Es gab niemanden, für den ihre Anwesenheit notwendig und wichtig gewesen wäre.

Sie begleitete ihren Gast zur Haustür. Während sie den Flur entlanggingen, kam ihr in den Sinn, dass sie schon lange nicht mehr mit einer anderen Frau so zusammengesessen, etwas getrunken und auf einer beinahe privaten Ebene mit ihr gesprochen hatte. Auch wenn Jane von Caleb geschickt worden war, hatte Kate doch den Eindruck gehabt, dass sie sich ebenfalls ernsthafte Gedanken machte. Jane war besorgt um sie. Außer von ihren Eltern war Kate dieses Gefühl nie von anderen Menschen entgegengebracht worden, und sie merkte, dass Janes fast freundschaftliches Verhalten sie mit Wärme erfüllte. Zudem war sie es nicht gewohnt, von einer Kollegin gleichberechtigt und respektvoll behandelt zu werden. Die Leute, mit denen sie im Yard zusammenarbeitete, verdrehten meist die Augen, wenn sie etwas sagte, runzelten die Stirn oder seufzten unüberhörbar. Immer vermittelten sie ihr den Eindruck, dass sie seltsame Dinge sagte, dass alles, was von ihr kam, auf irgendeine Weise falsch war – und wenn nicht falsch, dann doch zumindest befremdlich. Jane hingegen hörte ihr aufmerksam zu und schien sie zu verstehen.

An der Haustür sprang Kate zum zweiten Mal innerhalb weniger Minuten über ihren Schatten. »Wie geht es Caleb? Als ich ihn zuletzt sah, war er sehr ärgerlich auf mich.«

Jane lächelte. »Wenn er nur einfach ärgerlich wäre, würde er sich nicht so viele Gedanken um Sie machen. Dieser Fall stresst ihn ungeheuer, vor allem, weil es sich bei dem ersten Opfer um einen Kollegen handelt. Dass die Tochter dieses Kollegen ebenfalls Polizistin ist und daher naturgemäß die ganze Angelegenheit auch durch die berufliche Brille betrachtet und entsprechend agiert, macht es nicht einfacher. Er hat, glaube ich, die Sorge, selbst zu vieles miteinander zu vermischen. Er muss Sie von der Ermittlungsarbeit fernhalten, aber zugleich hat er größtes Verständnis dafür, dass Sie beteiligt sein wollen.«

»Von dem Verständnis konnte ich nicht allzu viel merken«, entgegnete Kate, aber im Grunde wusste sie, dass Jane recht hatte: Caleb *war* verständnisvoll. Er hatte sie von Anfang an stärker eingebunden, als er es hätte tun müssen.

»DCI Hale ist in Ordnung«, sagte Jane, »auch als Chef.«

»Ich weiß, dass er große Probleme hatte«, sagte Kate vorsichtig.

Jane sah sie scharf an. »Das ist bis zu Scotland Yard vorgedrungen?«

»Wohl im Zusammenhang mit der Ermordung meines Vaters. Mein Chef hat sich über den leitenden Ermittler informiert, und dann ... ist das irgendwie durchgesickert.«

»Das ist alles nicht leicht für Hale. Solche Dinge sickern eben *immer* durch. Das weiß er natürlich auch.«

»Hat ihn seine Frau deswegen verlassen? Wegen seines ... Problems?«

»Man sagt es, ja. Aber er spricht nie darüber, daher kenne ich auch nur den Tratsch.«

Kate wollte es einfach wissen. »Wie war sie? Seine Frau, meine ich.«

Jane überlegte. »Sympathisch«, meinte sie dann, »und sehr attraktiv.«

Kate spürte förmlich, wie ihre Schultern nach vorn sanken. Klar. Was hatte sie denn gedacht? Dass Caleb Hale ein so unscheinbares Wesen geheiratet hatte, wie sie selbst es war?

Und warum interessiert mich das überhaupt?, fragte sie sich gleich darauf.

Jane musterte sie nachdenklich, und Kate hatte plötzlich das ungute Gefühl, dass die junge Frau ziemlich feine Sensoren und ein gutes Gespür für andere Menschen hatte.

»Jane«, sagte sie rasch, vor allem, um das Thema zu wechseln und nicht länger über Caleb zu sprechen, »dürfte ich Sie um etwas bitten?«

»Worum geht es?«

»Ich will Sie keinesfalls in Schwierigkeiten bringen, aber könnten Sie mir Bescheid sagen, wenn Sie etwas über Melissa Cooper herausfinden, das Licht in die Beziehung zu meinem Vater bringt? Nichts, was den Fall betrifft, natürlich. Aber Sie könnten auf Erkenntnisse auf der rein privaten Ebene stoßen, und vielleicht …«

»Die private Ebene wird sich womöglich von dem Fall selbst nur schwer trennen lassen«, meinte Jane. »Aber ich verstehe Ihren Wunsch, Kate. Wenn ich den Eindruck habe, ich kann Ihnen etwas erzählen, ohne dass dabei bestimmte Grenzen überschritten werden, dann melde ich mich bei Ihnen.«

»Danke«, sagte Kate. Sie wusste, Jane machte ihr ein großes Zugeständnis.

Die beiden Frauen verabschiedeten sich voneinander. Kate sah Jane nach, die in ihr altersschwaches Auto stieg und wegen der Hitze sofort alle Fenster hinunterließ.

Als sie davonfuhr, spürte sie ein Bedauern: Sie hätte sich gern länger mit ihr unterhalten. Wenn es schon keinen Mann in ihrem Leben gab, so wäre eine gute Freundin nicht die schlechteste Alternative.

Wobei sie natürlich keine Ahnung hatte, ob sich eine Freundschaft mit Jane Scapin aufbauen ließe. Falls sie selbst überhaupt in Yorkshire bliebe.

Es war im Moment einfach alles offen in ihrem Leben.

Der Durst, verbunden mit dem Eindruck, dass überhaupt niemand daran dachte, sich um die Gefangenen zu kümmern, machte Stella mehr zu schaffen als die Sorge um Jonas. Sie schämte sich dafür, jedoch nicht allzu sehr, denn auch zum Schämen reichten ihre Energien nicht mehr wirklich aus. Sie hatte eine furchtbare Nacht hinter sich, war irgendwann auf dem unbequemen Sofa zwar eingeschlafen, in den allerersten Morgenstunden jedoch schon wieder erwacht, mit steifen, schmerzenden Knochen, frierend trotz der kratzigen Wolldecke, und mit einem ausgetrockneten Hals, den sie immer nach dem Schlafen hatte, weswegen stets eine Flasche Wasser neben ihrem Bett stand. Hier gab es kein Wasser, was ihr auch sofort klar war, denn ihr Erwachen kam nicht zögernd und schläfrig. Sie war von einer Sekunde zur nächsten absolut da, klar und wissend um ihre Situation. Neben ihr lag Sammy, der im Laufe der Nacht aus ihrem Arm gerutscht war und nun zusammengerollt wie eine Katze in der Sofaecke schlief. Sie hoffte, dass sein Schlaf noch lange dauern würde.

Anhand der Helligkeit, die durch das Fenster einsickerte, konnte sie erkennen, dass der Tag kam. Sonnenstrahlen fielen in das Innere der Scheune und ließen den Staub flimmern. Ein wunderschöner Sommertag, soweit Stella das einschätzen konnte. Sie dachte daran, dass sie heute alle zusammen hatten zum Baden fahren wollen. Ihr letzter Tag sozusagen. Am Samstag hätten sie gepackt und alles saubergemacht. Und am Sonntag wären sie aufgebrochen.

Es hätte alles so gut laufen können.

Vorsichtig, um Sam nicht zu wecken, war sie aufgestanden und hatte sich erneut in der Scheune umgesehen, diesmal nicht auf der Suche nach einer Decke, sondern nach irgendetwas, womit sich das Fenster erreichen ließe. Es einzuschlagen und gegebenenfalls um Hilfe zu rufen, kam Stella im Moment als die einzige vage Chance vor. Dass es keine Leiter gab, hatte sie am Vortag schon festgestellt. Aber vielleicht fand sie etwas, das sich als Leiter benutzen ließe.

Das Ergebnis war ziemlich ernüchternd: Es bliebe ihr nur, verschiedene Möbelstücke und Kisten übereinanderzustapeln und damit einen wackeligen Turm zu bauen. Ob der sie trug, schien höchst fraglich. Ein Sturz aus der Fensterhöhe würde gebrochene Knochen mit sich bringen. Stand das Risiko in einem vernünftigen Verhältnis zu der vagen Möglichkeit, dass Wanderer vorbeikamen, die man auf sich aufmerksam machen konnte?

Noch während sie dies überlegte, war Sammy aufgewacht, und er hatte sofort angefangen, über Durst zu klagen. Schließlich brach er in Tränen aus.

»Ich will etwas zu trinken«, schluchzte er, »Mummy, ich habe so schrecklichen Durst!«

»Schatz, ich bin sicher, sie bringen uns bald etwas«, tröstete Stella. »Wahrscheinlich bereiten sie schon ein ganz tolles Frühstück für uns vor. Es ist ja noch früh am Morgen.«

Tatsächlich war der Morgen zu diesem Zeitpunkt schon ziemlich weit fortgeschritten. Es wurde elf Uhr, zwölf. Dann war es nach eins, nach zwei. Noch immer hatte sich niemand blicken lassen, allerdings hatte Stella auch nichts gehört, was darauf hätte schließen lassen, dass Neil und Terry das Weite gesucht hatten. Anders als mit dem Auto kam man von hier nicht weg, höchstens noch mit dem Fahrrad, und alle Räder standen in der Scheune. Ein Motorengeräusch war nicht zu vernehmen gewesen.

Wahrscheinlich liegen die stundenlang im Bett, dachte Stella voller Wut, und uns lassen sie leiden.

Während die Nachmittagsstunden voranschlichen, musste sie zunehmend ihre Energie darauf verwenden, das aufkeimende Gefühl echter Panik in sich immer wieder zurückzudrängen. Es brachte nichts, wenn sie die Nerven verlor und durchdrehte, im Gegenteil, es würde die ganze Situation nur verschlimmern. Sie musste stark bleiben für Sammy. Der kleine Junge war zum Glück irgendwann wieder eingeschlafen, nachdem er zwischendurch dringend auf die Toilette gemusst und schließlich in eine Ecke der Scheune gepinkelt hatte. Nun lag er zusammengekauert wie ein Embryo auf dem Sofa. Die wirren blonden Haare standen struppig von seinem Kopf ab, auf seinem geröteten Gesicht glänzten noch immer Tränenspuren. Die Augenlider waren dick geschwollen, die Lippen aufgesprungen.

Die können doch nicht ein Kind verdursten lassen, dachte Stella immer wieder, und noch dazu ist es *Terrys Kind*!

Irgendwann kauerte auch sie wieder auf dem Sofa, apathisch und hilflos. Sammy wachte auf, und das Erste, was er sagte, war: »Ich habe Durst!«

Sie strich ihm über die Haare. »Ich auch, Sammy, ich auch.«

Um fünf Uhr endlich konnten sie hören, dass sich jemand an dem Türschloss zu schaffen machte. Stella sprang auf. Die Tür öffnete sich, und Terry erschien auf der Schwelle. Sie trug einen Korb in der Hand, Stella erkannte ihn als den geflochtenen Strohkorb, der immer in der Ecke auf der Küchenbank gestanden hatte. Hinter Terry war ein Stück strahlendblauer Himmel zu sehen.

»Hallo«, sagte Terry, »ich wollte euch etwas zu essen und zu trinken bringen.«

Stella lag eine scharfe Antwort auf den Lippen, mehr noch die ironische Frage, ob sie nicht noch etwas später hätte erscheinen können, aber sie schluckte die Bemerkung hinunter. Terry war im Augenblick der Mensch, auf den sie zumindest eine Spur von Hoffnung richten konnte. Sie musste versuchen, sie zu ihrer Verbündeten zu machen, und es hatte daher wenig Sinn, sie gleich in der ersten Minute vor den Kopf zu stoßen.

»Wir sind furchtbar durstig«, sagte sie nur.

»Das kann ich mir denken«, meinte Terry. Sie klang mitfühlend. »Es ist ein unglaublich heißer Tag. Obwohl«, sie zog fröstelnd die Schultern zusammen, »hier drinnen ist es trotzdem ganz schön kühl.«

»Wie geht es Jonas?«, fragte Stella. »Haben Sie sich um ihn gekümmert?«

»Oh, er ist ganz gut beieinander«, behauptete Terry. Stella hätte nicht genau zu sagen gewusst, woran es lag, aber sie hatte den Eindruck, dass Terry plötzlich unecht klang. Dass sie log.

»Sie sind sicher, dass er lebt?«, hakte sie daher nach.

»Natürlich bin ich sicher. Klar.«

»Und dass er nicht doch in ein Krankenhaus müsste? Wahrscheinlich hat er doch ziemlich viel Blut verloren?«

»Neil hat alles im Griff«, sagte Terry. »Machen Sie sich keine Sorgen.«

Ihre Bereitschaft, Neil für den lieben Gott zu halten, schien ungebrochen. Zunehmend deprimiert erkannte Stella, dass Terry völlig anders tickte als sie selbst und alle Menschen, die sie sonst kannte. Sie stand da mit ihrem zerschlagenen Gesicht, das sie Neil verdankte, sie hatte inzwischen erlebt, dass er einen anderen Mann niedergeschossen, dessen Frau und Kind in eine Scheune gesperrt hatte. Womöglich wusste sie mittlerweile auch, dass er eigentlich gar nicht Neil Courtney hieß und dass er wegen des Mordes an einem Polizisten gesucht wurde. Selbst ihrem Spatzenhirn musste klar geworden sein, dass sie es bei ihrem Lebensgefährten mit einem gefährlichen Kriminellen zu tun hatte. Ungeachtet all dessen schien sie entschlossen, ihm weiterhin treu ergeben zu bleiben.

Eine Sekunde lang keimte in Stella der Gedanke, dass es ihr ein Leichtes wäre, auf Terry zuzuspringen, sie beiseitezustoßen und im nächsten Augenblick zur Tür hinaus zu sein. Sie wollte selbst nach Jonas sehen, wollte irgendetwas für ihn tun, am besten, ihn sofort ins Auto schaffen und ins nächste Krankenhaus bringen. Aber sogleich wurde ihr klar, wie aussichtslos ein solcher Versuch gewesen wäre. Sie hatte es nicht nur mit Terry zu tun. Da draußen lauerte Neil, die Scheunentür vermutlich fest im Blick, die entsicherte Waffe in der Hand. Stella durfte es nicht riskieren, auch noch schwer verletzt zu werden. Dann gab es überhaupt keine Chance auf Rettung mehr, für sie und Jonas nicht, vor allem aber auch nicht für Sammy.

Terry stellte den Korb auf eine Kiste. »Da sind zwei Flaschen Wasser drin. Ein Päckchen Toastbrot. Etwas Obst. Eine Tafel Schokolade. Vielleicht hat Sammy Lust darauf?« Sie lächelte den Kleinen an. Sammy erwiderte ihren Blick mit stummem Misstrauen.

»Terry«, sagte Stella, »was soll aus dieser Situation werden? Was hat Neil vor? Er kann uns schließlich nicht ewig hier in dieser Scheune einsperren.«

»Neil braucht jetzt erst einmal Zeit, um Pläne zu schmieden«, erklärte Terry. »Er befindet sich in einer sehr schwierigen Situation.«

»In der Tat. Er wird landesweit gesucht. Terry, er hat einen Polizisten ermordet. Sie machen hier gemeinsame Sache mit einem Schwerverbrecher.«

»Er hat diesen Polizisten nicht ermordet. Er wird unschuldig verdächtigt.«

»Sagt er!«

»Ich glaube ihm.«

»Aber wenn Sie ihm glauben, Terry, dann überreden Sie ihn, um Gottes willen, sich der Polizei zu stellen. Seine Unschuld wird sich erweisen, und dann hat er nichts zu befürchten. Aber wenn er jetzt diese Geschichte hier weiter durchzieht … Wenn Jonas an seiner Schussverletzung stirbt, dann hat Neil wirklich einen Mord auf dem Gewissen.«

»Die Polizei wird ihm nicht glauben, sagt Neil. Sie brauchen einen Schuldigen. Die wollen ihm etwas in die Schuhe schieben, um als großartige Ermittler dazustehen.«

Es war klar, dass Terry gerade genau den Text nachbetete, den Neil zuvor von sich gegeben hatte. *Ich bin ein Unschuldslamm und soll als Sündenbock herhalten!*

Gegenüber einer Frau wie Terry konnte er mit Geschichten über ehrgeizige Ermittler und deren rücksichtsloses Vorgehen gegen unbescholtene Bürger tatsächlich punkten. Sie schien es nicht weiter irritierend zu finden, dass Neil eine Waffe besaß und sofort auf Jonas geschossen hatte. Auch stellte sie sich offenbar nicht die Frage, wie es hatte geschehen können, dass er überhaupt auf dem Radar der Polizei war. Für gewöhnlich landete man dort nicht ohne jeden Grund.

»In der Zeitung steht, dass er acht Jahre lang im Gefängnis saß«, sagte Stella. »Er hat seine frühere Lebensgefährtin im Streit erschlagen.«

»Wir haben darüber gesprochen. Es war keine Absicht«, erklärte Terry. »Er wollte sie nicht töten.«

»Er wollte sie nicht töten? Terry, finden Sie es denn normal, dass ein Mensch einen anderen Menschen so schwer verletzt, dass dieser an den Folgen stirbt – selbst wenn er das nicht wollte?«

»Sie hat ihn provoziert.«

Es war zum Verzweifeln.

»Er hat Ihnen einen falschen Namen genannt«, versuchte es Stella erneut. »Er heißt Denis Shove in Wahrheit.«

»Ja, er musste ja einen falschen Namen annehmen«, erklärte Terry, »eben weil die hinter ihm her sind und er Angst hat, sie glauben ihm nicht, wenn sie ihn erwischen.«

»Verstört es Sie gar nicht, dass er nicht einmal Ihnen vertraut hat?«

»In seiner Lage kann ich das verstehen«, sagte Terry.

Stella hätte ihr Gegenüber am liebsten geschüttelt. »Terry, ich bitte Sie, helfen Sie uns. Was immer geschehen ist, Jonas und ich und vor allem Sammy sind vollkommen unschuldig daran. Wir haben mit all dem nichts zu tun. Jonas ist Sammys Vater. Wenn er jetzt stirbt, dann …«

»Er ist nicht Sammys Vater«, sagte Terry. Ihre Stimme klang mit einem Mal kalt. »Sie sind nicht seine Mutter, Stella. Ich habe schon gemerkt, dass Sie mich in Ihrem Leben nicht haben wollen. Sie halten mich wohl für eine dumme, kleine Schlampe, die blöd genug war, sich als Teenager schwängern zu lassen, und der man dann das Kind entreißen musste, weil sie nicht für es sorgen konnte.«

»Wir haben Ihnen das Kind nicht entrissen! Sie haben sich ganz von selbst an das Jugendamt gewandt, weil Sie eine Adoption wollten. Erst dann hat man ja uns verständigt, weil wir auf der Warteliste standen.«

»Ich wollte keine Adoption. Meine Eltern haben Druck gemacht. Für sie war Sammy eine Schande.«

»Selbst wenn es so war, dann können wir doch auch dafür nichts. Wir haben Ihnen Sammy auch sofort zurückgegeben, als Sie das verlangten.« Stella sprach inzwischen fast flüsternd und hoffte, dass Sammy, dem sie eine der Wasserflaschen gegeben hatte, aus der er jetzt gierig trank, nichts von dieser ganzen grotesken Unterhaltung mitbekam.

»Sie *mussten* ihn zurückgeben. Sonst wäre die Polizei gekommen.«

»Und dann haben Sie sich wieder anders entschieden. Terry, warum verdrehen Sie jetzt alles? *Sie* wollten doch…«

»Neil hat mir die Augen geöffnet«, sagte Terry. »Er hat mir klargemacht, dass ich damals nur der Spielball war. Für die Interessen anderer Leute. Meine Eltern. Das Jugendamt. Und Sie und Jonas.«

Am liebsten hätte Stella geschrien: *Er unterzieht Sie einer Gehirnwäsche. Er manipuliert Sie, um Sie zu benutzen. Merken Sie das denn nicht?*

Aber das hätte alles verschlimmert. Sie musste ruhig und sachlich bleiben. »Terry, erinnern Sie sich denn nicht mehr an unser allererstes Gespräch? Nachdem Sie Sammy zurückbekommen hatten und dann doch nicht zurechtkamen? Ich habe Sie sehr authentisch erlebt. Als ein sehr junges Mädchen, das sich vollkommen überfordert fühlte. Dass das Beste für sein Kind wollte. Sie schienen mir in diesem Moment keineswegs fremdgesteuert zu sein.«

»Tja«, sagte Terry, »ich war es aber. Ich *war* fremdgesteuert. Meine Eltern haben mir die Hölle heißgemacht. Und dann diese Tante vom Jugendamt. Jeder hat mir gesagt, was das Beste für Sammy ist. Niemanden hat es interessiert, was das Beste für *mich* sein könnte.«

»Jonas und ich haben Sie ganz bestimmt nicht unter Druck gesetzt«, sagte Stella.

Terry zuckte mit den Schultern. Es hatte nicht den Anschein, als sei sie mit Argumenten zu erreichen. Stella konnte nicht beurteilen, wie Terrys Situation fünf Jahre zuvor gewesen war, *jetzt* war sie jedoch definitiv fremdgesteuert. Vollständig infiltriert von dem Mann, dem sie aus unerfindlichen Gründen völlig verfallen war.

»Das Beste für Sie«, sagte Stella dennoch, »wäre es zweifellos, Sie würden sich von Neil trennen. Ist Ihnen denn nicht bewusst, in welch furchtbare Geschichte Sie sich gerade hineinziehen lassen? Sie können am Schluss im Gefängnis landen.«

Terry zuckte abermals mit den Schultern.

Es war nichts zu machen.

»Kann Jonas nicht wenigstens hier zu uns kommen?«, bat Stella.

»Ich spreche mit Neil deswegen«, sagte Terry. Sie wandte sich zum Gehen.

»Wir brauchen eine Toilette«, sagte Stella, »einen Eimer. Irgendetwas.«

»Ich spreche auch deswegen mit Neil«, sagte Terry. Dann fiel die Tür hinter ihr zu.

Stella und Sammy waren wieder alleine.

I

Sue Burley hatte sich einen Tag nach Kates Anruf noch immer nicht von der Nachricht erholt, dass ihre Freundin Melissa tot war. Ihre Augen wirkten verweint, ihr Gesicht schien ungesund blass. Sie empfing Kate in ihrem Häuschen am Stadtrand von Whitby, einer Art kleinem Cottage mit weißgekalkten Wänden, das sich wohltuend von den langen rotgeklinkerten Reihenhausketten ringsum abhob. Sue Burley musste eine leidenschaftliche Gärtnerin sein, denn ihr Garten blühte in den schönsten Farben. Zwischen perfekt zurechtgeschnittenen Büschen und Bäumen und großen Tonkrügen mit leuchtend bunten Blumen standen jede Menge kleiner weißer Putten mit Flügeln auf dem Rücken und gespanntem Bogen in den Patschhänden. Kate schüttelte sich innerlich bei diesem Anblick.

Das Haus selbst war genauso überladen wie der Garten. Überall Bilder an den Wänden, gemischt mit handbemalten Tellern und kleinen Deckchen, auf denen in Schnörkelschrift der eine oder andere aufbauende Spruch stand. Gerahmte Bilder, Blumentöpfe, Porzellandöschen, kleine Puppen und Stofftiere drängelten sich auf dem Kaminsims und auf jeder Fensterbank. Es war erschlagend. Außerdem liebte Sue Burley offenbar dicke, plüschige Teppiche in starken Farben und Sessel, die an jeder möglichen und unmöglichen Stelle mit Bommeln und Quasten bestückt waren. Kate dachte sofort, dass sie selbst in diesem Haus auf Dauer vermutlich Beklemmungen bekommen würde.

Sue Burley hatte im Wohnzimmer einen liebevollen Kaffeetisch gedeckt, daran saß eine weitere Dame, die genauso bekümmert dreinblickte wie Sue. Sie stand auf und streckte Kate die Hand hin. »Doreen Holland. Ich bin auch eine Freundin von Melissa. Ich *war* eine Freundin, muss man jetzt wohl eher sagen, oder? Du meine Güte, ich konnte es nicht glauben, als Sue mich gestern anrief. Es ist schrecklich. Ganz entsetzlich.«

Kate hatte während ihrer Polizeiarbeit gelernt, Menschen rasch einzuschätzen, vor allem im Hinblick darauf, inwieweit das, was sie nach außen trugen, dem entsprach, was sie im Inneren empfanden. Sie erfasste sofort einen Unterschied zwischen den beiden Frauen. Beide waren sie von der Nachricht erschüttert, aber während Sue von echtem Entsetzen und aufrichtiger Trauer gepeinigt schien, war Doreen eher von einem durchaus auch wohligen Gruseln erfüllt und von einer nur schlecht verhohlenen Sensationsgier. Sie bedauerte mit Sicherheit, was ihrer Freundin Schreckliches widerfahren war, aber es brachte auch Spannung in ihr Leben. Kate war überzeugt, dass sie sich um nichts in der Welt dieses Treffen mit ihr hätte entgehen lassen.

»Sie arbeiten bei Scotland Yard, nicht wahr?«, fragte sie.

Kate hätte das dieses Mal von sich aus nicht erwähnt, um jeden Ärger zu vermeiden, aber sie konnte nichts dafür, dass die beiden Frauen bereits Bescheid wussten.

»Ja«, sagte sie daher, »aber ich bin hier nicht als Ermittlerin. Ich bin hier nur als Richard Linvilles Tochter.«

»Melissa sprach damals einige Male davon. Dass Richard eine Tochter hat, die für Scotland Yard arbeitet. Sie fand das sehr beeindruckend«, sagte Sue und stellte eine große Erdbeerbaisertorte auf den Tisch. Angesichts der ganzen mit Kitsch überladenen Umgebung ging Kate davon aus, dass der Kuchen fast unerträglich süß sein würde, doch dann wurde sie angenehm überrascht: Er schmeckte ganz ausgezeichnet.

Sie hatte am Vorabend noch versucht, Details über jenen Raubüberfall herauszufinden, bei dem sich ihr Vater und Melissa augenscheinlich kennengelernt hatten, aber außer einer kleinen Zeitungsnotiz im Internet hatte sie nichts gefunden. Daraus ging hervor, dass sich die Täter – drei Jugendliche – der Polizei damals freiwillig sehr schnell gestellt hatten. Kate nahm an, dass Caleb Hale und sein Team in dieser Richtung bereits ermittelt hatten. Da nach Janes gestrigen Worten zu schließen, aber immer noch Denis Shove als Hauptverdächtiger fungierte, hatte sich wohl kein Hinweis darauf ergeben, dass dort die Verbindung zu den Morden zu finden war. Sie sprach Doreen und Sue trotzdem noch einmal darauf an, aber beide wussten nichts Näheres darüber zu berichten. Richard und Melissa hatten einander über diesen Raubüberfall kennengelernt, das war alles, was sie dazu sagen konnten.

»Und es traf sie beide wie ein Blitzschlag«, berichtete Sue. »So hat es Melissa immer beschrieben, nicht wahr? Ein Blitzschlag. Sie blickte in seine Augen und er in ihre, und schon waren sie einander verfallen.«

Kate dachte an ihren stets sehr sachlichen, sehr kontrollierten Vater. Mit diesen Worten hätte er es sicher nicht beschrieben. Aber wie hätte er es ausgedrückt? *Ich sah sie, und sie gefiel mir. Eine attraktive, lebenslustige, interessante Frau.*

Sie sprach etwas in mir an. Ich fühlte mich überfordert in die-
ser Zeit. Leer.

Das war kein Widerspruch. Kate hatte Phasen beruflicher und nervlicher Überforderung gehabt und wusste, dass
dies ein Gefühl innerer Leere erzeugen konnte, obwohl jeder Tag und das ganze Leben randvoll und überquellend gefüllt schienen. Man wurde leer vor Erschöpfung. Leer, weil
man sich in einem Hamsterrad drehte und keine Gelegenheit fand, den Akku aufzuladen.

Mein Beruf. Und dann meine Frau. Der Krebs. Alles drohte
zusammenzubrechen. Nichts war mehr wie vorher.

Er war immer übermäßig korrekt gewesen. Ehebruch
passte nicht in sein Weltbild. Schon gar nicht zu einem
Zeitpunkt, da seine Frau um ihr Leben kämpfte.

Es war die alte Frage: Wie gut hatte sie ihn gekannt? Den
Mann, der ihr Anker gewesen war. Ihr Fels in der Brandung.
Der einzige Halt, die einzige Anlaufstelle ihres Lebens.

Sie merkte, dass es still um sie geworden war und dass die
beiden Frauen sie erwartungsvoll ansahen. Sie riss sich zusammen. Grübeln konnte sie heute Nacht im Bett.

»Ich sagte gerade, die beiden waren füreinander geschaffen«, sagte Doreen. »Jedenfalls war das Melissas feste Überzeugung.«

»Sie war lange allein geblieben«, sagte Sue. »Ihr Mann
ist so früh gestorben. Sie hat nur für die Jungs gelebt. Ein
anstrengendes Leben. Sie hatte einen Job bei einer Schule
oben in Newcastle gefunden, was bedeutete, dass sie jeden
Tag insgesamt fast drei Stunden unterwegs war. Doch sie
bekam das alles hin, war trotzdem eine großartige, fürsorgliche Mutter. Aber als die Kinder dann aus dem Haus gingen... Ich habe mich so gefreut, als Mel mir von Richard
erzählte. Obwohl ich natürlich Bedenken hatte. Ein verhei-

rateter Mann. Ich hatte …« Sie brach ab und errötete. »Entschuldigen Sie«, sagte sie dann. Ihr war offenbar gerade aufgegangen, dass Kate schließlich die Tochter der Frau war, die Richard mit Melissa betrogen hatte.

»Schon gut«, sagte Kate, »ich weiß ja Bescheid.« Nichts war *schon gut*. Aber für den Moment waren ihre Gefühle nicht von Bedeutung.

Nach den Berichten der beiden Frauen hatte die Beziehung zwischen Richard und Melissa hauptsächlich in Melissas Wohnung stattgefunden. Gestohlene Zeit, geheim, knapp bemessen. Richard hatte nach Dienstschluss von Scarborough nach Whitby hinüberkommen müssen, was ihn mindestens eine halbe Stunde gekostet hatte, den Rückweg noch nicht eingerechnet. Dazu die Zeit, die sie miteinander verbracht hatten. Sicher war es oft spät geworden. Kate wusste aber, dass ihre Mutter Kummer gewöhnt gewesen war. Überstunden, die in den späten Abend reichten, waren keine Seltenheit gewesen. Brenda Linville war vermutlich die ganze Zeit über komplett ahnungslos geblieben.

»Natürlich wollte Melissa irgendwann mehr«, sagte Doreen. »Sie hätte gerne einmal ein ganzes Wochenende mit ihm verbracht. Wäre mit ihm in die Ferien gefahren. Dazu kamen Feiertage wie Weihnachten, Ostern. Ich meine, Mel hatte zwar nun eine Beziehung und war wie rasend verliebt, aber sie war trotzdem noch viel alleine. Sie war überglücklich, wenn Richard bei ihr war, aber sie litt, wenn er nicht kommen konnte. Häufig musste er Verabredungen in letzter Sekunde absagen. Entweder, weil beruflich etwas dazwischenkam oder weil …« Sie suchte nach Worten.

»Weil meine Mutter krank war«, sagte Kate. »Und weil es ihr manchmal zwischendurch so schlecht ging, dass er zu ihr musste, anstatt sich mit seiner Geliebten zu vergnügen.«

»Ich kann Ihre Bitterkeit gut verstehen«, meinte Sue. »Das Ganze ist … eine schwierige Situation.«

Kate riss sich zusammen. Wenn sie zu viel Betroffenheit zeigte, wurden die beiden Frauen immer vorsichtiger, und dann erfuhr sie weniger.

»Ich will ein klares Bild bekommen«, sagte sie. »Das ist mir wichtiger, als meine Gefühle zu schonen.«

Doreen und Sue sahen einander an. »Letzten Endes«, sagte Doreen, »bringen solche Geschichten immer eine Menge Unglück über alle Beteiligten.«

»Hat mein Vater Melissa je versprochen, sich irgendwann ganz für sie zu entscheiden?«, fragte Kate.

Sue nickte. »Ja. Aber er wollte warten, bis seine Frau gesund wäre. Mel hat auch immer eingesehen, dass er seine Frau nicht verlassen konnte, solange sie noch gegen diese Krankheit kämpfte. Aber er hatte versprochen, dass er sich trennen würde, sobald sie gesund und wieder einigermaßen stabil wäre.«

Kate überlegte. »Dann verstehe ich das nicht ganz. Melissas Sohn erzählte mir, die Trennung habe im Jahr 2002 stattgefunden. Zu diesem Zeitpunkt war meine Mutter seit über einem Jahr gesund. Soweit man nach einer solchen Erkrankung überhaupt jemals wieder als wirklich gesund gilt. Aber ihre Befunde zeigten jedenfalls keinen Krebs mehr, und ich weiß noch, dass die Ärzte vorsichtigen Optimismus verbreiteten. Wir schöpften alle Hoffnung, und mit jedem Tag, der verging, schien unsere Hoffnung gerechtfertigter.«

»Ja«, sagte Sue, »so war auch unsere Information damals. Mel hielt uns ja die ganze Zeit über auf dem Laufenden. Sie brauchte jemanden zum Reden, und wir sind nun einmal ihre ältesten Freundinnen gewesen.«

»Warum brach dann alles auseinander? Zwischen den beiden? Zu einem Zeitpunkt, da sie ja sozusagen am Ziel ihrer Träume waren?«

Wieder sahen Doreen und Sue einander an. Kate begriff, dass die beiden über genau diesen Punkt bereits öfter gesprochen hatten.

»Wir haben auch gerätselt«, sagte Doreen, »und immer wieder versucht, mit Mel darüber zu reden. Ich dachte ja, Richard hat es eben genauso gemacht, wie es die verheirateten Männer immer machen. Sie halten die Geliebte über Jahre hin – die Kinder müssen erst durch die Schule, das Haus muss erst abbezahlt werden und solche Dinge –, und am Ende erklären sie, nun ginge es aus irgendwelchen Gründen doch nicht, obwohl sozusagen alle Bedingungen erfüllt sind. Ich war überzeugt, Richard hätte die Krankheit seiner Frau immer vorgeschoben, aber in Wahrheit nie vorgehabt, etwas an seinem Leben zu ändern. Doch Mel bestritt das. So sei es nicht, absolut nicht.«

»Ja, aber was sagte sie dann?«, fragte Kate. »Wie erklärte sie die Trennung?«

»Irgendwie ausweichend«, meinte Sue. »Jedenfalls war das mein Gefühl. Sie berief sich noch immer auf die Erkrankung seiner Frau, und wenn ich entgegenhielt, dass sie doch gesund sei, erklärte sie, nach einer schweren Krebserkrankung sei *gesund* ein relativer Begriff. Aber das überzeugte mich nicht recht, denn das mussten sie ja beide vorher gewusst haben. Dann hätten sie nie Pläne für die Zeit danach schmieden dürfen.«

»Sie hatten den Eindruck, dass Melissa Ihnen nicht die Wahrheit sagte?«, fragte Kate.

»Dass sie zumindest plötzlich nicht mehr mit offenen Karten spielte«, sagte Doreen. »Dass sie Dinge für sich behielt. Sie hatte sich verändert. Sie zog sich zurück. Sie rief uns nicht mehr von sich aus an. Wir sahen uns immer seltener und wenn, dann immer nur auf unser Betreiben hin. Sie war nicht mehr die Mel, die wir kannten.«

»Wann genau war das? Um den Zeitpunkt der Trennung herum? Oder schon früher?«

Sue dachte nach. »Man braucht ja immer ein bisschen, ehe es einem wirklich auffällt. Aber ich würde sagen, es begann gut ein Dreivierteljahr vor der endgültigen Trennung. Im März 2002 erfuhren wir, dass Schluss war. Aber diese seltsame Distanz – das war schon im Herbst davor deutlich geworden. Im Oktober. Vielleicht sogar schon im September 2001.«

»Haben Sie sie darauf angesprochen?«

»Klar«, sagte Doreen, »aber wir bekamen schwammige Antworten. Sie hätte eben manchmal depressive Verstimmungen. Hatte sie aber zuvor nie. Stress in der Arbeit. Aber so anhaltend? Ohne dass sich an ihrer Arbeitsstelle etwas geändert hatte? Wissen Sie, Mel war immer zu uns gekommen, wenn sie Probleme hatte. Sie war nicht der Mensch, der die Dinge still mit sich ausmachte. Wir waren wirklich enge Freundinnen, und wenn sie Schwierigkeiten hatte, waren wir ihre Anlaufstelle. Über drei Jahre lang hatten wir sämtliche Höhen und Tiefen ihrer Beziehung zu Richard miterlebt. Aber auch über ihn sprach sie plötzlich nicht mehr. Man musste ihr alles aus den Rippen leiern, und auch dann hatte man am Ende den Eindruck, eigentlich nichts erfahren zu haben. Sie teilte uns dann nur noch die Trennung mit. Und das war's.«

»Würden Sie vermuten, dass zwischen den beiden etwas vorgefallen war? Um den Zeitpunkt September, Oktober 2001 herum?«

»Ja«, sagte Doreen, »das haben wir vermutet. Aber es war nichts aus ihr herauszubekommen.«

Kate versuchte, sich an den Herbst 2001 zu erinnern. Sie hatte über all die Zeit hinweg noch ein relativ klares Bild dieses gesamten Jahres, weil es ihrer Mutter zum ersten Mal seit langem deutlich besser gegangen war. Es war ein gutes Jahr gewesen, weil der Schrecken besiegt zu sein schien, weil es bergauf ging. Kate hatte im Oktober Urlaub gehabt und ihn wie immer bei ihren Eltern verbracht. Brenda hatte für sie gekocht, mit ihr Tee getrunken und lange Gespräche geführt. War an Richard irgendetwas anders gewesen als sonst? Kate kramte in ihrem Gedächtnis. Müde war er gewesen, überarbeitet. Aber das war nicht ungewöhnlich. Hatte er mehr gegrübelt als sonst? War er in sich gekehrt gewesen, deprimiert? Es war ihr nicht aufgefallen. Trotz der besonderen und innigen Verbindung zu ihrem Vater hatte sie in jenen Jahren mehr auf ihre Mutter geachtet.

Im Grunde war es nicht allzu ungewöhnlich und geheimnisvoll, dass irgendetwas zwischen Richard und Melissa geschehen war, was schließlich zum Ende der Beziehung geführt hatte. Vielleicht war auch gar nichts Besonderes passiert, vielleicht hatten nur ihre Gefühle all den Problemen und Widrigkeiten nicht standgehalten.

Wären nicht beide zwölf Jahre später grausam hingerichtet worden – niemand hätte ihre Beziehung und ihre Trennung genauer analysiert.

»Hat Melissa jemals den Namen *Denis Shove* erwähnt?«, fragte Kate.

»Nein«, sagte Sue, »wer ist das?«

Doreen kniff die Augen zusammen. »Der stand in der Zeitung. Der wird gesucht wegen Mordes an einem Polizisten, und …« Sie schlug sich an die Stirn. »Natürlich. Ihr

Vater. Dieser Shove ist verdächtig, Ihren Vater umgebracht zu haben, oder?«

»Ja. Mein Vater hat ihn vor Jahren hinter Gitter gebracht, und er hat Rache geschworen.«

»Und wieso dann Mel?«, fragte Sue verwirrt. »Wenn es derselbe Täter war?«

»Das genau ist das große Rätsel«, sagte Kate.

»Diesen Namen hat Mel nie genannt«, sagte Sue.

»Die beiden waren auch schon seit drei Jahren getrennt, als mein Vater Shove dingfest machte«, erklärte Kate »Ich dachte nur...« Sie sprach nicht weiter. Denn was *dachte* sie? Sie hatte einfach gestochert. Es passte eben nicht.

Shove passte nicht. Die ganze Sache war viel komplexer.

»Wann zog Melissa nach Hull?«, fragte sie noch.

»Ungefähr ein Jahr nach der Trennung«, sagte Doreen. »Im Frühjahr 2003, glaube ich. Sie sagte, sie bräuchte Abstand zu ihrem früheren Leben. Wir fanden das nicht besonders klug. Dort kannte sie niemanden, und um uns mal rasch zu treffen, war es zu weit. Aber... uns wollte sie eben auch gar nicht mehr treffen.«

»Wir haben uns schließlich aus den Augen verloren«, fügte Sue traurig hinzu.

Kate hatte in den langen Jahren ihrer beruflichen Arbeit gelernt, dass Menschen oft eine gute Intuition haben, wenn es um Freunde und Verwandte, um deren Verhalten und um Vorkommnisse in deren Leben geht. Dass sie dieser jedoch nicht trauen und sie häufig nicht zu äußern wagen, weil sie fürchten, sich mit irgendeiner absurd klingenden Behauptung lächerlich zu machen. Daher fragte sie nun direkt.

»Ganz ehrlich, denken Sie, dass Ihre Freundin sich nur aufgrund der Trennung verändert hat? Dass einfach die Gefühle zwischen den beiden nicht mehr stimmten, dass sie daraufhin auseinandergingen und Melissa versuchte, ein neues Leben anzufangen? Oder glauben Sie, dass mehr passiert ist? In jenem Spätsommer 2001? Etwas, das die Beziehung erschüttert hat? Das Melissa erschüttert hat? Ich spreche jetzt von einem richtigen Drama. So schwerwiegend, dass Melissa nicht einmal mit Ihnen, ihren besten Freundinnen und engsten Vertrauten, darüber reden konnte? Etwas, das Melissas Leben aus der Spur geworfen hat? Ist es das, was Ihnen als Idee durch den Kopf geht? Was Sie aber verdrängen, weil es so verrückt klingt? So abgehoben?«

Diesmal schauten die beiden Frauen einander nicht an. Jede blickte zu Boden. Eine ganze Weile. Doreen hob als Erste den Kopf.

»Ja«, sagte sie einfach.

»Ja«, sagte auch Sue. Nach ein paar Sekunden fügte sie hinzu: »Aber, Miss Linville, genauso ehrlich: Wir haben nicht den Schimmer einer Ahnung, was es gewesen sein könnte. Absolut keine Vorstellung. Wir tappen völlig im Dunkeln.«

2

DC Jane Scapin verließ die Wohnung der Familie Malyan in Truro gegen drei Uhr am Nachmittag und fragte sich neugieriger denn je, was für ein Mensch diese Therese, genannt Terry, wohl sein mochte. Aller Wahrscheinlichkeit nach ein seelisches Wrack. Jane war jedenfalls überzeugt, dass man zu einer gebrochenen Persönlichkeit werden musste, wenn einem das Schicksal diese Familie, diese Eltern zugedacht hatte. Sie selbst hatte nach der kurzen Zeit schon das Gefühl, irgendetwas tun zu müssen, um sich zu befreien – duschen oder mindestens eine Stunde lang joggen oder sich ein großes, dunkles Bier gönnen. Letztlich tat sie nichts von alldem. Sie fuhr langsam durch die Straßen von Truro, bis sie einen Coffeeshop erspähte, parkte dort und ging hinein. Die Malyans hatten ihr nichts angeboten, obwohl sie wussten, dass sie an diesem Tag von Scarborough hinuntergekommen war und sieben Stunden Fahrt hinter sich hatte. Jane war um sieben Uhr früh aufgebrochen und gegen zwei angekommen. Zum Glück hatte sie zwei Wasserflaschen im Auto gehabt und unterwegs getrunken, sonst hätte sie längst schlappgemacht.

Im Coffeeshop kaufte sie sich einen großen Becher Kaffee und zwei Eiersandwiches, setzte sich an einen der kleinen runden Tische und atmete erst einmal tief durch.

Manchmal traf man schon auf eigenartige Menschen. Es war durchaus interessant gewesen, die Malyans kennenzulernen. Ob es im Hinblick auf die Suche nach Denis Shove irgendetwas bringen würde, blieb allerdings zweifelhaft.

Für sich fasste sie die Eindrücke zusammen: eine extrem ordentlich aufgeräumte, fast schon sterile Wohnung am Stadtrand von Truro. Erdgeschoss eines Zweifamilienhauses. Es gab ein kleines Gärtchen mit stoppelkurz gemähtem Gras und sauber geharkten Beeten, in denen nicht ein einziger Halm wuchs, der dort nicht wachsen sollte. Die Malyans hielten ihr Leben akribisch in Ordnung. Mrs. Malyan mochte um die fünfzig sein, hatte eine fest betonierte Margaret-Thatcher-Frisur, trug eine helle Hose und einen dunkelbraunen Pullover mit kurzen Ärmeln. Sie war sehr schlank, fast abgemagert. Vermutlich disziplinierte sie sich beim Essen mit äußerster Konsequenz. Ihr Mann schien über weit weniger Willenskraft zu verfügen: Sein Bierbauch hing über der Hose, sein gerötetes, glänzendes Gesicht verriet, dass er ein Blutdruckproblem hatte, wahrscheinlich zu viel trank und sich zu wenig bewegte. *Er* war vermutlich nicht derjenige, der die Wohnung keimfrei putzte und den Garten mit Unkrautvernichtungsmittel malträtierte. Er war allerdings auch nicht der Typ, der sich gegen irgendetwas, was seine Frau sagte oder tat, gewehrt hätte. Er war ihr vollständig ergeben – schon um des lieben Friedens willen.

Jane hatte sehr schnell den Eindruck gewonnen, dass die Malyans tatsächlich seit Jahren schon keine Ahnung mehr hatten, wo sich ihre Tochter aufhielt, wovon sie lebte oder mit wem sie lebte. Jane nannte, wie schon am Telefon, noch einmal den Namen Denis Shove und beobachtete das Ehepaar dabei genau, aber offenbar wussten sie wirklich nichts über ihn. Da in den Zeitungen ihrer Gegend keine Fahndungsaufrufe erschienen waren, hatten sie auch aus dieser Richtung nie etwas von ihm gehört.

Das Seltsame war, dass sie nicht einmal fragten, weshalb sich überhaupt eine Polizistin nach ihrer Tochter erkundigte. Schon am Telefon war es ihnen gleichgültig gewesen, und daran hatte sich nichts geändert. Eine Beamtin der Yorkshire Police nutzte ein Wochenende, um sie in Cornwall persönlich aufzusuchen und nach Therese auszufragen. Bei den allermeisten Eltern wären sämtliche Alarmglocken angesprungen, sie hätten hektisch und voller Angst und Sorge gefragt, was denn los sei. Die Malyans hingegen beantworteten mit unbewegten Mienen und gleichförmigen Stimmen alles, was Jane wissen wollte, und meistens lautete ihre Antwort: »Das wissen wir nicht.«

Irgendwann hatte es Jane nicht mehr ausgehalten. »Interessiert es Sie denn gar nicht, warum wir alle diese Fragen stellen? Es geht schließlich um Ihre Tochter!«

Mrs. Malyan verzog keine Miene. »Im Grunde«, sagte sie, »haben wir keine Tochter mehr.«

»Weil Therese die Schule abgebrochen hat? Deswegen?«

»Ja.«

»Aber …« Jane musste an sich halten, ihren Emotionen keinen freien Lauf zu lassen. Das war absurd. Wie gestört war dieses Ehepaar? Speziell die Frau? Eine Tochter vollständig aus ihrem Leben zu verbannen, nur weil sie zu den Tausenden von Schulabbrechern gehörte, die in ganz Großbritannien alljährlich alles hinschmissen und die große Freiheit suchten? Wobei viele danach den Dreh durchaus noch bekamen, einen Abschluss nachholten und irgendwann in respektablen Berufen landeten. Es sei denn, ihre Familien ließen sie fallen. Dann suchten sie emotionale Geborgenheit bei den falschen Menschen. Bei Männern wie Denis Shove beispielsweise.

»Therese ist Ihr einziges Kind?«, fragte Jane.

»Ja«, sagte ihre Mutter.

»Mrs. Malyan, es ist äußerst wichtig, dass wir Ihre Tochter finden. Sie ist vermutlich mit einem Schwerkriminellen zusammen, einem wirklich gefährlichen Mann. Er wird von der Polizei gesucht. Wegen möglicherweise inzwischen zweifachen Mordes.«

»Typisch Therese«, sagte Mrs. Malyan. »Sie erspart uns nichts. Gar nichts.«

»Kennen Sie einen Ort, an den sie geflüchtet sein könnte? Einen Menschen, den sie in einer Notsituation vielleicht aufsucht? Alte Freunde, eine alte Lehrerin? Irgendjemanden?«

»Nein. Alles, was ich weiß, ist, dass sie seit Jahren zu niemandem von früher mehr Kontakt hat.«

Das entsprach etwa dem, was Helen Jefferson DCI Hale

erzählt hatte. Es gab keine Freunde in Terrys Leben. Ein paar Bekannte aus den letzten Jahren, oberflächliche Beziehungen, die sich aus ihren Jobs in verschiedenen Pubs entwickelt hatten.

Und zuletzt sowieso nur noch Shove.

»Ihre Tochter hat demnach niemanden, der ihr nahesteht?«, hakte sie noch einmal nach.

»Nein«, sagte Mrs. Malyan. »Nicht dass ich wüsste.«

Ihr Mann rutschte unruhig in seinem Sessel herum. Jane wandte sich ihm zu. Er war zweifellos das dünnere Brett, das es zu bohren galt, allerdings stand er völlig unter der Fuchtel seiner Frau.

»Ihre Tochter könnte sich in allergrößten Schwierigkeiten befinden. Und ich darf Ihnen sagen, dass wir glauben, dass sie unschuldig in die ganze Sache hineingerutscht ist. Allem Anschein nach wusste sie nicht, mit wem sie sich eingelassen hat. Aber jetzt ist sie in Gefahr, weil ihr Freund aufgeflogen ist. Es wäre wirklich gut, wenn Sie uns helfen könnten.«

Thereses Vater seufzte schwer. »Das ist das Unglück mit Terry. Sie rutscht immer in die Dinge hinein.«

Ich wusste es, hatte Jane elektrisiert gedacht, *ich wusste es doch. Da ist noch etwas.* »In was noch? In was ist sie noch *hineingerutscht*?«

»In gar nichts«, sagte Mrs. Malyan mit schneidender Stimme.

»Ihr Mann sagte aber gerade, dass sie *immer* in die Dinge hineinrutscht!«

Mr. Malyan räusperte sich. Er schaute seine Frau nicht an, als er sagte: »Sie wurde schwanger, als sie sechzehn war. Gerade mal sechzehn!«

Jane holte sich noch einen zweiten Kaffee. Sie musste ihre weiteren Schritte planen, und es schien ihr fraglich, ob es sich lohnte, die Spur jenes Kindes weiterzuverfolgen. Mrs. Malyan hatte kein weiteres Wort gesagt, hatte mit zusammengepressten Lippen vor sich hin gestarrt. Terrys Vater hatte alle weiteren Auskünfte gegeben. Die Geburt des kleinen Jungen, seine Freigabe zur Adoption. Terrys Versuche, danach im normalen Alltag eines Schulmädchens wieder Fuß zu fassen, ihr Scheitern.

»Die Geschichte hing ihr ständig nach, glaube ich. Sie war von da an wie blockiert.«

Kein Wunder, hatte Jane gedacht. Sie konnte sich nur zu gut vorstellen, dass Mrs. Malyan dafür gesorgt hatte, dass sich Terry aus dem emotionalen Chaos, in das die Schwangerschaft sie zweifellos gestürzt hatte, nie hatte befreien können. Entweder, indem sie ihr den *Fehltritt* ständig vorhielt, oder indem sie sich weigerte, das Thema überhaupt jemals wieder anzuschneiden. Letzteres hielt Jane für das Wahrscheinlichere. Terry hatte mit Sicherheit niemanden gehabt, mit dem sie über das Geschehene hatte sprechen können. Ihre Mutter hatte sich gebärdet, als lebe man in den Fünfzigerjahren des vergangenen Jahrhunderts und sei mit ewiger Schande behaftet. Sie hatte die Schwangerschaft ihrer minderjährigen Tochter als persönlichen Affront empfunden, und ganz offensichtlich hatte sie ihn Terry bis zum heutigen Tag nicht verzeihen können.

Jane hatte sich nach dem Vater des Kindes erkundigt und dabei erfahren, dass er seit zwei Jahren in den USA studierte.

»Er lebt sein Leben, als wäre nichts gewesen«, sagte Mr. Malyan bekümmert.

»Das hätte Therese doch auch tun können«, meinte Jane. »Denn das Kind wurde ja sofort adoptiert...«

»Ja, nun ja«, sagte Mr. Malyan und zuckte müde die Schultern. Was er wohl sagen wollte, war, dass sich die gesamte familiäre Situation durch die Adoption nicht verbessert hatte.

»Könnte es sein, dass Terry noch Kontakt zu dem Vater ihres Kindes hat?«, fragte Jane.

»Ich glaube nicht«, sagte Mr. Malyan. »Damals war der Kontakt jedenfalls gleich völlig abgebrochen. Ob sie ihn später wieder aufgenommen hat ... keine Ahnung. Ich kann es mir kaum vorstellen.«

Und jetzt lebte der junge Mann in den USA. Falls Terry davon überhaupt wusste, war es trotzdem unwahrscheinlich, dass sie zu ihm geflüchtet war.

Es gab nur einen möglichen Kontakt, den Jane gewissermaßen in den Händen hielt: Terrys Sohn und dessen neue Familie.

Sie hatte erfahren, dass Terry die Familie kannte, weil es ein Hin und Her in der Abwicklung der Adoption gegeben hatte.

»Terry wollte erst, dann nicht, dann doch wieder. Das Jugendamt hat sie mit der Familie zusammengebracht, damit diese Terrys Ängste und Zweifel ausräumen konnte.«

Inwieweit hatte Terry überhaupt frei gehandelt?, fragte sich Jane. Sie gewann mehr und mehr den Eindruck eines verstörten jungen Mädchens, dem vor allem von Seiten seiner Mutter klargemacht worden war, dass dieses unfassbare Missgeschick so schnell wie möglich und so weit wie möglich aus der Welt geschafft werden musste. Hatte Terry auch nur einmal darüber nachdenken dürfen, was *sie* eigentlich wollte?

Mr. Malyan hatte keine Ahnung, ob seine Tochter Kontakt zu der Adoptivfamilie unterhielt, aber er hatte ihren

Namen und Adresse schließlich noch aus einer Schreibtischschublade gegraben. Jane dachte an die Fotos, die sie in Terrys Wohnung gefunden hatte; höchstwahrscheinlich der kleine Sohn im Alter von etwa einem Jahr. Also hatte es über das abgeschlossene Adoptionsverfahren hinaus Kontakt gegeben.

Jane hatte sich schließlich verabschiedet, Namen und Adresse der Familie in der Tasche, die den kleinen Samuel Malyan seinerzeit adoptiert hatte.

»Ob die Adresse natürlich noch stimmt, weiß ich nicht«, hatte Mr. Malyan gesagt.

Jane dachte, dass dies die Worte waren, die sie während der vergangenen eineinhalb Stunden am häufigsten gehört hatte: *Weiß ich nicht.* Die Malyans hatten ihren persönlichen Weg gefunden, mit einer Situation zu leben, die zumindest von Mrs. Malyan als unerträglich empfunden wurde. Sie wussten einfach nichts. Zumindest so wenig wie möglich.

Jane betrachtete den Zettel, den sie als das greifbare Ergebnis des heutigen Tages ergattert hatte. *Stella und Jonas Crane, Kingston-upon-Thames.* Es folgten noch Straße und Hausnummer. Und eine Telefonnummer.

Diese hatte Jane, während sie im Coffeeshop saß, zweimal angewählt, war aber immer nur auf einem Anrufbeantworter gelandet, auf dem eine Frauenstimme verkündete, dass leider im Moment niemand zu Hause sei.

Jane telefonierte nicht besonders gerne. Es war nicht ihre Stärke, mit Menschen zu sprechen, die sie nicht gleichzeitig sehen, deren Wesenszüge, persönliche Verfassung, augenblickliche Gemütslage sie nicht ausloten und sich darauf einstellen konnte. Sie hatte sehr feine Seismographen, die allerdings in erster Linie über einen visuellen Kontakt mit dem jeweiligen Gegenüber funktionierten. Sie verfügte zudem über die Fähigkeit, ihre intuitiv erworbenen Erkenntnisse rasch auswerten und ihre Strategie danach ausrichten zu können. Caleb Hale setzte Jane mit Vorliebe für Verhöre ein. Meist gelang es ihr, selbst dem verstocktesten Gegenüber noch wertvolle Informationen aus den Rippen zu leiern.

Und auch heute hatte sich ihre Begabung wieder bewährt. Jane war überzeugt, dass sie telefonisch niemals von der Existenz des kleinen Jungen und von seinem weiteren Schicksal gehört hätte.

Blieb nur nach wie vor die Frage: Gab es eine Relevanz für den vorliegenden Fall?

Vielleicht nicht, aber für den Moment war es der einzige Anhaltspunkt. Jane entschied, ihm nachzugehen.

Sie hatte ursprünglich vorgehabt, sich in der Gegend von Truro eine billige Unterkunft zu suchen und am nächsten Tag den Rückweg nach Scarborough anzutreten, aber nun disponierte sie um. London lag nicht auf ihrer kürzesten und sinnvollsten Strecke nach Hause, aber man konnte über London fahren und hatte dann trotzdem schon ein gutes Stück des Weges geschafft. Irgendwo in den Randbezirken fand sich bestimmt ein preiswertes Hotel, und dann würde sie eben von dort am folgenden Tag nach Yorkshire aufbrechen.

Sie schaute auf ihre Uhr. Fast vier. Fünf Stunden könnte es bis London dauern, allerdings war es Samstagnachmittag, und ohne Berufsverkehr blieben ihr größere Staus wahrscheinlich erspart. Am Ende schaffte sie es in vier Stunden, dann war sie gegen acht Uhr da. Keineswegs eine angemessene Zeit für einen unangekündigten Besuch, aber im Augenblick ging es nicht um Höflichkeit und Etikette. Sondern darum, Therese Malyan zu finden.

Jane stand auf, zahlte ihren Kaffee und ihre Sandwiches und trat hinaus auf den Parkplatz.

Es war unvermindert warm, fast heiß.

Sie verließ Truro in Richtung Norden.

3

Stella hatte einen Turm gebaut. Zuunterst stand ein Tisch, darauf hatte sie Kisten, alte Koffer, ausrangierte Kommodenschubladen und sogar einen alten Heizkörper gestapelt. Das Ganze war eine mehr als wackelige Angelegenheit, aber irgendetwas hatte Stella tun müssen, denn über dem Herumsitzen in der düsteren Scheune wurde sie fast wahnsinnig. Außerdem gewann sie den Eindruck, dass es für ihre gesamte Situation weniger gefährlich war, zu dem Fenster hinaufzuklettern und dabei einen Sturz in die Tiefe zu riskieren, als einfach nur tatenlos zu warten, was als Nächstes passierte. Sie wusste nicht, was die beiden Irren da draußen vorhatten, aber in jedem Fall würde es nichts Gutes sein. Und Jonas lief die Zeit davon.

Am Morgen hatte Terry ihnen etwas zu essen und zu trinken gebracht, darüber hinaus Buntstifte, Papier und ein paar Bilderbücher für Sammy. Sie war nicht ansprechbar gewesen, hatte auf keinen Versuch Stellas, mit ihr zu reden, reagiert. Vermutlich hatte Neil ihr die Kontaktaufnahme untersagt. Ihm war klar, dass Stella versuchen würde, Terry auf ihre Seite zu ziehen.

Seine Kontrolle über Terry, dachte Stella bitter, funktioniert nach wie vor hervorragend.

Sammy war mit ausreichend Essen und Trinken sowie

den Malstiften erst einmal ruhiggestellt. Er fragte allerdings zwischendurch immer wieder nach seinem Vater, und Stella versicherte ihm, dass es Jonas gutgehe und dass er bald wieder bei ihnen sein würde. Sie hatte mühsam ein Stück Brot heruntergewürgt und eine halbe Flasche Wasser getrunken. Sie würde nachher wieder in die Ecke pinkeln müssen. Noch immer hatte man ihnen keinen Eimer gebracht, und selbst unter all dem alten Schrott in der Scheune war keiner zu finden.

Am Nachmittag stand der Turm, und Stella machte sich an den Aufstieg. Sammy sah ihr gebannt zu. Mehrmals schwankte der gesamte Aufbau so heftig, dass Stella überzeugt war, im nächsten Moment auf den Betonboden zu krachen. Aber tatsächlich erreichte sie schließlich das kleine, dreckverkleisterte, dick von Staub überzogene Fenster unmittelbar unter dem Dach. Sie lehnte sich gegen die Wand und versuchte, die Wellenbewegung unter ihren Füßen zu ignorieren. Davon hatte es in der Tat etwas: von einem schwankenden Schiff auf stürmischem Wasser.

Sie spähte hinaus, aber die Scheibe war zu schmutzig, sie konnte nichts erkennen. Mit dem Ärmel ihres Sweatshirts wischte sie darüber, aber der Dreck klebte zu fest, sie würde ihn ohne Wasser nicht wegbekommen. Mit dem Fingernagel kratzte sie immerhin ein kleines Guckloch frei. Sie konnte die äußerste Ecke des Farmhauses erkennen, ein Stück des Gartens. Außerdem die beiden Autos, die Neil und Terry gehörten. Ihr eigenes parkte an einer Stelle, die von ihrem Posten aus nicht zu sehen war. Der Himmel war strahlend blau und die Sonne schien. Zum Ende der Ferien und mit dem Beginn des Albtraums hatte sich tatsächlich eine stabile Schönwetterlage eingestellt.

Von Neil und Terry war nichts zu sehen, was natürlich

nichts besagte. Sie hielten sich wahrscheinlich im Haus auf. Leider konnte Stella auch keinen Wanderer erspähen, allerdings war ihre Sicht auch äußerst eingeschränkt. Sie müsste noch einmal mit einer Flasche Wasser nach oben klettern und das Fenster richtig putzen, aber die Frage war, ob sie etwas von dem kostbaren Trinkwasser wirklich dafür opfern sollte. Neil und Terry erschienen ihr vollkommen unberechenbar. Es war einfach nicht klar, wie es mit der weiteren Versorgung der Gefangenen aussehen würde.

Stella machte sich an den gefährlichen Abstieg und war froh, als sie wieder festen Boden unter den Füßen hatte. Zugleich fühlte sie sich plötzlich erschöpft und völlig deprimiert. Es hatte nichts gebracht, und wahrscheinlich würde es auch nichts bringen. Man konnte nicht den ganzen Tag dort oben verharren und hoffen, dass ein Wanderer auftauchte, den man auf sich aufmerksam machen würde. Vermutlich kam sowieso auf ewige Zeiten niemand vorbei, und wenn doch, dann würden sie ihn verfehlen.

Ihr stiegen die Tränen in die Augen. Wie hatten sie nur in einen so ausweglosen, grauenhaften Schlamassel geraten können?

»Weinst du, Mummy?«, fragte Sam.

Sie wischte sich rasch über die Augen. »Nein. Ich habe nur etwas Staub in die Augen bekommen. Komm, wir bauen den Turm wieder ab.«

»Wieso?«

»Weil Terry oder Neil vielleicht noch mal kommen, und sie sollen nicht sehen, dass wir eine Möglichkeit gefunden haben, das Fenster zu erreichen.«

Sie musste erneut hinaufklettern und den Berg aus Kisten und Kästen langsam abtragen. Sie prägte sich die Reihenfolge der Gegenstände ein; sollte sie es mit der provisorischen Leiter noch einmal versuchen, würde es das nächste Mal deutlich schneller gehen. Für den Moment war sie allerdings derart mutlos, dass sie sich einen erneuten Aufbau kaum vorstellen konnte. Sie hatte keine Energie mehr, keine Hoffnung. Eigentlich wollte sie sich nur noch auf das Sofa setzen und heulen, aber wegen Sammy riss sie sich zusammen. Für ihn musste sie stark bleiben oder zumindest so tun, als sei sie stark.

»Mummy«, fragte Sam, »werden wir sterben?«

Sie zog ihn in ihre Arme. »Nein. Keine Angst, Liebling. Mummy bringt uns hier raus. Du musst dir überhaupt keine Sorgen machen.«

Am Abend erschien Terry, brachte wieder ein paar belegte Brote, Kekse und Schokolade und einen ganzen Korb voller Wasserflaschen. Stella war irritiert – zuvor hatten sie um jeden Tropfen Wasser fürchten müssen, nun auf einmal bekamen sie genug, um vier oder fünf Tage lang damit auskommen zu können. Wollte sich Terry die vielen Besuche in der Scheune sparen? Oder planten sie und Neil, die Farm zu verlassen? Stella wusste nicht, ob sie diese Vorstellung mit Hoffnung erfüllen oder in noch größeren Schrecken stürzen sollte. Es gab dann niemanden mehr, der sich um sie kümmerte, und irgendwann waren die Vorräte aufgebraucht. Andererseits konnte sie aktiv an allen Möglichkeiten einer Flucht arbeiten, ohne ständig fürchten zu müssen, dass plötzlich Neil, seine Waffe im Anschlag, vor ihr stand.

Nur – gab es Möglichkeiten einer Flucht?

»Terry, was haben Sie vor? Wollen Sie und Neil aufbrechen?«

»Hier sind Essen und Trinken«, sagte Terry, Stellas Frage ignorierend. »Gehen Sie sparsam damit um.«

»Sie können doch nicht abhauen und uns hier eingesperrt lassen!«

»Setzen Sie sich auf das Sofa«, befahl Terry, »zu Sam.«

»Wieso ...?«

»Setzen Sie sich!«

Stella tat, was Terry gesagt hatte. Terry wandte sich zur Tür. »Er kann jetzt hier rein«, sagte sie.

Gleich darauf erschien Neil in der Tür. Neben ihm war Jonas, aber er tat keinen Schritt alleine. Neil hatte sich seinen Arm um die Schultern gehängt und stützte ihn, wobei *Stützen* in diesem Fall eher *Tragen* hieß. Jonas hielt die Augen geschlossen und wirkte vollkommen apathisch. Sein Kopf war nicht nach vorne gesunken, er schien bei Bewusstsein zu sein. Zumindest schwach bei Bewusstsein. Es war nicht erkennbar, ob er etwas von der Situation, in der er sich befand, wirklich mitbekam.

Stella sprang sofort auf und schrie. »Jonas!«

»Sitzen bleiben!«, fauchte Terry.

»Daddy!«, rief Sammy.

Neil ließ Jonas auf den Boden gleiten.

Stella scherte sich nicht um Terrys Befehl, sie lief zu ihrem Mann und kauerte sich neben ihn. Sie berührte sein Gesicht. Die Haut war heiß und trocken. Jonas glühte. Es fühlte sich an, als verbrenne er von innen.

Sie schaute Neil entsetzt an. »Er muss sofort zum Arzt. Er hat hohes Fieber!«

Neil kramte in seiner Hosentasche, warf Stella eine Schachtel zu. »Hier. Paracetamol. War drüben in der Hausapotheke.«

»Das reicht nicht. Er muss zum Arzt!«

»Ihr habt Wasser, ihr habt Medikamente. Die Blutung ist gestillt. Er ist auf dem aufsteigenden Ast.«

Diese Behauptung war derart absurd, dass Stella beinahe hysterisch aufgelacht hätte.

»Neil, er glüht vor Fieber. Das heißt, die Verletzung hat sich entzündet. Bitte! Ich kann hier kaum etwas für ihn tun. Bitte, bringen Sie uns zu einem Arzt!«

»Bedanke dich bei den Bullen für das alles«, sagte Neil. »Die haben die ganze Scheiße zu verantworten.«

»Das weiß ich nicht, und es ist mir auch egal. Ich sehe nur, dass Jonas einen Arzt braucht. Neil!«

Neil zuckte mit den Schultern.

Diese Bewegung gab Stella den Rest. Sie war ohnehin außer sich vor Wut über das alles – die Gefangennahme, Jonas' Verletzung, die Unverschämtheit, mit der dieses Gaunerpärchen in das Leben ihrer Familie eingriff. Sie sprang auf und ging mit erhobenen Fäusten auf Neil Courtney los.

»Sie werden jetzt einen Arzt holen! Sie werden sofort einen Arzt holen. Jonas stirbt, wenn Sie nicht …«

Er packte ihre beiden Handgelenke, drückte ihre Arme nach unten. Sie versuchte, ihm gegen das Schienbein zu treten, aber er wich geschickt aus, hielt sie dabei noch immer fest.

»Jetzt dreh nicht durch, Stella. Damit änderst du nichts.«

Sie kämpfte verbissen gegen seinen Klammergriff. »Lassen Sie mich los!«

»Hörst du endlich auf, dich wie eine Irre zu benehmen?«

Wer ist denn hier der Irre?, hätte Stella am liebsten erwidert, aber der Zorn, der sie zur Weißglut getrieben hatte, wandelte sich bereits wieder in eine kalte Wut, die sie vorsichtiger und überlegter agieren ließ.

Im Zweikampf konnte sie ihn nicht bezwingen, sie verschlechterte ihre Lage dadurch höchstens noch. Und die von Jonas.

»In Ordnung«, sagte sie.

Er ließ sie los. Die Haut an ihren Handgelenken brannte wie Feuer.

»Pass auf«, sagte Neil, »wir verschwinden von hier. Terry und ich. Wenn wir weit genug weg sind, verständigen wir anonym die Bullen. Die holen euch hier raus. Bis dahin habt ihr genug Nahrung hier, und Jonas hält auch noch durch.«

Sie sah ihn an, versuchte herauszufinden, ob er tatsächlich vorhatte, was er ankündigte. Sie traute ihm nicht. Sie vermutete, dass er ihr und Jonas' Auto für seine Flucht benutzen würde, und halbwegs sicher war er damit nur unterwegs, solange niemand nach diesem Kennzeichen suchte. In dem Moment, da er die Befreiung der Cranes veranlasste, konnte er den Wagen nicht mehr fahren. Wie weit musste er also kommen, ehe er es sich leisten konnte, darauf zu verzichten?

»Ich habe Angst«, sagte sie. »Ich habe Angst um Jonas.«

»Ich lass euch hier nicht verrecken«, sagte Neil.

Sie fand, dass er ein wenig verändert wirkte. Nicht mehr ganz so selbstbewusst, von oben herab und siegessicher. Er schien ihr etwas gestresst zu sein, er schwitzte wieder stark, so wie schon bei seiner Ankunft auf der Farm zwei Tage zuvor. Die Dinge entglitten ihm, er bestimmte nicht länger den Gang der Ereignisse, sondern reagierte nur noch. Er hatte nicht geplant, Jonas zu verletzen, er hatte reflexhaft geschossen, als dieser Mann, von dem er das niemals erwartet hätte, ihn plötzlich angegriffen hatte. Der hoch fiebernde, bewegungslose Jonas zu seinen Füßen stellte ein riesiges Problem dar. Neil konnte nur aus tiefster Seele hoffen, dass Jonas das alles überlebte, und selbst dann hatte er eine schwere Körperverletzung am Hals, was ihm etliche Jahre im Gefängnis einbringen würde.

»Hör zu, das Ganze ist echt die Schuld der Polizei«, sagte er. »Ich war das nicht, verstehst du? Das mit dem Bullen im Februar, der in Scalby umgebracht wurde.«

Stella kannte keine Details dieses Verbrechens, im Großraum London hatte es keineswegs so die Schlagzeilen beherrscht wie oben in Yorkshire. »Aber wieso glaubt die Polizei dann, dass Sie es waren?«

»Weil das der Typ war, der mich vor neun Jahren geschnappt und in den Knast gebracht hat. Hat mir eine böse Falle gestellt… Ich war damals blöd genug, überall zu verkünden, dass ich ihm das heimzahlen werde. Dass ich ihn plattmache, sowie ich wieder draußen bin.«

»Das… war vielleicht nicht sehr klug…«

»Nein. Aber *so blöd* bin ich nun auch wieder nicht«, sagte Neil. »Ich habe acht Jahre gesessen, und das reicht mir. Ich geh doch nicht hin, murkse einen alten Bullen ab und riskiere es, dass sie mich wieder einbuchten! Der Kerl war über vierzig Jahre lang bei der Kriminalpolizei. Der wird sich mit Sicherheit ein paar mehr Feinde gemacht haben als nur mich. Aber auf mich haben sie sich eingeschossen. Verdammte Scheiße.«

»Wenn Sie es nicht waren«, sagte Stella, »dann werden die auch nichts gegen Sie in der Hand haben. Dann können die Ihnen nichts anhängen.«

Neil lachte höhnisch. »Du hast keine Ahnung. *Keine Ahnung!*«

Sie hätte nicht zu sagen gewusst, ob sie ihm glaubte oder nicht. Im Grunde traute sie ihm alles zu, aber sie fragte sich, ob er nicht abgebrüht und clever genug war, ein Verbrechen wie das von ihm geschilderte geschickter durchzuziehen. Nicht so, dass er hinterher wie ein Getriebener von einem Versteck zum nächsten flüchten musste und dabei immer mehr Unheil anrichtete. Hätte er nicht von vorneherein die Flucht ins Ausland geplant und unmittelbar nach der Tat angetreten? Er musste ja wissen, dass er ganz weit oben auf der Liste der Verdächtigen rangierte. Stella empfand Neil als widerwärtig und abstoßend, aber eines war ihr auch klar: Er war nicht dumm.

»Sie machen aber alles nur schlimmer, wenn Sie uns hier einsperren«, sagte sie. »Wenn das für Jonas schlecht ausgeht…«

»Das wird es nicht. Ich sage ja, wir rufen an.« Er hatte wieder Schweißperlen auf der Stirn. Nervlich überforderte ihn die ganze Situation inzwischen völlig. Stella vermutete, dass er lieber noch länger auf der Farm geblieben wäre, aber möglicherweise hatte er den Köder geschluckt und ging davon aus, dass ab Montag intensive Nachforschungen nach der Familie Crane beginnen würden. Anstatt die Farm als Langzeitversteck zu nutzen, was er wahrscheinlich ursprünglich vorgehabt hatte, hatte sie ihm nur die Möglichkeit für eine Atempause geboten. Zudem war er jetzt im Besitz eines Autos, nach dem niemand fahndete, er konnte sich mit Vorräten eindecken und hatte einen größeren Schwung Bargeld ergattert. Immerhin, das war besser als nichts. Aber vielleicht nicht genug.

»Können Sie mir helfen, Jonas zu dem Sofa zu tragen?«, fragte sie.

Neil bückte sich, griff Jonas unter beide Arme und zog ihn zu dem Sofa hinüber. Sammy betrachtete die Szene schreckensstarr.

»Daddy lebt«, sagte Stella beruhigend.

Jonas lag nun völlig bewegungslos auf dem Sofa. Ganz schwach hob und senkte sich seine Brust. Sein T-Shirt war auf der Vorderseite dick mit Blut verkrustet. Ganz offenbar hatten Neil und Terry ihm jedoch einen stabilen Verband angelegt, denn auch jetzt nach dem Transport schien kein frisches Blut dazuzukommen.

»Ich brauche Verbandszeug«, sagte Stella. »Und ich brauche mehr Wasser. Ich muss die Wunde reinigen können. Am besten wäre etwas zum Desinfizieren.«

»Ich schau nach«, versprach Neil.

Er würde es nicht riskieren, zu einer Apotheke zu fahren.

»In unserem Auto«, sagte Stella, »ist ein Verbandkasten.«

Er machte eine Handbewegung zu Terry hin, die diese als Aufforderung verstand: Sie verschwand sofort.

»Du bist eine ziemlich tolle Frau, Stella«, sagte Neil. »Schade …«

»Schade – was?«

»Dass du mit so einem Loser zusammen bist.« Er machte eine Kopfbewegung zu Jonas hin. »Der passt nicht zu dir. Wie du lebst, passt nicht zu dir. Als treusorgende Mutter und Ehefrau in einem Londoner Vorort. Du lieber Himmel!«

»Immer noch besser, als so zu leben wie Sie. Finde ich jedenfalls.«

Er nickte langsam, schien noch etwas sagen zu wollen, verschluckte es aber. Terry kehrte mit dem Verbandkasten zurück, stellte ihn neben das Sofa.

Keiner sagte jetzt mehr etwas. Neil und Terry verließen die Scheune. Stella blieb zurück: mit einem kleinen Kind und mit einem schwerverletzten Mann, der kaum bei Bewusstsein war.

Sie hatte sich nie zuvor so hilflos gefühlt.

4

Jane erreichte Kingston-upon-Thames noch vor acht Uhr. Sie war ohne jeden Stau durchgekommen, und streckenweise war sie auch schneller gefahren als erlaubt. Irgendwann ging es ihr gar nicht mehr in erster Linie darum, zu einer halbwegs zivilen Zeit bei den Cranes aufzukreuzen, sondern es war ihr vor allem daran gelegen, diesen Tag irgendwie herumzubringen, eine Unterkunft zu finden, sich dort auf ein Bett fallen zu lassen, noch ein wenig fernzusehen und dann endlich einzuschlafen. Sie war inzwischen hundemüde, und auch der Kaffee, den sie sich noch zweimal zwischendurch kaufte, konnte sie nicht mehr aufrichten. Sie bereute jetzt ihr Vorhaben; es wäre schlauer gewesen, in Truro zu übernachten und am nächsten Tag mit frischen Kräften den Heimweg anzutreten. Zumal das Gespräch mit den Cranes wahrscheinlich nichts bringen würde, reine Zeitverschwendung war.

Der Abend war noch hell und warm, als Jane in die Straße bog, in der die Familie Crane lebte. Ringsum hielten sich die Menschen in ihren Gärten auf, gossen die Blumen, plauderten über die Zäune hinweg miteinander, saßen auf den Terrassen beim Essen. Eine Schar Kinder hatte mit Kreide Kästchen auf den Asphalt gemalt und hüpfte eifrig hin und her. Als Jane anhielt und ausstieg, roch sie gegrilltes Fleisch. Es war nach langer Zeit das erste Wochenende mit wirklich schönem, warmem Wetter, und nahezu jeder, der zu Hause war, nutzte es für ein Barbecue mit der Familie und Freunden.

Eine anheimelnde Wohngegend, dachte Jane. Schöne, große Häuser, weitläufige, gepflegte Gärten. Kein gigantischer Reichtum, aber durchaus wohlhabender Mittelstand. Sie fragte sich, ob die Cranes wohl dem Klischee entsprachen, das ihr sofort durch den Kopf schoss: gut ausgebildete Doppelverdiener, die sich eine angenehme Lebensgrundlage geschaffen und dabei die Familienplanung zu weit nach hinten geschoben hatten. Bis es mit dem Kinderwunsch schwierig geworden war und man sich schließlich an das Jugendamt gewandt hatte, weil eine Adoption der einzige Weg blieb.

Vielleicht hatten aber auch einfach medizinische Gründe eine Rolle gespielt, unabhängig vom Alter der Beteiligten.

Im Vorgarten der Cranes stand das Gras deutlich höher als bei den Nachbarn, es war offenkundig schon seit längerer Zeit nicht mehr gemäht worden. Verglichen mit dem munteren Leben und Treiben ringsum wirkte dieses Haus ziemlich verlassen.

Auch das noch. Die Cranes schienen nicht daheim zu sein.

War ja naheliegend, dachte Jane, nachdem ich immer nur auf dem Anrufbeantworter gelandet bin.

Da alle Gärten direkt aneinandergrenzten, konnte Jane das Grundstück nicht umrunden. Sie durchquerte jedoch den nicht eingezäunten Vorgarten und klingelte an der Haustür – ohne die Hoffnung zu hegen, dass sich darauf etwas rühren würde. Sie spähte durch ein Fenster und konnte einen Flur erkennen, Steinfliesen, eine Garderobe, ein Treppengeländer. Sie ging an der Hauswand entlang, bis sie an das Tor kam, das zum rückwärtigen Garten führte. Es war verschlossen. Jane lehnte sich darüber. Soweit sie das erkennen konnte, hielt sich niemand hier hinten auf. Sie sah einen Sandkasten und eine Rutschbahn aus rotem Plastik, umgeben von dem hohen Gras, das ihr schon vorne aufgefallen war.

Die Cranes waren nicht nur an diesem Samstag nicht zu Hause. Sie waren seit längerer Zeit fort. Machten wahrscheinlich Ferien. Ihr Kind ging schließlich noch nicht zur Schule. Nur verständlich, dass sie dann außerhalb der Saison verreisten.

Jane fühlte sich frustriert und noch erschöpfter als zuvor. Alles umsonst.

Sie vernahm hinter sich eine Stimme. »Hallo? Möchten Sie zu den Cranes?«

Sie wandte sich um. Eine ältere Frau stand im Vorgarten und sah sie misstrauisch an. Sie hielt einen Schlüssel in der Hand.

Jane lächelte sie gewinnend an. »Ja. Sind sie nicht zu Hause?«

»Wer sind Sie denn?«, fragte die Frau zurück.

Jane zückte ihren Ausweis. »Detective Constable Scapin. Yorkshire Police.«

»Yorkshire Police?«

»Es ist nichts passiert, keine Sorge. Ich brauche nur eine Information von Mr. oder Mrs. Crane.«

»Die sind verreist. Schon seit zwei Wochen.«

»Ich verstehe.«

»Ich gehe gerade zu ihnen, um die Blumen zu gießen. Ich kümmere mich auch um die Post und so weiter.«

»Wann kommt die Familie zurück?«

»Morgen. Morgen Abend.«

Ich habe sie um 24 Stunden versäumt, dachte Jane.

Sie konnte nicht bis zum nächsten Abend warten, schon wegen Dylan nicht. Abgesehen davon hieße das, die Zeitverschwendung auf die Spitze zu treiben. Die Cranes machten irgendwo Urlaub, schon seit zwei Wochen. Damit wurde es noch unwahrscheinlicher, dass sich Terry Malyan an sie gewandt haben sollte.

»Wissen Sie, wohin die Cranes verreist sind?«, fragte sie.

»Nicht genau. Nordengland irgendwo.«

Jane runzelte die Stirn. Das war nun wieder merkwürdig. Sie hätte gern Spanien gehört oder Griechenland. Oder die Bahamas. Dann hätte sie wirklich den endgültigen Schlussstrich unter diesen Ermittlungsstrang ziehen können.

»Nordengland? Genauer können Sie es nicht sagen?«

»Leider nein. Mrs. Crane sagte nur, sie wollten irgendwohin in die totale Abgeschiedenheit. Weil Mr. Crane so überarbeitet ist und Ruhe braucht. Da gibt es nicht einmal einen Telefonanschluss, stellen Sie sich vor!«

»Aber eine Handynummer haben Sie doch bestimmt?«

Die Frau nickte. »Ja. Von Mrs. Crane. Aber sie hat dort keinen Handyempfang. Wir haben vereinbart, dass ich ihr auf die Mailbox spreche, wenn es hier irgendein Problem gibt, und sie will jeden Tag oder zumindest jeden zweiten einen Ort aufsuchen, an dem sie sie abhören kann. Aber bisher war das nicht nötig. Hier ist alles in bester Ordnung. Nur«, sie schaute sich skeptisch um, »mit dem Rasen werden sie ein Problem haben. Es hat so viel geregnet. Wird schwierig, da jetzt durchzukommen.«

»Könnten Sie mir bitte die Handynummer geben? Dann spreche ich Mrs. Crane einfach auf den Anrufbeantworter.«

»Morgen kommen die ja sowieso zurück. Da sind sie dann wieder ganz normal erreichbar.«

»Trotzdem. Einfach zur Sicherheit.« Jane lächelte wieder, aber es war ihr berühmtes stählernes Lächeln. »Und Ihre Nummer hätte ich auch gern.«

Die Frau seufzte. »Da muss ich erst wieder zu mir rüber. Ich habe sie nicht im Kopf. Stella Cranes Handynummer, meine ich.«

»Ich wäre Ihnen sehr dankbar.«

Die Frau entfernte sich, ärgerlich vor sich hin murmelnd.

Als sie zurückkehrte, hatte sie außer dem Schlüssel noch einen Zettel in der Hand. »Hier. Ich hab sie Ihnen aufgeschrieben. Stellas Handy und mein Festnetz. Ich bin übrigens Celia Hedger.«

»Vielen Dank, Mrs. Hedger.« Jane steckte den Zettel in ihre Tasche. Sie reichte der Frau eine Visitenkarte. »Hier. Meine Karte. Wenn die Cranes morgen wiederkommen – könnten Sie sie bitten, mich am Montag gleich anzurufen? Nur im Fall, dass ich sie nicht erreiche.«

»Ich sage Bescheid«, versprach die Nachbarin.

Jane versuchte, noch ein anderes Thema anzuschneiden. »Die Cranes haben ja einen kleinen Sohn. Kennen Sie ihn näher?«

»Sammy. Ein netter Junge, ja. Ein Adoptivkind. Mit dem haben sie richtig Glück. Bei adoptierten Kindern weiß man ja nicht, was man bekommt, nicht wahr?«

Bei leiblichen im Grunde auch nicht, dachte Jane.

»Stimmt«, sagte sie jedoch, weil es ihrer Erfahrung nach andere Menschen eher am Reden hielt, wenn man ihnen beipflichtete. Von sich aus hätte sie die Adoption nicht erwähnt, weil sie nicht wusste, wie offen die Cranes mit diesem Umstand umgingen, aber da die Nachbarin Bescheid wusste, konnte sie eine weitere Frage anhängen. »Wissen Sie zufällig, ob die Cranes Kontakt zu Sammys leiblicher Mutter unterhalten?«

Mrs. Hedger überlegte. »Nicht dass ich wüsste. Stella hat nie etwas in dieser Richtung erwähnt. Aber definitiv weiß ich es nicht.«

»Okay.« Mehr war nicht in Erfahrung zu bringen. Jane musste warten, bis sie mit Stella Crane sprechen konnte.

»Danke für Ihre Auskünfte«, sagte sie und wandte sich zum Gehen.

»Einen Moment«, sagte Mrs. Hedger. Sie wirkte plötzlich aufgeregt. »Das hätte ich ja fast vergessen. Sind Sie... wegen dieses seltsamen Mannes hier?«

Jane blieb abrupt stehen. »Seltsamer Mann?«

»Ja, der war gestern hier. Schlich um das Haus herum... so wie Sie.« Die Frau lachte verlegen. »Ich habe ihn angesprochen. Komischer Typ. Vom Aussehen her...irgendetwas Arabisches, würde ich sagen. Sprach aber ein gutes Englisch.«

Arabisch... das klang zumindest nicht nach Denis Shove.

»Was wollte er?«

»Er wollte unbedingt mit Jonas Crane sprechen und fragte, wo sie hingefahren sind, aber das weiß ich ja selber nicht. Abgesehen davon, hätte ich es ihm so oder so nicht gesagt. Schließlich war er mehr als seltsam.«

»Inwiefern seltsam?«

»Hatte so ein eigenartiges Augenzucken. Schaute sich dauernd um... meinen Sie, das könnte ein Terrorist gewesen sein? So ein... Sprengstoffattentäter oder so etwas?«

Jane hielt die friedliche Wohnstraße mit den gediegenen Häusern und blühenden Gärten nicht für das klassische Angriffsziel der Al Kaida, dennoch fand sie den Bericht der Nachbarin irritierend. »Sagte er, *weshalb* er Mr. Crane sprechen wollte? In welcher Angelegenheit?«

»Er sagte, es gehe um etwas Berufliches.«

»Hm. Und seinen Namen nannte er nicht?«

»Nein. Er hinterließ auch keine Adresse oder Telefonnummer. Gar nichts. Ich sagte ihm, dass die Cranes morgen wiederkämen und dass er Jonas sicher am Montag erreichen könne. Daraufhin drehte er sich um und ging. Einfach so. Ohne Abschied, ohne irgendetwas.«

»Was macht Mr. Crane beruflich?«

»Er ist Drehbuchautor. Schreibt fürs Fernsehen. Ich dachte, der Typ ist vielleicht ein Schauspieler, der unbedingt eine Rolle möchte. Am Ende hängt viel für ihn davon ab, und deshalb war er so nervös?«

»Das ist durchaus möglich.« Das sagte Jane nicht nur so dahin. Nichts im Leben der Familie Crane musste in einem Zusammenhang mit Terry Malyan stehen – mit Ausnahme der Tatsache, dass sie ihren Sohn adoptiert hatten. Nichts musste in einem Zusammenhang mit Denis Shove stehen.

Es blieb nur, auf Stella Cranes Anruf zu warten.

»Machen Sie sich keine Sorgen«, sagte sie. »Was mich betrifft, geht es wirklich nur um eine kurze Frage. Kein Grund, sich aufzuregen.«

»Dann ist es ja gut«, sagte Mrs. Hedger. Sie klang enttäuscht.

Jane verabschiedete sich endgültig und ging zu ihrem Auto zurück. Alles, was sie jetzt noch wollte, war eine Unterkunft. Etwas zu essen und ein Glas Wein, um abschalten zu können.

Dann ein Bett. Und schlafen, schlafen, schlafen.

Zuvor aber hatte sie immerhin noch die Energie, Stella Cranes Handynummer anzurufen. Wie erwartet, sprang die Mailbox an. Sie stellte sich kurz vor, erklärte beruhigend, dass es um eine Routineangelegenheit gehe. Nannte ihre Nummer und bat um Rückruf.

Damit, fand sie, hatte sie für den heutigen Tag wirklich genug geleistet.

I

Kate hatte den ganzen Sonntag über ausgemistet. Säcke-weise Kleidungsstücke ihres Vaters zur Altkleidersammlung gebracht, Schubladen entrümpelt, Berge von Papieren, No-tizzetteln, alten Briefen weggeworfen. Im Laufe eines Le-bens sammelt sich eine Menge an, dabei hatte Richard noch zu den Menschen gehört, die Ordnung hielten und nicht dazu neigten, alles aufzuheben, was sich je in ihrem Besitz befunden hat.

Kate hatte bei ihrer Aktion vor allem den Papieren eine Menge Aufmerksamkeit geschenkt. Sie fragte sich, ob es vielleicht irgendwo im Haus noch einen Hinweis auf Me-lissa Cooper gab – einen Brief, den sie Richard geschrieben hatte, ein Treffen, das er notiert hatte, ein Foto vielleicht so-gar... irgendetwas. Kate war nicht sicher, ob es ihr guttun würde, etwas Derartiges in die Hände zu bekommen, aber zugleich fieberte sie neuen Erkenntnissen entgegen. Was hatte Melissa ihrem Vater bedeutet?

Sie fand nichts, gar nichts. Richard Linville war nicht umsonst praktisch sein ganzes Erwachsenenleben lang als Kriminalist tätig gewesen. Er wusste, dass Menschen vor allem deshalb überführt wurden: Weil sie irgendeine Spur übersahen, weil sie ein Indiz zu vernichten vergaßen, weil sie unachtsam waren und nicht daran dachten, dass alles gegen sie verwendet werden konnte. Seinen eigenen Ehebruch hatte er daher mit größter Umsicht getarnt. Kate erkannte immer klarer, dass sie nie eine Chance gehabt hätte, hinter Richards Geheimnis zu kommen, wenn sich nicht Melissa selbst bei ihr gemeldet und ihr Sohn anschließend bereitwillig Auskunft gegeben hätte.

Gern hätte sie auch Richards Computer durchstöbert, aber den hatte die Polizei seinerzeit beschlagnahmt in der Hoffnung, über die Auswertung der Programme Hinweise auf den Mörder zu bekommen. Kate hatte bislang vergessen, um die Rückgabe zu bitten. Sie sagte sich aber, dass dort offensichtlich nichts zu finden gewesen war. Spezialisten hatten ihn auseinandergenommen; wären sie auf den Namen Melissa Cooper oder überhaupt auf die Existenz einer unbekannten Person gestoßen, hätte man bei ihr, Kate, rückgefragt. Und Caleb war völlig überrascht gewesen, als er von Melissa erfahren hatte. Ende der neunziger Jahre war der E-Mail-Verkehr unter Privatpersonen noch eher selten gewesen, insofern hatten Richard und Melissa vielleicht gar nicht über dieses Medium kommuniziert. Aber ohnehin wäre Richard dafür wohl zu schlau gewesen. Er hatte es zu oft erlebt, dass Leute glaubten, alles gelöscht zu haben, was sie in Verbindung mit einem Verbrechen bringen konnte, und dann hatte es Experten gegeben, die die erstaunlichsten Abläufe wieder hatten ans Tageslicht bringen können.

Richard war sehr clever gewesen. Sehr überlegt.

Der Gedanke hatte Kate beim Zusammenpacken seiner Kleidung geholfen. Neben der Trauer hatte sie immer stärker werdender Zorn erfüllt. Zorn darüber, was er ihrer

Mutter angetan hatte. Aber auch darüber, was er ihr, seiner Tochter, angetan hatte.

Während sie packte und räumte, hatte sie überlegt, was sie aus den Informationen machen konnte, die sie über Melissas Freundinnen gewonnen hatte. Zum einen, stellte sie fest, taten sie einfach ihr selbst gut. Es sah nun so aus, als sei Richard nicht aus reinem Pflichtgefühl zu seiner kranken Ehefrau zurückgekehrt, habe sich nicht als widerwillig Getriebener für die Familie entschieden. Etwas war zwischen ihm und Melissa geschehen, etwas, das alles verändert hatte. Die Beziehung hatte sich davon nicht erholt.

Gut so. Kate gönnte das den beiden noch nachträglich von Herzen.

Aber stand es auch in einem Zusammenhang mit den Morden viele Jahre später?

Ich müsste es Caleb Hale zumindest sagen, dachte sie unbehaglich.

Er wäre nicht begeistert, von ihrem Trip nach Whitby zu erfahren. Und sie hatte wenig Lust auf seine Vorwürfe.

Immerhin aber war ihr am späten Sonntagabend etwas in die Hände gefallen, was sie zumindest für einen kleinen nächsten Schritt nutzen konnte – wohin er auch führen mochte. Sie hatte im Grunde alles durchstöbert und ausgeräumt, was auch nur das kleinste Geheimnis beinhalten konnte, aber als sie in einer Küchenschublade nach einem Flaschenöffner suchte – sie hatte beschlossen, sich eine Flasche Wein aus Richards Vorräten zu gönnen –, stieß sie auf eine Postkarte, die jemand aus unerfindlichen Gründen dort aufbewahrt hatte. Es handelte sich um eine Weihnachtskarte; ein Mistelkranz, mit roten Beeren verziert, der über einer Haustür hing. Ringsum wirbelten Schneeflocken aus einem nachtdunklen Himmel. Quer über dieses reichlich kitschige Arrangement war in verschnörkelten Goldbuchstaben das obligatorische *Merry Christmas* gedruckt.

Kate drehte die Karte um. Sie war an ihren Vater adressiert und stammte laut Poststempel aus dem Jahr 2004. »*Dir und den Deinen ein friedliches Weihnachtsfest*«, stand daneben in blauer Tinte geschrieben, »*und ein glückliches und erfolgreiches Jahr 2005.*« Unterschrieben war mit: »*Norman*«.

Norman Dowrick. Detective Sergeant und jahrelanger enger Mitarbeiter ihres Vaters. Richard hatte sie beide oft als *unschlagbares Team* bezeichnet. Zudem waren sie beste Freunde gewesen.

Kate hatte den Wein vergessen, hatte sich mit der Karte in der Hand auf die Terrasse gesetzt und nachgedacht. Der Abend war sehr warm gewesen, und die Steine hielten noch die Hitze des Tages gespeichert. Es blieb lange hell in diesen Tagen vor der Sommersonnenwende. Es war schön, hier zu sitzen und in den blühenden Garten zu blicken.

Über etliche Jahre hatte es keinen Menschen gegeben, mit dem Richard so viel Zeit verbracht hatte wie mit Norman. Einfach deshalb, weil sie zusammengearbeitet hatten und weil der Beruf so viel Einsatz verlangte. Kates Mutter hatte manchmal scherzhaft gesagt: »Ich wünschte, ich wäre Norman! Dann könnte ich tatsächlich ab und zu mehr als drei Worte mit dir wechseln, ehe du zum nächsten Einsatz gerufen wirst.«

Im Sommer 2004 war dann alles zu Ende gewesen. Norman hatte an einem Zugriff auf Drogendealer teilgenommen – ohne Richard, der zu dieser Zeit Urlaub gehabt und tatsächlich einmal eine kurze Reise zusammen mit Brenda unternommen hatte. Es war bei der Aktion zu einer Schießerei gekommen; Norman war getroffen worden, hatte zwei Tage lang in Lebensgefahr geschwebt und sich anschließend mehreren Operationen unterziehen müssen. Am Ende stand die Erkenntnis, dass von ärztlicher Seite nichts mehr für ihn getan werden konnte und dass er sein Leben lang im Rollstuhl würde sitzen müssen. Von der Mitte an abwärts gelähmt.

Es hätte Möglichkeiten für ihn gegeben, dennoch weiter für die Polizei zu arbeiten, ausschließlich vom Schreibtisch aus, ganz anders also, als er es bis dahin gewohnt gewesen war. Kate erinnerte sich, dass Richard wie ein Wahnsinniger auf ihn eingeredet hatte. Er hatte immer wieder von seinen Gesprächen mit Norman berichtet, zunehmend verzweifelt.

»Er schmeißt hin. Er schmeißt alles hin. Will von seiner winzigen Versehrtenrente leben und von morgens bis abends die Wände anstarren. Er ist verrückt. Er macht einen unglaublichen Fehler.«

Am Ende war es Richard nicht gelungen, Norman zu einer anderen Entscheidung zu bewegen. DS Dowrick war nicht nur das Rückgrat gebrochen worden, sondern vor allem auch die Seele. Er hatte sich selbst aufgegeben, knappe vierzig Jahre alt, seine Zukunft, seinen Beruf, sein Leben. Nach und nach gab er auch alle Freundschaften auf. Diese Weihnachtskarte an Richard musste zu den letzten Höflichkeitsgesten gehören, die er seinem ehemaligen Partner erwies. Denn mehr als Höflichkeit war es nicht. Am Ende des Jahres 2004 war aus Norman Dowrick bereits ein tief verbitterter Mann geworden, der eigentlich mit niemandem mehr etwas zu tun haben wollte. Nach und nach war er aus jedem Kontakt getreten, hatte auf Mails nicht reagiert, Anrufe unbeantwortet gelassen, mehrfach nicht einmal die Tür geöffnet, als Richard davor gestanden hatte. Irgendwann hatte Richard aufgegeben.

Er hatte respektiert, dass sein einstiger Freund jede Verbindung zu seinem früheren Leben kappen wollte.

Für Kate jedoch war der Kollege ihres Vaters nun von großem Interesse. Denn in den entscheidenden Jahren, als es Melissa Cooper in Richards Leben gegeben hatte, arbeiteten die beiden Männer noch Seite an Seite. Kate fragte sich, ob es Richard gelungen sein könnte, die Affäre tatsächlich auch vor Norman geheim zu halten. Für ein derart konspiratives Gerüst, wie es Richard damals errichtet hatte, brauchte man in der Regel einen Mitwisser, jemanden, der einsprang, wenn man selbst ausfiel, der bereit war, einen gegenüber den Vorgesetzten zu decken, der in die Ausreden eingeweiht war, der als Alibi fungierte. Und selbst wenn Richard tatsächlich komplett dichtgehalten hatte – Norman *musste* etwas gemerkt haben. Und zwar mehr als jeder andere. Vielleicht war er aber sogar die Person gewesen, der sich Richard anvertraut hatte.

Caleb hatte gesagt, Norman sei nicht von Bedeutung, da alle Fälle, die die beiden Männer gemeinsam bearbeitet hatten, sowieso dokumentiert waren. Das stimmte. Aber dabei ging es um den Beruf. Nicht um das Privatleben.

Vielleicht wusste Norman Dowrick, woran die Beziehung zwischen Richard und Melissa letzten Endes gescheitert war.

Nachdem sie eine Stunde lang auf der Terrasse gesessen und über all dies nachgedacht hatte, war Kate auf die Suche nach Norman Dowricks Telefonnummer gegangen. Es gab etliche alte Adressbücher von Richard. Diese hatte sie wohlweislich nicht weggeworfen, sondern zu ihren eigenen Unterlagen getan. Laut Caleb lebte Norman zwar nicht mehr in Scarborough, aber seine Frau hatte man offenbar noch angetroffen, und vielleicht konnte sie weiterhelfen. Kate fand schließlich Dowricks Telefonnummer, aber es meldete sich niemand, als sie anrief. Die Adresse kannte sie noch von früher. Sie beschloss, am nächsten Tag dort hinzufahren.

Und so stand sie an diesem Montagmorgen bereits um acht Uhr früh vor dem schmalbrüstigen Reihenhaus, das sich in einem der weniger attraktiven Viertel der Stadt befand. Hier lebten Menschen, die wenig Geld hatten, die es sich nicht leisten konnten, in ihre Häuser zu investieren. Fensterrahmen und Türen, von denen die Farbe abblätterte. Vorgärten, in denen Gras und Löwenzahn wild durcheinanderwucherten. Hinterhöfe, durchzogen von kreuz und quer gespannten Wäscheleinen. Billigflechtzäune, die einen wackeligen Sichtschutz zum Nachbarn darstellten, dem man in dieser Enge aber trotzdem praktisch auf dem Schoß saß, falls man abends draußen essen oder ein Bier trinken wollte. Kate wusste von ihrem Vater, dass Norman von einem eigenen Haus geträumt hatte, dass er sich jedoch finanziell nichts Besseres als diese Ecke hatte leisten können. Ein paar Beförderungen später vielleicht schon.

Aber dazu war es ja nicht mehr gekommen.

Mit dem Glockenschlag acht Uhr klingelte Kate. Um diese Zeit, so hoffte sie, waren die Bewohner des Hauses nicht mehr im Bett.

Die Tür wurde auch sogleich geöffnet. Die Frau, die auf der Schwelle erschien, kam Kate trotz der langen Zeit, die vergangen war, bekannt vor.

»Mrs. Dowrick?«, fragte sie und lächelte.

Auch die Miene der anderen spiegelte unsicheres Erkennen.

»Kate? Kate Linville?«

»Ich weiß, die Uhrzeit ist unmöglich«, sagte Kate. »Aber ich muss ganz dringend wissen, wo ich Ihren Mann finden kann.«

»Ja, er wohnt schon lange nicht mehr hier. Und seit gut vier Jahren haben wir überhaupt keinen Kontakt mehr«, sagte Susannah. Sie hatte Kate in die Küche gebeten, wo sie gerade dabei gewesen war, im Stehen eine Tasse Kaffee zu trinken. Eine Viertelstunde, hatte sie gesagt, dann müsste sie wirklich dringend weg. Sie arbeite in einem Drogeriemarkt und müsse eigentlich eine Stunde vor Öffnung dort sein. »Also genau jetzt«, hatte sie mit einem Blick auf die Uhr gesagt. »Aber es ist schon okay. Die anderen halten dicht, wenn es sich nicht häuft mit dem Zuspätkommen.«

Kate hatte sich auf einen Küchenstuhl gesetzt und dankbar einen Kaffee angenommen. Susannah blieb mit ihrem Becher in der Hand stehen. »Ich bin morgens so hibbelig.« Sie war fast krankhaft mager, hatte ein ausgemergeltes Gesicht und dunkle Schatten unter den Augen. Ein Mensch, der ständig unter Strom zu stehen schien, ohne dass es vermutlich immerzu einen Grund dafür gab. Susannah Dowrick hatte irgendwann einmal ihren inneren Motor auf Hochtouren gebracht und bekam ihn jetzt nicht mehr gedrosselt. So wirkte sie auf Kate. Ganz sicher war sie keine glückliche Frau. Aber eine, die sich bemühte, all den Gedanken, die sie bedrängten, so gut sie konnte davonzulaufen.

»Wir sind schon lange geschieden«, fuhr sie nun fort, »Norman wollte das so. Nicht, dass Sie denken, ich hätte ihn verlassen, nachdem er im Rollstuhl saß. Für mich war immer klar, dass wir sein Schicksal gemeinsam zu meistern versuchen. Obwohl es kein Zuckerschlecken mehr war. Er haderte von morgens bis abends, machte Gott und die Welt für seine Situation verantwortlich, war ständig schlecht gelaunt, aggressiv und streitsüchtig.« Sie schloss für einen Moment die Augen. »Nein«, bestätigte sie ihre eigenen Worte, »es war schrecklich. Aber ich verstand ihn ja. Seine Verzweiflung. Dieses Auflehnen gegen das Schicksal. Nur – es hilft ja nichts. Man muss sich irgendwann mit den Dingen abfinden, nicht wahr? Sonst wird man krank.«

»Ja«, sagte Kate, »das muss man.« Sie überlegte, ob sie Susannah nach ihrem Vater fragen könnte, aber diese redete schon weiter.

»Sie wollen also mit Norman sprechen? Ja, da werden Sie nach Liverpool fahren müssen.«

»Warum ist er gerade nach Liverpool gegangen?«

»Wir stammen beide von dort. Es lebt allerdings niemand mehr von seiner Familie, insofern habe ich diese Entscheidung nicht ganz verstanden. Aber, na ja, offensichtlich zog es ihn an den Ort seiner Kindheit zurück. Das Vertraute … was weiß ich.«

»Und Sie sagen … Sie haben seit vier Jahren keinen Kontakt mehr?«

»Er wollte es so. Das habe ich auch den Leuten gesagt. Immer wieder einmal haben sich ja frühere Kollegen von ihm hier gezeigt und sich nach ihm erkundigt. Ich habe denen gesagt: *Ich kann euch seine Adresse geben, aber er will euch wahrscheinlich nicht sehen.* Die meisten waren sicher ganz froh, dadurch einen guten Grund zu haben, nicht nach Liverpool fahren und sich um einen verbitterten, in sich gekehrten Mann kümmern zu müssen.«

»Und Sie wollten trotz allem in diesem Haus bleiben?«, fragte Kate. Im nächsten Moment dachte sie, dass gerade sie deswegen nicht erstaunt sein sollte. Sie klammerte sich an das Haus ihres Vaters, obwohl alles dagegen sprach, es zu behalten.

»Ja, nicht nachvollziehbar, ich weiß«, sagte Susannah. Sie seufzte. »Irgendwie … dieses Häuschen, so schäbig es ist, das winzige Gärtchen, das Gefühl, uns gehört ein kleiner Flecken Erde … Das war damals so ein Traum von Norman und mir. Uns beide als Einheit gibt es längst nicht mehr, aber für mich ist es … das Einzige, was mir geblieben ist.« Sie schüttelte den Kopf über sich selber. »Meine Eltern helfen mir, allein könnte ich es nicht abzahlen. Immer wieder denke ich, ich sollte es endlich verkaufen, aber ich schaffe es nicht. Es ist das allerletzte Überbleibsel einer glücklichen Vergangenheit. Aber vielleicht blockiere ich mich damit auch?« Diese letzte Frage schien sie an sich selbst zu richten, nicht an Kate, daher antwortete Kate nicht. Aber sie kannte die Gefühle und Gedanken, die in Susannah stritten, nur zu gut.

Susannah besann sich, dass ihr frühmorgendlicher Gast wohl kaum gekommen war, um mit ihr über ihre schwierige Gemütslage zu sprechen.

»Ich habe es nicht fassen können, als ich von Richards Ermordung las«, sagte sie sprunghaft. »Wer tut denn so etwas? Ich habe gelesen, dass sie nach diesem Shove suchen. Gibt es echte Hinweise darauf, dass er es war?«

»Er hat es wohl zumindest vorher angedroht«, sagte Kate. »Dass er meinen Vater töten will, meine ich. Daher verstehe ich, dass er für die Polizei als Hauptverdächtiger gilt.«

»Bei mir war übrigens auch einer der Ermittler«, sagte Susannah. »Ein – wie hieß er noch? – Sergeant Stewart, glaube ich.«

»DS Robert Stewart«, bestätigte Kate.

»Ja, genau. Norman und Richard haben ja lange zusammengearbeitet, und er wollte wissen, ob ich von einem Vorkommnis aus jener Zeit weiß, das in irgendeinem Zusammenhang mit Richards Ermordung stehen könnte. Leider konnte ich ihm nicht helfen. Norman hat viel mit mir über seine Arbeit gesprochen, aber da war nichts, was greifbar gewesen wäre. Ich meine, Feinde haben sie sich natürlich gemacht, das ist klar. Aber da war niemand, der aus der Masse herausstach. Es hätte jeder sein können. Oder niemand.«

»Ich kann nur beten, dass die Polizei das Verbrechen an meinem Vater bald aufklären kann«, sagte Kate.

Susannah betrachtete sie interessiert. »Sie helfen sicher dabei, oder? Ich erinnere mich jetzt – Sie sind doch bei der Met?«

»Ja, aber das bedeutet, dass ich hier keine Zuständigkeit habe. In diesen Dingen muss man sehr korrekt sein«, antwortete Kate und kam sich wie ein Schulmädchen vor, das einen auswendig gelernten Text herunterbetet. »Ich bin da auf eine andere Sache gestoßen, die mich sehr bedrückt, und ich dachte, vielleicht könnte Norman mir helfen …«

»Vielleicht kann ich Ihnen helfen?«

Norman hatte ihr eine Menge erzählt. Kate sprang einfach ins kalte Wasser. »Sagt Ihnen der Name *Melissa Cooper* etwas?«

Susannah zuckte sichtlich zusammen. »Ach, du liebe Güte«, sagte sie dann.

»Das heißt vermutlich *Ja*«, folgerte Kate.

»Ja«, bestätigte Susannah.

2

Jane fuhr das Auto, Caleb saß auf dem Beifahrersitz und telefonierte. Jane hörte ihn »Ja« sagen und »Hm«, dann »Das war zu erwarten. Sie hatte also recht mit ihrem Gefühl, verfolgt und beobachtet zu werden«.

Schließlich verabschiedete er sich und sah sie an.

»Das war die Spurensicherung. Die sind jetzt sicher, dass jemand versucht hat, in das Cottage von Melissa Cooper einzubrechen. Es gab Spuren, an den Türen zur rückwärtigen Terrasse, von denen aber nicht sofort klar war, wie sie einzuordnen sind. Jetzt scheint erwiesen zu sein, dass jemand die Tür aufbrechen wollte, dann jedoch von seinem Vorhaben abgelassen hat. Der Kollege sagt, dass es keinesfalls daran gelegen haben kann, dass es nicht zu schaffen gewesen wäre. Offenbar ist der Täter – oder sind *die Täter* – gestört worden.«

»Die Ankunft des Sohnes an jenem Abend«, schloss Jane.

»Das ist ziemlich wahrscheinlich. Melissa Cooper wäre in ihrem Bett überfallen worden in jener Nacht. Unglücklicherweise hat das Ganze nur einen Aufschub für sie bedeutet.«

Beide schwiegen sie. Bedrückt dachte Caleb an die ältere Frau in dem völlig einsam gelegenen Haus draußen in der Wildnis. Sie hätte dort eine leichte Beute abgegeben. Das Schicksal hatte sie in letzter Sekunde gerettet. Aber dann war ihr Verfolger nur umso entschlossener zu Werke gegangen. Melissa am helllichten Tag in der Schule zu überfallen war gewagt gewesen.

»Wir sind jetzt kurz vor Newcastle«, sagte Jane. »Von jetzt an wird es schwierig. Diese Farm muss sich inmitten völliger Einsamkeit befinden.«

»Da hilft uns vermutlich auch Ihre Ortskenntnis nichts«, meinte Caleb. Er wusste, dass Jane aus Newcastle stammte und ihre ganze Kindheit dort verbracht hatte.

»Nein«, bestätigte Jane, »leider nicht. In der Stadt kenne ich mich aus, aber in die Umgebung hat es mich nie gezogen.«

Sie und Caleb Hale waren auf dem Weg zu Neil Courtney. Zu dem richtigen Neil Courtney, wenn sie Glück hatten. Seine Entdeckung verdankten sie Robert Stewarts Ermittlungsarbeit. Zwar hatte es zunächst so ausgesehen, als seien aus seinen Gesprächen am vergangenen Freitag im Gefängnis von Hull keine bedeutsamen neuen Erkenntnisse zu gewinnen. Zwischen den drei Jugendlichen, die seinerzeit die Spielhalle in Scarborough überfallen hatten, und Denis Shove hatte sich kein Kontakt ergeben, zumindest ließ sich nicht der geringste Hinweis darauf finden. Gegenüber niemandem hatte Shove seine Drohung, sich an DCI Richard Linville zu rächen, wiederholt. Und, so der Anstaltsleiter zu Robert Stewart, man habe auch nicht das Gefühl gehabt, dass er Tag und Nacht an nichts anderes denke als daran, wie er Linville möglichst grausam ermorden könnte. Ob er von dem Verhältnis zwischen Richard und Melissa gewusst hatte, ließ sich nicht herausfinden. Der Anstaltsleiter hatte es jedenfalls nicht gewusst und überrascht reagiert. »Linville hatte eine Beziehung mit der Frau, die letzte Woche hier in der Schule niedergemetzelt wurde? Das ist ja ein Ding! Das macht alles noch schwieriger, oder?«

Stewart hatte ihm beigepflichtet.

Auch seine Gespräche mit den übrigen Zeugen des Spielhallenüberfalls hatten nicht weitergeführt. Keiner von ihnen hatte in den vergangenen Wochen und Monaten etwas Seltsames bemerkt, sich beschattet, verfolgt oder in irgendeiner Weise belästigt gefühlt. Es war gut zu wissen, dass diesen Menschen aller Wahrscheinlichkeit nach keine Gefahr drohte, aber es hieß auch, dass der lang zurückliegende Überfall wohl tatsächlich keine Relevanz hatte und die Ermittlungen an dieser Stelle nicht weiterführen würden.

Dann jedoch hatte sich die lang erwartete Psychologin, die Denis Shove betreut hatte, vereinbarungsgemäß am frühen Montagmorgen telefonisch bei ihm gemeldet. Sie blieb auch Robert gegenüber bei der ausgesprochen günstigen sozialen Prognose, die sie Shove vor dessen Entlassung ausgestellt hatte. »Ich glaube nicht, dass er den Polizisten ermordet hat. Nach allem, was ich jetzt darüber gelesen habe, war das ein kalt geplantes, sorgfältig ausgeführtes Verbrechen. Das ist völlig untypisch für Shove. Sein Problem ist, dass er sich in Stresssituationen schlecht kontrollieren kann. Er schlägt zu, wenn er kritisiert oder in Frage gestellt wird, wenn er unter Druck gerät, wenn er sich irgendwie in die Enge getrieben fühlt. Oder wenn einfach die Dinge nicht so laufen, wie er das will. So verhielt er sich auch gegenüber seiner damaligen Lebensgefährtin, und dass sie an den Verletzungen, die er ihr im Streit zugefügt hatte, starb, war ein tragisches Unglück. Von Denis' Seite aus gab es keine Tötungsabsicht.«

Stewart hatte sich gefragt, weshalb es Gefängnispsychologen bei der Beschreibung eines Gewalttäters so oft fertigbrachten, ihrem Gegenüber das Gefühl zu vermitteln, eigentlich habe das Opfer alles falsch gemacht und der Täter sei ausschließlich durch ungünstige Umstände in eine Situation geraten, die anders als durch eine Gewalteskalation nicht lösbar gewesen wäre.

»Er hat Ihnen gegenüber nie Rachegedanken geäußert, die er für Richard Linville hegte?«

»Nein.«

Stewart war dann auf Melissa Cooper zu sprechen gekommen, aber die Psychologin hatte den Namen nie gehört. »Wer war sie? Ein Verhältnis des ermordeten Polizisten? Also, Denis hat sie nie erwähnt. Ich glaube nicht, dass er das wusste. Und überhaupt – wieso hätte er *sie* umbringen sollen? Da macht das vermeintliche Rachemotiv ja gar keinen Sinn.«

Das ist ja das Problem, dachte Stewart.

Wenigstens mit dem Hinweis auf Shoves Decknamen – *Neil Courtney* – hatte er dann einen Treffer gelandet.

»Ein sehr entfernter Verwandter. Von dem hat er öfter gesprochen. Sein einziger lebender Angehöriger, soviel ich weiß.«

Stewart hatte sofort reagiert. Ein Anhaltspunkt – endlich. »Da sind Sie sicher?«

»Ja, absolut. Wir haben immer wieder einmal über ihn gesprochen. Es handelt sich um den dritten Mann einer Kusine seiner Mutter – irgendetwas in dieser Art, also wirklich nur um drei Ecken herum angeheiratet, aber immerhin. Besser als nichts. Er muss schon relativ alt sein und lebt auf einer Farm irgendwo oben bei Newcastle. Denis hatte nie viel Kontakt mit ihm, aber ich habe ihn ermutigt, die Beziehung nach seiner Entlassung unbedingt wieder aufzunehmen. Es ist wichtig für jemanden wie Denis, der jahrelang im Gefängnis saß, hinterher in der Freiheit einen Halt zu haben. Freiheit kann sehr belastend sein, wenn man sie nicht mehr gewöhnt ist.«

»Vermutlich«, stimmte Stewart zu. »Und wissen Sie, ob er Neil Courtney tatsächlich kontaktiert hat?«

»Ich habe nach der Entlassung nichts mehr von Denis gehört. Ich war bereits in Australien, als er das Gefängnis verließ. Aber auch wenn ich hier gewesen wäre, hätte ich den Kontakt vermieden. Ich kann die Leute nicht über den Gefängnisaufenthalt hinaus betreuen, das wäre nicht gut. Sie müssen lernen, ohne mich zu leben. Selbständig zu werden.«

Na, das hat Shove ganz gut gelernt, dachte Stewart zynisch. Möglicherweise hat er zwei Morde begangen, sicher hat er aber auf jeden Fall eine junge Frau angeschossen, um sich ihr Auto unter den Nagel zu reißen. Man kann wohl durchaus von einer ausgeprägten Selbstständigkeit sprechen.

Sie hatten die Adresse des alten Neil Courtney ausfindig gemacht; tatsächlich schien es sich um ein einsames Gehöft im Umland von Newcastle zu handeln. Caleb ging nicht davon aus, dass sich Denis Shove dort versteckt hielt. Der Mann war schlau, und er konnte damit rechnen, dass die Polizei irgendwann hinter seine verwandtschaftliche Beziehung zu dem alten Farmer kommen würde. Wenngleich es lange gedauert hatte – zu lange, dachte Caleb frustriert. Es war Pech gewesen, dass die Gefängnispsychologin so viele Monate im Ausland verbracht hatte, aber vielleicht hätte man dringender versuchen sollen, auch über die Entfernung hinweg mit ihr Kontakt aufzunehmen. Dass sie hingegen den angeheirateten Onkel nicht selbst aufgespürt hatten, war sich Caleb bereit zu verzeihen: Die Verwandtschaft war tatsächlich so entfernt, dass man sie ohne einen Hinweis von außen kaum hätte zurückverfolgen können. Zudem war ihnen Shoves Deckname *Neil Courtney* erst seit der letzten Woche bekannt.

Robert Stewart – immerhin der Entdecker dieses neuen Anhaltspunktes – war vorausgefahren, hatte zur Vorsicht noch zwei Beamte mitgenommen. Auch er glaubte nicht, dass man dort auf Denis Shove stoßen würde, aber er wollte kein Risiko eingehen. Sie wussten jetzt, dass Shove bewaffnet war und dass er von seiner Waffe im Zweifelsfall Gebrauch machte. Ihrer aller Hoffnung war, dass der alte Neil Courtney ihnen einen wertvollen Hinweis geben konnte – irgendetwas, das sie im günstigsten Fall endlich zu Shoves Aufenthaltsort führte.

Jane hatte die Adresse der Farm ins Navi eingegeben, aber sie verfuhren sich dennoch ein paarmal in dem Gewirr aus schmalen Landstraßen und holprigen Feldwegen, und zum Schluss übersahen sie fast die von Gestrüpp und hohen Gräsern völlig zugewucherte Toreinfahrt zu der Farm. Obwohl vor kurzer Zeit erst Stewart und die zwei Beamten hier durchgekommen sein mussten, hatten sich Büsche, Farne und meterhohe Distelgewächse schon wieder über den Weg geschoben.

»Sieht nicht so aus, als herrsche hier ein reges Kommen und Gehen«, meinte Caleb. Es war schwierig, den Weg entlangzufahren, weil auch dort das Gras ungehemmt wucherte und der Weg als solcher ohnehin kaum erkennbar war. Rechts und links schien es einmal eingezäunte Weiden gegeben zu haben, wie etliche bröckelnde Mauerreste und ein paar morsche Zaunpfähle verrieten. Es musste jedoch lange her sein, dass die Farm in Betrieb gewesen war. Jetzt schien es, als sei die Natur drauf und dran, das gesamte Gelände zurückzuerobern und allmählich unter sich zu begraben.

Das Farmhaus, das sie endlich erreichten, wirkte auf den ersten Blick eher wie eine baufällige Hütte als wie eine wirklich bewohnbare Unterkunft. Abgeblätterter Putz an den Wänden, schmutzstarrende Fensterscheiben, ein Dach, dem an vielen Stellen die Ziegel fehlten, von etlichen Stürmen im Laufe der Jahrzehnte heruntergerissen und von niemandem je wieder aufgedeckt. Der Hof bestand aus Pflastersteinen und aus Brennnesseln, wobei die Zahl der Brennnesseln weit überwog und Steine nur noch vereinzelt erkennbar waren. In der Mitte parkte ein Polizeiauto. Robert Stewart kam Caleb und Jane entgegen, als diese anhielten und ausstiegen.

»Heimeliges Ambiente«, meinte er, »und wie es scheint, ist niemand zu Hause.«

»Wenn du mich fragst, ich glaube nicht, dass hier überhaupt noch jemand wohnt«, sagte Jane. Sie blickte sich mit leisem Schaudern um. »Hier ist man ja wie lebendig begraben. Und nach meiner Ansicht hat hier *seit Jahren* niemand mehr einen Handgriff getan.«

»Ein alter Mann wäre damit wahrscheinlich auch überfordert«, sagte Caleb.

»Ich schätze, er ist längst in einem Heim«, sagte Jane. »Wenn er überhaupt noch lebt.«

»Also, offiziell wohnt er jedenfalls noch hier«, sagte Stewart. Er schwenkte einen Packen Briefe, die er in der Hand hielt. »Hier. Die habe ich unten aus dem Briefkasten gefischt.«

»Hier gibt es einen Briefkasten?«, fragte Caleb. »Wo?«

»Unten an der Einfahrt. Total verdeckt von irgendwelchem Gewächs. Ich habe zufällig im Vorbeifahren wahrgenommen, dass dort etwas ist, und habe nachgesehen.«

Caleb griff nach der Post und betrachtete stirnrunzelnd die Umschläge. »Was ist das?«

»Ich glaube, das sind Rentenbescheide. Courtney scheint also zu leben und auch noch hier gemeldet zu sein.« Jane betrachtete das Haus, das dringend hätte saniert werden müssen und so aussah, als falle es jeden Moment in sich zusammen. »Die berühmte Altersarmut. Sie erwartet uns nicht nur, sie ist längst da. Und sie ist nicht gerade ein Aushängeschild für unsere Gesellschaft.«

»So sollte niemand leben müssen«, stimmte Stewart zu, »schon gar nicht am Ende seines Daseins.«

»Wir müssen in das Haus«, bestimmte Caleb. »Ich habe den Verdacht, dass der alte Mann längst das Zeitliche gesegnet hat, aber dass niemand etwas davon bemerkt hat. Womöglich liegt er seit Monaten da drinnen tot in seinem Bett.«

»Die Tür ist fest verschlossen«, sagte Stewart.

»Wo sind die beiden Beamten?«

Einer der beiden Männer tauchte in diesem Moment neben dem Haus auf. Er habe es umrundet, berichtete er, und, soweit das möglich sei, durch die Fenster in das Innere gesehen. Seiner Ansicht nach halte sich niemand dort auf.

»Der Platz hinter dem Haus gleicht allerdings einer einzigen Müllhalde«, berichtete er. »Vor allem Pappkartons, die stapelweise mit leeren Flaschen gefüllt sind. Aber auch Flaschen, die einfach nur so herumfliegen. Vorwiegend Whisky billigster Sorte. Der Typ, der hier wohnt, muss schlucken ohne Ende.«

Eine Sekunde lang herrschte betretenes Schweigen. Caleb brauchte einen Moment, um zu kapieren, dass Jane und Robert *seinetwegen* so verlegen zu Boden schauten.

Trotz des qualvollen Entzuges, den er hinter sich gebracht hatte – der Alkoholiker klebte einfach an ihm. Wahrscheinlich für immer.

Robert Stewart räusperte sich.

»Wo ist Patrick?«, erkundigte er sich nach dem zweiten Polizisten.

»Der durchstreift das Grundstück. Glaube allerdings nicht, dass er etwas oder jemanden findet. Wenn man mich fragt: Ich denke, hier ist seit Monaten niemand mehr gewesen.«

»Wir gehen jetzt rein«, sagte Caleb.

Es kostete den Beamten eine knappe halbe Minute, dann hatte er das morsche Schloss aufgebrochen. Alle hielten sie für einen Moment den Atem an, aber dann entspannten sie sich: Es war abgestandene, modrige Luft, die ihnen entgegenschlug, und es roch auch unappetitlich nach irgendwelchen Dingen, von denen man lieber nicht wusste, worum es sich handelte und in welchem Zustand sie waren. Aber es gab definitiv keinen Leichengeruch, und der alte Neil Courtney lag jedenfalls nicht tot in einem der Zimmer.

Durch die völlig verschmutzten Fenster drang nur dämmriges Licht ins Haus, aber nach kurzer Zeit hatten sich aller Augen daran gewöhnt. Es war rasch klar, dass tatsächlich schon seit längerer Zeit niemand mehr hier gewesen war, denn sowohl der Fußboden als auch sämtliche Möbel waren von einer dicken, unberührten Staubschicht überzogen. Es herrschte eine unvorstellbare Unordnung: Schubladen waren aus Kommoden gerissen und mitten in die Zimmer geworfen worden, der Inhalt flog wild verstreut herum, Regale waren abgeräumt worden, Teppiche in die Ecken geknäult, Blumenvasen umgekippt, ein Lampenschirm von der Decke gerissen. Es sah aus, als habe eine Bombe eingeschlagen. Zumindest in den zwei Zimmern, die sich im Erdgeschoss befanden, und in der Küche, in der alles Geschirr aus den Wandschränken gefegt und auf dem Boden zerschmettert worden war. Essensreste gammelten auf dem altmodischen Herd vor sich hin. Auf dem Tisch stand ein Teller mit undefinierbarem Inhalt, auf dem sich eine bläulich weiße Schimmelwolke gebildet hatte. Und auch hier überall: leere Whiskyflaschen, bergeweise. In einem merkwürdigen Kontrast dazu standen auf einem Fensterbrett ein paar Tontöpfe, die mit Kräutern bepflanzt waren. Obwohl von den Kräutern nur verdorrte braune Stängel übrig geblieben waren, hatte der Anblick etwas Rührendes, vor allem, weil zwischen den Töpfen eine kleine Plastikgießkanne, wie sie Kinder zum Spielen benutzen, lehnte: Courtney, der seinem Alkoholkonsum nach zu schließen ein wandelndes Wrack sein musste, hatte inmitten all des Verfalls, sowohl dem des Hauses als auch seines eigenen, doch noch die Kraft gefunden, Leben zu erhalten.

»Entweder ist Neil Courtney ein unglaublicher Chaot«, sagte Stewart, »oder hier hat jemand äußerst dringend irgendetwas gesucht.«

»Ich nehme an, Letzteres ist der Fall«, sagte Caleb. »Jemand – möglicherweise unser Freund Shove – hat hier alles komplett auf den Kopf gestellt. Die große Frage ist: Was wurde aus dem alten Courtney?«

Während die Männer das Erdgeschoss nach einem möglichen Kellereinstieg absuchten, ging Jane die steile Holztreppe hinauf, die in den ersten Stock führte. Hier oben gab es ein Bad, das so in die Dachschräge eingebaut war, dass ein normal gewachsener Mensch an keiner Stelle aufrecht stehen konnte. In der Toilette klebte der Urinstein zentimeterdick. Es gab keinerlei Utensilien, nicht einmal eine Zahnbürste. Jane vermutete, dass es der alte Courtney mit der Körperpflege nicht allzu genau nahm.

Außerdem befanden sich zwei Zimmer unter dem Dach, wiederum so niedrig, dass Jane den Kopf einziehen musste. Sie schienen nie benutzt worden zu sein, denn es stand kein einziges Möbelstück darin. Courtneys Leben musste sich weitgehend in Küche und Wohnzimmer abgespielt haben.

Jane ging wieder nach unten.

»Kein Keller«, sagte Caleb gerade. Er blickte zu Jane hinüber. »Oben irgendetwas?«

»Nichts. Buchstäblich. Bis auf die Toilette wurde oben nichts benutzt.«

Sie vernahmen Schritte und drehten sich um. Patrick, der zweite Beamte, kam ins Haus. Er nickte Caleb und Jane grüßend zu. »Chief Inspector. Constable. Ich habe etwas gefunden. Hinten im Garten.«

»Und was?«, fragte Caleb ungeduldig.

»Etwas, das wie ein Grab aussieht. Nicht ganz frisch,

aber auch noch nicht eingesunken. Kann natürlich auch ein Hund sein, der dort liegt... Der wäre allerdings ganz schön groß...«

Alle waren elektrisiert und folgten Patrick aus dem Haus hinaus in den rückwärtigen Garten. Jane sah die zahllosen Kartons mit Flaschen an der hinteren Wand und schauderte.

Auch im Garten, der sich einen kleinen Hügel hinunter erstreckte, hatte nie jemand irgendetwas gemacht, aber das Ergebnis davon war eine idyllisch anmutende Wildnis. Alte, knorrige Obstbäume, dazwischen stämmige Eichen mit ausladenden Kronen. Himbeersträucher, Glockenblumen, Veilchen. Farn und Moos. Alles unberührt und nach eigenen Gesetzen wachsend und wuchernd. Ein Paradies für Vögel, Insekten, Blindschleichen und andere Tiere. Von irgendwoher war das friedliche Plätschern eines Baches zu vernehmen. Und dazwischen sollte es ein Grab geben?

Patrick führte sie den Hang hinunter bis zur Grundstücksgrenze, die durch ein paar moosbewachsene Mauerreste definiert wurde. Direkt davor, halb verdeckt von einem Ginsterbusch, sahen sie die frisch aufgeschüttete Erde. Ein gewölbter Hügel, auf dem Gras und Klee schon wieder hoch wucherten. Der Hügel stammte nicht aus diesem Sommer, weil die Natur ihn bereits zurückeroberte, aber Patrick hatte recht: Noch senkte er sich nicht, und im Näherkommen waren auch noch einzelne Erdklumpen auszumachen, die eindeutig mit einem Spaten ausgestochen worden waren.

»Ziemlich lang«, sagte Jane. »Tatsächlich etwas groß für einen Hund.«

»Ich würde sagen, die Anlage stammt aus dem letzten Herbst«, meinte DS Stewart, und Jane dachte, dass der Begriff *Anlage* seltsam war.

Caleb sah plötzlich erschöpft, zugleich aber erleichtert aus.

»Ich würde fast wetten«, sagte er, »dass wir den alten Neil Courtney gefunden haben.«

3

Am Montag war Stella fast sicher, dass Terry und Denis das Weite gesucht hatten und dass sie nun mit ihrer Familie völlig allein auf der Farm war – gefangen in dieser düsteren Scheune, ausgestattet mit Wasser und Nahrungsmitteln; Vorräte, die bei sparsamer Einteilung bestenfalls noch drei Tage lang reichen würden. Sie hatte nicht gehört, dass ein Motor ansprang, aber sie hatte über viele Stunden in der Nacht so tief und so völlig am Ende ihrer Kräfte geschlafen, dass sie sich vorstellen konnte, den Aufbruch des Paares tatsächlich nicht mitbekommen zu haben. Am Sonntagabend hatte sie den Turm wieder errichtet und war zum Fenster hinaufgeklettert, hatte hinausgespäht. Sie hatte die beiden Autos der jungen Leute gesehen, aber das besagte nichts, da sie mit Sicherheit das Auto der Cranes für ihre Flucht benutzten.

Stella hatte eine Menge alter Lumpen, die sie in der Scheune gefunden hatte, mit hinaufgenommen, hatte ihre rechte Hand dick darin eingepackt und die Fensterscheibe zerschlagen, was ihr allerdings erst beim sechsten oder siebten Anlauf gelungen war. Sie stand so wackelig hier oben, dass sie keinen rechten Ausgangspunkt für eine wirklich kraftvolle Attacke fand. Aber endlich splitterte das Glas, und mit der nach wie vor gut geschützten Hand schaffte sie es, die verbliebenen Splitter aus dem Rahmen zu brechen und nach draußen auf den Hof zu werfen. Es war ein wunderbares Gefühl, den Kopf hinauszustrecken und die warme, klare Luft zu atmen. Sie schaute sich sehr genau um, sah aber nirgends ein menschliches Wesen, keinen Wanderer, keinen Mountainbiker, niemand. Ein paar Vögel, die sie mit dem lauten Klirren der Scheibe aufgeschreckt hatte, flatterten nervös herum, aber das war auch alles. Die Farm wurde ihrem Ruf als geradezu genialer Rückzugsort wieder einmal gerecht: Hierher verirrte sich tatsächlich kaum ein Mensch.

Stella kletterte wieder nach unten, verlor auf dem letzten Stück den Halt und stürzte ab. Sie kam heil auf, trug außer ein paar Abschürfungen an den Beinen keine Blessuren davon. Der Sturz war jedoch eine Warnung: Hätte sie höher gestanden, sie hätte sich ernsthaft verletzt. Einfach nur, um Luft zu schnappen, wie sie es sich gut hätte vorstellen können, durfte sie nicht hinaufklettern. Je seltener sie diese *Leiter* benutzte, umso besser. Vielleicht sollte sie zu einer festen Stunde am Tag oben Stellung beziehen und Ausschau nach Hilfe halten. Die Frage war, ob das Risiko, das sie einging, in einem vernünftigen Verhältnis zu den Chancen dieses Unterfangens stand.

Und die Chancen gehen gegen null, dachte Stella deprimiert, das ist einfach die bittere Wahrheit.

Sie hatte sich den Sonntag über ansonsten im Wesentlichen um Jonas gekümmert, der unvermindert hoch fieberte und die meiste Zeit über schlief. Sie hatte es endlich über sich gebracht, seine Wunde am Bauch freizulegen, obwohl sie sich davor gefürchtet hatte, aber es war klar, dass der Verband in Abständen gewechselt werden musste. Dank des Verbandkastens verfügte sie zum Glück über etliche Mullbinden. Jonas hatte gestöhnt, als sie den alten, blutverkrusteten Verband ablöste. Sie nahm schließlich etwas Wasser zu Hilfe, um die Prozedur zu erleichtern und Jonas' Schmerzen zu mildern, aber es erschien ihr als eine bittere Verschwendung. Nichts war in der augenblicklichen Lage so kostbar wie Wasser, und eigentlich hatte sie vorgehabt, nichts davon mehr für irgendetwas anderes als für das Trinken freizugeben. Dennoch, als sie die hässliche Wunde an Jonas' rechtem Unterbauch sah, erkannte sie, dass sie auch zum Reinigen etwas abzweigen musste. Sie verfügte über keinerlei medizinische Kenntnisse, aber sie fürchtete, dass sich die ganze Stelle entzünden würde, wenn man sie nicht einigermaßen sauber hielt – falls nicht das hohe Fieber überhaupt ein Zeichen dafür war, dass bereits eine Entzündung im Körper tobte. Die Scheune starrte vor Schmutz und Staub und stellte ohnehin die denkbar schlechteste Umgebung für einen Schwerverletzten dar. Stella hatte nichts, womit sie die Haut um die Einschussstelle herum hätte desinfizieren können. Es blieb ihr nur, ein Stück Watte in Wasser zu tauchen und vorsichtig und sorgfältig den gesamten Wundbereich abzutupfen. Sie hatte keine Ahnung, ob das annähernd ausreichte, eine Sepsis zu verhindern. Sie dachte an alle Schilderungen, die sie je über verwundete Soldaten in den Feldlazaretten des Zweiten Weltkrieges gelesen hatte. Auch unter ziemlich ungünstigen Umständen, vor allem versorgungstechnischen Engpässen, hatten viele am Schluss trotzdem überlebt. Sie hoffte inständig, dass Jonas stark und robust genug war, seinen eigenen kritischen Zustand zu überstehen.

Jonas sprach den Sonntag über fast kein Wort, er schien nur schlafen zu wollen, schlafen, schlafen, schlafen. Stella musste immer wieder den enttäuschten Sammy beschwichtigen, der mit seinem Vater reden oder spielen wollte und nicht verstand, weshalb sich dieser kein bisschen auf seine wiedergefundene Familie einließ. Stella lenkte ihn ab, so gut sie konnte. In dem Korb mit den Essensvorräten hatte sie ein Kartenspiel gefunden, mit dessen Hilfe sie Sammy einigermaßen beschäftigen konnte. Er bekam Jonas' Anteil vom Abendessen, denn Jonas war nicht zu bewegen, etwas zu sich zu nehmen. Stella gab ihm dafür etwas mehr Wasser als sich und Sam. Er hatte noch immer hohes Fieber, und seine aufgesprungenen Lippen waren heiß und ausgedörrt.

Jetzt, an diesem Montag, schien es ihm etwas besser zu gehen. Er hatte immerhin ein paar Kekse zum Frühstück gegessen, und seine Stirn fühlte sich nicht mehr ganz so heiß an. Der Blick aus seinen Augen schien Stella etwas klarer. Am frühen Morgen hatte sie seinen Verband gewechselt, wieder unter Zuhilfenahme von Wasser. Sie bemühte sich, ihre Angst vor den beiden anderen zu verbergen, aber ihr wurde ganz schlecht, wenn sie sah, wie schnell der Wasservorrat abnahm. Denis Shove musste sein Versprechen, telefonisch die Polizei oder den Rettungsdienst zu verständigen und zur Farm zu schicken, schnell wahr machen, sonst bekamen sie hier ein lebensbedrohliches Problem.

Jonas hatte bislang kaum etwas anderes geäußert als die Bitte um Wasser oder um Medikamente. Erstmals schien er jetzt auch noch anderes wahrzunehmen als nur seinen fieber- und schmerzgequälten Körper.

»Schöner Mist«, sagte er. »Es tut mir leid, Stella. Es tut mir so leid.«

»Dir muss doch nichts leidtun. Du hast nichts falsch gemacht.«

Er schüttelte den Kopf. »Doch. Du wolltest nicht hierher, weil du ein dummes Gefühl hattest wegen Neil Courtney.

Ich habe es dir ausgeredet, obwohl ich auch verunsichert war. Aber ich wollte es mir nicht eingestehen.«

»Er heißt übrigens gar nicht Neil Courtney«, sagte Stella, »er heißt Denis Shove.«

Rasch berichtete sie, was sie über ihn wusste.

Jonas' Augen weiteten sich. »Er hat einen Polizisten ermordet?«

»Er behauptet, dass er es nicht war, aber dass die Polizei ihm das nie glauben wird. Daher muss er untertauchen.«

»Und wieso ist die Polizei überzeugt, dass er der Täter ist?«

»Der ermordete Polizist hat ihn vor vielen Jahren ins Gefängnis gebracht, nachdem Shove seine damalige Lebensgefährtin im Streit so schwer verletzt hatte, dass sie gestorben ist. Shove drohte, sich für seine Festnahme zu rächen.«

»O Gott. Weiß Terry darüber Bescheid?«

»Inzwischen weiß sie es. Ist ihm aber nach wie vor treu ergeben.«

»Und wo sind die beiden jetzt?«

»Weg. Mit unserem Auto.«

Jonas versuchte, sich aufzusetzen, und verzog dabei das Gesicht zu einer schmerzerfüllten Grimasse. Er ließ seinen Blick durch die Scheune schweifen. »Kommen wir hier irgendwie raus?«

Stella zuckte mit den Schultern. »Bislang bin ich gescheitert. Die Tür und das Schloss halten bombenfest. Ich habe mich mehrfach dagegen geworfen, ich habe versucht, das Schloss aufzubrechen – nichts zu machen. In dieser verdammten Scheune liegt jeder nur denkbare Müll herum, aber nichts, was sich als Werkzeug verwenden ließe.«

»Und ich kann nicht helfen.« Er ballte die Hand zur Faust. Schon allein diese Anstrengung vertiefte die Blässe seines Gesichtes. »Ich bin ein solcher Idiot, Stella. Ein unfassbarer Idiot. Mich auf Neil – Denis – zu stürzen und zu glauben … zu glauben, ich könnte den Helden spielen. Als der geborene Verlierer, der ich nun einmal bin.«

»Du bist kein geborener Verlierer. Du konntest nicht gewinnen gegen einen Mann mit einer Schusswaffe.«

»Ich hätte auch nicht gewonnen, wenn er keine Waffe gehabt hätte. Das wissen wir beide.« Er ließ sich zurücksinken. Schweiß stand auf seiner Stirn. »Ich weiß nicht, was ich mir gedacht habe. Wahrscheinlich gar nichts. Ich …«

»Du hast gesehen, dass deine Familie bedroht wird, und du hast instinktiv reagiert. Jetzt hör bloß auf, dir Vorwürfe zu machen«, sagte Stella. Sie verschwieg, wie sehr sie selbst ihm innerlich wegen seines unbedachten Handelns gegrollt hatte. Es machte nicht den geringsten Sinn, dieses Thema jetzt noch zu vertiefen. Sie brauchten ihre Energie für wichtigere Dinge.

»Wie sieht es mit unseren Vorräten aus?«, fragte Jonas.

Stella überlegte kurz, ob sie die Situation beschönigen sollte, aber Jonas würde sowieso ziemlich schnell merken, wie die Wahrheit aussah.

»Nicht gut. Ich schätze, dass wir mit Wasser und Essen noch etwa drei Tage hinkommen.«

»Drei Tage?«

»Denis Shove hat mir versprochen, dass er die Polizei hierherschicken wird. Er wird sie anonym benachrichtigen, sowie Terry und er in Sicherheit sind.«

»Glaubst du ihm?«

Sie schaute zu Sammy hinüber, aber der war im Moment beschäftigt, aus Stanniolpapier kleine Flieger zu bauen, und hörte nicht zu.

»Ich weiß es nicht«, sagte sie ehrlich. »Ich glaube, dass er es wirklich vorhat. Ich weiß aber nicht, ob ihm nicht plötzlich der Gedanke kommt, welches Risiko das für ihn bedeuten könnte. Der Mann ist kriminell. Wie weit kann man einem Kriminellen überhaupt jemals trauen?«

»Verflucht«, sagte Jonas. Er versuchte erneut, sich aufzurichten, fiel aber sofort wieder in sich zusammen. »Wir müssen hier raus, Stella. Der Typ meldet sich im Leben nicht mehr, weder bei der Polizei noch sonst irgendwo. Der sieht jetzt nur noch zu, dass er sich in Sicherheit bringt, und wir sind ihm scheißegal.« Er verdrehte den Kopf, um den Raum aus seiner liegenden Haltung heraus sehen zu können. »Du hast einen Aufstieg da hoch gebaut. Und das Fenster … Es ist offen, oder?«

»Ja, aber es nützt nicht viel. Ich dachte, vielleicht kommt mal jemand vorbei, den ich auf uns aufmerksam machen könnte, aber bislang hat sich niemand blicken lassen. Ich werde mich nachher wieder eine Weile nach oben stellen, aber … na ja. Allzu viel Hoffnung habe ich leider nicht.«

»Sammy«, sagte Jonas. Er sprach mit gedämpfter Stimme. »Ich glaube, Sammy könnte durch das Fenster passen.«

»Ja, aber weißt du, wie hoch das ist? Er kann aus dieser Höhe nicht springen. Er würde sich sämtliche Knochen brechen, wenn er es überhaupt überlebt. Das ist ausgeschlossen, Jonas.«

»Es ist unsere einzige Chance. Ich sehe keine andere.«

»Es geht nicht.«

»Ein Seil …«

»Hier drinnen gibt es kein Seil.«

»Aber es gibt Stoffe, die wir aneinanderknoten können. Und wenn es unsere Klamotten sind. Wir können etwas herstellen, woran wir ihn hinunterlassen.«

»Ein fünfjähriger Junge! Aus einer solchen Höhe! Das dürfen wir nicht riskieren, Jonas.«

»Wir riskieren mehr, wenn wir nichts tun.«

»Außerdem – was soll er denn dann da draußen machen?«

»Vielleicht ist das Haus unverschlossen. Er könnte dein Handy an sich nehmen, zum Hügel laufen und die Polizei anrufen. Du kannst ihn ja dirigieren vom Fenster aus.«

»Ich kann mir nicht denken, dass Denis Shove ein Handy hiergelassen hat.«

»Dann kann Sammy zur Straße laufen. Irgendwann kommt ein Auto. Stella, die Alternative ist, dass wir hier verhungern und verdursten.«

Stella stützte den Kopf in die Hände. Sie sah Sammy vor sich – abgestürzt, mit gebrochenen Knochen wimmernd vor Schmerzen im Hof liegen. Sie hörte, wie er nach ihr rief. Und sie würde ihm nicht helfen können.

»Was ist mit deinem Kollegen? Dem diese Farm gehört? Was habt ihr vereinbart?«

»Nichts Konkretes. Dass wir telefonieren, wenn wir zurück sind. Und dann etwas ausmachen wegen der Schlüsselübergabe.«

»Aber du meinst nicht, dass er stutzig wird, wenn du *heute* noch nicht anrufst?«

»Ich glaube nicht. Er wird sich denken, dass sich eine Menge Post angesammelt hat in unserer Abwesenheit, ganz zu schweigen von den Mails. Er wird annehmen, dass ich erst einmal in Arbeit ersticke.«

»Aber in ein paar Tagen wird es ihn irritieren, wenn er gar nichts hört.«

»Ein paar Tage sind zu lang, Stella.«

»Hast du irgendeine berufliche Verabredung?«

»Nächste Woche. Ich wollte diese Woche zwei Treatments fertigstellen. Nächste Woche Mittwoch soll die Besprechung deswegen sein.«

»Wann solltest du die Treatments mailen?«

»Am Freitag. Stella, vorher merkt niemand, dass ich nicht da bin.«

»Das weißt du nicht. Du kannst Mails haben, in denen du dringend um Antwort gebeten wirst.«

»Ja. Aber was meinst du, wie schnell läuft dann jemand tatsächlich *zur Polizei,* nur weil meine Rückmeldung erst einmal ausbleibt?«

Das war die Frage. Von welchem Zeitpunkt an waren die Menschen alarmiert, weil eine ganze Familie verschollen blieb? Ab wann fürchteten sie nicht mehr, sich lächerlich zu machen, wenn sie deswegen etwas unternahmen?

»Unsere Nachbarin«, sagte Stella. »Sie wundert sich mit Sicherheit schon seit gestern Abend.«

»Die wird eher denken, sie hat sich im Datum geirrt, als dass sie annimmt, dass uns ein flüchtiger Mörder auf einer einsamen Farm eingesperrt und das Weite gesucht hat.«

»Sie wird mich auf meinem Handy zu erreichen versuchen. Und sich sehr wundern, dass ich nicht zurückrufe.«

Jonas hob kraftlos die Hand und strich sich über die schweißnasse Stirn. Das Gespräch kostete ihn viel zu viel Kraft, wie Stella angstvoll bemerkte.

»Jonas …«, sagte sie beschwichtigend.

Er schüttelte den Kopf. »Ach, Stella, das alles dauert zu lang. Weil außer diesem Kollegen niemand weiß, wo wir sind. Und es gibt eine Sekretärin in einer von einem guten Dutzend Filmproduktionen, mit denen ich arbeite, die weiß, dass ich mit ebenjenem Kollegen etwas wegen der Ferien vereinbaren wollte. Wenn also irgendwann jemand akribisch nach uns zu forschen beginnt, und es kann dauern, bis das der Fall ist, dann muss es ihm gelingen, diese Verbindungen herzustellen, um auf unseren Aufenthaltsort zu kommen. Und das soll in drei Tagen passieren? In den drei Tagen, in denen wir noch Nahrung und – vor allem – Wasser haben?«

Sie schwieg. Was sollte sie sagen?

»Die Idee mit Sammy«, meinte sie nach einer Weile, »gefällt mir überhaupt nicht.«

»Hast du eine bessere?«, fragte Jonas erschöpft.

»Lass uns noch warten. Wir halten ja noch ein paar Tage durch.«

Sammy trat heran. Er hatte keine Lust mehr, Flieger zu bauen. »Daddy, wann gehen wir nach Hause?«

»Bald«, versicherte Jonas.

»Kommt jetzt die Polizei und befreit uns?« Sammy träumte noch immer von dem Abenteuer seines Lebens.

»Das kann nicht mehr lange dauern«, versicherte Stella.

»Ich habe Hunger, Mummy!«

»Lass uns noch etwas warten. Wir essen in ein paar Stunden wieder etwas, ja?«

Er seufzte, zog sich wieder in seine Ecke zurück und drückte mit zornigen Bewegungen alle seine Papierflieger platt.

»Stella, da ist noch ein Punkt.« Jonas sprach jetzt sehr leise. »Es geht mir gar nicht gut. Ich brauche einen Arzt.«

»Aber es geht dir heute besser!«

»Es fühlt sich nicht stabil an. Glaub mir. Ich brauche einen Arzt.«

Sie blickte zu dem Fenster hinauf. Jonas hatte recht. Sammy könnte hindurchpassen.

Es konnte eine Chance sein.

Oder ihr endgültiges Verhängnis werden.

Schließlich hatte sie nichts weiter zu tun, als im Haus ihres Vaters zu sitzen und zu grübeln, also konnte sie auch nach Liverpool fahren. Sie hatte keine Ahnung, ob das Gespräch mit Norman Dowrick etwas bringen würde, aber andererseits hatte sie nichts zu verlieren. Im Grunde nicht einmal Zeit. Zeit hatte für sie in den letzten Wochen ohnehin eine völlig andere Dimension angenommen als zuvor. Sie arbeitete schließlich nicht mehr. Sie versuchte ihr Leben zu ordnen.

Susannah war an diesem Morgen mit Sicherheit viel zu spät zur Arbeit gekommen. Sie hatte sich schließlich doch noch zu Kate an den Tisch gesetzt, ihnen beiden einen weiteren Kaffee eingeschenkt. Und erzählt.

»Ja, ich wusste von Melissa. Durch Norman. Richard hatte ihn von Anfang an ins Vertrauen gezogen. Um sich bei jemandem aussprechen zu können – aber auch, um ganz handfeste Unterstützung zu bekommen. Seine geheimen Treffen in Whitby… Er brauchte jemanden, der ihn deckte. Der ihm gewissermaßen immer wieder ein Alibi gab.«

Susannah hatte berichtet, dass Norman unter der Situation gelitten habe. Und sie selbst auch.

»Wir mochten ja Brenda sehr. Norman sagte manchmal, es sei unerträglich, Mitwisser in dieser Sache zu sein.«

»Hatten Sie in der Zeit noch Kontakt zu meiner Mutter?«

Susannah schüttelte den Kopf. »Sie war so krank. Ich schickte ihr manchmal Karten mit aufbauenden Sprüchen, Bücher, einen Blumenstrauß… Darüber freute sie sich sehr. Sie schrieb mir immer sofort zurück. Aber sie machte auch deutlich, dass sie kein Treffen wollte. *Wir sehen uns wieder, wenn es mir besser geht*, schrieb sie, *jetzt habe ich keine Haare mehr und bin dauernd müde*. Es war deutlich, dass sie so einfach nicht gesehen werden wollte. Und dass ihr meist auch die Kraft für Gespräche fehlte. Ich war fast erleichtert. Ich wollte ihr nicht ins Gesicht lügen, das war eine unerträgliche Vorstellung. Und unter Lügen hätte ich in diesem Fall schon verstanden, von Richards Verrat zu wissen und darüber zu schweigen. Ich meine, ich stellte mir das grauenhaft vor: Abende zu viert, so wie früher, Richard, Norman, Brenda und ich. Wir sind ja manchmal zusammen Pizza essen gegangen oder haben uns bei einem von uns zu Hause getroffen. Und da sitzen wir dann fröhlich im Kreis, und drei von uns wissen, dass die Vierte in der Runde von ihrem Mann betrogen wird, dass er ein festes und ernstes Verhältnis hat. Und sie ist völlig ahnungslos. Das hätte ich nicht ausgehalten. Norman auch nicht. Insofern … bedrängten wir beide Brenda nicht, doch wieder etwas geselliger zu werden. Die Situation war auch so schon schwierig genug.«

»Sie haben nie darüber nachgedacht, meiner Mutter reinen Wein einzuschenken?«, fragte Kate.

Susannah seufzte. »Natürlich. Und wie oft. Und Norman auch. Aber es war ja so: Die ursprüngliche Freundschaft bestand zwischen Norman und Richard. Brenda und ich mochten einander sehr, hätten uns ohne unsere Männer aber nie kennengelernt und wahrscheinlich auch nicht angefreundet – schon wegen unseres Altersunterschiedes. Norman brachte es nicht fertig, seinen Freund, der ja überdies auch noch sein Vorgesetzter war, in Schwierigkeiten zu bringen. Sein Vertrauen zu missbrauchen. Und auch ich fürchtete die Konsequenzen. Nicht zuletzt die beruflichen Folgen für meinen Mann. Es war einfach verfahren. Wir waren unglaublich erleichtert, als diese unselige Beziehung schließlich abbrach und Richard sozusagen auf den Pfad der Tugend zurückkehrte.«

Das war das Stichwort. Kate setzte sich aufrecht hin. »Wissen Sie etwas darüber? Über das Ende der Beziehung, meine ich? *Wieso* trennten sich mein Vater und Melissa Cooper plötzlich?«

»Ja, das war seltsam«, sagte Susannah. Sie schenkte sich noch einen Kaffee nach, löffelte Zucker in die Tasse und rührte nachdenklich darin herum. »Ich habe damals auch immerzu versucht, mehr aus Norman herauszubekommen. Aber er sagte nichts. Nichts, was mich wirklich überzeugt hätte.«

»Sie meinen, er kannte den wahren Grund? Und wollte ihn nicht nennen?«

Susannah zögerte. »Schwer zu sagen. Er behauptete, nicht mehr zu wissen als ich. Trotzdem hatte ich das Gefühl … ich kann es nicht erklären … ich hatte einfach den Eindruck, dass er mehr wusste. Aber aus irgendeinem Grund nicht darüber sprechen wollte. Ich vermutete, dass er Richard versprochen hatte, den Mund zu halten. Ich verstand bloß nicht, warum. Was konnte schon Schlimmes passiert sein?«

»Offiziell trennten sie sich mit Rücksicht auf die Erkrankung meiner Mutter«, sagte Kate, die sich an Doreens Worte erinnerte.

»Ja«, sagte Susannah, »so stellte Richard es dar. Aber ich fand das seltsam. Brenda war ja wieder gesund. Norman meinte nur, dass Melissa wohl eine endgültige Entscheidung von Richard gefordert habe und dass Richard fürchtete, Brendas Krebs würde wieder ausbrechen, wenn er sie nun verließe.«

»Das klingt aber nicht unlogisch«, sagte Kate.

»Nein. Und deshalb spreche ich ja auch von einem Gefühl. Wissen Sie, ich war zu diesem Zeitpunkt seit zwölf Jahren mit Norman verheiratet. Ein Paar waren wir seit unserem siebzehnten Lebensjahr. Ich kenne diesen Mann einfach durch und durch. Ich habe gespürt, dass er etwas vor mir verheimlicht. Dass er mir ausweicht. Er wollte über das ganze Thema *Richard und Melissa* nicht mehr sprechen, wurde fast ärgerlich, wenn ich davon anfing. Und davor hatten wir ständig darüber geredet. Jetzt, da alles vorbei war, wurde es plötzlich zu einem absoluten Tabu. Außerdem ...«

»Ja?«, hakte Kate nach, als Susannah stockte.

»Außerdem hatte ich den Eindruck, dass sich auch die Freundschaft zwischen Richard und Norman verändert hatte. Sie sahen einander noch täglich im Beruf, klar, aber darüber hinaus gar nicht mehr. Sonst waren sie wenigstens einmal in der Woche abends ein Bier zusammen trinken gegangen, und manchmal hatten sie sich am Wochenende zum Wandern im Moor verabredet. Das alles fand nicht mehr statt. Und zu einem Treffen zu viert kam es nun, da es Brenda besser ging, auch nicht wieder. Worüber ich allerdings froh war. Ich hätte ihr nach wie vor nicht in die Augen sehen können.«

»Und dann ...«, deutete Kate an, und Susannah wusste, was sie meinte. »Und dann passierte ja auch schon bald das Unglück. Norman wurde zum Krüppel geschossen. Von da an ... wurde sowieso alles anders.«

Kate hatte gezögert, die Frage, die sich ihr aufdrängte, aber schließlich doch gestellt. Es war einfach eine Vermutung, möglicherweise sogar nur der Schatten einer Vermutung, nicht mehr. »Können Sie sich vorstellen, dass Norman es meinem Vater in irgendeiner Form vorwarf? Diesen Unfall, das Unglück, wie Sie es nennen?«

Susannah wirkte überrascht. »Nein. Ihr Vater war ja nicht dabei. Er war im Urlaub, als es passierte.«

»Ja, aber darin könnte doch der Vorwurf bestehen. Dass er nicht da war.«

»Ich glaube nicht«, sagte Susannah. »Nein. So etwas hat er jedenfalls nie geäußert. Er war hinterher mit Gott und der Welt verfeindet, einfach mit jedem, dem es besser ging als ihm, auch mit Ihrem Vater. Nicht sofort, aber nach und nach. Als schließlich feststand, dass sich an seinem Zustand nichts mehr ändern würde, da fing er an, alle zu hassen, die gesund waren.«

Kate dachte an die Weihnachtskarte, die sie gefunden hatte. Etwa vier Monate nach dem Unglück geschrieben. Offensichtlich hatte es damals noch Hoffnung in Norman Dowrick gegeben. Sie war mehr und mehr versickert, hatte sich schließlich in nichts aufgelöst. Norman war, nach den Schilderungen seiner Frau, zu einem verbitterten, hasserfüllten Mann geworden, der andere Menschen irgendwann nicht mehr hatte ertragen können. Sie wusste, dass es schließlich nicht den kleinsten Kontakt mehr zwischen ihrem Vater und ihm gegeben hatte. Aber offenbar war da schon vorher etwas gewesen, ein Bruch, eine Veränderung zumindest, die zu einer Distanz zwischen den beiden Männern geführt hatte. Norman hatte Richards Verhältnis mit einer anderen Frau verurteilt, aber trotzdem war die Freundschaft zunächst stabil geblieben. Ihren echten Knacks hatte sie erst bekommen, als sich Richard von Melissa trennte.

Irgendetwas war dieser Trennung unmittelbar vorausgegangen, was weite Kreise gezogen hatte.

Ihr war klar, dass sie mit Norman sprechen musste.

Sie erreichte die Außenbezirke von Liverpool am frühen Nachmittag. Susannah hatte ihr Normans Adresse genannt, gleich jedoch hinzugefügt, dass sie nicht genau wisse, ob er dort nach wie vor wohne.

»Im Grunde«, hatte sie gesagt, »weiß ich nicht einmal mehr, ob er noch lebt.«

Liverpool hat seine schönen Seiten, bietet besonders vom Fluss her ein eindrucksvolles Bild mit den vielen Hochhäusern, die in den letzten Jahren entstanden sind und die den trügerischen Eindruck von wirtschaftlichem Wachstum und solidem Wohlstand vermitteln. Tatsächlich aber zählt Liverpool zu den Städten mit der höchsten Arbeitslosigkeit in Großbritannien und gilt als tickende Zeitbombe, was einen größeren Ausbruch sozialer Unruhen und Krawalle angeht. Ganze Stadtteile warten auf dringend notwendige Sanierungsmaßnahmen, werden aber, da das Geld an allen Ecken und Enden fehlt, stattdessen dem langsamen Verfall preisgegeben. Es gibt Viertel, in denen Menschen in einer für westliche Verhältnisse ungewöhnlich großen Armut leben – und in völliger Hoffnungslosigkeit, was eine Verbesserung ihrer Lebensumstände betrifft.

Kate, die von Susannah erfahren hatte, dass Normans Versehrtenrente zum Leben wie zum Sterben nicht reichte, wappnete sich gegen das Bild von trostloser Verwahrlosung, das sie aller Wahrscheinlichkeit nach erwartete, aber sie war dann trotzdem erschüttert. Sie befand sich in einem Bereich der Stadt, der einmal ein Industrie- oder Gewerbegebiet gewesen sein mochte, inzwischen jedoch weitgehend stillgelegt zu sein schien. Ein großes, offenbar schon vor langer Zeit verlassenes Fabrikgelände, dessen Backsteinmauern mit hochaggressiven Graffitisprüchen beschmiert waren und dessen weitläufige Innenhöfe von Brennnesseln und Disteln überwuchert wurden. Eine einsame Bushaltestelle am Rande der Straße; die Scheiben des Unterstellhäuschens waren alle kaputt, und von dem Fahrplan, der dort geklebt hatte, hingen nur noch Fetzen hinunter. Niemand schien sich mehr die Mühe zu machen, diese öffentliche Einrichtung zu reparieren; vermutlich machte das keinen Sinn, da sich die Zerstörungswut der Menschen sofort erneut an ihr austobte. Gegenüber der Fabrik und der Haltestelle gab es einige kleine Mehrfamilienhäuser, deren Fenster zur Straße oder auf zugemüllte Hinterhöfe hinausgingen. An einem Eckhaus hing das Schild *Café*, aber sämtliche Jalousien des Gebäudes waren heruntergelassen, und es sah nicht so aus, als könne man dort tatsächlich noch einen Kaffee bekommen. In einiger Entfernung befand sich eine Tankstelle, die immerhin noch in Betrieb zu sein schien.

Kate hatte in einer Unterführung geparkt, um ihr Auto kühl zu halten. Sie stieg aus und ging die Straße entlang auf die erste Häuserreihe zu. Sie musste ihren ganzen Mut zusammennehmen. Sie fürchtete sich vor der Begegnung mit Norman Dowrick. Vor der Begegnung mit seinem Elend und mit seinem Menschenhass. Und vor dem, was er ihr über ihren Vater erzählen würde.

Es gestaltete sich als schwierig, das Haus, in dem er nach Susannahs Angaben leben sollte, zu finden, denn fast überall waren die Hausnummern so verblichen, dass sie sich kaum entziffern ließen. Kate versuchte es schließlich bei dem erstbesten Haus, dessen Klingeln zwar nicht funktionierten, dessen Eingangstür sich jedoch problemlos öffnen ließ. Sie fand sich in einem düsteren Treppenhaus wieder, in dem es unangenehm roch und von dessen Wänden der Putz bröselte. Es schien zwei Wohnungen im Erdgeschoss zu geben, vermutlich dazu noch zwei im ersten Stock, aber da Norman im Rollstuhl saß, würde er nur unten wohnen können.

Kate klopfte auf gut Glück an der linken Wohnungstür. Gleich darauf vernahm sie Schritte, die Tür ging auf, und eine Frau erschien.

»Ja?« Ihr *Ja* klang misstrauisch. Wahrscheinlich bekam sie im Normalfall überhaupt keinen Besuch, und wenn doch, dann solchen, der unangenehme Nachrichten brachte.

Kate lächelte gewinnend. »Hallo. Entschuldigen Sie, dass ich störe. Ich suche Mr. Dowrick. Norman Dowrick.«

Die Frau schüttelte den Kopf. »Kenn ich nicht.«

»Er müsste im Erdgeschoss wohnen. So wie Sie. Er ist gelähmt, wissen Sie? Er sitzt im Rollstuhl.«

Die Frau überlegte. Kate erkannte, dass es ihr schwerfiel, Informationen zu verarbeiten und eigene Gedanken zu fassen und zu formulieren. Sie roch den Gestank nach Schnaps und erkannte im geröteten, aufgequollenen Gesicht der anderen die Krankheit. Diese Frau hatte sich bereits an den Rand des Grabes gesoffen. Sie war auch jetzt betrunken. Sie war vermutlich zu jeder einzelnen Minute des Tages und der Nacht betrunken.

Anders hielt sie ihr Leben nicht aus.

Immerhin gelang es ihr schließlich doch noch, sich zu konzentrieren. »Ach, den meinen Sie. Der wohnt nich' hier.«

»Wo wohnt er denn dann?«

Die Frau machte eine fahrige Handbewegung, die alle vier Himmelsrichtungen einschloss. »Da drüben.«

»In einem der anderen Häuser hier, meinen Sie?«

»Ja. Aber…« Sie schien angestrengt nachzudenken. Sie hatte einen Satz sagen wollen, der ihr dann im letzten Moment entwischt war.

Kate wartete geduldig.

»Aber ich hab ihn lange nich' mehr gesehen«, sagte die Frau schließlich. »Früher kam er manchmal die Straße entlang. Mit seinem Rollstuhl. Aber das ist lange her.«

»Wie lange etwa?«

»Weiß nich'. Ein Jahr?«

Hoffentlich lebt er noch, dachte Kate.

Sie verabschiedete sich, fragte sich zunehmend zweifelnd, ob es ihr gelingen würde, Norman in einem der Häuser aufzutreiben. Es hing auch von der Kooperationsbereitschaft seiner Nachbarn ab, und sie war nicht sicher, wie viele von ihnen sie überhaupt nüchtern antreffen würde.

Was diesen letzten Punkt betraf, so hatte sie zu schwarzgesehen. Die meisten waren nicht betrunken, aber dennoch ahnungslos. Einige kannten Norman überhaupt nicht, erinnerten sich nicht, jemals einen Mann im Rollstuhl in der Siedlung gesehen zu haben. Andere wussten, von wem Kate sprach, aber nicht, wo der Gesuchte genau wohnte. Eine Information bekam Kate immer wieder, und sie stimmte sie nicht gerade zuversichtlich: Niemand erinnerte sich, Norman in jüngerer Zeit gesehen zu haben. Nun, da sie nach ihm gefragt wurden, ging den Leuten auf, dass er seit Monaten verschollen war.

»War ein armes Schwein«, sagte ein junger, ungewöhnlich magerer Mann indischer Herkunft, der auf einem Betonmäuerchen zwischen den Häusern saß und ausdruckslos ins Leere gestarrt hatte, ehe Kate ihn ansprach. »Ganz arm. Er ist bestimmt weggezogen. Wenn man sowieso schon ein Scheißleben hat, dann wird es hier noch schlimmer.«

»Wohin könnte er denn gezogen sein?«

»Das weiß ich nicht.«

»Wissen Sie, in welchem Haus er zuletzt gewohnt hat?«

»Ich glaube, dort drüben.« Er wies in Richtung einer wei-

teren Häuserreihe. Dann lächelte er. »Ich heiße Kadir Roshan.«

»Danke für die Auskunft, Mr. Roshan.«

Sie klingelte sich auch noch durch die letzten Häuser.
In zwei Erdgeschosswohnungen war offenbar niemand daheim, und eine Frau, die zwei Häuser weiter wohnte, meinte,
dort könne ein Mann mit Rollstuhl gelebt haben.

»Aber den habe ich schon seit Ewigkeiten nicht mehr gesehen. Sind Sie sicher, dass der noch hier wohnt?«

»Nein, leider nicht«, sagte Kate.

Ihre Suche schien ins Nichts zu laufen.

Sie rief Susannah an, die ihr ihre Handynummer gegeben
hatte, und fragte sie, ob sie sich vorstellen konnte, dass Norman weggezogen war. Und wohin?

Susannah hatte keine Ahnung. »Wie gesagt, er hat schon
lange den Kontakt zu mir abgebrochen. Natürlich könnte er
weggezogen sein. Es ist ziemlich trostlos dort, nicht wahr?
Ich hatte ihn ja einmal besucht und fand es einfach nur
schrecklich. Ich wüsste nur keinen Grund, weshalb er weg-
gehen sollte, denn er kann sich mit Sicherheit nichts Besseres leisten. Er würde wieder in einer Gegend landen, die um
nichts anders ist, und warum sollte er das dann tun?«

Vielleicht hatte er eine Frau kennengelernt? Kate hielt
diese Idee jedoch für nicht allzu wahrscheinlich. Norman
war zu einem verbitterten Menschenhasser geworden, und
die wenigen Auskünfte, die sie an diesem Tag über ihn bekommen hatte, wiesen darauf hin, dass sich daran nichts geändert hatte. Welche Frau sollte sich für ihn interessieren,
und welche Frau würde er überhaupt in seine Nähe lassen?

Sie beschloss, für den heutigen Tag aufzugeben, am nächsten Vormittag aber noch einmal wiederzukommen und einen letzten Versuch zu starten. Wie üblich zweifelte sie

heftig an sich: Verbiss sie sich in Norman Dowrick einfach nur deshalb, weil sie im Moment nichts anderes hatte, was aufschlussreich zu sein versprach? Oder war es tatsächlich ihr kriminalistischer Spürsinn, der angesprungen war? Jener Spürsinn, von dem sie immer voller Mutlosigkeit geglaubt hatte, ihn gar nicht zu besitzen. Eine innere Stimme sagte ihr, dass Norman zu einem Schlüssel des Falls werden konnte, aber der Feind, der sich schon vor langer Zeit in Kates Gehirn eingenistet hatte und der *fehlendes Selbstvertrauen* hieß, hielt natürlich dagegen: Du hast keine Ahnung. Du vergeudest deine Zeit. Du hast in der kriminalistischen Arbeit noch nie das Wesentliche vom Unwesentlichen unterscheiden können. Im besten Fall führt das, was du hier tust, einfach ins Leere. Im schlimmeren Fall richtest du damit am Ende wieder irgendein Unheil an.

Sie stieg in ihr Auto und fuhr in Richtung Innenstadt. Sie würde sich eine Unterkunft für die Nacht suchen und am nächsten Morgen entscheiden, was sie nun weiterhin tun würde.

Sie fand ein kleines Hotel, das von außen ganz ordentlich aussah, sich im Inneren aber doch als recht ungemütlich entpuppte. Lange, enge, dunkle Flure, ein viel zu dicker, plüschiger Teppichboden, der nicht so aussah, als werde er oft gereinigt. Kleine, düstere Zimmer, billig möbliert. Zur Toilette musste man über den Gang, aber es gab immerhin ein Waschbecken und einen Spiegel im Zimmer. Und einen kleinen Fernseher.

Egal. Für eine Nacht würde es gehen.

Da es sonnig und warm war, verließ Kate das Hotel und ging ein wenig spazieren. Sie befand sich in der Nähe des Flusses, daher ging sie ein paar Wohnstraßen entlang, bis sie zu einem kleinen Park kam, an dessen Rand man über ein paar Stufen hinunter zu einem Parkplatz und von dort direkt an den Fluss gelangte. Ein asphaltierter Weg führte hier oberhalb des Wassers entlang, versehen mit einem eisernen Zaun, damit niemand in die Fluten fiel. Kate setzte sich auf einen umgestürzten Baumstamm, der als Bank dienen sollte. Es war still hier, nur ein einziges Auto parkte am Ufer. Ab und zu kamen Jogger, Inlineskater oder Hundebesitzer vorbei. Viel war an diesem Montag nicht los, die meisten Menschen waren zumindest hier in der Gegend bei der Arbeit.

Der Fluss floss fast träge dahin. Vom Wasser her strich eine sanfte Brise ins Land, aber sonst war kein Wind zu spüren.

Sie dachte nach, und wie immer hatte sie den Eindruck, dass sie zu keinem greifbaren Ergebnis kam. Bei Scotland Yard bleiben oder dort ausscheiden? Was die Frage nach sich zog: Nach London zurückkehren, in ihre alte Wohnung, die sie so hasste? Oder ganz nach Scalby ziehen, in das Haus ihrer Eltern, das sie liebte. Wobei sie sich mittlerweile nicht sicher war, wie sehr sie es wirklich noch liebte. Weil es zwar der Ort ihrer Familie und ihrer behüteten Kindheit war. Aber auch der Ort einer großen Lüge.

Unvermittelt fiel ihr Caleb ein und was er zu ihr gesagt hatte: *Mir ist aufgefallen, dass Sie sehr einsam sind. Vielleicht sollten Sie versuchen, daran etwas zu ändern.*

Sie hatte ihm damals eine sarkastische Antwort gegeben, und auch jetzt in der Erinnerung verzog sie spöttisch das Gesicht. Es klang so einfach, aber für sie war es so unvorstellbar schwer. Unerreichbar. Nur der liebe Gott wusste, wie heftig sie sich seit vielen Jahren danach sehnte, einen Menschen an ihrer Seite zu haben, der zu ihr gehörte. Der ihr Leben teilte. Der sie abends fragte, wie ihr Tag gewesen war, der ihr beim Frühstück gegenübersaß und ihr das Kinoprogramm des Wochenendes vorlas. Mit dem sie Pläne schmieden konnte, verreisen, Feiertage verplanen. Mit dem sie an kalten Winterabenden vor dem Kamin sitzen konnte. An dessen Seite sie sich aufgehoben fühlen würde. Zu Hause. Geborgen.

Angekommen in einem Hafen.

Vielleicht hatte ihr Vater etwas von dieser Sehnsucht geahnt. Die meisten anderen Menschen um Kate herum hielten sie vermutlich für eine herbe, verschlossene Person, die sich nichts aus einer Beziehung machte. Die viel zu eigenbrötlerisch veranlagt war, um sich überhaupt in die Gesellschaft eines anderen Menschen zu wünschen. Manchen reichlich laut geflüsterten Tuscheleien ihrer Kolleginnen hatte sie das entnehmen können. Man hatte ein bestimmtes Bild von ihr, das nach ihrem Gefühl dem Menschen, der sie wirklich war, nicht im Mindesten entsprach.

Caleb Hale. Vielleicht hatte sie bis nach Liverpool fahren müssen, sozusagen aus der Bannmeile Scarborough, aus seiner Nähe hinaus, um sich eingestehen zu können, wie sehr er sie anzog und faszinierte. Sie wusste nicht genau, wie das passiert war, es war kein Blitzschlag gewesen, sondern eine langsame Entwicklung. Sie fand ihn intelligent und sympathisch. Und attraktiv. Damit fiel er genau in das Muster all jener Männer, zu denen sie sich während der letzten zwanzig Jahre hingezogen gefühlt hatte. Sie waren immer alle sehr gutaussehend gewesen, und schon allein deshalb hatte es nie funktionieren können. Diese Männer spielten alle in einer anderen Liga. Sie hatten es nicht nötig, auf die graue Maus zu achten, die sie aus einiger Entfernung anschmachtete und ebenso verzweifelt wie ungeschickt versuchte, die Aufmerksamkeit auf sich zu ziehen. Sie ließen sich mit ihresgleichen ein, mit schönen, erfolgreichen, selbstbewussten Frauen.

Nicht mit Kate. Niemals mit Kate.

Caleb jedoch ... Er war nicht nur gutaussehend und erfolgreich. Er war nicht nur der Sieger. Caleb hatte Schweres hinter sich. Man wurde nicht zum Alkoholiker, wenn man alles perfekt im Griff hatte. Glatte Karriere bei der Polizei, hohe Erfolgsquote, dazu ein ansprechendes Äußeres – so sah es nach außen hin aus. Aber es musste Brüche geben. Caleb Hale hatte so gesoffen, dass ihm die Frau weggelaufen war. Dass er seinen Beruf nur behalten konnte, indem er eine Therapie machte.

Es gab auch den Verlierer Caleb Hale.

Vielleicht lag hier ihre, Kates, Chance. Weil es eine Gemeinsamkeit gab. Sie beide kannten das Leben von seiner dunklen Seite. Sie kamen an vielen Stellen mit ihm nicht zurecht. Kate hatten seine Untiefen in die völlige soziale Isolation getrieben, Caleb in den Alkohol.

Sie blickte über den Fluss. Im Dunst des heißen Tages verschwammen die Gebäude auf der anderen Seite vor ihren Augen. Sie unternahm keine Anstrengung, irgendetwas genauer erkennen zu wollen, sie schaltete für den Moment sogar jeden Gedanken an Norman Dowrick und an alle mit ihm zusammenhängenden Fragen und Probleme ab. Sie gab sich ganz dem Augenblick hin, spürte die Wärme des Holzes, auf dem sie saß, streckte ihr Gesicht der Sonne entgegen, roch den Geruch von Wasser und Algen, gemischt mit dem nach Gras, das irgendwo in der Nähe frisch gemäht worden sein musste. Zum ersten Mal seit dem Tod ihres Vaters fühlte sie sich entspannt und im Einklang mit sich. Zumindest im Einklang mit dem Augenblick. Sie ahnte, dass sie zu Anspannung, Angst und Trauer zurückkehren würde, aber dass es ein großer Fortschritt war, eine solche halbe Stunde wie diese hier am River Mersey in Liverpool erleben zu können. Es war ein erster Schritt, ein winziger Türspalt, der sich geöffnet hatte. Sie überlegte, ob das an ihren Gefühlen für Caleb lag oder an ihrer Fahrt auf die andere Seite des Landes. Oder einfach an dem warmen Sommertag. Sie entschied, dass es müßig war, darüber nachzudenken. Vermutlich war es eine Mischung aus allem.

Schließlich stand sie auf, blickte auf ihre Uhr. Es war halb fünf. Noch Zeit genug, etwas Außergewöhnliches zu tun.

Sie hatte keine Lust, in ihr dunkles Hotelzimmer zurückzukehren, und sie hatte den Eindruck, dass es in Ordnung war, wenn sie ausnahmsweise einmal Zeit und Geld in sich selbst investierte. Sie war nie großzügig mit sich gewesen. Vielleicht war es ein Anfang, wenn sie einmal nett zu sich war – ein Anfang, der zu weitreichenderen Veränderungen führen würde.

Sie würde einen Friseur aufsuchen und sich die Haare richtig toll schneiden lassen. Sich vielleicht sogar ein paar blonde und kupferfarbene Strähnchen dazu gönnen.

Eine Investition, die nicht zuletzt auch auf Caleb Hale abzielte, aber das gestand sie sich in diesem Moment nicht ein.

5

Entsprechend der Zuständigkeit hatten Mitarbeiter der Northumbria Police die sterblichen Überreste eines Menschen aus dem Grab am Ende des Gartens exhumiert und an die Rechtsmedizin weitergegeben. Die Wahrscheinlichkeit war hoch, dass es sich um Neil Courtney, den Besitzer der Farm, handelte, aber bislang gab es dafür keine Bestätigung. Auch war noch nicht klar, woran er gestorben war.

Caleb und Jane waren nach Scarborough zurückgefahren, während Robert Stewart der rechtsmedizinischen Untersuchung beiwohnte, um sofort Zugang zu den neusten Informationen zu haben. Jane hatte inzwischen sämtliche Briefe, die sie aus Courtneys von Büschen und Gestrüpp überwuchertem Briefkasten geholt hatten, studiert und eine interessante Feststellung gemacht.

»Er hat ein Bankkonto bei einer Bank in Newcastle. Und dorthin wurde noch Anfang Juni seine Rente überwiesen. Das heißt, offiziell lebt Neil Courtney – auch wenn sich herausstellt, dass er der Tote aus dem Garten ist. Was wir ja alle stark annehmen.« Sie saß in Calebs Büro. Es wurde Abend, aber draußen war es noch recht hell, der Himmel von einem lichten Blau, die Luft warm. Ein Abend, um spazieren zu gehen oder auf einer hölzernen Bank vor einem Pub zu sitzen und ein großes dunkles Bier zu trinken. Sie warteten jedoch auf Roberts Anruf. Vorher machte es für beide keinen Sinn, das Revier zu verlassen, weil sie viel zu angespannt waren.

»Jemand hat Courtney im Garten der Farm vergraben und seinen Tod nirgendwo angezeigt«, sagte Caleb. Er spielte mit einem abgebrochenen Bleistift, den er aus einem Becher voller weiterer abgebrochener Bleistifte gezogen hatte. Caleb kam mit dem Anspitzen von Stiften nicht zurecht, das war Jane frühzeitig an ihm aufgefallen.

»Jemand, der ihn zuvor getötet hat?«, fuhr er fort.

Jane wiegte den Kopf hin und her. »Das wissen wir nicht. Was aber interessant ist: Noch bis vor zwei Wochen wurde regelmäßig Geld abgehoben. Von Courtneys Konto. Ich bin kein Experte, aber die Leiche, die wir gefunden haben, scheint mir doch schon einige Monate in diesem Grab zu liegen. Das heißt, wer immer sich an dem Konto bedient hat – Courtney selbst ist es bestimmt nicht gewesen.«

»Es kommt ja eigentlich nur eine einzige Person in Frage«, sagte Caleb. »Der Mann, der Courtneys Namen übernommen hat. Denis Shove. Sein angeheirateter Stiefneffe oder was immer er für ihn ist. Das würde auch erklären, weshalb er gegenüber Therese Malyan von einer Erbschaft gesprochen hat. Er arbeitete nicht, verfügte jedoch über regelmäßige Einkünfte, und die musste er ja irgendwie begründen. Große Sprünge konnte er mit dieser kleinen Rente natürlich nicht machen, aber da er in der Hauptsache – wie mir Helen Jefferson erzählte – sehr großzügig von Thereses Geld lebte, kam er insgesamt sicher nicht schlecht zurecht.«

Jane nickte. »Das passt alles zusammen. Ich nehme auch an, dass es das war, wonach er das Haus durchsucht hat – er musste an Courtneys Bankkarte kommen. Natürlich auch an die Geheimzahl, aber die war vielleicht auch irgendwo notiert. Er vergräbt den alten Onkel im Garten, damit niemand, der zufällig vorbeikommt, etwas merkt, und rauscht mit der Karte ab. Und er hat gute Chancen, dass es lange dauern wird, bis die Geschichte auffliegt, denn dieser arme alte Mann scheint ein von Gott und der Welt verlassenes Leben geführt zu haben. Es hätte Jahre dauern können, bis vielleicht einmal irgendjemand etwas gemerkt hätte.«

»Der Einzige, der da draußen wohl regelmäßig vorbeikam, war der Briefträger«, sagte Caleb. »Und den scheint es nicht groß gewundert zu haben, dass der Briefkasten nicht geleert wurde.« Er klang deprimiert, und so fühlte er sich auch. Solche Geschichten deprimierten ihn immer. Zu sehen, wie gleichgültig die Menschen miteinander umgingen. Wäre es zu viel verlangt gewesen von einem Postboten, aufmerksam zu werden und nachzuschauen, ob bei einem alten, ganz und gar allein lebenden Mann eigentlich alles in Ordnung war? Eine gesetzliche Verpflichtung gab es nicht, höchstens eine moralische. Und die spürte man, oder man spürte sie nicht. Insgesamt, so war Calebs Eindruck, spürten die Menschen sie immer weniger.

Jane nahm den unbekannten Briefträger in Schutz. »Der Briefkasten müsste viel voller sein. Wenn wir – nach unserem laienhaften Verständnis – davon ausgehen, dass Courtney seit dem letzten Herbst tot ist, müssten sich zumindest die Rentenbescheide und die Kontoauszüge seit September oder Oktober angesammelt haben. Wir haben aber nur die Post ab April dieses Jahres gefunden. Ich nehme an, dass Shove – wenn er derjenige ist, der diesen Betrug inszeniert hat – schlau genug war, hin und wieder nach Newcastle zu der Farm zu fahren und den Briefkasten zu leeren. Insofern konnte der Briefträger annehmen, dass Courtney noch lebt, dass er bloß relativ selten nach der Post schaut. Sie dürfen nicht vergessen, Sir, dass Courtney vermutlich die meiste Zeit über…« Sie brach mitten im Satz ab. Ihre Wangen färbten sich rot.

Caleb hatte es so satt. Dieses Gemurkse und Gestottere, wenn es auf *das Thema* kam. »Er war die meiste Zeit des Tages über sturzbetrunken, ja, das ist klar. Und das wusste der Briefträger auch. Sie meinen, das erklärte für ihn den Umstand, dass der Kasten so selten geleert wurde? Das ist möglich. Ich werde…« Er wurde von dem Klingeln des Telefons unterbrochen. Er meldete sich, nickte Jane zu und stellte den Apparat auf Lautsprecher. Robert Stewarts Stimme klang durch den Raum.

»…noch nichts Abschließendes, aber erste Erkenntnisse. Es handelt sich definitiv um eine männliche Leiche, und zwar um einen relativ alten Mann zwischen siebzig und achtzig etwa. Seine Identität ist noch nicht geklärt, aber das Alter würde auf jeden Fall zu Neil Courtney passen.«

»Ich würde behaupten, wir können zu mehr als neunzig Prozent davon ausgehen, dass er es ist«, sagte Caleb.

»Dem würde ich zustimmen, Sir. Als Todeszeitpunkt wurde der Herbst des letzten Jahres bestimmt. Anfang November etwa. Vielleicht auch schon in der zweiten Oktoberhälfte, aber früher auf keinen Fall.«

»Und …?«

Robert wusste, was der Chef fragen wollte. »Wie es aussieht, liegt keine Todesursache durch Fremdeinwirkung vor. Allem Anschein nach wurde Neil Courtney – wenn er es ist – *nicht* ermordet.«

Caleb schien fast enttäuscht. »Sicher?«

»Wie gesagt, die Untersuchungen sind noch nicht abgeschlossen. Aber es deutet alles auf einen natürlichen Tod hin. Fortgeschrittene Leberzirrhose, meint der Rechtsmediziner, aber das ist vorläufig eher eine Vermutung. Nach all der Zeit gestalten sich die Untersuchungen schwierig. Allerdings wäre das ja kaum auszuschließen – nach den Massen an leeren Alkoholflaschen, die wir gefunden haben.«

Caleb war schon dankbar, dass Robert diesmal wenigstens nicht nach diskreten Umschreibungen suchte, sondern die Fakten klar aussprach. Neil Courtney hatte sich, wie es aussah, schlicht und einfach zu Tode gesoffen. Er war genau den Weg gegangen, den die Ärzte ihm, Caleb, prophezeit hatten für den Fall, dass er nicht so schnell wie möglich die Reißleine zog.

»Mit Sicherheit hat sich aber Neil Courtney nicht selbst im Garten vergraben«, sagte er.

»Ich würde annehmen, dass er eines Tages im Spätherbst einfach umfiel oder eines Morgens nicht mehr aufwachte«, sagte Robert. »Und dass ihn Denis Shove, der vorbeikam, weil er sich dieses alten Onkels als möglicher Geldquelle entsann, tot aufgefunden hat. Er hatte vielleicht wirklich ursprünglich nichts Schlimmeres im Sinn, als den Alten um ein paar Pfund anzupumpen. Aber dann kam ihm die Idee, dass sich aus der Situation etwas machen ließ.«

Jane nickte. »Das sehe ich auch so. Er vergräbt ihn, damit kein anderer über ihn stolpert – unser Briefträger zum Beispiel. Keine Leiche – kein Toter. Dann durchwühlt er alles, findet wahrscheinlich etwas Bargeld, vor allem aber die Bankkarte, zudem die Geheimzahl. Die Kontoauszüge geben ihm eine klare Auskunft darüber, was Courtney monatlich bekommt. Es ist nicht viel, aber besser als nichts, und in seiner Lage – frisch aus dem Knast und fest entschlossen, es keinesfalls mit Arbeit zu versuchen – dürfte ihm jeder Penny willkommen gewesen sein. Er nimmt sich vor, einfach so lange wie möglich davon zu profitieren. Irgendwann würde wahrscheinlich irgendjemand merken, dass es den alten Courtney nicht mehr gibt, aber bei seiner zurückgezogenen Lebensweise mitten in der Wildnis konnte das dauern.«

»Ungefähr zur selben Zeit«, sagte Caleb, »lernt er Therese Malyan kennen. Weshalb nennt er ihr einen falschen Namen? Er hat gerade einmal nichts auf dem Kerbholz – wenn man davon absieht, dass er soeben dabei ist, einen satten Rentenbetrug auf die Beine zu stellen. Aber davon weiß niemand etwas. Wieso nimmt er den Namen des Toten an?«

»Er hat schon etwas auf dem Kerbholz«, sagte Robert, »nämlich das Tötungsdelikt, für das er acht Jahre im Gefängnis saß. Er hat seine Lebensgefährtin erschlagen. Vielleicht wollte er einfach sichergehen, dass Therese nichts davon erfuhr. Er ging damals durch die Zeitungen, im Internet wäre wahrscheinlich auch noch etwas zu finden. Er wollte vermeiden, dass die neue Frau an seiner Seite durch irgendeinen dummen Zufall herausfindet, was mit der alten passiert war. Es hätte sie ja wahrscheinlich ziemlich verstört.«

»Ist ihm Therese Malyan so wichtig, dass er solche Vorsichtsmaßnahmen ergreift?«

Stewart wusste natürlich, worauf Caleb hinauswollte. »Sie meinen, er nahm den falschen Namen schon in weiser Voraussicht an? Weil er bereits plante, Richard Linville zu ermorden? Und Melissa Cooper? Und weil ihm klar war, dass er ganz oben auf unserer Liste stehen würde?«

»Er wusste, wir würden nach einem Denis Shove suchen. Als Neil Courtney war er relativ sicher, sofern es ihm gelingen würde, sein Äußeres noch etwas zu verändern. Er nimmt einfach die Identität eines Toten an, von dem niemand weiß, dass er tot ist. Eine ziemlich gute Tarnung.«

»Begrenzt gut«, widersprach Robert. »Denn selbst wenn er Courtneys Pass an sich genommen hat, kann er sich damit im Zweifelsfall nirgends ausweisen. Courtney muss irgendwann in den dreißiger, vierziger Jahren des vergangenen Jahrhunderts geboren sein. Shove ist an die fünfzig Jahre jünger als er. Damit käme er nirgends durch. Außerdem weiß seine Therapeutin aus Gefängniszeiten von dieser entfernten verwandtschaftlichen Beziehung. Ein Bezug zwischen Denis Shove und dem Namen *Neil Courtney* ist herstellbar.«

»Er weiß aber auch, dass sich die Therapeutin ein ganzes Jahr lang in Australien aufhält«, gab Jane zu bedenken, »und dass wir daher nicht so schnell etwas von dieser Verbindung nach Newcastle erfahren können. Einen Vorsprung gewinnt er durch die Namensänderung auf jeden Fall.«

»Außerdem sind wir hinter seine falsche Identität durch einen Zufall gekommen, den er nicht einkalkulieren konnte«, sagte Caleb. »Irgendetwas ist mit seiner Lebensgefährtin aus dem Ruder gelaufen, sie ist geflüchtet, er brauchte ein Auto. Überfiel Peggy Wild, um ihr Auto zu kapern. Nur dadurch erfuhren wir von dem Namen Courtney, wir erfuhren, wo er sich die ganze Zeit über aufgehalten hatte und dass er mit einer Therese Malyan zusammen ist. Normalerweise hätten wir aus dem Umstand, seinen toten Onkel gefunden zu haben, ja noch nicht schließen können, dass er dessen Namen angenommen hat.«

Noch während er sprach, fragte sich Caleb, ob er es übertrieb. Ob er zu intensiv nach Belegen suchte, die seine Theorie, es bei Shove mit Linvilles Mörder zu tun zu haben, untermauerten. Aber wie er es auch drehte und wendete: Mit allem, was er tat und getan hatte, nährte Shove selbst diese Annahme. Auch wenn er den alten Courtney tatsächlich nicht umgebracht hatte. Caleb begriff jedoch, weshalb dieser Umstand ihn ärgerte: Ein weiterer Mord, der Shove diesmal zweifelsfrei anzulasten gewesen wäre, würde ihm selbst Sicherheit geben. Würde den Aufwand und den Einsatz und vor allem die Ausschließlichkeit, mit denen er nach Shove suchte, rechtfertigen. Manchmal, zwischendurch, überfiel ihn plötzlich die Sorge, er könne Scheuklappen tragen, die ihn hinderten, andere Möglichkeiten rechts und links des Weges zu sehen. Es war immer sein absoluter Grundsatz gewesen, offen zu bleiben für alles, für die seltsamsten Verstrickungen. Er war angesehen gewesen für seine Fähigkeit, viele Fäden gleichzeitig in den Händen zu halten und sie souverän zu entwirren. Er hatte in zehn Richtungen gleichzeitig ermitteln und dabei jeder Richtung und jedem Ermittlungsstrang in vollem Umfang gerecht werden können. Diesmal funktionierte das nicht. Er spürte, dass er sich in Denis Shove förmlich festbiss, egal, wie oft er sein Team vor einer Festlegung warnte. Er hatte einfach nichts anderes und niemand anderen als ihn. Keine Variante, keine zweite Möglichkeit, keine denkbare Alternative. Nichts. Und dann fragte er sich: *Warum ist das so? Weil es diesmal wirklich nichts anderes gibt? Weil Shove so klar auf der Hand liegt, dass es sich von selbst verbietet, andere Wege zu beschreiten oder über sie auch nur nachzudenken?*

Oder bin ich das Problem? Funktioniert der neue Caleb nicht mehr so fantastisch wie der alte?

Der neue Caleb – der sich von seinem besten Freund und Unterstützer hat trennen müssen. Vom Alkohol. Der ihn zerstört hätte auf die Dauer. Der ihn aber auch stark gemacht hatte und fähig, kühne Gedankenketten zu entwickeln, Visionen in den Raum zu stellen. Der ihn in eine so großartige Verbindung mit seinem Bauchgefühl, mit seiner Intuition gebracht hatte. Er hatte sich oft von etwas leiten lassen, dessen Funktion er niemandem erklären konnte. Von einem Instinkt, der sich zumeist als ungemein treffsicher erwiesen hatte.

Und der jetzt nicht mehr da war. Oder zumindest wusste Caleb nicht mehr, wie er an ihn herankommen sollte.

Es war eigenartig, fand er, wie hartnäckig sich Klischees oft hielten, auch wenn man bei einer differenzierten Betrachtung erkannt hätte, dass manche Abläufe vielschichtiger, variantenreicher und komplizierter waren, als man es allgemein vermutete. Die Menschen sahen immer ein körperliches Wrack vor sich, wenn sie an einen Alkoholiker dachten, sie sahen einen Suchtkranken, der kaum noch im Alltag funktionierte, der es immer schlechter schaffte, seine Ausfälle zu tarnen, der langsam, aber sicher ins berufliche, private und insgesamt soziale Abseits taumelte. Das stimmte, wie Caleb wusste, nur teilweise. Er hatte Ausfälle und Zusammenbrüche gehabt, und vermutlich hätten sie sich gehäuft, wenn er weitergemacht hätte. Die meiste Zeit über aber war er *mit* Alkohol besonders leistungsfähig gewesen, hatte sich stark und selbstsicher gefühlt und einen beruflichen Erfolg nach dem anderen eingeheimst. Der Alkohol hatte seine Selbstzweifel betäubt, und dadurch war alles, womit Caleb sich selbst hätte blockieren können, aus dem Weg geräumt. Ob das irgendwann in eine unkontrollierte Selbstherrlichkeit umgeschlagen wäre, die dann wiederum zu Fehlentscheidungen geführt hätte, wusste Caleb nicht; er hielt es für denkbar, aber dieser Punkt war jedenfalls noch nicht erreicht gewesen.

Seit er nicht mehr trank, fühlte er sich reduziert und unsicher. Er spürte, dass er sehr viel Energie dafür einsetzen musste, diese Unsicherheit so zu tarnen, dass sie keinem seiner Mitarbeiter auffiel. Ironischerweise kostete ihn das viel mehr Kraft, als er früher dafür hatte aufbringen müssen, seinen täglichen Alkoholkonsum gegenüber der Außenwelt zu verschleiern. Es stimmte nicht, dass man frei wurde, wenn man sich vom Dämon Alkohol losgesagt hatte. Man geriet nur einfach in andere Zwänge. Was Caleb betraf, so fühlten sie sich weit schlimmer an als die früheren.

Er merkte, dass niemand mehr sprach, weder Robert am Telefon noch Jane in seinem Büro. Für den Moment schien alles gesagt, man wartete darauf, dass er die kleine Konferenz beendete.

»Okay«, sagte er, »mehr scheinen wir heute nicht machen zu können. Sergeant Stewart, fahren Sie jetzt noch nach Scarborough zurück?«

»Ja. Aber ich bleibe im Kontakt mit dem Gerichtsmediziner. Er hält mich auf dem Laufenden, was alle weiteren Obduktionsergebnisse betrifft, das ist schon abgesprochen.«

Sie beendeten das Telefonat. Caleb steckte den abgebrochenen Bleistift in den Becher zurück und stand auf. »Ich gehe jetzt irgendwo etwas essen«, sagte er. »Haben Sie Lust mitzukommen, Constable?«

Jane hatte sich ebenfalls erhoben. Sie schüttelte bedauernd den Kopf. »Ich muss nach Hause. Es ist ganz gut, wenn ich einmal nicht so spät komme.«

»Das verstehe ich. Dann bis morgen.« Sie verließen Calebs Büro. Jane ging in ihr eigenes Büro hinüber, um ihren Computer runterzufahren und ihre Tasche zu packen. Seit ein paar Minuten hatte sie den Eindruck, dass irgendetwas sie bedrückte, aber sie kam nicht dahinter, was es war. *Bedrücken* war auch schon zu viel gesagt. Es war eher eine Irritation ...

Sie suchte gerade auf ihrem völlig chaotischen Schreibtisch nach ihrem Autoschlüssel, als es ihr einfiel.

Sie hatten nicht angerufen. Die Familie Crane. Sie mussten seit dem gestrigen Abend zurück in Kingston sein, und sie hätten sich heute melden sollen.

Sicherheitshalber kontrollierte sie noch einmal die Mailbox ihres Handys, aber auch dort war keine Nachricht eingegangen.

Sie zögerte. Sollte sie es noch einmal auf Stella Cranes Handy versuchen? Oder auf dem Festnetzanschluss in Kingston? Oder bei der Nachbarin?

Vielleicht hatten die Cranes den Anruf einfach vergessen. Sie waren am Vortag aus einem längeren Urlaub zurückgekehrt. Etliches mochte sich während ihrer Abwesenheit angestaut haben, was zunächst erledigt werden musste.

Es schien zwar ungewöhnlich, dass sie nicht dennoch dem erbetenen Rückruf bei einer Beamtin der Yorkshire Police Priorität einräumten – normalerweise reagierten die Menschen auf alles, was mit der Polizei zusammenhing, alarmiert und versuchten, sich schnell Gewissheit zu verschaffen.

Sie rief schließlich doch noch einmal auf Stellas Handy an, danach auf dem Apparat in Kingston. Anrufbeantworter in beiden Fällen.

Es machte sie nervös. Die Cranes waren im Augenblick die einzige, wenn auch schwache Möglichkeit, die sie sah, um eine Verbindung zu Shove herzustellen. Shove, an dem sich der Chef festhielt. Brachte es etwas, ihn darin zu unterstützen? Oder zögerte man nur das Unausweichliche heraus – die Erkenntnis, dem Falschen gefolgt zu sein?

Und was dann?

Sie spürte, dass sie Kopfschmerzen bekam. Ein erstes feines Stechen in den Schläfen.

Sie fand endlich ihren Autoschlüssel und verließ das Büro.

I

Stella hatte so tief geschlafen, dass sie nur widerwillig und mühsam in die Wirklichkeit fand. Zumal sie einen schönen Traum gehabt hatte: Sie war daheim in Kingston gewesen und hatte festgestellt, dass über Nacht Hunderte der großartigsten und exotischsten Pflanzen in ihrem Garten gewachsen waren. Sie blühten und dufteten und boten eine solche Vielfalt an wunderschönen Farben, dass einem fast schwindelig werden konnte. Stella konnte sich dieses Wunder gar nicht erklären. Sie hatte eigentlich überhaupt kein Talent für Pflanzen und schaffte es kaum, die Petunien, die sie im Sommer immer in Tontöpfen auf die Terrasse stellte, halbwegs unbeschadet bis in den Herbst zu bringen. Dann sah sie, dass aus mehreren Sprinkleranlagen das Wasser in hohen, silbrig funkelnden Bögen auf all die blühende Pracht regnete, und sie dachte, dass sie dort hinlaufen und etwas trinken könnte. Sie hatte Durst, und das Wasser sah wunderbar frisch und klar aus. Seltsamerweise nur ächzte es so eigenartig in den Schläuchen, die durch den Garten führten, es klang fast so, als werde irgendwo ein alter, verrosteter Pumpenschwengel bedient, der seine Arbeit nur noch stöhnend verrichten konnte. Stella blickte sich um, weil sie der

Sache gerne auf den Grund gehen wollte, aber da spürte sie schon, dass sich etwas veränderte.

Sie wurde wach.

Keine Blumen mehr und keine im Sonnenlicht glitzernden Wasserbögen. Was von dem Traum blieb, war der quälende Durst, den sie gerade hatte löschen wollen. Und das befremdliche, ächzende Geräusch.

Sie setzte sich schwerfällig auf. Sie lag auf dem Boden auf einem ausrangierten Webteppich, den sie sich herangezogen hatte, über sich eine zweite Wolldecke, die sie in einer Ecke gefunden hatte. Auf der Decke musste in früheren Zeiten ein Hund geschlafen haben, weil sie voller Tierhaare war. Aber es war nicht der Moment, sich über derartige Unannehmlichkeiten zu beschweren. Ohne Decke war es zu kalt, und eine andere hatte sie nicht.

Neben ihr lag Sammy. Er schlief noch. Über fünf Tage in Gefangenschaft hatten ausgereicht, dass er blasser und dünner schien als zuvor. Seine Haare standen struppig vom Kopf ab. Stella sah, dass seine Lippen rau und aufgesprungen waren. Er bekam zu wenig Wasser. Wie sie alle.

Ich werde noch etwas von meiner Ration für ihn abzweigen, dachte Stella.

Sie fuhr sich mit der Zunge über ihre eigenen Lippen. Trocken und rissig.

Sonnenlicht fiel durch das offen stehende Fenster. Wieder war es ein heller, warmer Tag da draußen. Und immer noch saßen sie in diesem verdammten, steinernen Gefängnis fest. Offensichtlich hatten Denis und Terry den versprochenen Anruf bislang nicht getätigt. Wenn Denis das je vorgehabt hatte.

Vollkommene Mutlosigkeit überfiel Stella, und ihr einziger Wunsch war es, wenigstens noch einmal für eine halbe

Stunde in den Schlaf und in den blühenden Garten mit all dem Wasser zurückkehren zu dürfen. Aber da vernahm sie wieder das seltsame Ächzen und wandte den Kopf.

Sie erkannte, dass das Geräusch von Jonas kam. Er lag auf dem Sofa, schlief offenbar noch und atmete rasselnd. Es hatte den Anschein, als bekomme er nur schwer Luft. Im Dämmerlicht konnte sie seine fahle Gesichtsfarbe erkennen. Die grauen Stoppeln eines tagealten Bartes konnten nicht darüber hinwegtäuschen, wie durchsichtig er wirkte.

Sie hatte am Vortag geglaubt, er sei auf dem Weg der Besserung. Jetzt schien er schlimmer dran zu sein als zuvor.

Sie erhob sich vorsichtig, um Sammy nicht zu wecken, und trat leise an Jonas heran. Als sie sich neben das Sofa kauerte, bemerkte sie die Hitze, die sein Körper verströmte. Sie legte ihm die Hand auf die Stirn und schrak zurück: Er glühte vor Fieber. Schon wieder.

Außerdem roch er unangenehm. Nicht einfach nur ungewaschen und nach Schweiß – das taten sie aufgrund der Umstände alle drei –, sondern irgendwie… faulig. Die Wunde an seinem Bauch heilte nicht. Nur hohe Dosen Antibiotika konnten ihm noch helfen.

Er musste zu einem Arzt. Es war allerhöchste Zeit.

Sie ging hinüber in die Ecke, in der sie die kargen Vorräte gestapelt hatten. Sie füllte einen Becher mit Wasser und musste an sich halten, nicht selbst einen Schluck zu nehmen. Sie hatte solchen Durst, dass sich ihr Mund wie mit Sägemehl gefüllt anfühlte, aber sie zwang sich, nicht darüber nachzudenken. Sie musste die Abstände zwischen den Mahlzeiten, zu denen es dann auch immer etwas zu trinken gab, in die Länge ziehen, jedenfalls was sie betraf. Jonas hatte Priorität. Es war keine Frage mehr, dass es bei ihm inzwischen um Leben und Tod ging.

Sie kniete wieder neben ihm nieder, betupfte seine Lippen mit Wasser, träufelte auch etwas Wasser auf seine brennende Stirn. Sie wünschte, sie hätte die Möglichkeit, ihm jede Stunde nasse, kalte Wadenwickel zu machen, um das Fieber zu senken, aber dann wären sie noch vor Ablauf dieses Tages am Ende mit den Wasserflaschen. Und es sah nicht so aus, als sei die Rettung schon nah.

Jonas bewegte sich unruhig, dann schlug er die Augen auf. Sein Blick war glasig.

»Wasser«, sagte er leise.

Sie hob seinen Kopf mit einer Hand an, mit der anderen führte sie den Becher an seinen Mund. Jonas trank in gierigen Zügen. Dann sank er zurück.

»Ich … kriege so schwer … Luft. Plötzlich«, sagte er mühsam.

»Du hast hohes Fieber. Meinst du, du schaffst es, eine Tablette zu schlucken?«

»Ja«, murmelte er, aber nachdem er mit Stellas Hilfe noch einmal den Kopf gehoben und zwei Paracetamol geschluckt hatte, wirkte er vollkommen erschöpft. Er hielt die Augen geschlossen und öffnete sie auch nicht, als Stella ihn mehrmals ansprach. Er schien zumindest keine Schmerzen zu haben, jedenfalls hatte er nichts davon gesagt, aber Stella fragte sich, ob die Atemnot nicht noch schlimmer war.

Hinter sich hörte sie ein Geräusch. Sammy war aufgewacht und trat heran.

»Ich habe solchen Durst«, sagte er.

Stella stand auf und ging mit ihm in die Vorratsecke, füllte auch ihm einen Becher mit Wasser. Er trank so hastig wie zuvor sein Vater.

»Kann ich noch was haben?«, fragte er dann.

Es tat ihr in der Seele weh, aber sie schüttelte den Kopf.

»Kannst du noch ein bisschen warten? Wir müssen sehr sparsam sein, weißt du?«

»Wann kommt denn die Polizei?«

»Sicher bald. Vielleicht noch heute.« Aber in Wahrheit verlor Stella allmählich jede Hoffnung. Denis Shove würde die Polizei erst dann verständigen, wenn er sich selbst in absoluter Sicherheit wähnte, und es konnte lange dauern, bis das der Fall war.

Jonas hatte mit seiner düsteren Einschätzung der Lage am Vortag recht gehabt: Wenn überhaupt Hilfe kam, dann würde sie zu spät kommen. Zu spät für ihn mit seiner schweren Verletzung. Zu spät aber auch für sie alle, weil sie sehr bald schon kein Wasser mehr hatten.

Stella blickte zu dem Fenster hinauf. Sie sah blauen Himmel dahinter.

Jonas hatte auch damit recht: Der Einzige von ihnen, dem es tatsächlich gelingen konnte, sich aus dem hermetisch verschlossenen Gebäude zu befreien, war Sammy. Sie hatte sich gesträubt, hatte noch am Abend beim Einschlafen diesen Plan in Gedanken als vollkommen absurd verworfen.

Jetzt begriff sie, dass sich die Frage, ob sie diesen Weg gingen oder nicht, in Wahrheit nie gestellt hatte.

Sie hatten ganz einfach überhaupt keine andere Wahl.

2

Kate wachte am nächsten Morgen gegen acht Uhr auf und beschloss, ihr Vorhaben, Norman Dowrick zu finden, noch nicht aufzugeben. Sie würde auf jeden Fall erneut zu der Siedlung fahren, in der er zuletzt gewohnt hatte, und vielleicht würde es ihr gelingen, doch noch jemanden aufzutreiben, der über seinen Verbleib etwas wusste. Wenn das nicht klappte, würde sie es über das Melderegister versuchen. Dowrick lebte von seiner Behindertenrente, er konnte nicht völlig untergetaucht sein, da er dann von seiner einzigen Versorgung abgeschnitten wäre. Es sei denn, er saß längst in irgendeiner Fußgängerzone und bettelte. Dann wäre er tatsächlich von jedem denkbaren Radar verschwunden.

Kate wusch sich an dem kleinen Waschbecken in ihrem Zimmer und betrachtete sich dabei ausgiebig im Spiegel – eine äußerst ungewöhnliche Handlungsweise für sie. Normalerweise wich sie Spiegeln geflissentlich aus. Aber sie musste zugeben, dass der Friseur, den sie gestern aufgesucht hatte, gute Arbeit geleistet hatte. Statt der ausgefransten Fusseln, die ihr bisher auf den Schultern hingen, hatte sie nun eine leicht stufig geschnittene, kinnlange Frisur, die ihrem Gesicht etwas von seiner Hagerkeit nahm und sie weicher und jünger aussehen ließ. Die unscheinbare, stumpf-braune Farbe ihrer Haare war durch blonde und kupferfarbene Strähnen aufgehellt worden und hatte einen lebendigen Glanz. Kate neigte nicht dazu, sich selbst Komplimente zu machen, aber zum ersten Mal seit langen Jahren reagierte sie auf ihr Spiegelbild nicht mit Frustration und Traurigkeit. Sie gefiel sich. Sie würde nie eine Schönheit werden, da machte sie sich nichts vor, aber sie konnte zweifellos mehr aus sich machen, als sie es in der Vergangenheit getan hatte.

Nach einem Frühstück, das aus in Fett ertrunkenen Toastbroten und Rührei bestand und ihr für den Rest des Tages im Magen liegen würde, machte sie sich erneut auf den Weg zu der Siedlung. Sie parkte wieder in der Unterführung, die zwischen den Wohnhäusern und dem stillgelegten Fabrikgelände lag, und stieg aus. Als sie sich den Häusern näherte, gewahrte sie den mageren jungen Inder, der bereits wieder – oder immer noch? – auf dem Betonmäuerchen saß. Am Vortag hatte sie mit ihm gesprochen. Kadir Roshan hieß er, wie sie sich erinnerte.

»Suchen Sie ihn immer noch? Den Rollstuhlfahrer?«, fragte er.

»Ja. Es wäre wirklich sehr wichtig für mich, ihn zu finden.«

»Wissen Sie, mir ist da was eingefallen.« Er machte eine Pause und wiegte sacht seine Schultern vor und zurück. Seine knochendürren dunkelbraunen Arme hielt er um seinen Oberkörper geschlungen. Kate fragte sich schon, ob diese Kunstpause eigentlich hieß, dass er auf ein Angebot für eine Information wartete, und ob es klug wäre, ihm eine Fünf-Pfund-Note hinzustrecken, da sprach er weiter. »Es gibt hier so ein Mädchen … sie prahlt manchmal damit, dass sie einen Rollstuhl hat. Einen echten.«

»Ist sie behindert?«

Er lächelte. »Nicht so, wie Sie denken. Hier«, er deutete auf seinen Kopf, »hier hat sie einen Sprung. Aber sie kann laufen. Sie braucht keinen Rollstuhl.«

»Sie meinen, sie hat sich irgendwie in den Besitz von Norman Dowricks Rollstuhl gebracht?«, folgerte Kate.

»Könnte sein, oder?«

»Dann weiß sie vielleicht auch, was aus Dowrick geworden ist.«

Er zuckte mit den Schultern. »Man muss sie fragen.«

»Wie heißt sie? Wo finde ich sie?«

»Sie heißt Grace. Grace Henwood.« Er lächelte. Irgendetwas stimmte nicht ganz mit ihm, aber er sprach ein perfektes, sehr gebildetes Englisch. Kate hoffte, dass er sich nicht gerade einfach eine Geschichte ausdachte.

»Und wo wohnt diese Grace?«, fragte sie.

Er deutete auf eines der Häuser. Es war so schäbig wie alle anderen auch. Neben der Eingangstür, zu der einige Stufen hinaufführten, rostete eine ausrangierte Waschmaschine vor sich hin.

»Da. Ich glaube, sie und ihre Familie sind die Einzigen, die da wohnen. Vielleicht noch eine alte Frau in der Etage drüber, aber das weiß ich nicht genau.«

»Grace Henwood«, wiederholte Kate.

»Seien Sie vorsichtig«, riet der junge Mann. »Der Vater ist ein Sadist. Ein echter Sadist.«

Sie dankte ihm und ging hinüber zu dem Haus, das er ihr genannt hatte. Hinter einer der Türen vernahm Kate Stimmen. Sie klopfte an.

Der Mann, der ihr öffnete, musste der Sadist sein, vor dem Kadir sie gewarnt hatte. Er schob einen dicken Bauch vor sich her, war ansonsten aber eher schmächtig. Er trug eine blaue Jogginghose, dazu ein weißes Unterhemd. Seine nackten Füße steckten in karierten Pantoffeln.

»Ja?«, fragte er.

»Guten Morgen«, sagte Kate. »Ist Ihre Tochter Grace zu Hause?«

Der Mann musterte sie misstrauisch. »Sind Sie vom Jugendamt?«

»Nein. Ich komme von überhaupt keiner Behörde.« Diesmal würde sie Scotland Yard keinesfalls erwähnen. Von diesem Typ wäre dann nicht die geringste Kooperation mehr zu erwarten.

»Ich suche nur jemanden«, fuhr sie fort. »Einen alten Bekannten. Und man sagte mir, Ihre Tochter wisse vielleicht, wo ich ihn finde.«

»Wer ist das?«

»Norman Dowrick. Kennen Sie ihn vielleicht? Er soll hier irgendwo wohnen.«

»*Sie* kennen jemanden, der hier wohnt?«, fragte der Mann und musterte sie spöttisch. Kate trug Jeans und ein T-Shirt, aber selbst damit war sie besser angezogen als die meisten hier. Außerdem hatte sie seit gestern eine Frisur, die einen teuren Friseur verriet.

»Er ist ein alter Freund meines Vaters. Er sitzt im Rollstuhl.«

»Ach, der! Keine Ahnung, wo der genau wohnt. Ist hier manchmal zwischen den Häusern herumgerollt. Das ist aber länger her. Ich glaube nicht, dass es den noch gibt.«

»Ihre Tochter ...«

»Meine Tochter ist nicht ganz dicht. Die kann Ihnen bestimmt nicht helfen.«

»Ich würde sie trotzdem gerne sprechen«, beharrte Kate.

Der Mann sah sie lauernd an. »Sie sind doch vom Jugendamt?«

Und du hast eine Scheißangst, ich könnte von genau dort kommen, dachte Kate. Sie nahm an, dass es diese Familie und speziell der Vater wert wären, sehr gründlich unter die Lupe genommen zu werden, und zwar auch von polizeilicher Seite, aber sie war weder befugt noch war es der richtige Moment dafür.

»Nein. Ich sagte doch, ich will einfach nur Mr. Dowrick finden.«

»Kenn ich nicht. Und Grace kennt den auch nicht. Und jetzt verschwinden Sie!« Die Stimmung des Mannes war nun völlig gekippt. Kate konnte sich gut vorstellen, dass er sehr unangenehm werden konnte. Zu Anfang hatte er versucht, sich einigermaßen angepasst zu verhalten, aber nun sah er dafür keinen Grund mehr, und wahrscheinlich hielt er ein solches Benehmen auch nie lange durch. »Ich rufe sonst die Polizei«, fügte er noch hinzu.

Wenn er eines ganz sicher nicht tat, dann das, soviel war Kate klar, aber wirklich weiterkommen würde sie mit ihm nicht. Er hielt seine Tochter unter Verschluss, und er hatte vermutlich seine guten Gründe dafür. Sie sah jetzt die Gewaltbereitschaft in ihm, die Kälte in seinen Augen.

Sie wandte sich zum Gehen und hörte, wie die Tür hinter ihr mit lautem Krachen ins Schloss fiel.

Was jetzt?

Sie verließ das Haus mit langsamen Schritten, grübelnd, wie sie nun am sinnvollsten vorgehen konnte. Über sich vernahm sie plötzlich ein leises Geräusch, eine Art Wispern. Sie blickte nach oben.

Die Wohnung, in der Graces Familie lebte, lag im Hochparterre, die Fenster befanden sich daher gut eine Handbreit über Kates Kopf. Sie sah eine Frau, die sich ein Stück hinauslehnte, sich dabei jedoch immer wieder angstvoll umdrehte, weil sie offenbar keinesfalls überrascht werden wollte. Sie hatte eine erschreckend gelbe Gesichtsfarbe.

»Sie suchen Grace, hab ich gehört?«

Kate war stehen geblieben. Auch sie dämpfte vorsichtshalber ihre Stimme. »Ja. Sind Sie Graces Mutter?«

»Ja. Sie müssen unter der Unterführung durch. Zu der alten Fabrik. Da treibt sich Grace immer rum.«

Es war jetzt nicht der Zeitpunkt zu fragen, weshalb Grace nicht in der Schule war und stattdessen ein stillgelegtes Fabrikgelände als Aufenthaltsort bevorzugte.

»Danke. Ich schaue gleich nach.«

»Helfen Sie ihr bitte«, sagte die Frau noch und schloss das Fenster.

Kate fand Grace im hinteren Bereich der Fabrik. Zwischen Stapeln von alten Autoreifen und riesigen Fässern, von denen man nur hoffen konnte, dass sie nicht mit giftigen Chemikalien gefüllt waren oder sonst irgendeine Art von Sondermüll enthielten, kurvte sie in einem Rollstuhl herum. Der Platz lag im Schatten eines sowohl langgestreckten als auch ziemlich hohen Ziegelbaus, der äußerst einsturzgefährdet zu sein schien. Eine erstklassige Schlamperei, wie Kate dachte. Das gesamte Gelände gehörte längst gesichert und mit Warnschildern versehen.

Sie näherte sich dem Mädchen.

»Grace?«, fragte sie.

Grace brachte den Rollstuhl zum Stehen. Sie bewegte ihn mit den Händen. Ob es auch eine Funktion gab, ihn elektrisch laufen zu lassen, konnte Kate nicht erkennen.

»Ich bin Kate Linville. Eine Bekannte von Norman Dowrick.«

»Hallo«, sagte Grace. Kate blickte in hellblaue Augen, in ein sanftes, rundes Madonnengesicht. Rötliche Haare waren rechts und links hinter die Ohren geschoben und fielen bis fast zur Taille hinab. Grace musste mindestens dreizehn oder vierzehn Jahre alt sein, das verriet ihr schon sehr entwickelter weiblicher Körper, aber ihr Gesichtsausdruck passte nicht recht dazu. Die geistige Reife eines Teenagers schien Grace noch nicht erlangt zu haben.

Ihr Vater hatte gesagt, sie sei nicht ganz dicht. Kadir Roshan hatte von einem *Sprung* gesprochen.

»Bist du Grace?«, vergewisserte sich Kate.

»Ja.«

»Deine Mutter hat mir gesagt, wo ich dich finde.«

In Graces Kinderaugen trat ein angestrengter Ausdruck. »Meine Mutter? Weiß es mein Vater auch?«

»Nein. Er hat keine Ahnung.«

Grace strich sich eine Haarsträhne zurück, schien sogleich wieder entspannt. Kate fragte sich, ob sie das wohl den ganzen Tag tat. Hier auf diesem Hof zwischen Autoreifen und Fässern herumzurollen? Von morgens bis abends? Den Moment hinauszögernd, da sie nach Hause gehen musste. In die Wohnung, die für sie vielleicht der gefährlichste Ort der Welt war, gefährlicher sogar als diese Bruchbude, die so aussah, als könnte sie im nächsten Moment in sich zusammenfallen und dabei jeden erschlagen, der sich gerade in ihrer Nähe aufhielt.

»Schicker Rollstuhl. Gehört er dir?«

»Ja.«

»Du brauchst ihn aber eigentlich gar nicht, oder? Du kannst laufen?«

»Ja.«

»Aber es macht dir Spaß, ein bisschen damit herumzufahren?«

»Ja.«

Kate lächelte entwaffnend. »Ich will ihn dir auch nicht wegnehmen, Grace, aber du weißt schon, dass er eigentlich jemand anderem gehört, nicht wahr? Norman Dowrick?«

Kate nannte den Namen jetzt zum zweiten Mal, aber er entlockte Grace keine Reaktion. Es schien nicht so, als kenne sie Norman unter seinem Namen.

»Grace. Woher hast du den Rollstuhl?«

Grace erwiderte Kates Lächeln. »Er gehört mir.«

»Woher hast du ihn? Hat ihn dir jemand geschenkt?«

»Nein. Ich habe ihn genommen.«

Kate hoffte, dass dies nicht ein anderes Wort für *stehlen* war.

»Genommen?«

Grace wirkte nun etwas verunsichert. »Er braucht ihn ja nicht mehr. Da habe ich ihn genommen.«

»Er braucht ihn nicht mehr? Der Mann, dem der Rollstuhl gehört hat? Ihn meinst du?«

»Ja.«

»Ist er weggezogen von hier? Ohne seinen Rollstuhl?«

»Nicht weggezogen.« Grace erhob sich leichtfüßig. Der Stuhl rollte ein Stück nach hinten und blieb dann stehen. Kate sah, dass Grace groß, dünn und aus ihren Kleidungsstücken herausgewachsen war. Die Jeans waren zu kurz, die Ärmel ihres Pullovers ebenfalls. Erst jetzt bemerkte Kate die blauroten Verfärbungen an Graces Handgelenken.

Helfen Sie ihr bitte, hatte ihre Mutter gesagt.

Grace trat zu einem der Fässer hin und legte die Hand auf den Deckel. Sie drehte sich zu Kate um und lächelte erneut. Sie sah friedlich und freundlich aus.

»Er ist hier drinnen«, sagte sie.

3

Caleb Hale stand vor Graces Vater und hatte Mühe, seine Abneigung gegenüber diesem Mann zu verbergen. Einer der Kollegen von der Polizei in Liverpool hatte die Personalien aufgenommen, daher wusste Caleb, dass er es mit Mr. Darren Henwood zu tun hatte, zweiundvierzig Jahre alt, gelernter Schiffsmechaniker, seit fünf Jahren arbeitslos. Der Mann hatte eine solche Verbrechervisage, dass es selbst Caleb, der schon viel Böses gesehen hatte, überraschte. Schräg hinter ihm stand Julie Henwood, seine Frau. Sie sah aus wie jemand, der es aufgegeben hat, noch irgendeine Besserung von seinem Leben zu erhoffen.

»Es ist fast neun Uhr«, sagte Caleb, »abends. Und Sie haben keine Ahnung, wo sich Ihre dreizehnjährige Tochter herumtreibt?«

Graces Alter hatten sie inzwischen herausgefunden und auch, dass sie die einzige Tochter der Henwoods war.

Darren zuckte mit den Schultern. »Sie kommt manchmal früh, manchmal spät.«

»Und das beunruhigt Sie auch nicht weiter?«

Darren hob seine Schultern ein weiteres Mal. »Sie ist´n Teenager. Man weiß doch, wie die sind.«

»Wie sind die denn?«, fragte Caleb.

Darren grinste. »Unberechenbar. Machen, was sie wollen. Nützt doch nichts, denen etwas zu sagen. Und Grace ... die hat ja sowieso einen Schatten!«

»Mit *Schatten* meinen Sie, dass Ihre Tochter in ihrer geistigen Entwicklung verzögert ist?«

»Mit *Schatten* meine ich *Schatten*. Sie ist nicht ganz richtig im Kopf. War von Anfang an so. Keine Ahnung, warum. Meine Frau war beim Arzt mit ihr. Der konnte das auch nicht erklären. So Sachen passieren. Man kommt auf die Welt und wächst und wächst, und das Gehirn wächst nicht mit.«

Unvermittelt wandte sich Caleb an Julie Henwood. »Mrs. Henwood, haben Sie eine Vorstellung, wo sich Ihre Tochter aufhalten könnte?«

Julie sah ängstlich zu ihrem Mann hinüber. Es hatte den Anschein, als wolle sie ihn am liebsten fragen, was sie nun antworten solle. »Nein«, nuschelte sie schließlich, »ich weiß es auch nicht.«

»Hat sie Freunde, bei denen sie sein könnte?«

»Die hat keine Freunde«, sagte Darren. »Wer gibt sich mit der denn ab? Die redet ja nur Stuss, wenn sie den Mund aufmacht.«

»Deshalb wird es doch trotzdem Menschen geben, denen sie vertraut?«

»Sie hat uns«, sagte Darren, und Caleb dachte, dass zumindest der Vater vermutlich der letzte Mensch auf der Welt war, dem Grace vertraute. Der Mutter schon eher, aber Mrs. Henwood stand so unter der Fuchtel ihres Mannes, dass auch sie keine Stütze für ihre Tochter sein dürfte.

Es war vertrackt. Grace konnte überall sein – und nirgends.

»Stimmt es, was hier geflüstert wird?«, fragte Darren nun. »Dass da drüben bei der Fabrik so viel Polizei ist, weil da ein Toter gefunden wurde?«

»Richtig. Wie es scheint, handelt es sich um Norman Dowrick, der ja auch hier in einem der Häuser gewohnt hat.«

»Der Rollstuhlfahrer? Nach dem hat doch diese Frau heute früh gefragt. Den wollte sie unbedingt finden.«

»Der Rollstuhlfahrer«, bestätigte Caleb. Er fragte sich ärgerlich, ob es überhaupt irgendetwas gab, das er tun konnte, um Kate daran zu hindern, eigene Nachforschungen über den Tod ihres Vaters anzustellen. Selbst die Drohung mit der Dienstaufsichtsbeschwerde hatte also nichts genutzt. Sie machte unverdrossen weiter, und das Schlimmste war: Sie war ihm, Caleb, und seiner Mannschaft stets einen großen Schritt voraus. Sie fand einen Toten nach dem anderen, rief dann die Ermittler herbei und präsentierte ihnen eine weitere Verwicklung des ohnehin vertrackten Falls. Was Norman Dowrick anging, ärgerte sich Caleb besonders. Auf seine Anweisung hin hatte DS Robert Stewart Mrs.

Dowrick nach Linvilles Ermordung aufgesucht und nach ihrem Mann gefragt; als sich jedoch herausstellte, dass das Ehepaar inzwischen geschieden war und keinen Kontakt mehr untereinander hatte, dass Norman irgendwo in Liverpool von seiner Versehrtenrente lebte und sich von aller Welt, seit langem auch schon von dem einstigen Freund und Kollegen Richard Linville abgewandt hatte, war in diese Richtung nichts weiter unternommen worden.

Und nun hatte Kate ihn gefunden, tot, in einem mit Wasser gefüllten, hermetisch verschlossenen Fass, auf einem stillgelegten Fabrikgelände. Sie hatte die Polizei in Liverpool verständigt, die das Fass geöffnet und den Toten darin entdeckt hatte. Caleb konnte sich die Skepsis der Beamten nur zu gut vorstellen, da der entscheidende Hinweis von einem geistig zurückgebliebenen dreizehnjährigen Mädchen gekommen war. Wahrscheinlich hatten sie noch gespottet oder ihren Unmut gezeigt, während sie sich abkämpften, das Fass zu öffnen. Dann allerdings war ihnen Hören und Sehen vergangen. Caleb, der, von Kate informiert, am späten Nachmittag in Liverpool eingetroffen war, hatte mit den zwei Männern gesprochen, die als Erste auf dem Fabrikgelände gewesen waren, gestandene Polizisten mit einiger Lebens- und Berufserfahrung. Beide hatten sie eine ungesunde Gesichtsfarbe gehabt, einer von ihnen hatte sich ständig mit einem Taschentuch über die Stirn gewischt, weil er offenbar von einem Schweißausbruch nach dem anderen gequält wurde. Noch gab es kein Obduktionsergebnis, auch war die Identität des Toten nicht geklärt, aber nach allem, was Grace gegenüber Kate geäußert hatte, gab es wenig Zweifel daran, dass es sich um den seit Monaten von niemandem mehr gesichteten Norman Dowrick handelte. Kate schien drauf und dran, eine ganze Mordserie aufzutun, und bislang standen alle Opfer in einem Zusammenhang mit Richard Linville. Seine Geliebte. Sein Freund und Kollege. Hingegen wurde es immer schwieriger, einen Zusammenhang zwischen den Opfern und Denis Shove herzustellen. Der einzige Tote, den Caleb bisher ausfindig gemacht hatte, der inzwischen identifizierte Neil Courtney, war zweifelsfrei eines natürlichen Todes gestorben. Robert Stewart hatte am Mittag die endgültigen Obduktionsergebnisse bekommen. Somit stand Denis Shove zwar im Verdacht, den alten Onkel gefunden und im Garten verscharrt, seinen Tod gegenüber den Behörden verschwiegen und fröhlich die Rente abkassiert zu haben, aber darüber hinaus konnte man ihm nichts vorwerfen, jedenfalls keinen Mord an dem entfernten Verwandten. Und mit dem Verbrechen an Linville schien die Newcastle-Geschichte auch nicht das Geringste zu tun zu haben.

Dowrick hingegen hatte sich kaum selbst in dem großen Fass ertränkt und hinterher auch noch den Deckel verschraubt. So hatte das auch Kate gesehen.

»Er ist grausam ermordet worden«, hatte sie am Telefon gesagt, »genau wie mein Vater. Und wie Melissa Cooper. Sie sollten herkommen, Caleb. Die Polizei hier ermittelt sonst in eine falsche Richtung. Ich schaffe es nicht, die Beamten davon zu überzeugen, dass das Verbrechen hier mit zwei anderen Taten in Yorkshire in Zusammenhang steht. Die glauben, hier ist ein armer, wehrloser Rollstuhlfahrer von bekifften Jugendlichen überfallen worden. Das halte ich aber für höchst unwahrscheinlich.«

Caleb hatte auf der gesamten Fahrt von Scarborough nach Liverpool praktisch ohne Unterbrechung geflucht.

Die Leiche war bereits fortgebracht worden, als Caleb auf dem Fabrikgelände angekommen war, aber es hatte noch immer ein unglaubliches Gewimmel an Polizisten und Einsatzfahrzeugen geherrscht. Caleb merkte sofort, dass eine hektische, fast explosive Atmosphäre herrschte, die ihm über die übliche Aufgeregtheit an einem Tatort weit hinauszugehen schien. Schnell erfuhr er auch, woran das lag: Im allgemeinen Durcheinander war die Zeugin verschwunden, das dreizehnjährige Mädchen, das den Hinweis auf den Fundort gegeben und sich im Besitz des Rollstuhls des Opfers befunden hatte. Sie war einfach weg. Inzwischen waren Beamte bei ihren Eltern gewesen, die jedoch keine Ahnung hatten, wo ihre Tochter stecken könnte, und nun durchkämmte die Polizei die ganze Umgebung nach ihr.

»Das Mädchen wusste genau, wo die Leiche war«, erklärte die Einsatzleiterin, nachdem sie sich mühsam bereitgefunden hatte, dem fremden Detective Chief Inspector aus Scarborough zu glauben, dass der Tote aus Liverpool mit zwei Toten in Yorkshire in unmittelbarem Zusammenhang stehen könnte. »Dahinten stehen Hunderte von Fässern, und sie wusste genau, um welches es ging. Sie kann den Toten nicht zufällig gefunden haben, denn es wäre ihr unmöglich gewesen, den Deckel zu öffnen und ihn auf die Weise, wie meine Leute ihn vorgefunden haben, wieder zu verschließen.«

»Sie meinen, sie muss die Tat beobachtet haben?«, folgerte Caleb. »Oder zumindest das Entsorgen der Leiche – falls sich Tatort und Fundort nicht als identisch erweisen?«

»Oder sie war sogar beteiligt. Hier treiben eine Menge Jugendbanden ihr Unwesen. Typen von der Sorte, die leider vor einem hilflosen Mann im Rollstuhl nicht Halt machen würden. Im Gegenteil.«

Caleb hatte nur kurz mit Kate sprechen können, die gerade einem Beamten der Liverpool Police Rede und Antwort stand.

»Grace ist mit Sicherheit keine Täterin«, hatte sie erklärt. »Ein geistig zurückgebliebenes, sanftes Geschöpf, das, meiner Ansicht nach, vierundzwanzig Stunden am Tag auf der Flucht vor dem eigenen Vater ist.«

»Warum hat sie sich vom Tatort entfernt?«

»Ich könnte mich ohrfeigen, dass ich nicht auf sie geachtet habe«, sagte Kate. Caleb stellte fest, dass sie sehr blass war, aber gefestigter schien als bei der letzten vergleichbaren Situation: Als sie Melissa Cooper gefunden hatte. »Sie ist nicht abgehauen, weil sie etwas mit der Tat zu tun hat, Caleb. Ich meine, wieso hätte sie mich dann überhaupt erst auf den toten Norman Dowrick aufmerksam machen sollen? Den hätte kein Mensch je in diesem grauenhaften Fass gefunden. Ich vermute, dass sie Angst wegen des Rollstuhls bekam. Sie hat ihn sich einfach genommen, und dann erscheinen hier plötzlich Scharen von Polizisten. Sie dachte, die sind wegen ihr gekommen. Also ist sie weggelaufen und sitzt jetzt wahrscheinlich irgendwo zitternd in einem Versteck.«

Um sich selbst ein Bild von der familiären Situation zu machen, war Caleb zu den Henwoods gegangen. Er fand Mr. Henwood widerlich und erkannte, dass Mrs. Henwood kaum zu atmen wagte, ohne vorher die Erlaubnis ihres Mannes einzuholen, aber er hatte auch den sicheren Eindruck, dass beide tatsächlich nicht wussten, wo Grace stecken könnte. Sie hatten auch von dem Rollstuhl nichts gewusst, von einem Toten schon gar nicht.

»Wir brauchen die Namen und Adressen der Menschen, mit denen Grace in Kontakt steht«, sagte er. »In welche Schule geht sie?«

Mrs. Henwood nannte mit leiser Stimme den Namen einer Schule und fügte hinzu: »Das ist eine Schule für Kinder mit ... Problemen. Sie geht aber nicht jeden Tag dorthin.«

Und niemand kümmert sich groß darum, dachte Caleb deprimiert.

Die Liverpooler Kollegen würden sich in der Schule bei den Lehrern, den Klassenkameraden und deren Eltern umhören. Vielleicht wusste jemand etwas, das einen Hinweis auf den Aufenthaltsort des Mädchens geben konnte.

Er zog seine Karte aus der Innentasche seines Jacketts und drückte sie Darren in die Hand. »Hier. Wenn Ihnen irgendetwas einfällt, was uns zu Ihrer Tochter führen könnte, dann rufen Sie mich an. Oder den Kollegen, der vorhin schon mit Ihnen gesprochen hat. Oder irgendeine Polizeidienststelle. Es ist sehr wichtig.«

»Mach ich«, versprach Darren. Caleb hoffte, dass er das tatsächlich tun würde.

Er verließ die Wohnung. Inzwischen war die Polizei abgezogen, aber man hatte Caleb gesagt, dass man am nächsten Tag weiter nach Grace suchen würde. Auf einer Mauer zwischen den Häusern saß ein knochendürrer, sehr dunkelhäutiger Mann und schaukelte seinen Oberkörper hin und her. Er sprach Caleb an.

»Stimmt es, dass der Rollstuhlfahrer tot ist?«

»Mit hoher Wahrscheinlichkeit – ja«, sagte Caleb.

Der dünne Mann verzog das Gesicht zu einem schmerzlichen Ausdruck. »Hat die Frau ihn gefunden? Die hier überall nach ihm gesucht hat?«

Caleb nahm an, dass er von Kate sprach. »Ja.«

»Weil Grace etwas wusste, stimmt's? Ich habe der Frau den Tipp gegeben. Dass Grace einen Rollstuhl hat.«

»Kennen Sie Grace näher?«

»Nicht so nah. Nur ein bisschen. Armes Mädchen. Ihr Vater ist ein Sadist.«

»Nun, Mr.…?«

»Roshan. Kadir Roshan.«

»Mr. Roshan, haben Sie irgendeine Idee, wo sich Grace aufhalten könnte? Es ist überaus wichtig für uns, mit ihr zu sprechen. Sie versteckt sich wahrscheinlich aus Angst, Ärger wegen des Rollstuhls zu bekommen. Aber niemand will ihr Schwierigkeiten machen. Wir müssen nur mit ihr reden.«

»Ich weiß nicht, wo sie ist«, sagte Kadir. Er hatte für einen Moment aufgehört, mit dem Oberkörper zu schaukeln, aber nun fing er wieder damit an. Caleb hätte es nicht begründen können, aber er hatte den Eindruck, dass dieser Mann mehr wusste, als er sagte. Oder dass er zumindest Ahnungen hatte, die er jedoch nicht preisgab.

Er ging zu seinem Auto zurück, rief unterwegs Jane im Büro in Scarborough an. Er hatte sie schon den ganzen Nachmittag über auf dem Laufenden gehalten und sie bei dem letzten Gespräch gebeten, ein Zimmer für ihn in Liverpool zu buchen. Er wollte noch bis zum nächsten Tag bleiben. Außerdem hatte er Jane angewiesen, Kate zu kontaktieren und ihr mitzuteilen, dass er sie so bald wie möglich noch einmal sprechen musste.

Jane war sofort am Apparat. Sie wirkte verstört. Caleb konnte es ihr nicht verdenken, er fühlte sich auch nicht besser. Der Fall ging ihnen allen immer stärker an die Nieren. Schon wieder ein Toter – und erneut ein ehemaliger Kollege.

Jane berichtete, dass sie Kate auf deren Handy angerufen und nach ihrer Unterkunft in Liverpool gefragt, sodann für Caleb im selben Hotel ein Zimmer gebucht hatte.

»Sie dürfte also bereits dort sein und Sie erwarten«, sagte sie und fügte in einem Atemzug hinzu: »Gibt es etwas Neues?«

»Riesenmist im Grunde nur. Es gibt eine Zeugin, die

möglicherweise das Verbrechen beobachtet hat. Ein dreizehnjähriges, geistig zurückgebliebenes Mädchen, das genau wusste, wo sich Dowricks Leiche befand – wenn es sich um Dowrick handelt, was ich aber stark annehme. Diese Zeugin ist spurlos verschwunden.«

»Wie konnte das denn passieren?«

Caleb seufzte. »Sie hat wohl einfach den Umstand genutzt, dass am Leichenfundort erst einmal alle mit etwas anderem beschäftigt waren. Bis den Beamten aufging, wie wichtig dieses junge Mädchen ist, hatte sie sich schon leise und heimlich abgeseilt. Und jetzt ist sie wie vom Erdboden verschluckt.«

»Das ist in der Tat ein Riesenmist«, sagte Jane. »Das alles ist ...« Sie sprach nicht weiter.

Caleb wusste, was sie meinte. Mit jedem Schritt, den sie gingen, wurden die Dinge schwieriger. Sie schienen einer Lösung nicht näher zu kommen, sondern sich immer weiter zu entfernen. Norman Dowrick. Wie sollten sie den jetzt in ihrer bisherigen Version dessen, was geschehen war, unterbringen?

In trüber Stimmung verabschiedeten sie sich voneinander, und Caleb machte sich auf den Weg zu Kate.

4

Jane hatte schon ihre Tasche in der Hand und wollte gerade ihr Büro verlassen, als ihr Blick auf den Zettel fiel, der zuoberst auf einem Berg anderer Papiere auf ihrem Schreibtisch lag. Die Telefonnummern von Stella Crane und von ihrer Nachbarin in Kingston.

Die Frage war, ob sie dieser Sache überhaupt noch nachgehen sollte? Aber Shove gehörte dingfest gemacht. Er hatte auf Peggy Wild geschossen. Er hatte sich einer schweren Körperverletzung schuldig gemacht.

Und irgendetwas tun ist besser, als nichts tun, dachte sie müde.

Sie versuchte es zunächst noch einmal auf Stella Cranes Handy, bekam aber wieder nur die Mailbox zu hören. Dann rief sie die Festnetznummer in Kingston an. Auch ein Anrufbeantworter.

Schließlich rief sie die Nachbarin an. Mrs. Hedger.

Mrs. Hedger meldete sich beim dritten Klingeln und wirkte sehr erleichtert, als Jane ihren Namen nannte.

»Ach, Constable Scapin, ich bin froh, dass Sie anrufen. Die ganze Zeit über will ich mich schon bei Ihnen melden, aber dann dachte ich … Nun, ich war nicht sicher, ob ich nicht einen Fehler gemacht habe und ob ich mich jetzt lächerlich mache. Ich bin völlig verunsichert, aber ich war eigentlich schon sicher, dass Sie den achten Juni genannt hatten, allerdings …«

Mrs. Hedger holte Luft, und Jane nutzte die Gelegenheit, ihren Redestrom zu unterbrechen. »Mrs. Hedger, was ist passiert? Ich warte noch immer auf einen Anruf der Familie Crane.«

»Ja, das ist es ja eben«, sagte Mrs. Hedger. »Sie sind nicht da. Sie sind Sonntagabend nicht angekommen. Und gestern auch nicht. Alles still drüben. Die Vorhänge sind zugezogen. Ich war heute noch einmal dort wegen der Post und wegen der Blumen. Es ist niemand da.«

»Ach«, sagte Jane.

»Am Sonntagabend dachte ich noch, dass sie einfach spät losgekommen sind und wahrscheinlich irgendwann in der

Nacht eintreffen werden. Ich war sicher, am Montag früh das Auto in der Einfahrt zu sehen. Aber nein. Nichts.«

»Sie sagten, Sie sind *eigentlich* sicher, dass die Cranes am 8. Juni zurückkommen wollten?«

»Ja, ich meine schon, dass sie das gesagt hatten. Aber langsam kommen mir Zweifel. Vielleicht wollten sie doch eine Woche länger bleiben?«

»Ich habe Mrs. Crane auf die Mailbox ihres Handys gesprochen«, sagte Jane, »aber auch darauf hat sie nicht reagiert. Dabei war doch vereinbart, dass sie ihre Nachrichten regelmäßig abhört?«

»Ja, und das wundert mich auch so. Ich habe ihr seit gestern auch zweimal die Bitte hinterlassen, mich doch unbedingt anzurufen, weil ich wegen des Datums ihrer Rückkehr nicht mehr sicher sei. Aber sie meldet sich einfach nicht bei mir.«

Jane überlegte. »Und das ist untypisch? Ich meine, Sie kennen sie als zuverlässigen Menschen?«

»Als absolut zuverlässig«, sagte Mrs. Hedger sofort und voller Überzeugung. »Wenn sie mir sagt, dass sie jeden zweiten Tag das Handy abhört und sich im Ernstfall sofort meldet, dann tut sie das. Dafür würde ich meine Hand ins Feuer legen.«

Das klang tatsächlich alles ziemlich merkwürdig. Vor allem im Zusammenhang mit Therese Malyan, der leiblichen Mutter des Adoptivsohnes der Cranes. Die mit einem flüchtigen Verbrecher zusammen war.

Ohne diese Zusammenhänge zu kennen, gingen Mrs. Hedger offenbar ähnliche Gedanken durch den Kopf. »Ob ihnen etwas zugestoßen ist? Der ganzen Familie?«

»Von einem Autounfall solchen Ausmaßes wüsste ich«, sagte Jane. »Mrs. Hedger, denken Sie bitte genau nach. Gibt es noch irgendeinen Anhaltspunkt dafür, *wo genau* die Cranes diesen Urlaub verbracht haben? Sie nannten Nordengland. Gibt es etwas, was diese Angabe noch etwas eingrenzt? Hat Mrs. Crane irgendeinen Ort genannt? Ein Dorf? Einen See, der in der Nähe liegt, oder eine Burg? Eine Sehenswürdigkeit?«

Man konnte Mrs. Hedger fast durch das Telefon hindurch nachdenken hören. »Nein«, antwortete sie schließlich. »Wir haben darüber ja kaum gesprochen. Ich weiß nur, dass es ein abgelegener Ort ist. An dem es kein Telefon, kein Internet und keinen Handyempfang gibt.«

Im Grunde der perfekte Ort für einen Verbrecher, der sich vor der Polizei verstecken muss, dachte Jane.

Aber: Woher sollte Denis Shove diesen Platz kennen? Oder war das Verhältnis zwischen den Cranes und Therese Malyan doch so eng, dass sie es ihr gesagt hatten? Nicht ahnend, in welche Gefahr sie dadurch gerieten?

»Mrs. Hedger, tun Sie mir doch bitte einen Gefallen«, sagte Jane. »Sie haben einen Schlüssel. Gehen Sie hinüber und schauen Sie sich gezielt um nach etwas, das uns einen Hinweis geben könnte. Eine Adresse vielleicht, auf einem Zettel notiert, der auf einem Schreibtisch herumliegt. Ein aufgeschlagener Prospekt. Die Telefonnummer einer Vermittlung für Ferienhäuser. Irgendetwas. Egal, wie abwegig Ihnen der Zusammenhang erscheinen mag.«

Mrs. Hedger war voller Skrupel. »Aber nachher bekomme ich Ärger? Wenn ich einfach so in einem fremden Haus herumstöbere?«

»Ich nehme das auf mich«, beruhigte sie Jane. Sie überlegte, dass man möglicherweise auch etwas in den Computern der Cranes finden konnte, aber da sie mit Sicherheit passwortgeschützt waren, hätte das eine Überprüfung durch Experten erfordert. Die Sachlage reichte jedoch kaum aus, eine Beschlagnahme der Computer genehmigt zu bekommen. Schon gar nicht jetzt am späten Abend. Vorläufig musste sie sich mit der Nachbarin und deren vermutlich wenig ausgeprägten Spürhundqualitäten zufriedengeben.

»Übrigens«, sagte Mrs. Hedger, »war dieser Ausländer wieder hier. Dieser Araber.«

»Der unbedingt mit Mr. Crane sprechen wollte?«

»Ja. Der hat den ganzen Sonntagnachmittag vor dem Haus gewartet. Montag war er auch da. Und heute Vormittag. Ich habe ihn angesprochen, was er denn eigentlich so Dringendes will.«

»Und?«

»Wie gehabt. Er *muss* mit Mr. Crane sprechen. Absolut dringend. Ich habe den Eindruck, dass es wirklich äußerst wichtig sein muss, denn es geht diesem Mann richtig schlecht.«

»Sie wissen nicht zufällig, wie ich ihn kontaktieren könnte?«, fragte Jane ohne Hoffnung. Aber Mrs. Hedger überraschte sie angenehm.

»Ich habe seine Telefonnummer«, sagte sie triumphierend. »Er hat sie mir förmlich aufgenötigt. Ich soll sie Mr. Crane sofort geben, wenn ich ihn sehe, im Falle, dass er sie nicht mehr hat.«

Jane notierte die Nummer und den Namen, den Mrs. Hedger ihr soeben buchstabierte: H-a-m-z-a-h C-h-a-l-i-d.

Sie verblieben so, dass Mrs. Hedger sich melden sollte, wenn sie im Haus der Cranes einen Hinweis entdeckte. Dann entschied Jane, dass es jetzt auch schon egal war, wann sie nach Hause kam. Sie wählte Mr. Chalids Nummer.

Mr. Chalid meldete sich mit so leiser und scheuer Stimme, und er sprach seinen Namen so undeutlich aus, dass Jane nachfragen musste.

»Mr. Chalid? Hamzah Chalid?«

»Wer spricht dort, bitte?«

»Detective Constable Scapin von der Yorkshire Police.« Damit er nicht vor Schreck bei der Erwähnung der Polizei sofort auflegte, fuhr sie rasch fort: »Es geht um die Familie Crane.«

»Ist ihnen etwas zugestoßen?«, fragte Mr. Chalid alarmiert.

»Dafür gibt es keinen Anhaltspunkt. Wir müssten jedenfalls dringend Kontakt mit Mr. oder Mrs. Crane aufnehmen, und wir haben von der Nachbarin in Kingston erfahren, dass auch Sie auf die beiden warten.«

»Auf Jonas Crane. Ich muss unbedingt mit Jonas Crane sprechen.«

»Worum geht es denn?«, erkundigte sich Jane.

»Um einen Film. Er schreibt das Drehbuch zu einem Film. Über mich. Ich war …« Hamzah Chalid stockte. Er senkte seine Stimme so sehr, dass Jane ihr Ohr fester an den Hörer pressen musste, um ihn zu verstehen. »Ich war im Gefängnis. Im Irak. Ich war ein Gefangener von Saddam Hussein.«

»Ich verstehe«, sagte Jane. »Und Mr. Crane möchte einen Film darüber drehen? Über Ihr Schicksal?«

»Er soll das Drehbuch schreiben. Drehen wollte den Film eine Produktionsfirma. *TV Adventure.*«

Jane kannte diese Filmproduktion nicht, aber das besagte nichts. Sie kam äußerst selten dazu fernzusehen, und wenn sie es tat, achtete sie nie darauf, wer den Film produziert hatte.

Ihr war aufgefallen, dass Chalid die Vergangenheitsform

gewählt hatte. Da er ein sehr gutes Englisch sprach, hielt sie das nicht für einen Zufall. »*Wollte?* Sie sagen, man *wollte* diesen Film drehen? Hat sich daran etwas geändert?«

Chalid klang nun völlig verzweifelt. »Ich habe es letzte Woche erfahren. Die wollen den Film jetzt doch nicht machen. Sie meinen, das Thema sei nicht von Interesse!«

Saddam Hussein war seit acht Jahren tot. Er war Geschichte. Interessierte sich noch jemand für seine Opfer?

»Und darüber wollen Sie nun mit Mr. Crane sprechen?«

»Er hat es mir versprochen. Er hat mir versprochen, dass es diesen Film geben wird! Wissen Sie, es sind sehr schlimme Dinge mit mir passiert. Auch mit anderen Menschen. Wir wurden gefoltert. Wir wurden mit dem Tode bedroht. Sie haben mit mir Scheinerschießungen durchgeführt, immer wieder. Können Sie sich vorstellen, was man dabei durchmacht?«

Jane vermutete, dass sie sich das nicht annähernd so vorstellen konnte, wie es sich für das Opfer anfühlte, aber sie schauderte, wenn sie darüber nachdachte. Zweifellos hatte Hamzah Chalid Schreckliches erlitten, und selbst durch das Telefon war spürbar, wie hochgradig traumatisiert er war. Aber diese ganze Sache hatte nun wohl tatsächlich nichts mit dem Verschwinden der Familie zu tun.

»Sie haben mir die Arme hinter den Rücken gebunden und mich dann an den Handgelenken aufgehängt«, fuhr Chalid fort. »Stundenlang. Mir sind die Schultergelenke rausgesprungen.«

Jane begriff, dass Mr. Chalid versuchte, sein Trauma zu verarbeiten, indem er mit Gott und der Welt darüber sprach. Selbst mit einer wildfremden Polizistin, die ihn zufällig angerufen hatte. Er musste sich von der Last der Erinnerungen und Bilder befreien, die er mit sich schleppte, und er suchte nach der Solidarität der Gesellschaft, die ihn umgab. Sie sollten hinschauen, begreifen, mitfühlen. Er wurde verrückt, wenn er allein blieb mit dem Schrecken. Aber niemand wollte seine Geschichten hören. Niemand mochte sich mit diesen Grausamkeiten belasten. Jane konnte sich gut vorstellen, dass Chalids Umgebung ihm auszuweichen begann. Man fürchtete sich vor endlosen Monologen, in denen immer und immer wieder schreckliche Folterszenen beschrieben wurden. Chalid blieb mit dem ganzen Horror seiner Vergangenheit zunehmend allein, was ihn wiederum immer tiefer und rettungsloser in die Spirale des Grübelns stürzte. Er durchlebte das Ganze wahrscheinlich jeden Tag und jede Nacht von Neuem.

Den Film hatte er als Hoffnung und Chance gesehen.

»Wahrscheinlich kann Mr. Crane nicht darüber entscheiden, ob es diesen Film geben wird oder nicht«, sagte Jane.

»Ich weiß. Ich weiß, aber … es passt nicht, wissen Sie? Bei *TV Adventure* haben sie mir gesagt, dass er noch vor seinem Urlaub erfahren hat, dass aus der Sache nichts wird. Ich habe ihn kennengelernt. Er hat mich verstanden. Er war *betroffen* von meiner Geschichte. Sehr betroffen.«

Wer wäre das nicht, dachte Jane.

Als könnte er ihre Gedanken lesen, fuhr Chalid fort: »Er war aufrichtig betroffen. Und er wollte mir helfen. Ich war ihm wichtig. Ich habe das gespürt.«

»Mr. Chalid, ich …«

»Wir wollten uns bald nach seinem Urlaub treffen. Er wollte ein Treatment erstellen, und wir wollten darüber sprechen. Ich bin ganz sicher, dass er sich melden würde, um mir zu sagen, dass … dass aus all dem nun nichts wird.« Mr. Chalids Stimme schwankte. »Er würde nicht einfach untertauchen.«

Da war Jane nicht so sicher. Niemand übermittelte gerne schlechte Nachrichten, schon gar nicht an einen Menschen wie Hamzah Chalid, der schon so viel mitgemacht hatte, dem man es einfach von Herzen gegönnt hätte, dass sich irgendetwas in seinem Leben endlich einmal zum Guten wendete. Sie hätte es durchaus nachvollziehen können, wenn sich Jonas Crane davor drückte.

»Die Nachbarin ist sich nicht mehr ganz sicher, dass es wirklich der 8. Juni war, an dem die Cranes zurückkommen wollten«, sagte sie.

»Aber ich bin mir sicher«, sagte Chalid sofort, »absolut sicher. Ich habe es damals sofort notiert. Es gibt überhaupt keinen Zweifel.«

Jane glaubte ihm. So, wie er drauf war, würde er sich in dieser Frage niemals irren. Er lebte seit Wochen auf den 8. Juni hin oder zumindest auf die Folgetage, und seitdem er die Absage erhalten hatte, tat er es vermutlich mit einer verzweifelten Intensität.

»Warum suchen *Sie* denn eigentlich nach ihm?«, fragte Chalid plötzlich.

Jane fand nicht, dass er das im Detail wissen musste. »Ich habe nur eine Frage«, sagte sie ausweichend. »Sie steht im Zusammenhang mit einer anderen Ermittlung.«

»Ich verstehe«, antwortete Hamzah Chalid, obwohl es an dieser Aussage kaum etwas zu verstehen gab.

»Sie haben Mr. Crane noch kurz vor seinem Urlaub gesehen?«

»Ich habe ihn am 28. April zuletzt gesehen. Es war zugleich unsere erste persönliche Begegnung. Später haben wir nur noch einmal telefoniert. Da sagte er, dass er bis zum 8. Juni verreisen wollte und dass wir uns danach treffen würden.«

»Und machte er irgendeine Andeutung über das Ziel seiner Reise?«

»Nein. Leider gar nicht. Er sprach von seinem Stress und dass ihm sein Arzt geraten hat, eine Auszeit zu nehmen.«

»Sie wissen nicht zufällig den Namen des Arztes?«

»Nein. Er nannte ihn nicht, und ich habe auch nicht gefragt. Ich dachte ja nicht, dass das einmal wichtig sein könnte.«

»Es ist auch keineswegs gesagt, dass der Arzt etwas wüsste«, beruhigte ihn Jane, denn Chalids Stimme hatte schon wieder einen schrillen Klang angenommen. »Mr. Chalid, ich gebe Ihnen meine Telefonnummer. Bitte rufen Sie mich an, wenn Ihnen noch irgendetwas einfällt. Egal, ob es Ihnen wichtig erscheint oder nicht. Geben Sie mir einfach Bescheid.«

Chalid versprach, das zu tun, und notierte die Nummer, die ihm Jane diktierte.

»Sollten Sie ihn finden, dann sagen Sie ihm, er soll mich bitte sofort anrufen«, bat er dann. »Es ist sehr, sehr wichtig für mich.«

»Daran werde ich ganz bestimmt denken«, versprach Jane.

Sie verabschiedeten sich voneinander, aber ehe beide auflegten, sagte Hamzah plötzlich noch: »Es ist etwas passiert, Constable Scapin. Ich weiß das. Ich glaube, dass Mr. Crane in Gefahr ist. Sie müssen ihn unbedingt finden. Da stimmt etwas ganz und gar nicht. Er hätte sich bei mir gemeldet. Er hätte sich unter *allen Umständen* gemeldet. Etwas hindert ihn daran, und es muss etwas Schlimmes sein.«

Im Hotel angekommen, checkte Caleb Hale an der Rezeption ein, aber er ging gar nicht erst in sein Zimmer, sondern erkundigte sich gleich, wo Kate Linville untergebracht war. Sie befand sich auf derselben Etage wie er, allerdings am entgegengesetzten Ende des Gangs. Caleb klopfte an die Tür, und eine halbe Minute später wurde sie geöffnet.

Kate stand vor ihm. Wie schon am Nachmittag, als sie sich kurz auf dem Fabrikgelände getroffen hatten, fiel ihm auf, dass sie irgendwie verändert aussah. Er hatte nur nicht gleich gewusst, woran das lag, aber jetzt erkannte er, dass es ihre Haare waren. Sie waren modisch geschnitten und heller getönt, und erstaunlicherweise machte das tatsächlich einen Unterschied. Sie sah jünger aus und weniger kantig und verhärmt im Gesicht.

Allerdings schien sie zugleich sehr wütend zu sein. Und das überraschte Caleb noch weit mehr als die Tatsache, dass sie offenbar einen Friseur aufgesucht und etliche Pfund in ihr Aussehen investiert hatte. Er hatte erwartet, sie am Boden zerstört vorzufinden. Schuldbewusst, weil sie sich schon wieder eingemischt hatte. Andererseits, wenn er es richtig überlegte, war sie schon am Nachmittag keineswegs kleinlaut aufgetreten. Eher ziemlich sachlich.

Diesmal ging sie direkt in die Offensive.

»Ich muss wissen, weshalb mein Vater mit dieser Frau zusammen war«, schleuderte sie ihm ohne jede Einleitung entgegen. »Und ich muss wissen, weshalb er sich von ihr getrennt hat. Ich muss wissen, was sie ihm bedeutet hat. Deshalb wollte ich Norman Dowrick aufsuchen – weil er Bescheid wusste. Er war eingeweiht in die Affäre. Ich habe mir Auskünfte erhofft. Es ist mein Recht, dieser Geschichte nachzuspüren, denn es geht um meinen Vater, der tot ist und mit dem ich nichts mehr klären kann. Ich kann nicht darauf verzichten, die Wahrheit über ihn und Melissa Cooper herauszufinden, nur weil Sie sich jedes Mal in Ihrer Kompetenz angegriffen fühlen, wenn ich irgendwelche Schritte in diese Richtung unternehme.«

Caleb stand immer noch im Flur und fand das alles etwas peinlich. Vermutlich waren sie nicht die einzigen Gäste dieses Hotels.

»Darf ich reinkommen?«, fragte er, als Kate Luft holte. »Wir sollten diese Dinge vielleicht nicht zwischen Tür und Angel besprechen.«

Sie trat zurück. Er folgte ihr ins Zimmer und schloss die Tür hinter sich. Sie standen einander in dem spartanisch eingerichteten Raum gegenüber.

»Das Problem ist...«, begann Caleb, aber sie unterbrach ihn.

»Das Problem ist, dass ich jedes Mal, wenn ich im Privatleben meines Vaters stochere, auf einen Mord stoße. Aber anstatt sich ständig darüber aufzuregen, sollten Sie vielleicht irgendwann einmal die richtigen Schlüsse daraus ziehen.«

»Und die wären? Ihrer Ansicht nach?«

»Dass sowohl der Tod meines Vaters als auch der von Melissa Cooper als auch der von Norman Dowrick etwas mit dem Privatleben meines Vaters zu tun haben. Sie versuchen verzweifelt und mit immer kühneren Gedankenkonstruktionen den Beruf meines Vaters und in Verbindung damit Denis Shove zum Dreh- und Angelpunkt der Geschichte zu machen. Dabei können Sie ihn im Grunde weder mit Melissa Cooper in einen Zusammenhang bringen noch mit Norman Dowrick, der schon längst nicht mehr im

Dienst war, als Shove von meinem Vater geschnappt und vor Gericht gestellt wurde.«

»Das zu beurteilen ist meine Sache.«

»Ich bin gespannt, wie Sie es diesmal hinzubiegen versuchen. Kommt es Ihnen nicht selbst mehr als seltsam vor? Mein Vater hatte eine Affäre mit einer Frau, und zwölf Jahre nachdem die Geschichte damals zu Ende ging, sind beide tot. Grausam ermordet. Und nun haben wir den einzigen Menschen im Umfeld meines Vaters, der von der Affäre wusste, auch tot aufgefunden.«

»Sie vergessen ein paar Gesichtspunkte«, sagte Caleb. »Zum Beispiel vergessen Sie das Umfeld von Melissa Cooper. Da gibt es mehr Mitwisser. Ihre beiden Söhne. Und Freundinnen, wie mir der ältere Sohn sagte. Dowrick war nicht der Einzige, der eingeweiht war. Zudem kann ich mir im Moment nur einen Menschen vorstellen, von dem Sie Ihre Informationen, Dowrick betreffend, haben können, und das ist seine Exfrau. Die geschiedene Mrs. Dowrick. Sie wusste demnach ebenfalls Bescheid.«

»Ich glaube aber, dass Norman mehr wusste«, sagte Kate. Sie war jetzt ruhiger geworden. »Sie haben recht, etliche Menschen waren über die Affäre informiert. Aber nach allem, was ich von Susannah Dowrick weiß und auch von Melissas Freundinnen in Whitby …«

Caleb warf ihr einen scharfen Blick zu, den sie jedoch erwiderte, ohne mit der Wimper zu zucken.

»Danach erscheint die Trennung meines Vaters von Melissa ziemlich mysteriös, und niemand weiß, warum sie eigentlich stattfand. Es muss etwas passiert sein, woraus beide ein großes Geheimnis machten. Susannah Dowrick vermutet allerdings, dass ihr Mann Bescheid wusste. Als Einziger. Er wollte jedoch auch mit ihr nicht darüber sprechen. Und er hat sich von meinem Vater zurückgezogen. Die Freundschaft war schwer angeschlagen und hat sich nicht mehr erholt. Das Eigenartige ist: Laut Susannah hat Norman es meinem Vater übelgenommen, dass er meine Mutter mehrere Jahre lang betrog, aber er hat trotzdem zu ihm gehalten. Dann trennt sich mein Vater, kehrt brav an die Seite seiner Ehefrau zurück, und nun plötzlich kündigt Norman ihm die Freundschaft. In dem Moment, da alles endlich wieder in Ordnung ist. Wieso? Was ist passiert, was ging dieser Trennung voraus? Da liegt der Kern, Caleb. Wenn wir das wissen, wissen wir, wer die drei ermordet hat. Und warum.«

»Hm«, machte Caleb. Das alles klang nicht so, dass er es einfach von der Hand weisen konnte, aber er fühlte sich unbehaglich, ohne genau zu wissen, weshalb. Wenn er ganz ehrlich zu sich war, mochte es daran liegen, dass er sich plötzlich wie ein Anfänger vorkam, der Nachhilfe in Ermittlungsarbeit bekam – und das von einer Frau, die jünger war als er und im Rang unter ihm. Von der er wusste, dass sie bei ihren Kollegen keinesfalls als Leuchte ihres Faches galt. Abgesehen davon, dass sie mit ihrem Leben von vorne bis hinten nicht zurechtkam.

»Sie haben sich mit der Festlegung auf Shove verrannt, Caleb«, sagte sie.

Auch das noch. Er verspürte den kindischen Wunsch, ihr auch etwas zu sagen, das sie kränkte.

»Sie sollten nicht immer nur die Fehler bei den anderen suchen, Kate. Immerhin wäre es nicht schlecht gewesen, wenn Sie auf unsere Zeugin aufgepasst hätten. Es war ein Meisterstück, sie einfach auf und davon gehen zu lassen.«

Kate zuckte zusammen, aber Caleb bereute schon, was er

gesagt hatte. Es war unsouverän gewesen, dazu auch noch ungerecht. Die gesamte Situation und alle Abläufe auf dem Fabrikgelände hatten in den Händen der Kollegen von der Liverpool Police gelegen, sie trugen die Verantwortung.

»Tut mir leid«, fügte er rasch hinzu, »das war eben dumm von mir. Sie haben nichts falsch gemacht, Kate.«

Aber er sah ihr an, dass sie sich selbst ohnehin mit Vorwürfen überhäufte. »Ich war so benommen. Ich hatte große Hoffnung auf das Gespräch mit Norman gesetzt. Ich habe zwei Tage lang nach ihm gesucht ... Ihn nun so zu finden ... Ich konnte nicht sofort wieder klar denken. Ich dachte nicht daran, dass Grace womöglich abhauen könnte. Als ich mich irgendwann ihrer entsann ... war es zu spät. Sie war wie vom Erdboden verschluckt.«

»Mir hätte das auch passieren können«, gab Caleb ehrlich zu. »Wahrscheinlich hat sie tatsächlich Angst gehabt, sie könnte wegen des Rollstuhls belangt werden. Eine absurde Idee, niemand konnte wissen, dass sie so tickt.«

Kate nickte, wirkte jedoch nicht wirklich überzeugt. »Gibt es schon Erkenntnisse?«, fragte sie. »Darüber, wo und wie Norman getötet wurde? Und wann?«

Caleb hatte mit den Leuten von der Spurensicherung bereits gesprochen, wobei erste Anhaltspunkte natürlich nur unter großem Vorbehalt benannt worden waren. »Er ist aller Wahrscheinlichkeit nach durch Ertrinken gestorben. Und vermutlich sind Tatort und Fundort identisch.«

Kate schauderte. »Man hat ihn in diesem Fass ertränkt? Auf diesem verlassenen Fabrikgelände?«

»Sieht so aus, ja. Das Ganze liegt schon länger zurück. Nach erster Schätzung könnte es im Januar oder Februar dieses Jahres geschehen sein. Man wird das aber noch sehr viel genauer eingrenzen.«

»Also ungefähr zur selben Zeit wie mein Vater.«

»Ja. Kurz davor vielleicht.«

»Ein wehrloser Mann. Der gelähmt im Rollstuhl sitzt. Wer tut so etwas?«

»Die Kollegen von der Liverpool Police haben eine Jugendgang in Verdacht. Es scheint hier etliche Banden zu geben, denen man Verbrechen dieser Art offenbar zutraut. Wir dürfen diesen Aspekt nicht ganz aus den Augen verlieren. Natürlich wäre das ein sehr verrückter Zufall, aber es ist nicht völlig ausgeschlossen, dass der Mord an Norman Dowrick nichts mit unseren Verbrechen drüben in Yorkshire zu tun hat.«

»Halten Sie das wirklich für möglich, Caleb?«

»Ich sage nur, dass wir uns keiner Variante verschließen dürfen.« Er lächelte zum ersten Mal, seit er in dieses Zimmer gekommen war. »Ihre Worte, Kate. Mir haben Sie das schließlich auch schon gepredigt.«

Dem konnte sie kaum widersprechen. »Stimmt.«

Er sah auf seine Uhr. »Schon weit nach neun. Ich habe seit dem Frühstück nichts mehr gegessen. Gleich neben dem Hotel gibt es ein Pub, vielleicht bekommen wir da noch etwas.«

»Ich habe keinen Hunger.«

»Sie haben doch bestimmt auch schon seit Stunden nichts mehr gegessen?«

»Wie Sie. Seit dem Frühstück.«

»Dann kommen Sie jetzt mit. Seien Sie doch einfach mal etwas netter zu sich, Kate. Etwas fürsorglicher.«

Er konnte ihr förmlich ansehen, dass sie fieberhaft nach Ausreden suchte. Als wäre es das Schlimmste von der Welt, jetzt mit ihm noch für eine Stunde in ein Pub zu gehen und eine Kleinigkeit zu essen. Und ein Bier zu trinken.

Nein. Was ihn betraf: ein Wasser.

»Wir schließen Frieden«, sagte er, »abgemacht? Falls es das ist, was Sie so zögern lässt.«

»Frieden? Waren wir denn im Krieg?«

»Vielleicht nicht im Krieg. Aber wir haben versucht, einander aus dem Weg zu gehen. Ich habe Sie als jemanden gesehen, der sich einmischt. Der Grenzen überschreitet. Mir tut es leid, wenn ich deshalb schroff zu Ihnen war. Mir ist jetzt klar, wie tief und persönlich Sie in diese ganze Geschichte involviert sind und wie wichtig es für Sie ist, die Wahrheit über Ihren Vater zu erfahren. Sie können nichts dafür, dass sich alles, was Sie über ihn in Erfahrung zu bringen versuchen, mit meinen Ermittlungen überschneidet. Es ist einfach so. Es ist nicht Ihre Schuld.«

»Caleb, es ist nett, dass Sie das sagen. Trotzdem… ich würde lieber hierbleiben. Ich bin sehr müde. Ich möchte einfach nur noch schlafen.«

Er fragte sich, weshalb sie plötzlich wieder die alte Kate wurde. In sich zurückgezogen, abgeschottet nach außen. Abweisend. Ganz anders als noch vor wenigen Minuten, als sie ihm so zornig entgegengetreten war. Ihm hatte die Seite gefallen, die sie von sich gezeigt hatte, sie war ihm selbstbewusst erschienen, sie hatte kein Blatt vor den Mund genommen, die Wut hatte ihre üblichen Barrieren und Vorbehalte überwunden. Für eine kurze Weile zumindest. Jetzt stand wieder die Kate vor ihm, die sich ganz in ihrem Panzer verkroch und nur den Kopf ein winziges Stück weit hinausstreckte – wie eine misstrauische, von der Last schlechter Erfahrungen niedergedrückte Schildkröte.

Vielleicht hatte es auch etwas mit ihm zu tun. Zusammen in einem Pub beim Essen zu sitzen barg die Gefahr, dass die Gespräche die rein berufliche Ebene verließen. Er entsann sich der Nacht, in der sie sich hemmungslos betrunken und ihn anschließend unverblümt aufgefordert hatte, mit ihr ins Bett zu gehen. Vielleicht war ihr das noch immer schrecklich peinlich. Für ihn war das eine völlig abgehakte Geschichte, er verbuchte das einfach unter einem Zuviel an Alkohol. Er hätte Kate gern gesagt, dass er ihr weder etwas nachtrug, noch dass er abfällig von ihr dachte. Aber er nahm an, dass es ihr Gefühl von Peinlichkeit erhöht hätte, wenn er jetzt von diesem Geschehnis anfing.

So sagte er nur: »In Ordnung. Dann gehe ich jetzt alleine essen. Schlafen Sie gut, Kate.«

Er war schon fast aus dem Zimmer, da sagte sie: »Wir müssen sie unbedingt finden. So schnell wie möglich.«

Er wandte sich um. »Wen?«

»Grace. Sie ist in Gefahr.«

»Sie meinen, weil …«

»Weil sie vielleicht wirklich etwas gesehen hat. Weil sie den Täter kennt. Und der hat eine ganze Menge zu verlieren, vor allem wenn sich herausstellt, dass er auch für den Tod meines Vaters und Melissa Coopers verantwortlich ist. Ein dreizehnjähriges Mädchen kann dafür sorgen, dass er lebenslang ins Gefängnis geht. Wenn er Wind von der ganzen Sache bekommt, wird er alles daransetzen, Grace *vor* uns zu finden.«

»Ich werde mit der leitenden Ermittlerin vor Ort reden«, sagte Caleb. »Grace sollte gegenüber der Presse nicht erwähnt werden.«

»Ja, aber wir müssen damit rechnen, dass etwas durchsickert. In Graces Wohnsiedlung wissen schon viel zu viele Menschen Bescheid.«

Er nickte. Sie hatte recht. »Was schlagen Sie vor?«

»Wir müssen der Polizei hier klarmachen, was auf dem

Spiel steht. Die müssen mit einem Höchstaufgebot nach ihr suchen.«

»Wie gesagt – ich führe morgen meine Gespräche.« Caleb zögerte noch einmal an der Tür. »Doch noch etwas zu essen? Ich sitze so ungern allein in einem Pub.«

Sie schüttelte den Kopf. »Nein.«

Sie steht sich im Weg, dachte Caleb, sie steht sich wirklich permanent selbst im Weg. Kein Wunder, dass sie aus ihrer Einsamkeit nicht herausfindet.

Aber sie war – er musste es fast widerwillig einräumen – eine gute Ermittlerin. Seltsam, dass das bei Scotland Yard noch niemand bemerkt hatte. Sie hatte einen klaren Verstand, eine zuverlässig funktionierende Intuition und eine gute Menschenkenntnis.

Und wo sie recht hatte, hatte sie recht: Es ging jetzt vor allem darum, Grace Henwood zu finden.

I

An diesem Mittwochmorgen wurde es Stella endgültig klar, dass Jonas sterben würde, wenn sie nicht aktiv etwas unternahm, ihn so schnell wie möglich aus diesem Gefängnis hinaus und zu einem Arzt zu bringen. Zeitverzögert würden sie alle drei sterben, denn die Vorräte, vor allem das Wasser, waren dramatisch zur Neige gegangen. Bei sparsamster Einteilung kamen sie noch über diesen und ganz knapp über den nächsten Tag. *Sparsamste Einteilung* hieß aber bereits, dass vor allem Stella zwischendurch immer wieder auf ihre Rationen verzichtete und dass sie auch Sammy noch kürzer halten musste als bisher. Jonas, der inzwischen im Fieber zu verglühen schien, brauchte jeden Tropfen, den sich die anderen vom Mund absparen konnten. Aber selbst das würde ihn nicht retten. Ohne einen Arzt erlebte er das Ende der Woche nicht.

Stella hatte die ganze Nacht neben ihm gewacht, hatte seine ausgedörrten Lippen mit Wasser befeuchtet, hatte ihm stündlich etwas zu trinken eingeflößt. Er schien es kaum mitzubekommen. Er war nicht mehr ansprechbar, und wenn er atmete, drang ein bedrohliches Rasseln aus seiner Brust. Stella vermutete inzwischen, dass er eine Lungenentzündung hatte. Zudem stank seine Bauchwunde immer stärker nach Verwesung und Fäulnis.

Zunehmend von Grauen erfüllt, wechselte sie alle zwei bis drei Stunden seinen Verband, eine Prozedur, bei der Jonas bis in seinen Dämmerzustand hinein vor Schmerzen wimmerte. Stella hatte aufgehört, die Wunde noch zu reinigen, weil sie das Wasser dringender zum Trinken brauchten, aber inzwischen hatte sich alles entzündet, und das Fleisch ringsum, das noch gesund gewesen war, nahm eine blauschwarze Färbung an. In jedem benutzten Verband klebte immer mehr Eiter. Auch das Verbandmaterial schwand schneller dahin als gedacht. Nicht mehr lange, und Stella würde sich an dieser Front ebenfalls geschlagen geben müssen.

Und allmählich wurde es sogar in dem kalten, feuchtmodrigen Gemäuer immer wärmer. Draußen brach schon wieder ein sonniger Tag an, wie Stella morgens bei einem Aufstieg über das Gerüst zum Fenster hinauf festgestellt hatte. Sie gerieten tatsächlich ausgerechnet jetzt in eine offenbar länger andauernde Hitzeperiode, was speziell in diesem Teil des Landes nicht allzu häufig vorkam. Inzwischen herrschte eine stickige, abgestandene Luft in der Scheune, und da die Sonne von morgens bis abends auf das Dach brannte, wurde es drückend warm im Inneren. Das kleine eingeschlagene Fenster reichte bei weitem nicht aus, frische Luft hereinzulassen, auch nicht während der Nachtstunden, in denen es draußen erträglicher und um einiges kühler wurde. Stella hatte das Gefühl, Staub zu atmen, der sich ihr beißend und kratzend auf die Bronchien legte. Sie hatte schon oft im Leben Durst gehabt, an heißen Tagen oder nachdem sie Sport getrieben oder etwas Scharfes gegessen hatte. Im Normalfall hatte sie ihn sehr schnell stillen können, und selbst wenn sie etwas länger hatte warten müssen, hatte sie nie einen Punkt erreicht, an dem sie sich wirklich gequält gefühlt hätte. Sie hatte nur früher *geglaubt*, unter *quälendem Durst* zu leiden. Jetzt begriff sie, was Qual in diesem Zusammenhang tatsächlich bedeutete. Der Gedanke an Wasser wurde immer beherrschender, füllte sie manchmal sogar mehr aus als die Sorge um Jonas und Sammy. Und noch bekam sie schließlich hin und wieder ein paar Tropfen. Wenn die letzte Flasche leer war, würde es erst richtig losgehen. Stella hatte Bücher gelesen, in denen beschrieben wurde, wie Menschen vor Durst wahnsinnig wurden, ihre Moral und nach und nach alle Schichten zivilisationsgeprägten Verhaltens verloren. Vage und von fassungslosem Schrecken erfüllt, konnte sie sich vorstellen, dass sie einen Punkt erreichte, an dem sie alles, was sie dann vielleicht noch an Flüssigkeit ergattern konnte, rücksichtslos für sich selber verwenden würde, ohne Jonas und Sammy noch etwas davon abzugeben. Sie war die Stärkste hier in dieser verdammten Scheune. Der schwer verletzte Mann und der kleine Junge hingen vollständig von ihrer Bereitschaft ab, für sie zu sorgen. Noch funktionierte sie, noch nahm sie sich zugunsten der beiden anderen zurück, verlangte sich den Verzicht ab, um die beiden Schwächeren zu stützen, so gut es ging. Aber einmal schon hatte sie sich ertappt, wie sie die eine der beiden letzten Flaschen in die Hand nahm, außerhalb der von ihr festgesetzten Zeiten, zu denen Essen und Trinken ausgegeben wurden, wie sie sich umsah und feststellte, dass Jonas im Fieberwahn ohnehin nichts merkte und Sammy gerade über einem Bilderbuch auf seiner Decke liegend eingeschlafen war. Sie hatte eine entsetzliche Versuchung gespürt, einen Schluck nur, ganz schnell, niemand würde etwas merken. Sie hatte bereits den

Verschluss aufgeschraubt, da gab Jonas im Schlaf ein Stöhnen von sich, unendlich schmerzvoll und leidend, und das hatte Stella zur Besinnung gebracht. Was tat sie, um Himmels willen, oder was war sie zu tun im Begriff gewesen? Sie schämte sich entsetzlich, wusste aber zugleich, dass Scham ein Luxus war, den sie sich bald nicht mehr würde leisten können. Ihre Moral würde proportional zum Ansteigen ihres körperlichen Leidens sinken.

An diesem Morgen sah sie auch zum ersten Mal der Tatsache ins Auge, dass Denis Shove sein Versprechen nicht halten würde. Bislang hatte sie sich immer wieder einzureden versucht, dass er zwar ein Verbrecher, aber kein durch und durch schlechter Mensch war. Er würde nicht eine ganze Familie dem sicheren Tod überantworten, derart gewissenlos war selbst er nicht. Nun begriff sie, dass sie sich etwas vorgemacht hatte: Er befand sich in einer dramatischen Notlage, genau wie sie, und er funktionierte nach denselben Gesetzen. Je größer sein Druck und seine Verzweiflung, desto geringer seine Bereitschaft, die Notlage anderer zu berücksichtigen. Shove befand sich auf der Flucht vor der Polizei, sein Bild war in der Zeitung gewesen, er wurde gejagt, und er hatte vermutlich noch immer keinen dauerhaften Unterschlupf gefunden. Sich in Sicherheit zu bringen war alles, was ihn jetzt bewegte. Vielleicht strich die Familie Crane noch hin und wieder durch seine Gedanken, vielleicht hatte er sie aber auch völlig zur Seite geschoben. Er brauchte seine Energien jetzt für etwas anderes.

Wir müssen uns selbst helfen, dachte Stella, sonst sind wir verloren.

Tatsächlich hatte ihr Jonas den einzigen Weg, der ihnen blieb, aufgezeigt, ehe er so tief im Fieber versank, dass er nicht mehr denken, geschweige denn handeln konnte. Stella hatte sich den Kopf über eine Alternative zerbrochen und war nun zu der Erkenntnis gelangt, dass es keine gab.

Und dass sie kaum noch etwas zu verlieren hatten.

Den Vormittag verbrachte sie damit, das Seil zu basteln, an dem sie Sammy aus dem Fenster lassen wollte. Sie hatte ein paar alte Stofffetzen gefunden, die sich verwenden ließen, jedoch nicht ausreichten. Sie zog ihre Jeans aus und tat das ohne Bedauern, denn es war warm genug, mit nackten Beinen herumzulaufen. Auch Jonas' Jeans ließen sich benutzen. Zum Glück war der Stoff weich genug, um ihn verknoten zu können, und die Strecke von insgesamt vier Beinlängen brachte sie ihrem Ziel ein gutes Stück näher.

»Was machst du da, Mummy?«, fragte Sam, der seiner Mutter eine Zeitlang schweigend zugesehen hatte. Früher hätte er nie so lange gewartet, ehe er eine Frage stellte. Er wurde schwächer und apathischer. Mit müder Stimme fügte er, noch ehe Stella hatte antworten können, hinzu: »Ich habe solchen Durst.«

»Du bekommst noch etwas. Bevor du in ein großes Abenteuer aufbrichst.«

»Welches Abenteuer?«

»Du bist jetzt die wichtigste Person hier. Derjenige, der uns alle retten wird.«

»Kommt die Polizei nicht?«, fragte Sammy enttäuscht. Das Sondereinsatzkommando, das mit MGs im Anschlag die Scheune stürmte, geisterte noch immer durch seine Vorstellung und hielt ihn aufrecht.

Stella prüfte die Knoten. Sie hatte sie mit aller Kraft festgezogen.

»Weißt du, sie kommt vielleicht zu spät. Es geht Daddy sehr schlecht. Wir können nicht mehr warten.«

Sammy blickte zu seinem Vater hinüber. »Wird Daddy sterben?«

Stella bemühte sich, ihrer Stimme einen optimistischen Klang zu geben. »Nein. Er wird wieder gesund. Aber er braucht einen Arzt, und … wir sollten das beschleunigen.«

Sammy nickte. »Was soll ich denn machen?«

»Es wird wirklich richtig spannend für dich«, versicherte Stella. »Du bist nämlich der Einzige, der durch das kleine Fenster dort oben passt. Siehst du?«

Sammy blickte nach oben. Auch ihm war sofort klar, dass weder sein Vater noch seine Mutter sich durch die kleine Öffnung würden schlängeln können. »Ja.«

»Glaubst du, dass du es schaffst, da durchzuschlüpfen? Und dann würde ich dich an diesem Seil hier hinunterlassen?«

Sammy war sofort Feuer und Flamme. »Wir machen oft Seilklettern bei uns in der Spielgruppe. Ich bin der Beste!«

»Dann kann ja gar nichts mehr schiefgehen. Ich würde das Ende des Seils um deine Mitte binden und dich dann langsam hinunterlassen.«

Diese Methode hielt Sammy natürlich für unter seiner Würde. »Ich kann auch so nach unten klettern!«

»Das ist zu gefährlich. Es geht ganz schön tief hinunter. Und wie du siehst, haben wir kein Seil, wie du es kennst, schön rau, hart und griffig. Das hier sind weiche Stoffe, die dir durch die Finger rutschen können.«

Sammy maulte eine Weile, war aber viel zu versessen darauf, sich als Held der Stunde zu erweisen, als dass er lange mit seiner Mutter streiten mochte.

»Was soll ich denn draußen machen?«, fragte er schließlich.

»Als Erstes musst du sehen, ob du irgendwie ins Haus

kommst. Therese und Neil haben vielleicht eine Tür oder ein Fenster offen gelassen. Vielleicht haben sie überhaupt nichts abgeschlossen, das wäre am besten.«

»Okay.«

»Und dann schaust du, ob du Schlüssel findest, und probierst sie am Scheunentor aus. Wenn du uns hinauslassen könntest, wäre alles gut.«

»Und wenn nicht?«

»Dann findest du vielleicht mein Handy und kannst Hilfe rufen. Ich würde dir von hier oben sagen, welche Zahlen du eintippst.«

»Und wenn ich kein Handy finde?«

»Dann müssen wir sehen, dass du irgendwie an Wasser kommst. Das wäre besonders wichtig.«

»Können wir gleich anfangen?«, fragte Sammy aufgeregt.

Stella strich ihm durch die Haare. »Du bist ein tapferer Junge. Du trinkst jetzt noch einen großen Schluck Wasser und isst ein Stück Brot. Und dann machst du dich auf den Weg.«

Sie warf einen Blick hinüber zu Jonas. Er rang um Luft.

Nein. Sie hatte keine Wahl.

Knappe dreißig Minuten später stand Sammy unten im Hof und zerrte sich das Seil, das Stella fest um ihn geknotet hatte, vom Körper. Es dauerte eine ganze Weile, bis er sich davon befreit hatte. Stella stand oben am Fenster und wischte sich den Schweiß von der Stirn. Alles war gut gegangen, aber sie war völlig erledigt. Sie hatte entsetzliche Ängste ausgestanden, dass Sammy abstürzen könnte, aber darüber hinaus hatte die ganze Aktion sie auch an den Rand ihrer körperlichen Kräfte gebracht. Es hatte sie erstaunt, wie schwer selbst ein so kleiner Körper wog, der an einem Seil hing, und das Ganze war noch dadurch verschärft worden, dass sie hier oben auf ihrem wackeligen Aufbau so wenig Halt fand. Sie musste nicht nur das Seil mit aller Kraft umklammert halten, sie musste auch noch sich selbst immer wieder neu ausbalancieren. Wenn sie stürzte, stürzte auch Sammy.

Er hatte sich von dem Seil befreit und schaute nach oben. »Und jetzt?«

»Jetzt läufst du zum Haus. Versuche es zuerst an der Haustür. Dann an den Gartentüren. Dann schau, ob ein Fenster offen steht. Ob es irgendeinen Weg nach drinnen gibt!«

Sammy nickte und eilte davon. Stella konnte von ihrem Platz aus nur einen Giebel des Hauses sehen, nicht aber ihren Sohn, der jetzt dort herumlief und an den Türen rüttelte. Sie merkte, dass sich ihre Hände noch immer um das Ende des Seils krampften, und bemühte sich, sie zu entspannen. Ihre schlimmste Befürchtung, Sammy könnte abstürzen, war nicht eingetreten. Von jetzt an hatten sie eine echte Chance.

Es dauerte ziemlich lange, bis Sammy wieder in ihrem Sichtfeld erschien. Er sah enttäuscht aus. »Da ist alles zu, Mummy!«

Verdammter Mist. »Bist du sicher?«

»Ja. Alles zu. Auch die Fensterläden.«

Die Hoffnung, die Freiheit zum Greifen nah zu haben, verflog. Wenn Sammy nicht ins Haus kam, hatte er keinen Zugriff auf ihr Handy. Und nicht auf den Schlüssel zur Scheune. Dann realisierte sie, was er gerade gesagt hatte. »Fensterläden? Die haben sogar die Fensterläden verschlossen?«

»Ja.«

Okay, nächsten Punkt abhaken. Sammy hätte vielleicht mit irgendeinem großen, schweren Gegenstand eine Scheibe einschlagen können. Gegen die Läden kam er nicht an. In einer Mischung aus Wut und Verzweiflung erkannte Stella, dass Neil auch für den Fall, dass seine Gefangenen sich aus der Scheune befreien konnten, die bestmögliche Vorsorge getroffen hatte: So leicht sollten sie keine Hilfe herbeiholen können.

»Was soll ich jetzt machen, Mummy?«, fragte Sam.

Stella blickte zu den beiden Autos hinüber, mit denen Therese und Neil vor wenigen Tagen – die ihr inzwischen wie Wochen erschienen – hier angekommen waren.

»Schau mal, ob die Autos offen sind. Und ob du darin etwas findest. Ein Handy oder einen Schlüssel.« Man musste alles probieren, aber sie hegte nur eine geringe Hoffnung. Neil hatte offenbar sehr umsichtig agiert. Unwahrscheinlich, dass ihm an irgendeiner Stelle ein Fehler unterlaufen war.

Diesmal konnte sie Sammy beobachten. Es rührte sie zu sehen, mit welchem Eifer er seiner Aufgabe nachkam. Er war gerade fünf Jahre alt, und sie fand, dass er sich großartig verhielt. Maulte nicht, meckerte nicht. Tat, was sie ihm sagte. Vielleicht auch ein Stück weit geschützt durch seine Kindlichkeit. Den ganzen grausamen Ernst der Lage verstand er nicht. Wenn Mummy versicherte, alles würde gut werden, so glaubte er es.

Sie sah, wie er bei Neils Auto alle Türen und den Kofferraum probierte, aber offensichtlich war auch das Auto hermetisch verriegelt. Bei Thereses Wagen hatte er gleich darauf mehr Glück: Die Fahrertür ließ sich problemlos öffnen. Sammy stieß einen Triumphschrei aus. »Mummy! Es ist offen!«

»Super! Ganz toll!« Stella zeigte weit mehr Euphorie, als sie tatsächlich empfand. Ein offenes Auto allein brachte sie noch nicht weiter. »Jetzt durchsuchst du es ganz genau. Die Fächer in den Türen. Unter dem Armaturenbrett. Handschuhfach. Kofferraum. Alles. Unter den Fußmatten. Überall.«

Sammy machte sich sogleich an die Arbeit. Stella bemühte sich währenddessen, ihre Erwartungen in Richtung Nullpunkt hinunterzuschrauben. Selbst wenn der Autoschlüssel steckte – was unwahrscheinlich genug war –, konnte Sammy nicht losfahren. Dass Terry ihr Handy im Wagen gelassen hatte, war ebenfalls kaum zu erwarten. Den Schlüssel zum Haus? Wieso sollte sie ihn in ihrem Auto deponieren?

Das Einzige, was Sammy schließlich fand, waren eine Plastikflasche, halbvoll mit Limonade, und ein Milky Way. Immerhin. Er kam damit zur Scheune gelaufen und stellte sich unter das Fenster. »Mummy, schau mal!«

»Na, das ist doch schon etwas«, sagte Stella angestrengt munter. Sie hoffte, dass Sammy ihre Verzweiflung und Ratlosigkeit nicht spürte. Beides war ziemlich ansteckend, und er brauchte jetzt seine ganze kindliche Vertrauensseligkeit. Mehr denn je.

»Darf ich das haben?«

»Natürlich. Trink die ganze Flasche leer. Und iss die Schokolade. Das gibt Kraft.«

Sammy ließ sich das nicht zweimal sagen. Er verzog zwar das Gesicht, als er die Limonade zu trinken begann, von der sich Stella vorstellen konnte, dass sie warm, abgestanden und ziemlich scheußlich schmeckte, aber der Durst war zu groß, um wählerisch zu sein. Auch das aufgeweichte Milky Way verschlang Sammy in zwei Bissen. Hinterher war sein

Mund schokoladenverschmiert, und er sah auf einmal wieder für einen Moment wie ein ganz normaler glücklicher Junge aus, der in der Sonne stand und es sich gut gehen ließ. Stella wies ihn an zu warten und stieg dann hinab, um nach Jonas zu sehen. Es ging ihm unverändert schlecht. Sie gab ihm etwas Wasser und hielt ein paar Sekunden lang seine heiße, trockne Hand in ihrer. Die Wunde roch furchtbar, aber noch schlimmer empfand Stella den röchelnden Atem. Sie hoffte nur, dass er von seinen Schmerzen und Qualen nicht allzu viel mitbekam.

Sie stieg wieder zum Fenster hinauf. Ihr Entschluss war gefasst.

Sie bat Sammy, noch einmal das ganze Haus und die Scheune zu umrunden und herauszufinden, ob es einen Wasserhahn auf der Außenseite der beiden Gebäude gab. Sie hätte dann die Flaschen hinunterlassen und auffüllen lassen können. Auch in diesem Punkt war sie nicht besonders hoffnungsvoll, denn ihr war während der zwei Wochen auf der Farm kein Außenwasseranschluss aufgefallen. Andererseits hatte sie auch nicht darauf geachtet. Vielleicht, wenn sie die Pflanzen draußen hätten bewässern müssen ... aber da es die meiste Zeit über geregnet hatte, hatte sich dieses Problem nicht ergeben.

Es dauerte lange, bis Sammy wieder unter dem Fenster erschien. Er hatte offenbar gründlich gesucht und sah enttäuscht aus.

»Da ist kein Wasserhahn.«

»In Ordnung. Ist nicht so schlimm.« Es kam einer Katastrophe gleich, aber Stella konnte sich jetzt nicht mit Jammern aufhalten. Sie hatte schon viel zu viel Zeit verstreichen lassen, nun konnte sie sich keine Verzögerung mehr erlauben.

»Pass auf, Sammy, du musst jetzt ein großer, tapferer Junge sein, ja? Du musst Hilfe für uns holen. Jemand muss die Polizei verständigen, die uns hier heraushiolt.«

»Ja?«

»Du weißt doch, welchen Weg wir immer gefahren sind, wenn wir einkaufen wollten. Oder einen Ausflug machen? Du weißt, dass man den Hügel hinauf muss zu der ganz schmalen Landstraße, nicht wahr?«

»Ja.«

»Und du weißt, in welche Richtung du sie entlanglaufen musst, damit du zu der breiteren Straße kommst? Auf der auch öfter Autos vorbeifahren?«

»Ja.«

»Traust du dich, dorthin zu laufen und zu versuchen, ein Auto anzuhalten?«

»Ein fremdes Auto?« Wie den meisten Kindern war Sammy von seinen Eltern eingetrichtert worden, um fremde Autos und deren Fahrer einen großen Bogen zu machen und sofort wegzulaufen, wenn jemand neben ihm anhielt und ihn ansprach.

»Ja, ein fremdes Auto. Ich weiß, normalerweise solltest du das auf keinen Fall machen, aber im Moment haben wir keine Wahl.« Stella wusste, dass auch hier ein Risiko lag, aber sie hoffte, dass das Schicksal ihnen jetzt nicht die nächste Katastrophe in Gestalt eines durch die Hochmoore fahrenden Kinderschänders aufhalste. Sie musste sich selbst nachdrücklich in der Gewissheit bestärken, dass man zwar – vor allem dann, wenn man die Sensationspresse las – mehr und mehr in dem Gefühl lebte, dass es auf der Welt wimmelte von Pädophilen, dass sich aber die weit überwiegende Mehrheit der Menschen nicht an kleinen Kindern vergriff.

»Du musst den Fahrer bitten, dass er die Polizei verständigt. Und du musst ihm den Weg hier zu der Farm zeigen. Meinst du, du schaffst das?«

Zum ersten Mal, seit er aus dem Fenster geklettert war, zeigte Sam Zeichen von Unruhe und Ängstlichkeit. Es war eine Sache gewesen, an einem Seil die Scheunenwand hinuntergelassen zu werden und dann auf der Farm herumzuflitzen, an Türen und Fenstern zu rütteln, ein Auto zu durchsuchen und auf die Jagd nach frischem Wasser zu gehen. Das alles immer in unmittelbarer Nähe zu seinen Eltern. Etwas ganz anderes war es, nun allein durch die Einsamkeit zu stapfen, sich immer weiter von der Farm und von der Familie zu entfernen.

»Und wenn ein böser Mann kommt?«

»Es kommt kein böser Mann. Auch keine böse Frau. Du wirst bestimmt auf sehr nette Menschen stoßen, die uns dann helfen.«

»Und wenn nicht?«

Stella erkannte, dass Sammy drauf und dran war, sie in einen seiner gefürchteten Endlosdialoge zu verwickeln, was er immer dann tat, wenn er Zeit gewinnen und einer ungeliebten Aufgabe entgehen wollte. Zimmer aufräumen oder Tisch decken oder ähnliche Dinge. Dann fand er von einer Frage zur nächsten, und meistens lauteten sie *Und wenn nicht?* oder *Und wenn doch?*

Sie musste das diesmal im Keim ersticken.

»Es wird nicht so sein, das verspreche ich dir. Du bist doch ein großer Junge. Und du willst, dass dein Daddy endlich Hilfe bekommt, nicht?«

»Ja, aber …«

»Du musst dich beeilen, Sammy. Wir können jetzt nicht lange reden. Es geht Daddy sehr schlecht. Du schaffst das. Ich würde dich nicht losschicken, wenn ich nicht wüsste, dass du das hinbekommst.« Das stimmte natürlich nicht. Sie würde ihn nicht losschicken, wenn sie irgendeine Wahl hätte. Sie hegte riesige Ängste, dass es schiefging. Ein noch so kleiner Junge, allein in den Hochmooren unterwegs. Erfahrene Wanderer hatten sich hier bereits verirrt und waren nach langer Suche gefunden worden. Und nach Sammy würde zunächst nicht einmal gesucht werden.

»Du musst nur immer an der Straße bleiben«, schärfte sie ihm ein. »Keine Wiesen, keine Feldwege. Nur die Straße. Dann kann nichts passieren, und es kommt garantiert irgendwann ein Auto vorbei.«

In seinen Augen, die sich zu ihr nach oben richteten, konnte sie seine Angst lesen. Es tat ihr in der Seele weh, ihn so unter Druck setzen zu müssen. »Bitte, Sammy. Geh jetzt.«

»Mummy...«

»Geh jetzt!« Sie legte eine Schärfe in ihre Stimme, die Sammy an ihr nicht kannte. Es berührte sie schmerzhaft zu sehen, wie er zusammenzuckte. »Bitte. Alles wird gut.«

Sie hätte ihm gerne noch etwas Wasser mitgegeben, aber die letzte dreiviertel volle Flasche brauchte sie für Jonas. Sie hoffte, dass Sammy durch die Limonade aus Terrys Auto gestärkt war. Und dass er schnell auf Menschen stieß.

Sammy schien einzusehen, dass es keinen Sinn hatte, jetzt noch verhandeln zu wollen. Er hob kurz die Hand zu einem Gruß – Stella schossen die Tränen in die Augen –, dann verschwand er um die Ecke der Scheune. Ein tapferer, kleiner Kerl, der schrecklich Angst hatte, aber seine Aufgabe erfüllen wollte. Stella wünschte nur, das Fenster ginge zur anderen Seite hinaus, dann hätte sie seinen Weg noch bis zur Straße verfolgen können. So war sie sofort von ihrem Kind abgeschnitten. Sie starrte in den heißen, wolkenlosen Tag hinaus, während sie mühsam gegen die Tränen kämpfte.

Sam hatte nicht geweint. Sie wollte es auch nicht tun.

Sie kletterte wieder in das Dämmerlicht der Scheune hinunter, füllte etwas Wasser in einen Becher, flößte es Jonas ein. Er konnte kaum noch schlucken, ein Teil der kostbaren Flüssigkeit rann seitlich aus seinem Mundwinkel hinaus. Er atmete flach. Seine Augen lagen in tiefen, geröteten Höhlen.

Sie sagte ihm, was sie auch Sammy gesagt hatte: »Es wird alles gut.«

Wahrscheinlich hörte er sie nicht, und vielleicht war das auch besser.

Er hätte sonst bemerkt, dass sie selbst nicht daran glaubte.

2

An grauen Tagen muss es trostlos hier sein, dachte Terry.

Sie saß am Ufer und schaute über das leicht gekräuselte Wasser von Loch Ryan, einer Meeresbucht, die sich tief in das Landesinnere der schottischen Westküste schob. Die bergige Landschaft Schottlands lief hier zum Wasser hin in immer flacher werdenden Hügeln aus. Terry fand, dass die Gegend von einer bedrückenden Einsamkeit war. Sie und Denis – sie musste sich an seinen richtigen Namen mühsam gewöhnen, eigentlich war er noch immer Neil für sie – waren kreuz und quer durch Schottland gefahren, scheinbar ohne Ziel, und die meiste Zeit war um sie herum Einsamkeit gewesen, daneben aber eine so grandiose, wildromantische Landschaft, dass Terry sie nicht mit dem Begriff *bedrückend* bezeichnet hätte. Hier aber nun, in Cairnryan, legte sich ein Gewicht aus Blei auf ihre Seele. Die Sonne schien, aber es war windig, und sie fand die Häuser ringsum schäbig, und das alles schien ihr eine Endstation zu sein. Sie waren von der einen Seite des Landes auf die andere gefahren. Hier waren sie nun wieder am Meer, und es war Schluss.

Vielleicht machte sie dies so traurig: Dass sie im Begriff stand, ihr Land zu verlassen.

Cairnryan hatte einen Hafen. Terry mochte keine Häfen.

Während der ganzen Fahrt hatte sie den Eindruck gehabt, dass Denis keinen Plan verfolgte, sondern dass er nur bestrebt war, möglichst viele Meilen Straße zwischen sich und die Farm in Yorkshire zu legen, wo sie einen schwer-verletzten Mann, eine Frau und ein kleines Kind zurückgelassen hatten.

Mein kleines Kind, hatte sich Terry wieder und wieder gesagt, aber sie hatte diesen Gedanken dann immer sogleich wieder zu verdrängen versucht. Sie wusste, dass Sammy und seine Eltern in dieser Scheune nicht allzu lange würden durchhalten können, dass Wasser und Essen sehr schnell sehr knapp würden. Hätte sie das als liebende Mutter mit verantworten können? Hätte sie nicht ununterbrochen überlegen müssen, wie und wo sie eine Gelegenheit finden könnte, die Polizei zu verständigen? Wäre das nicht normal gewesen?

Stattdessen hatte sie zugelassen, dass Denis noch in Yorkshire ihr Handy entsorgte, es über das Gatter einer Kuhweide hinweg ins tiefe Gras warf, um eine mögliche Ortung durch die Polizei unmöglich zu machen. Sie hatte nicht gewagt, sich zu widersetzen. Sie wagte überhaupt nicht, irgendetwas für die Cranes zu tun. Sie würde Denis verlieren, wenn sie es tat. Diese Vorstellung flößte ihr ein solches Entsetzen ein, dass sie jeden Ansatz eines Rettungsplanes für die Familie Crane im Keim erstickte.

Bald verständigen wir die Polizei, sagte sie sich immer wieder zur Beruhigung, Denis hat es ja versprochen. Bis dahin werden sie durchhalten.

Ein- oder zweimal auf der Irrfahrt durch Schottland hatte sie Denis auf seine weitere Planung angesprochen, war aber jedes Mal unwirsch abgefertigt worden. »Halt einfach die Klappe, ja? Du machst mich wahnsinnig mit deiner Fragerei! Du wirst schon sehen, was ich vorhabe.«

Terry hatte sich nicht getraut weiterzufragen, aber immer dringlicher hatte sie gehofft, dass sich Denis möglichst schnell darüber klar wurde, was er wollte. Sie hatten die Familie Crane in einer wirklich misslichen Situation zurückgelassen. Sie konnten sich jetzt nicht ewig Zeit lassen.

Seit dem gestrigen Abend wohnten sie in einem kleinen *Bed & Breakfast* an der Küste zwischen Cairnryan und Stranraer. Eingecheckt hatten sie als Mr. und Mrs. Crane. Sie hatten die Pässe der Cranes mitgenommen, ebenso wie alles Bargeld, das sie auf der Farm gefunden hatten. Speziell wegen der Pässe war Denis absolut euphorisch gewesen, aber Terry dachte die ganze Zeit über, dass sie nur hoffen konnten, nicht in eine Situation zu kommen, in der sie sich ausweisen mussten. Sie sahen den Personen auf den Fotos kein bisschen ähnlich.

An diesem Morgen beim Frühstück hatte Denis verkündet, dass sie am nächsten Tag England verlassen würden. »Von Cairnryan gehen sechsmal täglich Fähren nach Belfast hinüber. Eine davon werden wir nehmen. Um die Mittagszeit vielleicht am besten. Je mehr Menschen mitfahren, umso weniger werden wir auffallen.«

»Belfast?«

»Und dann weiter in die Republik Irland. Dort sucht uns niemand.«

»Aber wovon sollen wir da leben?«

»Kellnern kannst du da genauso gut wie hier. Und ich finde garantiert auch einen Job.«

Er hatte schon wieder einen gereizten Unterton in der Stimme gehabt, weil sie Fragen stellte, und so hatte sie für den Rest des Frühstücks geschwiegen. Denis war dann zum Hafen gegangen, um die Passage zu buchen, während sie sich an das Ufer gesetzt und ihren Gedanken nachgehangen hatte. Düsteren Gedanken. Sie mussten leben, sie mussten arbeiten. Um arbeiten zu können, mussten sie sich ausweisen. Nach Denis lief eine polizeiliche Fahndung, nach ihr, Terry, vermutlich inzwischen auch. Das bedeutete, dass sie kaum als Denis Shove und Therese Malyan auftreten konnten, auch nicht in Irland. Wenn sie aber weiterhin die Identität *Jonas und Stella Crane* behielten, was sollte dann aus den echten Cranes werden? In dem Moment, da Denis durch einen anonymen Telefonanruf die Polizei verständigte und zu der abgelegenen Farm schickte, waren die Pässe und das Auto wertlos geworden. Verbrannt, sozusagen.

Und dann?

Sie blickte hoch, weil sie bemerkte, dass ein Schatten über sie fiel. Denis. Er war vom Hafen zurückgekommen.

»Kurz vor zwölf morgen«, sagte er. »Ich habe schon die Tickets.«

»Wie lange dauert die Überfahrt?«

»Etwas mehr als zwei Stunden. Also nicht lange.« Er starrte über das Wasser. »Ich mache drei Kreuze, wenn wir erst auf dem Schiff sind.«

Etwas mehr als zwei Stunden… Gegen zwei Uhr würden sie in Belfast ankommen. Fünf Tage, nachdem sie die Cranes zum letzten Mal mit Nahrung und Wasser versorgt hatten.

Sie nahm allen Mut zusammen, obwohl sie wusste, dass sich Denis' immerhin halbwegs entspannte Stimmung sofort trüben würde.

»Neil… Denis, wenn wir dann drüben sind, in Irland… dann unternehmen wir aber gleich etwas wegen der Cranes, ja?«

Sein Gesichtsausdruck wurde schlagartig finster. »Wir brauchen vorläufig das Auto. Oder wie willst du von Belfast nach Dublin kommen?«

»Mit dem Zug?«

»Mit dem Zug, mit dem Zug… Das Auto ist auf jeden Fall sinnvoller«, behauptete Denis, ohne näher zu begründen, weshalb das so war. »Jetzt mach dir nicht ins Hemd, Terry. Im Moment brauchen wir das Auto. Wir brauchen auch die Pässe. Es ist zu früh, die Polizei anzurufen.«

»Aber Jonas ist sehr schwer verletzt. Er hätte eigentlich sofort ärztlich versorgt werden müssen. Und auch Stella und Sammy… Denis, sie haben bald nichts mehr zu essen. Und vor allem nichts zu trinken.«

»Wir haben genug Vorräte dagelassen. Das reicht noch eine ganze Weile.«

Terry fragte sich, ob er glaubte, was er sagte. Vielleicht redete er es sich einfach ein. »Ich glaube, es reicht nicht. Es ist…«

Er machte einen Schritt auf sie zu, in einer heftigen, unbeherrschten Bewegung. Wie ein großer, dunkler Turm ragte er über ihr auf, und unwillkürlich zog sie den Kopf ein und schützte ihr Gesicht mit beiden Händen.

»Hör jetzt, verdammt noch mal, mit dem Scheiß auf!«, herrschte er sie an. »Wir haben ganz andere Probleme. Ich kann mich jetzt nicht mit den Cranes aufhalten, und ich kann dein Gejammer nicht mehr hören. Entweder du bist still, oder du kriegst eins in die Fresse. Kapiert?«

Sie nickte eingeschüchtert. Sie wusste, dass er keine leeren Drohungen aussprach. Sie wünschte, sie hätte den Mut, ihm zu sagen, was sie wirklich dachte: Dass er mit dieser Flucht alles nur schlimmer gemacht, dass er sich in diese fatale Lage überhaupt erst selbst hineinkatapultiert hatte. Er hatte ihr gegenüber mehrfach beteuert, mit der Ermordung des Polizisten im Februar in Scalby nichts zu tun zu haben, und sie glaubte ihm. Sie war davon überzeugt, dass er den gegen ihn gerichteten Verdacht hätte aus dem Weg räumen können. Terry lebte in der unerschütterlichen Gewissheit, dass man in einem Rechtsstaat nicht für etwas belangt werden konnte, das man nicht getan hatte – eine Ansicht, die ihr jedoch, als sie sie gegenüber Denis geäußert hatte, höhnisches Gelächter eingebracht hatte. Daher wagte sie nicht, etwas in dieser Art zu wiederholen. Inzwischen hatte sich natürlich das Blatt auch gewendet: Jetzt hatte Denis eine Familie überfallen, einen Mann angeschossen, drei Menschen in eine Scheune gesperrt und ihrem Schicksal überlassen. Auf der Flucht vor der Strafe für etwas, was er nicht verbrochen hatte, hatte er sich nun tatsächlich strafbar gemacht. Er hatte es geschafft, dass ihm jetzt ohne Zweifel ein Gefängnisaufenthalt drohte.

»Also, du wirst sehen, alles wird gut«, sagte er in versöhnlichem Tonfall.

Sie nickte, kaum überzeugt. Für die Cranes sah die Lage bereits jetzt vermutlich alles andere als gut aus. Aber sie erwähnte das nicht mehr. Die Stimmung war wackelig genug.

»Ich sehe aber gar nicht aus wie Stella auf dem Passbild«, wagte sie immerhin noch zu sagen. Denis musterte sie aus zusammengekniffenen Augen.

»Stimmt. Das liegt vor allem an der Haarfarbe. Stella ist blond. Deine Haare sind schwarz. Wir brauchen eine Perücke für dich.«

»Eine Perücke? Kann ich die Haare nicht einfach färben?«

»Wäre auch eine Möglichkeit. Pass auf, wir fahren nach Stranraer rüber und schauen uns mal um. Du könntest dir heute Abend in unserem Zimmer die Haare färben, aber du musst dann morgen das Frühstück ausfallen lassen. Die Wirtin darf dich nicht mehr sehen, das wäre sonst zu auffällig.«

Terry nickte. Sie stand auf, wischte sich ein paar Grashalme von ihrer Hose und folgte Denis zum Auto. Sie fuhren die schmale Küstenstraße entlang, rechts von ihnen glitzerte das Wasser, links sahen sie hin und wieder ein Schaf über die Hügel wandern. Denis war jetzt ziemlich guter Laune, drehte das Radio auf volle Lautstärke und sang ein paar Lieder mit. Als sie in Stranraer ankamen, fand er sogar auf Anhieb mitten in der Stadt einen Parkplatz. Es war wenig los. Denis sah sich um.

»Da drüben ist ein *Boots*. Da kannst du nach einem Haarfärbemittel Ausschau halten.«

»Und du?«

»Ich muss zur Bank. Ich will Geld abheben. Wir treffen uns dann wieder am Auto.«

Seit den Vorkommnissen auf der Farm, seitdem sie sich auf der Flucht befanden, war dies das erste Mal, dass Denis sie allein in einer Stadt ließ. Die ganze Zeit über hatte er sorgfältig darauf geachtet, sie unter Beobachtung zu haben. Sie spürte, dass er ihr nicht traute, dass er Sorge hatte, sie könne versuchen, aus der Situation auszubrechen. Es war ungewöhnlich, dass er sie beim Hotel zurückgelassen hatte, als er die Tickets holte, und es war noch ungewöhnlicher, dass er sie hier mitten in der Stadt aus seiner Aufsicht entließ. Terry fragte sich, ob sein Vertrauen in sie wuchs. Oder stellte er sie auf die Probe?

Er nahm den Autoschlüssel an sich und verschwand auf der Suche nach einer Bankfiliale. Abhauen konnte sie somit nicht so leicht – jedenfalls nicht mit dem Auto.

Terry betrat die Drogerie. Sie fühlte sich unsicher und ängstlich und wünschte, Denis wäre bei ihr. Vielleicht war auch ihr Fahndungsbild inzwischen in der Zeitung gewesen. Sie traute sich kaum, den Kopf zu heben und anderen Kunden in die Augen zu schauen. Ständig erwartete sie, dass jemand ihren Arm packte und nach der Polizei brüllte. Sie war froh, als sie zwischen den Regalen mit den Haarprodukten untertauchen konnte. Dort atmete sie tief durch. Sie war hier in Schottland. Vielleicht suchten sie in England nach ihr, vielleicht auch nur in Yorkshire. Aber doch wahrscheinlich nicht an der schottischen Westküste. Oder?

War sie naiv, in Regionen zu denken? War es nicht gerade heutzutage sowieso unmöglich geworden, sich irgendwo auf der Welt verstecken zu wollen – total vernetzt, wie die Welt inzwischen einfach war? Redete sich auch Denis etwas ein, wenn er glaubte, in Irland auf Nimmerwiedersehen untertauchen zu können?

Und all diese Fragen mündeten am Ende in eine einzige Frage: Würde ihre Flucht jemals zu Ende sein?

Sie rang die Depression nieder, die sich über sie legen wollte. Sie durfte in ihrer derzeitigen Lage nicht zu weit im

Voraus denken, denn das führte unweigerlich in tiefe Verzweiflung. Ein Leben auf der Flucht vor der Polizei an der Seite eines unberechenbaren Mannes, der sich womöglich von Monat zu Monat tiefer im kriminellen Schlamassel verstrickte und die Frau neben sich ebenso tief mit hineinzog. Sie hatte Stella Cranes Stimme im Ohr: »Trennen Sie sich von ihm. Er macht Ihr Leben kaputt.«

Leicht gesagt. Sie war nicht so stark wie Stella. Sie hatte keinen anderen Halt als Denis.

Sie griff eine Packung Haarfärbemittel – goldblond, versprach der Aufdruck – und ging nun wieder mit tief gesenktem Kopf zur Kasse. Denis hatte ihr ein paar Pfundnoten in die Hand gedrückt. Das Geld reichte gerade aus. Sie bekam ein paar Münzen zurück und verließ die Drogerie.

Das Erste, was sie sah, als sie auf die Straße trat, war die Telefonzelle auf der anderen Seite.

Seitdem jeder ein Handy besaß, selbst Kinder im Grundschulalter, waren Telefonzellen im Straßenbild viel seltener geworden. Aber es gab sie noch. Hier mitten in Stranraer stand ein leuchtend rotes Prachtexemplar.

Terrys rechte Hand krampfte sich um das Wechselgeld. Es war ein einmaliger Moment: Sie war alleine, sie hatte eine Telefonzelle direkt vor der Nase, und sie hatte Kleingeld in der Hand.

Sie konnte telefonieren.

Denis schien länger bei der Bank zu brauchen, oder sie lag weiter vom Parkplatz entfernt, als er gehofft hatte. Wahrscheinlich würde sie es schaffen. Ein kurzer Anruf bei der Polizei. Ein Hinweis auf die Farm und auf die Menschen, die dort festsaßen und dringend Hilfe brauchten.

Die Polizei hat dann unser Autokennzeichen. Wir können morgen nicht mit dem Auto auf die Fähre. Und unsere Pässe sind wertlos.

Aber wäre das nicht das Beste? Vielleicht konnte sie unter diesen Umständen Denis überreden, sich zu stellen.

Es macht keinen Sinn mehr, Denis. Vielleicht hat es sowieso nie Sinn gemacht. Wir hätten nicht ewig unter falschen Namen leben können. Geh freiwillig zur Polizei. Gut, du hast auf Jonas geschossen. Aber noch lebt er hoffentlich. Es ist dann kein Mord. Du wirst ins Gefängnis müssen, aber dann ist es auch vorbei. Dann können wir wirklich ein neues Leben anfangen.

Sie schaute sich um. Keine Spur von Denis.

Sie überquerte die Straße. Ihre Hand war jetzt so nass vom Schweiß, dass ihr die Geldstücke fast zwischen den Fingern hindurchgerutscht wären. Ihre Knie fühlten sich weich an.

Ich kann das nicht tun. Ich kann Denis nicht verraten.

Trotz dieser Stimme, die in ihrem Kopf dröhnte, ging sie, wie magisch angezogen, auf die Telefonzelle zu.

Sie würde drei Leben retten. Das von Jonas, von Stella und von Sammy. Sammy war ihr Kind. Denis musste das verstehen.

Er würde es aber nicht verstehen. Im Grunde wusste sie das. Es ging Denis immer und in allen Dingen nur um seinen eigenen Vorteil. Die Bereitschaft, andere zu verstehen, war überhaupt nicht angelegt in ihm.

Sie zog die Tür der Telefonzelle auf. Fast hoffte sie, eine höhere Macht werde ihr die Entscheidung abnehmen. Der Apparat könnte zum Beispiel kaputt sein. Demoliert von Rowdies, die sich einen Spaß daraus machten, öffentliches Eigentum zu beschädigen.

Es sah nicht danach aus. Alles schien intakt zu sein.

Langsam streckte Terry die Hand nach dem Hörer aus. *Ich kann die Lage der Farm so vage beschreiben, dass die ganz schön suchen müssen,* dachte sie, *dann schaffen wir es vielleicht doch noch morgen mit dem Auto bis Belfast.*

Und in diesem Augenblick schloss sich eine Hand hart wie Stahl um ihren Arm. Sie hatte niemanden kommen gehört, hatte nicht einmal einen Luftzug hinter sich gespürt. Sie wurde rückwärts aus der Telefonzelle gezerrt, dort so grob umgedreht, dass sie einen leisen Schmerzenslaut ausstieß.

Sie blickte in Denis' wutverzerrtes Gesicht.

»Dachte ich es mir doch«, sagte er leise. »Ich hatte so eine Ahnung, dass man dich besser nicht aus den Augen lässt.«

»Denis...«

»Und – wen wolltest du anrufen? Die Bullen, ja? Ihnen alles erzählen, damit sie uns morgen, wenn wir auf die Fähre rollen, nur noch abfangen müssen?«

»Ich wollte nicht alles erzählen, wirklich nicht. Ich wollte nur, dass jemand zu der Farm fährt und Jonas und die anderen rettet. Ehrlich, Denis, ich wollte...«

»Wie blöd bist du eigentlich?«, fragte er, noch immer mit dieser gefährlich leisen Stimme. Und dann brüllte er plötzlich: »Hast du kein Gehirn? Hast du tatsächlich nicht *ein winziges bisschen* Gehirn in deinem beschissenen, kleinen Kopf? Ich hab's dir tausendmal erklärt, stimmt's? Tausendmal. Dass sie uns sofort kriegen, wenn die erst wissen, dass wir mit dem Auto der Cranes unterwegs sind. Dass wir...«

Zwei Passanten blieben stehen, aufgeschreckt von dem lauten Geschrei, und blickten hinüber. Denis senkte seine Stimme. »Du bist eine miese, kleine Verräterin, weißt du das?«

Sie konnte ihm ansehen, wie mühsam er sich beherrschte.

Wären sie allein gewesen, er hätte ihr längst seine Faust ins Gesicht geschmettert. Zum Glück konnte er es sich im Moment nicht leisten, noch mehr Aufmerksamkeit zu erregen, und er wusste auch, dass sie am nächsten Tag auf der Fähre alle Blicke auf sich ziehen würden, wenn Terry mit einem zugeschwollenen Auge und einer geplatzten Lippe erschien.

»Es tut mir leid«, sagte Terry und fing an zu weinen.

»Es tut dir leid, es tut dir leid. Wäre ich nicht noch rechtzeitig gekommen, hätten wir jetzt die Polizei am Hals. Dir scheint es scheißegal zu sein, wenn ich auf Jahre ins Gefängnis muss, was?«

»Nein, aber ich möchte Stella und Jonas helfen. Und Sammy. Bitte, Denis. Unser Problem ist doch nur das Auto. Lass es uns irgendwo abstellen, und dann versuchen wir, ein anderes Auto ...«

Er unterbrach sie schroff. »Du bist so naiv, dass man verzweifeln könnte. Ein anderes Auto. Was denn? Klauen? Kaufen? Auf welchen Namen, bitte schön, zulassen? Außerdem ...«

Er sprach nicht weiter, aber Terry hakte nach. »Ja? Was?«

»Es gibt ein verdammtes Problem. Ich kriege kein Geld mehr.«

»Wieso?«

»Konto gesperrt. Die haben's gemerkt.«

Terry war völlig verwirrt. »Was denn? Was haben die gemerkt?«

»Vergiss es. Jedenfalls habe ich wirklich keinen Nerv mehr für deine Eskapaden. Wir stecken in der Scheiße, weil wir demnächst absolut keine Kohle mehr haben, und ich werde den Teufel tun, alles noch schlimmer zu machen, indem ich mich jetzt um die Cranes kümmere. Die müssen selber sehen, wie sie klarkommen. Ich muss es auch.«

»Deine Erbschaft...«, wagte Terry noch leise anzumerken, aber er schnauzte: »Vergiss die Erbschaft. Vergiss sie einfach!«

Er ließ sie endlich los, drehte sich um und ging zum Auto. Sie hastete hinter ihm her. »Ich habe das Haarfärbemittel gekauft«, sagte sie, bemüht, wieder ein wenig von seiner Gunst zu erringen.

»Sei froh, dass du es gemacht hast, bevor ich das mit dem Konto gemerkt habe. Sonst hätten wir uns das schon nicht mehr geleistet.«

»Aber dann...«

»Dann hättest du dir eben ein Kopftuch umgebunden. Was weiß ich. Kannst du jetzt vielleicht einfach mal die Klappe halten?«

Auf der ganzen Rückfahrt nach Cairnryan wagte es Terry nicht mehr, auch nur ein Wort zu sagen. Denis war in düsterer Stimmung. Als sie vor dem *Bed & Breakfast* ankamen, parkte er das Auto im Hof, stellte den Motor aus und starrte minutenlang schweigend vor sich hin. Schließlich hob er den Blick, sah Terry an. Seine Augen waren kalt und ausdruckslos.

»Ich gehe nicht mehr in den Knast. Nie wieder. Und wenn du mich in Gefahr bringst, wenn du noch ein einziges Mal versuchst, mich zu hintergehen und reinzulegen, dann bringe ich dich um. Kapiert?«

Sie schluckte trocken. Nickte.

»Ja. Kapiert.«

»Und den Namen dieser Familie will ich nie wieder hören. Hast du das auch kapiert?«

Sie nickte erneut.

»Dann geh jetzt rauf und färb deine verdammten Haare«, sagte er, stieg aus und ließ sie einfach sitzen.

Ohne den geringsten Zweifel, dass sie seine Anordnung befolgen würde.

3

Jane hatte den Chef noch nie so grau gesehen. So fahl, so eingefallen. So müde.

So tief niedergeschlagen.

Er war am frühen Nachmittag aus Liverpool zurückgekommen. Etwas war dort geschehen, das ihn in diese Verfassung getrieben hatte.

Sie begriff es, als er sie und Stewart in sein Büro bat.

»Wir müssen uns von Shove verabschieden«, sagte er. Seine Stimme hatte einen seltsamen gleichförmigen Klang. »Die Wahrscheinlichkeit, dass Denis Shove hinter den Morden an Richard Linville und Melissa Cooper steckt, ist nur noch als ziemlich gering einzustufen.«

»Sir?«, sagte Stewart fragend. Nachdem Caleb Hale über Monate an seinem Lieblingsverdächtigen eisern festgehalten hatte, überraschte ihn nun die abrupte Kehrtwende.

Jane hingegen hatte es kommen sehen. Genau diese Szene des heutigen Tages. Es hätte schon früher passieren können. Es hatte erstaunlich lange gedauert.

Caleb sah aus, als habe er in der vergangenen Nacht keinen Moment geschlafen.

»Manches deutet darauf hin, dass die Ermordung des ehemaligen Detective Sergeant Norman Dowrick in einer Reihe mit den Verbrechen an Linville und Cooper zu sehen ist. Nach den bisherigen Erkenntnissen der Rechtsmedizin ist er wohl sogar als Erster umgebracht worden, noch vor Linville. Er war jahrelang Linvilles engster Mitarbeiter und Freund, aber er war seit einem guten Jahr bereits bei der Polizei ausgeschieden, als die Geschichte mit Shove passierte. Er war zu diesem Zeitpunkt nicht einmal mehr mit Linville befreundet. Die beiden Männer hatten keinerlei Kontakt mehr zueinander. Es gibt für mich keine Erklärung, aus welchem Grund Shove hätte nach Liverpool fahren und Dowrick in einer Wassertonne ertränken sollen.«

Stewart wurde blass um die Nase. »Er wurde tatsächlich ertränkt?«

»Ja. Es gibt Spuren, die darauf hindeuten, dass er sich verzweifelt gewehrt hat. Aber er hatte keine Chance.«

»Wären dazu nicht mehrere Täter notwendig gewesen?«

»Nicht zwingend. Dowrick war von der Körpermitte an abwärts vollständig gelähmt. Ein einzelner Täter konnte letzten Endes sicher mit ihm fertigwerden.«

Ein kurzes, bedrücktes Schweigen folgte seinen Worten. Dann fragte Jane sachlich: »Woraus genau schließen Sie, dass das Verbrechen an Dowrick im Zusammenhang mit den beiden anderen Fällen steht?«

Er fasste es kurz zusammen: Zwei Menschen, die in einem engen Verhältnis zu Linville gestanden hatten, waren, wie Linville selbst, auf besonders grausame Art ermordet worden. Alle drei Verbrechen hatten sich innerhalb eines halben Jahres ereignet.

»Es gibt immer Zufälle«, sagte er, »und natürlich gibt es eine geringe Wahrscheinlichkeit, dass die ominöse *Jugendgang*, die Lieblingstheorie der Kollegen in Liverpool, für Dowricks Tod verantwortlich ist. Ich halte allerdings die Wahrscheinlichkeit, dass wir eine Verbindung von Dowrick, Linville und Cooper sehen müssen, für ungleich höher.«

»Wir hatten einmal die Überlegung, dass der Täter –

Shove – eine Befriedigung darin findet, auch Menschen zu töten, die Linville nahestehen«, sagte Jane. »Dieser Gedanke würde meiner Ansicht nach durch Dowricks Ermordung eher unterstützt. Nicht eliminiert.«

»Aber schon, als es um Melissa Cooper ging, hatten wir ein Problem mit der Tatsache, dass Cooper mehrere Monate *nach* Linville getötet wurde. Linville konnte also von diesem Schicksalsschlag nicht mehr getroffen werden. Und was jetzt Dowrick angeht: Hätte es dann nicht auch Sinn gemacht, Linville irgendwie davon erfahren zu lassen? Die Wahrscheinlichkeit, dass Dowricks Leiche aber überhaupt irgendwann in diesem hermetisch verschlossenen Fass auf dem stillgelegten Fabrikgelände gefunden wird, ging von Anfang an gegen null. War also ganz deutlich auch nicht daraufhin ausgerichtet, Linville zu erschüttern, zu erschrecken, einzuschüchtern oder was auch immer.«

»Wenn wir Shove aufgeben«, ließ sich DS Stewart vernehmen, »dann geben wir praktisch auch die Idee auf, dass der Täter bei denjenigen Leuten zu suchen ist, die Linville im Laufe seines beruflichen Lebens zur Strecke gebracht hat. Denn die kämen dann ebenso wenig in Frage wie Denis Shove.«

»Es sei denn, wir begrenzen die Suche auf solche Fälle, in denen Linville und Dowrick gemeinsam einen Täter überführt haben«, warf Jane ein.

Caleb schüttelte den Kopf. »Das bringt uns nicht weiter, was Melissa Cooper angeht.«

Darauf wusste niemand etwas zu erwidern. Schließlich fragte Stewart: »In welche Richtung denken Sie nun weiter, Sir?«

Caleb rieb sich die Augen. »Ich hatte gestern ein Gespräch mit Kate Linville. Sie war auf der Suche nach Norman Dowrick, weil sie sich von ihm Informationen zu der Affäre zwischen ihrem Vater und Melissa Cooper erhoffte. Wir hatten ja in ihm leider keinen wichtigen Informanten gesehen.«

Stewart senkte beschämt die Augen.

Caleb bemerkte es. »Machen Sie sich keine Vorwürfe. Ich habe schließlich damals auch entschieden, dass Dowrick keinen Nutzen mehr für uns hat. Ich war auf Denis Shove eingeschossen. Das hat mich einseitig agieren lassen.«

Er erläuterte kurz, worauf ihn Kate hingewiesen hatte. »Sie vermutet die Ursache für all diese Verbrechen im Privatleben ihres Vaters, nicht in seinem Beruf. Sie ist überzeugt, dass die Beziehung zu Melissa Cooper der Dreh- und Angelpunkt ist. Norman Dowrick gehörte zu den wenigen Menschen, die offenbar umfassend in die Geheimnisse dieser Affäre eingeweiht waren – in mancher Hinsicht war er vielleicht sogar der Einzige.«

»In welcher Hinsicht?«, fragte Stewart.

»Die Umstände der Trennung zwischen Linville und Cooper scheinen etwas mysteriös zu sein. Das sagte mir Kate, und es wurde ihr offenbar von Susannah Dowrick bestätigt. Irgendetwas ist passiert, weshalb Linville und Cooper auseinandergingen – zu einem Zeitpunkt, da sie erstmals die Chance gehabt hätten, ihre Beziehung offiziell machen zu können. Gleichzeitig zerbrach auch die Freundschaft zwischen Linville und Dowrick. Dowricks gesamtes Verhalten änderte sich, aber er wich aus, wenn ihn seine Frau darauf ansprach.«

»Und Kate Linville meint, dass damals im Zusammenhang mit der Trennung etwas passiert ist, was dazu geführt hat, dass diese drei Menschen nun getötet wurden?«, fragte Stewart stirnrunzelnd.

»Ja.«

»Du liebe Güte. Wo sollen wir denn da jetzt ansetzen, Sir?«

Caleb schüttelte resigniert den Kopf. »Ich weiß es nicht. Ich habe die ganze Nacht gegrübelt, aber irgendwann habe ich mich nur noch im Kreis gedreht. Und im Moment bin ich nur noch … müde. Und deprimiert.«

»Gibt es inzwischen eine Spur von dem Mädchen?«, wollte Jane wissen. »Dieser möglichen Zeugin?«

»Nein. Und sie ist im Moment unser einziger Hoffnungsschimmer. Wenn sie die Tat beobachtet hat und eine Beschreibung des Täters abgeben kann, wären wir ein gutes Stück weiter. Aber dazu müssen wir sie natürlich erst einmal finden«, sagte Caleb.

»Und wenn ich noch etwas sagen darf«, fügte Jane hinzu. »Wir müssen trotz allem auch immer noch Denis Shove finden. Es ist ja nicht so, dass wir mit ihm ein kleines Unschuldslamm jagen. Denkt nur an den monatelangen Betrug, den er mit der Rente seines Onkels begangen hat.«

»Zudem hat er eine Frau angeschossen«, sagte Stewart. »Er hat sich ihr Auto angeeignet und sie hilflos und schwer verletzt auf einem Feldweg liegen gelassen. Es war reines Glück, dass sie gefunden wurde und überlebt hat.«

»Ich weiß«, sagte Caleb. »Die Frage ist nur …«

Zwei Augenpaare blickten ihn erwartungsvoll an.

»Im strafrechtlichen Sinne ist das natürlich irrelevant«, sagte er, »aber ich fürchte mehr und mehr, dass wir mit unserer großangelegten Jagd auf ihn die Dinge nur immer schlimmer gemacht haben. Der Rentenbetrug ist eine Sache und typisch Denis Shove, muss man sagen. Das andere, Peggy Wild und ihr Auto … Das wäre möglicherweise gar nicht passiert, hätten wir ihn nicht derart in die Enge getrieben. Sein Bild war plötzlich in allen Zeitungen, und der Boden unter seinen Füßen wurde richtig heiß, und in diesem Moment eskalierte die ganze Geschichte. Shove begann panisch zu agieren und brachte dadurch Menschenleben in Gefahr.«

»Das entschuldigt aber nichts«, sagte Jane. »Man kann nicht auf andere Leute schießen und Autos klauen, nur weil man mit dem Rücken zur Wand steht.«

»Natürlich nicht«, stimmte Caleb zu. Aber ihm war anzusehen, was er dachte: Wir hätten es nicht so weit kommen lassen dürfen.

Für den Moment kamen sie nicht weiter. Susannah Dowrick war schon am Vortag informiert worden, dass man ihren Exmann tot aufgefunden hatte, aber Stewart beschloss trotzdem, noch einmal zu ihr zu gehen. Die Tatsache, dass er sich nach seinem ersten Gespräch mit ihr so schnell zufriedengegeben hatte, nagte an ihm.

Caleb beschloss, sich einen starken Kaffee zu holen, und Jane ging in ihr Büro zurück. Unschlüssig. Innerlich aufgerieben.

Das Mädchen in Liverpool. Ein dreizehnjähriges, geistig zurückgebliebenes Kind, auf dem jetzt alle Erwartungen ruhten.

Gab es irgendetwas, was sie in diesem Moment tun konnte? Mehr und mehr fühlte sie sich wie eine hilflose Zuschauerin.

Shove war aus dem Rennen. Caleb hatte ihn fallen gelassen. Sie alleine konnte noch hinter ihm herjagen, denn zweifellos musste er gefasst werden. Caleb Hale und Robert Stewart jedoch würden nun noch einmal alles akribisch aufrollen. Und neue Wege suchen.

Sie war fast erleichtert, als ihr Telefon klingelte. Viel-

leicht würde sie für ein paar Momente wenigstens etwas ab-
gelenkt.

Am anderen Ende war eine Frau, die sich so anhörte, als
sei sie ziemlich entnervt.

»Detective Constable Scapin?«, fragte sie. »Yorkshire
Police?«

»Ja. Wer spricht dort?«

»Mein Name ist Amelie Bromley. Ich arbeite in der Pres-
seabteilung von *TV Adventure*.«

Die Fernsehproduktion, für die auch Jonas Crane tätig
war.

»Ja?«, fragte Jane aufmerksam.

»Mr. Chalid hat mir Ihre Telefonnummer gegeben und
mich ... nun ja, man kann schon sagen: Er hat mich mehr
oder weniger genötigt, Sie anzurufen.« Amelie Bromley
stöhnte leise. »Der Mann macht mich vollkommen wahnsinnig. Er belagert mich seit gestern früh praktisch rund um
die Uhr und will, dass ich helfe, Jonas Crane sofort aufzutreiben.«

»Mr. Chalid? Sie meinen ...«

»Ja, Hamzah Chalid. Dieser Iraker oder Iraner oder was
auch immer. Er weiß, dass wir diesen Film über sein Leben
nicht machen werden, und darüber dreht er fast durch.«

»Ich habe mit ihm gesprochen«, sagte Jane. »Ich kenne
das Problem.«

»Ich kann nichts für ihn tun. Jonas Crane auch nicht, er
entscheidet schließlich nicht über die Filme, die wir hier
produzieren. Aber Chalid scheint fest davon überzeugt zu
sein, dass Jonas ihm helfen wird, und er benimmt sich, als
hinge sein Leben davon ab, dass wir ihn finden.«

»Und Sie wissen, wo sich Crane und seine Familie aufhalten?«

»Ich dachte, die seien alle längst wieder zu Hause. Am Freitag erwarten wir zwei Filmtreatments von Jonas, nächsten Mittwoch hat er einen Gesprächstermin. Jetzt behauptet Chalid, er sei spurlos verschwunden.«

»Die Cranes sind jedenfalls nicht wie angekündigt am vergangenen Sonntag aus den Ferien zurückgekehrt«, bestätigte Jane.

»Und warum interessiert sich die Polizei dafür?«, fragte Amelie misstrauisch.

»Wir haben im Zusammenhang mit einer anderen Sache nur eine Frage«, erwiderte Jane ausweichend. »Wobei wir auch noch gar nicht wissen, ob Mr. Crane überhaupt der richtige Ansprechpartner ist.«

»Ach so. Auf jeden Fall muss irgendetwas geschehen, sonst lässt mir Chalid keine Ruhe mehr.«

»Wieso hat er sich an Sie gewandt?«

»Er hat sich durch die ganze Firma gefragt. Und irgendjemand hat ihn zu mir geschickt. Ich wüsste etwas. Tatsächlich habe ich nur eine *Vermutung*, wer ihm sein Haus für den Urlaub vermietet haben könnte.«

»Das wäre immerhin ein Anhaltspunkt«, sagte Jane. Vielleicht führten die Cranes sie tatsächlich zu Denis Shove. Vielleicht konnte sie auch nur dem armen Mr. Chalid helfen. Wenigstens konnte sie irgendetwas *tun*, indem sie an dieser Geschichte dranblieb.

»Ja, Jonas hatte hier nämlich ein paar Kollegen gefragt, ob man ihm nicht einen Tipp geben könnte, wo er einmal vollständig abtauchen könnte. Sein Arzt hatte ihm wohl zu einer Auszeit geraten. Sie wissen schon – fernab der Welt, kein Internet, kein Fernseher. Ein Ausstieg aus der Informationsflut. Selbstfindung, Selbstbesinnung. Etwas in dieser Art.«

Ähnliches hatte auch die Nachbarin in Kingston bereits angedeutet. »Ja, das deckt sich mit meinen bisherigen Informationen«, sagte Jane.

»Wir haben hier einen Autor, der ebenfalls regelmäßig für uns arbeitet, und mir fiel ein, dass er ein solches Haus besitzt. Er braucht das zum Arbeiten. Es scheint sich um eine völlig abseits gelegene ehemalige Farm zu handeln. In den North York Moors.«

Irgendwo in Nordengland…

»Kennen Sie die Adresse? Oder die genaue Lage dieser Farm?«, fragte Jane.

»Leider nein. Ich weiß auch nicht, ob Jonas überhaupt meinem Hinweis gefolgt ist. Keine Ahnung. Ich könnte Ihnen aber Name und Telefonnummer des Autors geben.«

Jane zückte einen Stift. »Das wäre sehr nett.«

»Hamzah Chalid wollte diese Auskunft unbedingt haben, aber ich kann diesen durchgeknallten Psychotiker niemandem auf den Hals hetzen«, erklärte Amelie. »Deshalb bat er mich, Sie zu verständigen. Sie sind doch wirklich von der Polizei?«, setzte sie, plötzlich misstrauisch, hinzu.

»Sie können sich gerne von der Auskunft die Nummer unserer Zentrale hier in Scarborough geben und sich dann zu mir durchstellen lassen«, bot Jane an.

Dieser Vorschlag schien Amelies Zweifel zu zerstreuen. »Schon gut. Also, dieser Autor heißt Benjamin Wilson. Wo er sich im Moment herumtreibt, weiß ich nicht, aber ich gebe Ihnen seine Handynummer.«

Sie diktierte die Nummer. Jane bat sie, Mr. Chalid auszurichten, sie werde sich umgehend darum kümmern. »Er soll nach Hause gehen und sich keine Sorgen mehr machen.«

»Darum kann ich nur beten!«, sagte Amelie Bromley und legte den Hörer auf.

Jane wählte sogleich die Nummer von Mr. Wilson, landete jedoch auf der Mailbox. Sie stellte sich vor, erklärte, dass es sich um eine Routineangelegenheit handele, und bat um Rückruf.

Innerlich war sie unschlüssig, wie ernst sie die Sorgen um die Familie nehmen sollte. Jonas Crane war freiberuflicher Autor. Er konnte sich seine Zeit einteilen, wie er wollte, solange er seine Abgabetermine nicht verpasste. Vermutlich hatten die Cranes angesichts des überraschend schönen Wetters einfach ihre Ferien verlängert.

Es blieb ein wenig merkwürdig, dass Stella Crane offenbar ihr Handy nicht abhörte und auch der Nachbarin, die sich daheim um alles kümmerte, nichts von den geänderten Plänen gesagt hatte.

Sie durfte sich deswegen nicht verrückt machen. Sie hatte genug andere Sorgen.

Irgendwann würde dieser Mr. Wilson zurückrufen, und dann wäre womöglich alles ganz rasch geklärt.

4

Am Abend bekam Jonas kaum noch Luft. Die meiste Zeit über war er bewusstlos, nur hin und wieder schien er aufzuwachen. Er vermittelte dann jedoch nicht den Anschein, als wisse er, wo er sich befand oder was mit ihm los war. Er erkannte auch Stella nicht. Er blickte sich verwirrt um, dann verdrehten sich seine Augen, und er verlor erneut die Besinnung. Einmal brachte er immerhin ein Wort hervor: »Wasser.«

Stella stützte seinen Kopf und gab ihm ein paar Schlucke

zu trinken. Im Kampf gegen das Fieber hatte sie ihm den Nachmittag über mehr Wasser zukommen lassen als geplant, sodass ihre Berechnung, auch noch über den nächsten Tag zu kommen, hinfällig war. Es blieb jetzt nur noch ein winziger Rest in der Flasche zurück, dann war Schluss. Sie hatte auch kein Paracetamol mehr und kein Verbandsmaterial. Sie hatte praktisch nichts mehr, während gleichzeitig immer klarer wurde, dass Jonas ohne ärztliche Hilfe die Nacht kaum überleben konnte. Sie selbst hatte den ganzen Tag nichts getrunken, um alles für Jonas übrig zu lassen, und sie spürte nun, wie auch ihre Kräfte rapide nachließen. Sie hatte solchen Durst, dass sie bereits ständig Visionen von sprudelnden Quellen und blau glitzernden Seen vor Augen hatte und von kältebeschlagenen Glasflaschen, an denen Tropfen hinunterperlten. Sie mühte sich, diese Bilder, so gut sie konnte, zu verdrängen, weil sie einfach nur quälend waren. Den letzten verbliebenen Schluck in der Flasche betrachtete sie nun mit tiefster Verzweiflung und aus heißen, brennenden Augen, deren Lider sich geschwollen anfühlten. Das bisschen Wasser nützte Jonas kaum noch etwas, aber vielleicht würde es ihr die Energie geben, die sie brauchte, um durch die Nacht zu kommen. An Schlaf würde kaum zu denken sein, dafür ging es Jonas zu schlecht. Aber vielleicht wäre es am Ende dieser lächerliche Rest Wasser, der über Leben oder Tod entschied, und dann kam bald die Rettung, und so lange würde sie, Stella, noch durchhalten.

Die Rettung …

Die Frage war, ob sie nicht schon längst hätte da sein müssen. Sammy war jetzt seit über sechs Stunden unterwegs. Er war ein kleiner Junge, er war durstig und die Sonne brannte, also hatte er auf dem Weg zur Straße sicher öfter eine Pause gemacht. Aber trotzdem musste er längst die

Hauptstraße erreicht haben, und dort herrschte zwar keineswegs ein reger Verkehr, aber es kamen doch immer wieder Autos vorbei. Es konnte nicht sein, dass niemand anhielt, wenn dort ein Kind herumirrte, offensichtlich ohne dass sich ein Erwachsener in seiner Nähe befand.

Aber müsste dann nicht inzwischen die Polizei hier sein?

Und was bedeutete es, dass sie nicht da war?

Wo war Sammy?

Sie hätte ihn nicht losschicken sollen. Sie war einfach ein zu großes Risiko eingegangen. Vor sechs Wochen war er gerade fünf Jahre alt geworden. Ein zwar intelligentes, aber äußerst behütetes und bewachtes Kind, daher nicht allzu selbständig. Außer zu Kindern, die in derselben Straße wohnten, hatte ihn Stella noch nie irgendwohin alleine gehen lassen. Und jetzt hatte sie ihn inmitten der Moore losgeschickt.

Jonas murmelte irgendetwas, und schon war sie neben ihm. Eine Sekunde lang hoffte sie, er wäre nicht nur aufgewacht, sondern hätte wie durch ein Wunder sogar zu einem Moment der Klarheit gefunden.

Aber dann erkannte sie, dass sich nichts geändert hatte. Jonas irrte nach wie vor durch seine Fieberträume, hatte keine Ahnung, wer er war noch wo er sich befand. Sosehr sie sich anstrengte, sie konnte nicht verstehen, was er sagte. Wortfetzen, sinnlos aneinandergereihte Buchstaben.

»Jonas!« Sie sprach mit tränenerstickter Stimme. Sie war völlig verzweifelt. »Jonas, ich habe getan, was du gesagt hast. Sammy ist durch das Fenster hinausgeklettert. Es hat geklappt, er ist gut unten angekommen. Er wird Hilfe holen. Es kann nicht mehr lange dauern. Du musst nur noch ein bisschen durchhalten. Jonas? Hörst du? Du darfst jetzt nicht aufgeben.«

Er öffnete kurz die Augen, aber sein Blick war verschleiert und ohne jedes Erkennen, ohne Verständnis.

»Jonas!«

Schon fielen ihm die Augen wieder zu. Sein Kopf sank zur Seite. Sein Atem ging schwer und rasselnd. Es fühlte sich an, als ströme heißer Wasserdampf gegen Stellas Hand.

Sie starrte auf ihren Mann und fragte sich, ob dies die letzten Bilder waren: die staubige Scheune, das Herandämmern des Abends draußen vor dem Fenster. Das schmale, durchgelegene Sofa. Darauf der Mann, mit dem sie den Rest ihres Lebens hatte verbringen wollen.

Der Mann, der sterben würde, wenn nicht bald…

In diesem Moment hörte sie die Stimme. Fast ein Wispern nur, und es kam von draußen.

»Mummy…«

Stella sprang sofort auf und kletterte die provisorische Leiter hinauf, unvorsichtig schnell, so dass alles unter ihr schwankte und in eine gefährliche Schräglage geriet. Oben streckte sie den Kopf aus dem Fenster.

»Sammy?«

»Mummy!«

Er klebte fast an der Schuppenwand, daher hatte sie ihn nicht sofort gesehen. Er presste beide Hände gegen die Mauer und starrte hinauf. Die Sonne war untergegangen, aber der Himmel war noch hell. Stella konnte sein Gesicht erkennen. Er sah müde, abgekämpft und verdreckt aus. Er erweckte den Anschein, als würde er am liebsten durch die Wand gehen, nur um endlich wieder bei seiner Mutter zu sein.

Wo waren die anderen? Die Polizei? Die Sanitäter?
Warum war es so still?

»Sammy! Du warst so lange weg!«

Tränenspuren hatten glänzende Bahnen kreuz und quer in seinem staubverschmierten Gesicht hinterlassen. »Mummy, ich habe so schrecklichen Durst!«

»Wo warst du?«

»Ich habe Wasser gesucht.«

»Du hast…? Sammy, du solltest zur Hauptstraße laufen. *Du solltest Hilfe holen!*«

»Ich hatte solchen Durst. Ich wollte zu dem Teich.«

»Welchen Teich?« Gott im Himmel, er war überhaupt nicht an der Straße gewesen. Er war herumgeirrt auf der Suche nach Wasser, und sie konnte von Glück sagen, dass er am Ende wieder hier gelandet war.

»Hier gibt es einen Teich!«, beharrte Sammy.

Stella hatte keine Ahnung, wovon er sprach. Vielleicht hatte er während der vergangenen zwei Wochen beim Spielen oder bei einem Spaziergang mit Jonas irgendwo einen Tümpel entdeckt.

Sie stöhnte leise. Alles umsonst. Das Warten, Hoffen, Bangen.

»Und dann habe ich den Weg zur Straße nicht mehr gefunden«, berichtete Sammy. Stella konnte in seinen Zügen lesen, wie verzweifelt er gewesen sein musste. Die Vorwürfe, die sie machen wollte, erstarben ihr auf der Zunge. Er war so klein. Sie hatte ihn völlig überfordert.

»Ist schon gut, Sammy. Schon gut.«

»Ich hab die Straße nicht gefunden. Und hier das Haus nicht. Und es war so heiß. Ich hatte Angst!« Er fing wieder an zu weinen.

»Es ist alles gut. Du bist wieder da. Nichts ist passiert.« *Wir sind verloren.*

»Ich habe so furchtbaren Durst.«

»Warte einen Moment.« Stella traf eine Entscheidung.

Sie kletterte nach unten, griff die letzte Flasche mit dem kläglichen Rest Wasser darin. Sie band das Ende des provisorischen Seils, mit dem sie Sammy Stunden zuvor hinuntergelassen hatte, um den Flaschenhals, verknotete es so fest sie konnte. Dann kletterte sie wieder hinauf.

»Ich lasse dir Wasser hinunter«, rief sie. »Sei vorsichtig damit!«

Langsam schwebte die Flasche entlang der Schuppenwand nach unten. Sammy streckte die Arme nach ihr aus.

»Vorsichtig!«, wiederholte Stella.

Die Flasche war unten angekommen. Sam schnappte sie sofort, öffnete sie und trank in durstigen, schnellen Zügen.

Dann blickte er hinauf. »Mummy, ich habe immer noch Durst!«

»Das war alles, was wir noch hatten. Sammy, schau doch noch mal in Terrys Auto. Und dann geh noch mal um das Haus herum, vielleicht hast du doch einen Wasseranschluss übersehen.«

Stella hegte wenig Hoffnung, und tatsächlich kehrte Sam nach einer Weile mit leeren Händen zurück. »Da ist nichts.«

»Okay.« Aber es war nicht okay. Sie hatten jetzt nichts mehr, absolut nichts. Für ein paar Sekunden spielte Stella mit dem Gedanken an das Kühlwasser in Terrys Auto und an die Scheibenwaschanlage. Aber bei Letzterer war das Risiko zu groß, dass sie noch Reste von Frostschutzmittel aus dem letzten Winter enthielt, und das Kühlwasser … sauber war es wohl auch nicht. Und Durchfall und Erbrechen war das Letzte, was sie jetzt noch brauchen konnten.

»Pass auf, Sammy, du musst jetzt schlafen. Vielleicht kannst du ja morgen noch einmal versuchen, zu der großen Straße zu kommen, was meinst du? Aber dafür musst du jetzt richtig viel Kraft sammeln.«

Sammy starrte entsetzt zu ihr hinauf. »Ich will nicht noch mal gehen, Mummy. Ich hatte solche Angst. Ich will bei dir und Daddy bleiben!«

Es machte keinen Sinn, dies jetzt zu diskutieren. Stella konnte nur hoffen, dass am nächsten Morgen, am hellen Tag, Sammys Unternehmungslust wieder erwachen würde.

»In Ordnung. Aber trotzdem musst du jetzt schlafen.«

»Kann ich zu euch kommen?«

»Schatz, das geht nicht. Es wäre zu gefährlich.«

»Ich kann an dem Seil hinaufklettern!«

»Es ist kein richtiges Seil, und es wäre eine Katastrophe, wenn sich auch nur einer der Knoten lösen würde.«

»Dann wickle ich es mir wieder um den Bauch und du ziehst mich hoch.«

Es wäre leichtfertig gewesen zu hoffen, dass sich Sammy das Seilende alleine fest genug um die Mitte schlingen konnte.

»Nein, Sammy. Du gehst einfach in Terrys Auto, wie gefällt dir das? Du legst dich auf den Rücksitz, der ist weich und bequem, und dort wirst du gut schlafen.«

Sammy fing an zu weinen. »Nein! Ich will zu euch!«

Es tat Stella in der Seele weh, aber sie durfte nicht nachgeben. »He, was sehe und höre ich da? Tränen? Ist das derselbe junge Mann, der mir seit Wochen in den Ohren liegt, er möchte gern einmal im Garten im Zelt schlafen?«

Sammy war es im Moment egal, was er sich zu irgendeinem anderen Zeitpunkt gewünscht hatte. »Mummy, bitte! Ich will zu euch!«

»Du gehst zu Terrys Auto«, sagte Stella sehr bestimmt. Sie mochte jetzt nicht noch länger mit Sammy diskutieren, weil sie die Energie dafür nicht hatte und weil ihr das Sprechen schwerfiel. Der trockne Staub, der diese ganze verfluchte Scheune zu erfüllen schien, biss in ihrer Kehle. Es wurde schlimmer, wenn sie redete.

»Mummy!«, heulte Sam.

»Du tust, was ich dir sage. Du legst dich jetzt schlafen. Daddy und ich sind hier. Wir sind ganz in deiner Nähe.«

Offenbar begriff Sam, dass sein Verbleiben außerhalb der Scheune nicht verhandelbar war. Er murmelte noch etwas von großem Hunger und schrecklichem Durst – *ja, das geht uns allen so,* dachte Stella –, dann trollte er sich endlich in Richtung Auto. Stella sah ihm noch zu, wie er eine der hinteren Türen öffnete und auf den Rücksitz kroch.

Gut. Er war versorgt. Mehr schlecht als recht, aber immerhin.

Sie turnte nach unten, auf wackeligen Beinen, gehalten von zittrigen Armen. Es fühlte sich an, als flute allmählich alle Kraft aus ihren Muskeln. Sie baute ab, war verwundert, wie schnell das ging. Stella achtete immer sehr auf ihre Ernährung, ging jeden Tag joggen und, so oft sie konnte, ins Schwimmbad. Sie war stolz auf ihren gesunden, gut trainierten Körper. Um nun zu sehen, dass ein paar Tage des Eingesperrtseins, des Hungerns und des Durstens ausreichten, ihre gesamte physische Stabilität auszuhöhlen.

Von der Psyche gar nicht zu reden.

Sie kontrollierte Jonas' Zustand. Unverändert schlecht. Zumindest nicht *schlechter*, jedenfalls nach ihrem Eindruck. Allerdings auch nicht besser. Wie auch?

Sie rollte sich auf dem Teppich neben seinem Sofa zusammen. An den harten Untergrund hatte sie sich fast schon gewöhnt. Sie sehnte sich nach ein, zwei Stunden des Vergessens. Wegdämmern, nicht mehr von dem Schmerz im Magen gequält werden, nicht mehr von der alles überlagernden Sehnsucht nach Wasser. Nicht mehr zuhören müssen, wie bedrohlich es klang, wenn Jonas atmete. Nicht daran denken müssen, wie sich Sammy jetzt da draußen in Terrys Auto in den Schlaf weinte.

Einfach nur Ruhe. Nur für einen Moment.

Sie hätte es kaum zu hoffen gewagt, aber sie war so erschöpft, dass sie es tatsächlich schaffte: Sie schlief ein.

1

Jane hasste es, ihre Nachbarin, Mrs. Pollard, um einen Gefallen bitten zu müssen, denn inzwischen machte sich diese
kaum noch Mühe, ihren Ärger zu verbergen, wenn sie wieder einmal kurzfristig einspringen musste.

Es komme einfach zu oft vor, hatte sie neulich erst gejammert. Was denn los sei? Früher habe Jane ihren Job und
Dylan nebenher jedenfalls besser handeln können.

»Ich habe unheimlich viel Stress im Beruf in der letzten
Zeit«, hatte Jane erwidert, aber Mrs. Pollard hatte daraufhin
nur gemeint, sie hätte es sich vielleicht früher überlegen sollen, ob der Beruf einer Polizistin der richtige für sie sei.

»Man sieht das ja immer im Fernsehen! Ständig Überstunden. Keine geregelten Dienstzeiten. Die Familien kommen zu kurz, die Ehen brechen auseinander...«

Jane hätte gerne entgegnet, dass das Fernsehen Weltmeis-
ter darin war, Klischees unter die Leute zu bringen und zu
manifestieren, aber gerade was ihren Beruf anging, konnte
sie nicht allzu viel sagen. Zumindest bei der Mordkommis-
sion und dann noch mitten in einer brisanten Ermittlung
steckend, war es tatsächlich ein Problem mit den festen
Dienstzeiten und somit mit dem Organisieren einer Fami-

lie. Zumal wenn man – wie in Janes Fall – von einer Familie im eigentlichen Sinne ohnehin nicht sprechen konnte. Restfamilie hätte es eher getroffen. Aber das machte es nicht besser, im Gegenteil.

»Wieso kann er heute nicht in seine… Einrichtung?«, fragte Mrs. Pollard verdrießlich. Sie hatte Jane barfuß und im Morgenmantel geöffnet, eine durchsichtige Duschhaube auf dem Kopf. Offensichtlich war sie gerade im Bad gewesen. Jane hatte gefragt, ob sie bitte, nur heute, na ja, nicht nur heute, aber vielleicht trotzdem *noch einmal* auf Dylan aufpassen könnte.

»Die haben gestern den fünften Fall von Scharlach entdeckt«, sagte Jane auf Mrs. Pollards Frage. »Und nun ist erst mal Quarantäne verhängt und …«

Die Katastrophennachricht hatte sie am gestrigen Abend auf ihrem Anrufbeantworter vorgefunden.

Scheiße, hatte sie einfach nur gedacht, sich auf einen Sessel gesetzt und den Kopf in die Hände gestützt. *Scheiße, Scheiße!*

»Dann hat Dylan jetzt womöglich auch noch Scharlach?«, fragte Mrs. Pollard entsetzt.

»Bestimmt nicht. Den hatte er schon«, versicherte Jane.

»Na ja, ich zum Glück auch«, sagte Mrs. Pollard. Sie seufzte übertrieben laut. »So geht das aber nicht die ganzen nächsten Tage, Jane. Wirklich, da müssen Sie sich anders organisieren. An Ihrer Stelle wäre ich ohnehin ganz schön sauer. Sie sind schließlich nicht alleine verantwortlich für Dylan! Sean könnte …«

»Das stimmt«, sagte Jane. »Aber Sie wissen ja, wie die Männer sind …« Sie fand Verallgemeinerungen dieser Art blöd, wusste aber, dass sie bei Mrs. Pollard gut ankamen. Diese speziell. Mr. Pollard hatte sich schon vor einigen Jahren aus dem Staub gemacht und seine Frau Knall auf Fall sitzenlassen. Seitdem traute Mrs. Pollard Männern jede nur denkbare Schandtat zu.

»In der Tat«, sagte sie nun auch prompt. »Unzuverlässig, selbstsüchtig und ausschließlich auf den eigenen Vorteil bedacht. Nun gut. Heute noch einmal. Aber *nur heute!* Und seien Sie bitte um halb sechs pünktlich zu Hause.«

»Bestimmt«, versicherte Jane und sandte ein stummes Stoßgebet zum Himmel, dass sie diese Zusage würde einhalten können. »Also ...«

»Ich komme in zehn Minuten rüber«, brummte Mrs. Pollard. »Duschen darf ich ja vorher hoffentlich noch?«

»Natürlich. Und vielen Dank. Ich wüsste nicht, was ich ohne Sie ...«

»Dann würden Sie einen anderen Dummen finden«, sagte Mrs. Pollard und knallte die Tür zu.

Eine Viertelstunde später saß Jane im Auto, hielt mit der einen Hand das Lenkrad und in der anderen ein Toastbrot. Sie war nicht mehr dazu gekommen, ordentlich zu frühstücken. Die verflixte Scharlach-Epidemie hatte ihr den Start in den Tag durcheinandergebracht. Sie hielt gerade an einer Ampel, als auch noch ihr Handy klingelte. Jane nahm den Anruf über ihre Freisprechanlage entgegen.

Es war Benjamin Wilson, der Drehbuchautor. Seine Stimme klang misstrauisch. Offenbar war er nicht ganz sicher, ob es sich bei der Bitte um Rückruf, die er auf seiner Mailbox vorgefunden hatte, nicht um einen Scherz handelte.

»*Detective Constable Scapin?*«, fragte er mit einer Betonung, die seine Skepsis verriet. »*Yorkshire Police?*«

»Ja. Richtig. Mr. Wilson?«

»Ja. Ich sollte Sie zurückrufen?«

»Wir haben nur eine kurze Frage, Mr. Wilson. Es geht um Ihren Kollegen Jonas Crane.«

»Ist etwas passiert?«

»Wir müssen ihn in einer bestimmten Angelegenheit sprechen, können ihn aber nicht finden. Er sollte am vergangenen Sonntag aus dem Urlaub zurückkehren, aber…«

»Ist er das nicht? Mit mir war das jedenfalls vereinbart. Sonntag, 8. Juni.«

Treffer, dachte Jane.

»Er hat demnach Ihr Haus gemietet?«, fragte sie.

»Meine Farm in den Hochmooren, ja. Woher wissen Sie das?«

»Man vermutete es bei *TV Adventure*. Wie gesagt, wir forschen schon eine ganze Weile nach Mr. Crane.«

»Sein Arzt hatte es ihm empfohlen. Den totalen Rückzug. Crane steht kurz vor einem Burnout. So berichtete er es jedenfalls. Ich persönlich glaube ja nicht, dass ihm da zwei Wochen Rückzug etwas bringen, noch dazu, wenn er seine Familie mitnimmt… aber bitte. Er muss es wissen.«

»Und Ihre Farm ist der passende Ort?«

»Ja. Genau, was er suchte. Noch abgeschiedener können Sie es sich nicht vorstellen. Kein Fernsehen, kein Internet, kein Radio. Sie haben nicht einmal Handyempfang dort unten in der Talsenke. Es könnte ein Krieg der Supermächte ausbrechen, Sie würden dort nichts davon mitbekommen.«

»Haben Sie in der Zeit etwas von ihm gehört?«

»Nein. Aber es war ja auch ausgemacht, dass er keinen Kontakt zur Außenwelt hält. Das ist schließlich der Sinn der Sache. Er hätte sich vermutlich gemeldet, wenn es irgendein Problem gegeben hätte, aber offenbar war alles in Ordnung.«

»Könnten Sie sich vorstellen, dass er seinen Aufenthalt dort verlängert hat, ohne Ihnen Bescheid zu sagen?«

»Nein«, sagte Wilson mit Bestimmtheit, »das glaube ich nicht. Er hat mir die Miete für zwei Wochen im Voraus überwiesen – nicht viel, eigentlich nur die Unkosten für Strom, Wasser und so weiter. Dass er dann einfach länger bleibt, als er bezahlt hat, kann ich mir bei ihm absolut nicht vorstellen. Es sei denn, er hatte vor, das dann noch nachträglich mit mir abzurechnen, aber trotzdem... ohne etwas zu sagen... das passt nicht recht zu ihm.«

»Mr. Wilson«, fragte Jane, »könnten Sie mit mir zu Ihrer Farm fahren?«

Wilson lachte auf. »Ich bin nicht in England, Constable. Ich rufe Sie von Teneriffa aus an. Ich schreibe einen Zweiteiler, der hier spielt, und versuche, die Atmosphäre zu erfassen.«

Wieso bin ich eigentlich Polizistin geworden?, fragte sich Jane. Drehbuchautor klingt eigentlich nicht schlecht.

Aber mit Dylan und der überaus hilfsbereiten Mrs. Pollard wäre es unmöglich für sie: heute Teneriffa, morgen eine einsame Farm im Moor. Übermorgen vielleicht New York...

Nun gut, man durfte schließlich träumen.

»Verstehe«, sagte sie. »Ist es für Sie in Ordnung, wenn ich mich dort auf dem Gelände umsehe? Es wäre wirklich gut, wenn wir die Familie Crane auftreiben könnten.«

Wilson zögerte einen Moment. Jane ahnte, was in ihm vorging: Sicherlich wollte er vermeiden, dass Jonas den Eindruck bekam, sein Kollege hetze ihm gleich die Polizei auf den Hals, nur weil er, ohne die Miete bezahlt zu haben, spontan länger in seinem Haus blieb als vereinbart.

»Es müsste Jonas gegenüber deutlich werden...«, begann er, aber Jane unterbrach ihn.

»Natürlich. Mr. Crane erfährt sofort, dass ich keinesfalls in Ihrem Auftrag dort bin, Mr. Wilson. Ich habe wirklich nur eine einzige Frage, und die hat mit Ihnen nicht das Geringste zu tun. Abgesehen davon, mache ich mir aber allmählich Sorgen. Die Cranes haben nicht einmal ihrer Nachbarin in Kingston, die sich um die Post und die Blumen kümmert, Bescheid gesagt. Ich glaube, da stimmt irgendetwas nicht, und es schadet sicher nichts, wenn mal jemand nach dieser Familie schaut.«

Letzteres vor allem schien Benjamin Wilson zu überzeugen. Er gab Jane eine genaue Wegbeschreibung, die diese sich, da sie längst wieder im dichten Verkehr unterwegs war, nur im Kopf merken konnte. Sie hoffte, sie würde nichts durcheinanderbringen.

»Würden Sie mir kurz Bescheid geben, wenn Sie da waren?«, bat Wilson zum Schluss noch. »Egal, ob Sie jemanden dort vorgefunden haben oder nicht?«

»Selbstverständlich. Ich melde mich auf jeden Fall«, versprach Jane. Sie beendete das Gespräch und überlegte dann. Sollte sie erst ins Büro fahren? Laut Vorschrift hätte sie einen Kollegen mitnehmen müssen, aber es erschien ihr so umständlich, jetzt kurzfristig jemanden zu organisieren. Zudem war die Ermittlung in Richtung der Familie Crane von Anfang an *ihre* Geschichte gewesen. Wenn sie sich jetzt blamierte, weil alles in schönster Ordnung war, dann brauchte das niemand zu erfahren.

Kurz entschlossen bog Jane an der nächsten Kreuzung nach links ab. Egmont war der Ort, der der Farm am nächsten lag. Sie würde ihn finden und dann auch die Farm. In einer Stunde konnte sie zurück im Büro sein, und falls sich das alles als ein Fehlalarm herausstellte, würde sie etwas von Dylan und Unterbringungsschwierigkeiten murmeln.

Die eine Stunde, um zu der Farm zu kommen, sich umzusehen und zurück nach Scarborough zu fahren, erwies
sich als völlig irrige Zeitvorstellung. Jane brauchte schon
volle fünfzig Minuten, um die Farm überhaupt zu finden.
Zweimal hatte sie eine falsche Abzweigung genommen und
war im Niemandsland gestrandet – die Straßen waren jeweils zu kaum befahrbaren Schotterpisten und schließlich
zu Feldwegen geworden, und ringsum gab es nur Hocheben-
nen, flach wachsende Büsche, ein paar zerzaust wirkende
Bäume und einige Schafe. Die Sonne brannte. Janes Auto
hatte keine Klimaanlage. Sie fluchte, wendete mühsam.
Wilsons Beschreibung klang ihr nur noch in Fragmenten
im Ohr. Gott im Himmel, konnte es denn derart einsame
Orte geben? Diese verflixte Farm besaß ja nicht einmal eine
Adresse, so dass auch das Navi sinnlos war.

So dicht am Burnout könnte ich gar nicht sein, dachte
Jane, als dass ich mich derart am Arsch der Welt verkrie-
chen würde!

Aber endlich schien sie die richtige Straße gefunden zu
haben. Sehr schmal und ziemlich kurvig.

Sie sehen die Farm dann plötzlich hinter einer Biegung, hatte
Wilson erklärt. *Sie liegt in einem Tal direkt unter Ihnen. Zwei
Gebäude, ein Wohnhaus und eine große Scheune. Ringsum –
nichts!*

Die Beschreibung war gut. Jane erkannte die Farm sofort. Und noch etwas sah sie gleich: Sie wirkte vollkommen
verlassen.

Alle Fensterläden waren geschlossen, und nichts rührte
und regte sich.

Hier waren die Cranes also nicht mehr. Aber wo dann?

Trotzdem beschloss Jane, noch einmal hinunterzufahren.
Vielleicht entdeckte sie ja irgendetwas, das ihr einen Hin-

weis auf den Verbleib der Familie gab. Obwohl sie es nicht glaubte.

Wahrscheinlich mache ich mich völlig umsonst verrückt, dachte sie, Jonas und seine Familie haben es hier einfach nicht mehr ausgehalten, was ich gut verstehen könnte. Sie sind in ein nettes Hotel direkt am Meer umgesiedelt und haben total vergessen, irgendjemandem Bescheid zu geben.

Und warum geht Stella Crane dann nie an ihr Handy?

Langsam rumpelte ihr Auto den steinigen Pfad hinunter. Eine Zumutung für die Federn. Jane war nicht mehr so sicher, ob der Beruf des Drehbuchautors tatsächlich ein erstrebenswertes Ziel darstellte. Man musste ziemlich abgedreht sein, um sein Geld für ein Anwesen wie das vor ihr liegende auszugeben und sich dann auch noch zum Arbeiten regelmäßig dorthin zurückzuziehen. Jane wusste, sie würde hier nach spätestens zwei Tagen Depressionen bekommen und keines einzigen vernünftigen Gedankens mehr fähig sein.

Sie bog in den Hof ein und sah sofort die beiden Autos, die hintereinander vor dem Haus parkten. Sie standen so, dass man sie oben vom Hügel, aber auch von dem Weg aus, der ins Tal führte, nicht sehen konnte.

Ein blauer Renault und ein roter Ford.

Jane hatte die Kennzeichen nicht im Kopf, aber an eines erinnerte sie sich sofort: Dass nach dem blauen Renault von Therese Malyan und nach dem roten Ford, der Peggy Wild gestohlen worden war, gesucht wurde.

Denis Shove und Therese waren hier. Hier auf der Farm.

Janes erster Griff war der nach ihrem Handy. Sie musste sofort Verstärkung rufen. Die fest verschlossenen Fensterläden des Wohnhauses machten ihr Angst. Allem Anschein nach hatten Shove und seine Freundin sich dort verbarrikadiert. Mit den Cranes als Geiseln? Und Shove war bewaffnet. Und nicht zimperlich. Er hatte, ohne zu zögern, auf Peggy Wild geschossen.

Kein weiteres Auto war zu sehen. Das musste aber nichts bedeuten. Das Auto der Cranes konnte auch in der Scheune stehen.

Ein Blick auf das Display ihres Handys zeigte Jane, dass Benjamin Wilson recht hatte: Es gab hier keinen Empfang.

Sie musste wieder hinauf zur Straße. Vielleicht funktionierte es dort. Außerdem sollte sie sowieso sehen, dass sie wegkam. So, wie sie hier stand, bot sie sich als Zielscheibe geradezu an.

Gott, war sie blöd gewesen! Fuhr hier einfach hinunter, weithin sichtbar und vollkommen unbedarft. Allein der Verdacht, bei den Cranes könnte etwas nicht stimmen, hätte sie viel vorsichtiger agieren lassen müssen.

Anfängerin! Du benimmst dich wirklich wie eine verdammte Anfängerin.

Sie legte den Rückwärtsgang ein, behielt das Haus scharf im Auge, bereit, sich jeden Moment zu ducken, wenn ihr die Kugeln um die Ohren flogen. Sie war sicher, dass man sie längst bemerkt hatte. Shove musste klar sein, dass sie die Autos gesehen hatte und Bescheid wusste. Da er zudem davon ausgehen konnte, dass sie bislang keine Verstärkung hatte rufen können, würde es für ihn durchaus Sinn machen, sie an der Abfahrt zu hindern. Jane war fast erstaunt, dass man noch nicht auf sie geschossen hatte.

Allerdings – Shove hatte sie bislang nicht als Polizistin identifizieren können, dieser Punkt war ihr nicht sofort klar gewesen. Sie könnte auch eine Touristin sein, die sich verfahren hatte. Dann war es am besten, man ließ sie unbehelligt wieder ziehen.

Sie hatte das Auto fast gewendet, da sah sie, dass die Tür zum Rücksitz des blauen Renaults aufgestoßen wurde. Ein Junge stolperte heraus. Er winkte ihr mit beiden Armen zu und rannte über den Hof. Er konnte höchstens fünf Jahre alt sein, und Jane dachte sofort, dass es sich um den Adoptivsohn der Cranes handeln musste. Sammy, hatte die Nachbarin in Kingston gesagt. Therese Malyans Kind.

Ihr erster Impuls war, aus dem Auto zu springen und ihm entgegenzulaufen, aber es konnte sich um eine Falle handeln. Sie fuhr den Wagen bis um die Hausecke herum und hielt erst dort wieder an. Auf dieser Seite gab es kein Fenster, die Gefahr einer Kugel aus dem Hinterhalt war daher geringer. Sie stieg aus, blieb in geduckter Haltung, achtete darauf, dass das Auto zwischen ihr und dem Haus blieb.

Der kleine Junge kam um die Ecke. Er keuchte laut, so schnell war er gerannt, sichtlich von der Panik getrieben, die fremde Frau könnte einfach davonfahren. Er sah verdreckt und verschwitzt aus, seine blonden Haare standen in alle Himmelsrichtungen vom Kopf weg. In seinen weit aufgerissenen Augen sah Jane schiere Angst und völlige Verstörtheit.

Was war hier passiert?

»Sammy?«, fragte sie. Er war nah genug, dass sie ihn schnell am Arm packen und zu sich in die Deckung des Autos ziehen konnte. Der Junge wehrte sich, allerdings nur schwach. Er schien vollkommen entkräftet zu sein.

»He, ganz ruhig. Ich bin Jane. Jane Scapin. Ich bin von der Polizei.«

Er sah sie ungläubig an.

Sie legte einen Finger auf den Mund. »Ganz leise. Und bleib hier. Nicht weglaufen. Kann ich dich loslassen?«

Er nickte.

Vorsichtig ließ sie seinen Arm los. »Wir müssen vorsichtig sein. Wegen Denis Shove.«

Er sah sie verwirrt an, und Jane erinnerte sich, dass Shove unter anderem Namen unterwegs war. »Ich meine Neil. Neil Courtney.«

Der Junge machte endlich den Mund auf. Jane sah, dass er rissige, aufgesprungene Lippen hatte. »Er ist weg. Neil. Er und Terry sind nicht mehr da.«

»Bist du sicher? Dort hinten stehen ihre Autos.«

»Sie haben unser Auto genommen, sagt Mummy.«

»Wo ist deine Mummy?«

Er machte eine Kopfbewegung zu der Scheune hin. »Da drinnen. Mit meinem Daddy. Neil hat uns da eingesperrt. Mein Dad ist ganz krank. Neil hat auf ihn geschossen. Ich bin durch das Fenster geklettert. Aber Mum und Dad passen da nicht durch, weil es ganz klein ist. Ich sollte Hilfe holen.« Er schien nun mit dem Reden kaum mehr aufhören zu können. »Aber ich wollte Wasser suchen. Hier ist ein Teich in der Nähe. Kennst du ihn?« Er sah sie hoffnungsvoll an.

»Nein, leider nicht. Aber warte mal.« Sie tauchte kurz in ihr Auto und zog eine Wasserflasche hervor, die noch fast voll war. Jane war nie ohne Mineralwasser unterwegs. »Du hast ganz schön Durst, stimmt's?«

Er setzte die Flasche an und trank, als hinge sein Leben davon ab. Vermutlich war er auch schon dicht vor diesem Punkt. Jane war inzwischen davon überzeugt, dass sie ihm glauben konnte. Das war kein abgekartetes Spiel. Dafür sah der Junge viel zu schlecht aus, mitgenommen, abgemagert, verzweifelt. Was er sagte, klang glaubhaft. Denis Shove hatte Terrys Kontakt zu den Adoptiveltern ihres Kindes genutzt, um sich nach dem Überfall auf Peggy Wild ein weiteres Auto unter den Nagel zu reißen. Er hatte damit rechnen müssen, dass Peggy gefunden wurde und dass ihr Wagen dann nicht mehr sicher für ihn war. Die Cranes hatte er eingesperrt, damit sie ihm nicht die Flucht vermasseln konnten.

Der Chef musste sich keine Vorwürfe machen, dass sie Shove mit so viel Einsatz und Energie gesucht hatten. Er war ein skrupelloser Verbrecher.

Sie lief zur Scheune hinüber, untersuchte das Schloss an der Tür. Es war doppelt gesichert mit einem Riegel, der wiederum noch einmal mit einem Vorhängeschloss versehen war.

Shove hatte keine bösen Überraschungen erleben wollen.

Sammy war ihr auf dem Fuß gefolgt.

»Sie müssen Mummy retten. Und Daddy!«

Jane rüttelte an der Tür. Sie würde sie nicht aufbekommen. Sie brauchte jetzt dringend Verstärkung.

Von drinnen vernahm sie eine leise Stimme. »Sammy?«

»Hier ist Detective Constable Scapin von der Yorkshire Police. Mrs. Crane?«

Eine Sekunde lang ungläubiges Schweigen. Dann die atemlos hervorgestoßene Frage: »Polizei?«

»Ja. Wir holen Sie da raus, Mrs. Crane. Sind Sie in Ordnung?«

»Ja. Aber mein Mann ... Es geht meinem Mann sehr schlecht. Ich glaube, er schafft es nicht. Haben Sie Wasser? Ist Sammy bei Ihnen?«

»Ja. Er ist bei mir. Und ich habe Wasser.« Trotz seines Durstes hatte Sam die Flasche nur zur Hälfte leer getrunken. »Sammy hat ein Fenster erwähnt ...«

»Auf der anderen Seite. Ein Seil. Bitte, kommen Sie ... auf die andere Seite.« Stella Crane mochte glauben, dass sie okay war, aber sie klang sehr geschwächt.

Er hat ihnen nicht einmal genug Wasser dagelassen, dachte Jane, während sie um die Scheune herumlief, dieser elende Mistkerl.

Sie entdeckte das Fenster ganz oben unter dem steil ansteigenden Scheunendach. Donnerwetter, von dort hatte Stella Crane ihren Sohn hinuntergelassen. Eine mutige Tat. Aber es war die einzige Chance gewesen, die sich ihr überhaupt aufgetan hatte.

Ein Gesicht erschien nun oben an dem Fenster. Jane sah riesige Augen, struppige Haare. Ausgemergelte Züge. Stella Crane war am Ende ihrer Kräfte.

»Sehen Sie das Seil?«, rief sie. Ihre Stimme klang krächzend.

Jane gewahrte das Seil, das oben aus dem Fenster hing und hier unten vor ihren Füßen endete. Es sah sehr seltsam aus, zusammengeknotet aus Kleidungsstücken, Lumpen und einer dünnen Decke.

Eine taffe Person, diese Stella Crane, dachte sie.

Sie hob das Ende auf, schlang es netzförmig um die Wasserflasche, sicherte die Konstruktion, so gut sie konnte.

»Sie können jetzt ziehen. Ganz vorsichtig!«

Unendlich langsam schwebte die Flasche nach oben.

»Ich hole Hilfe«, rief Jane. »Wo bekomme ich hier wieder Handyempfang?«

»Gleich oben. Auf dem Hügel. Schwach, aber es funktioniert.«

Jane vergewisserte sich, dass die Flasche ihr Ziel erreichte, dann rannte sie los zu ihrem Auto. Sammy hielt sie fest an der Hand. Man wusste nie. Sie würde ihn hier nicht herumirren lassen.

»Pass auf, du setzt dich hinten in mein Auto. Wir fahren jetzt den Hügel hinauf, telefonieren und holen Verstärkung.

Polizei, Krankenwagen. Das wird aufregend, was meinst du?«

Sammy nickte, aber er war über die Phase hinaus, in der er sich nach einem Abenteuer, in dem heulende Sirenen und bewaffnete Männer vorkamen, gesehnt hatte. Jane kam er traumatisiert vor. Sie strich ihm über den Kopf.

»Alles wird gut«, versprach sie.

Er sah nicht so aus, als glaube er ihr das.

2

In der Nacht waren Wolken vom Atlantik aufgezogen, und nun regnete es in Liverpool. Ein sachter, stetiger, gleichmäßiger Regen, der den ganzen Tag anhalten würde. Er wusch den Staub der letzten trockenen, heißen Woche von den Straßen. Bis zum Abend würden die Grasflächen in der Stadt, die begonnen hatten, einen bräunlichen Ton anzunehmen, schon wieder grüner und frischer aussehen. Die Temperatur war stark gefallen. Kate, die nichts dabeihatte als ein kurzärmeliges T-Shirt zu ihren Jeans, fröstelte, als sie aus dem Hotel trat. Sie brauchte frische Kleidung, vor allem frische Wäsche. Es wurde Zeit, zurück nach Scalby zu fahren.

Caleb war schon am Vortag aufgebrochen, in aller Frühe. Er hatte nur eine kurze Notiz an der Rezeption für sie hinterlassen. *Muss jetzt zurück. Ich rufe an. Grüße, Caleb.*

Mehr nicht.

Er hatte mit ihr essen gehen wollen. Wieso war sie eigentlich so blöd gewesen, nicht mitzukommen? Weil sie sich immer noch ihres Auftrittes aus jener Nacht schämte? Nach

Melissas Ermordung? Oder einfach deshalb, weil sie nun einmal mit einem bemerkenswerten Talent gesegnet war, jede Chance, die sich ihr bot, zu vergeigen?

Sie mochte Caleb. Sie bewunderte ihn. Sie verstand ihn. Sie fand ihn anziehend. Sehr attraktiv. Sehr interessant. Sie war allein, sie sehnte sich nach einem Menschen in ihrem Leben.

Und dann fragte der Mann, um den seit Wochen ein Großteil ihrer Gedanken kreiste, ob sie mit ihm in ein Pub gehen und etwas essen wollte. Und sie lehnte ab. Sie war einfach selbst schuld. An der ganzen Misere ihres verfahrenen Lebens war nur sie alleine schuld.

Sie war den ganzen gestrigen Tag noch in Liverpool geblieben. Grace ging ihr einfach nicht aus dem Kopf. Wie auch der Satz, den Graces Mutter ihr zugewispert hatte: »Helfen Sie ihr!«

Sie musste ständig an die blauen Flecken denken, die sie an Graces Handgelenken gesehen hatte. An die zu enge, zu kurze, verwaschene und ausgeblichene Kleidung. An das verträumte Lächeln auf dem Gesicht des jungen Mädchens, während es in Norman Dowricks Rollstuhl in der glühenden Sonne auf dem Fabrikgelände herumgekurvt war. Grace hatte so unglaublich zart und schutzlos gewirkt. Die Vorstellung, dass sie sich jetzt irgendwo ganz allein versteckt hielt und dass sie womöglich in Gefahr schwebte, machte Kate ganz krank. Sie war den gestrigen Tag über in der Siedlung herumgestreift, dann war sie in immer größeren Bögen die Gegend abgefahren. Sie hatte nach etwas Ausschau gehalten, was sich Grace als Versteck anbieten könnte – leere Lagerhallen, unbewohnte Häuser, Parkanlagen, deren dicht wuchernde Büsche und Bäume Sichtschutz vor etwaigen Verfolgern versprachen. Sie hatte letztlich vor der Menge an Möglichkeiten kapituliert. Grace konnte überall sein. Sie musste es der Polizei vor Ort überlassen, sie zu finden.

Allerdings hatte sie nicht den Eindruck, dass allzu viel unternommen wurde. Nur vereinzelt hatte sie Suchtrupps wahrgenommen. Eine Hundestaffel immerhin. Andererseits stand die Polizei natürlich vor dem Problem, zwar nach dem Teenager suchen zu müssen, gleichzeitig dabei jedoch möglichst wenig Aufmerksamkeit zu erregen. Noch hatten die Medien nicht begriffen, dass es hier ein junges Mädchen gab, das womöglich Zeugin des Verbrechens geworden war und nun in Gefahr schwebte. Kate ging davon aus, dass Caleb sein Versprechen wahr gemacht und mit der Leiterin der Liverpooler Ermittler eindringlich gesprochen hatte. Sie hatte sich ein paar Zeitungen gekauft, zu ihrer Erleichterung jedoch tatsächlich nichts über Grace darin gefunden. Das hing auch damit zusammen, dass der gesamte Fall nicht allzu großes Interesse weckte. Es war gruselig, einen Mann Monate nach seinem Verschwinden ertränkt in einer Tonne zu finden, aber ... wen interessierte schon ein gelähmter, verbitterter Mann, der völlig vereinsamt in einer ziemlich heruntergekommenen Siedlung gelebt hatte? Zwei Zeitungen machten sogar einen »Greis« aus ihm, dabei war Dowrick gerade fünfzig gewesen. Norman Dowrick war so tief im Abseits gelandet, dass selbst sein ungewöhnlicher, schreckenerregender Tod kein Interesse mehr weckte. Der *Liverpool Chronicle* machte sich die Theorie der Polizei vor Ort zu eigen und spekulierte in Richtung der ominösen Jugendbanden. Es ging in dem Artikel nur noch am Rande um Norman. Ansonsten befasste man sich mit dem Problem der generell ansteigenden Gewaltbereitschaft von Jugendlichen in Großbritannien und mit der Frage, inwieweit die extremen sozialen Unterschiede innerhalb der Gesellschaft dafür verantwortlich waren.

Kate tat es leid für Norman. Es konnte ihm dort, wo er jetzt war, egal sein, aber es tat ihr weh zu sehen, dass die Welt um ihn herum mit dem toten Norman genauso gleichgültig umging wie mit dem lebenden. Für Grace hingegen stellte das Desinteresse der Öffentlichkeit eine echte Chance dar. Die Polizei konnte sie finden, ehe Dowricks Mörder sie fand. Weil dieser aller Wahrscheinlichkeit nach nichts davon ahnte, dass es eine Tatzeugin gab.

Kate checkte im Hotel aus und machte sich auf den Rückweg nach Scalby, aber sie fuhr noch einmal an der Siedlung vorbei, in der Grace wohnte. Im Regen sah alles noch trauriger aus. Auf dem Hof des Fabrikgeländes stand das Wasser in tiefen Pfützen. Die Absperrbänder der Polizei, die gestern noch im leichten Sommerwind geflattert hatten, sahen jetzt aus wie nasse Scheuerlappen.

Kate parkte und stieg aus. Sie fröstelte in der Kühle des Regens. Egal. Zu Hause würde sie ein Bad nehmen und sich dann warm anziehen.

Alles sah leer und ausgestorben aus – hier sucht definitiv gerade niemand nach ihr, dachte Kate –, nur Kadir saß wie immer auf seiner Mauer und wiegte den Oberkörper. Es schien ihm nichts auszumachen, dass er schon völlig durchweicht war.

»Hallo, Kadir«, grüßte sie.

Er lächelte sie so freudig an, als sei sie eine alte Freundin. »Hi!«

»Ganz schön nass heute«, meinte Kate. »Sie haben doch sicher eine Wohnung, oder?«

Kadir nickte. »Ich habe eine schöne Wohnung. Ganz

oben.« Er wies auf das Haus, das hinter ihm stand. »Direkt unter dem Dach!«

»Wäre es nicht besser, an einem Tag wie heute drinnen zu bleiben?« Sie zog die Schultern hoch. »Ich finde es ziemlich kalt.«

Kadir, der auch nur ein T-Shirt trug, schüttelte den Kopf. »Bin ich gewöhnt. Ich kann nicht drinnen sein.«

»Nein? Nie?«

»Manchmal im Winter. Dann gehe ich kurz zum Aufwärmen rein. Aber nicht lange. Die Wände kommen auf mich zu, verstehen Sie?«

»Ich … kann es mir vorstellen. Kadir – von Grace haben Sie nichts gehört, nehme ich an?«

»Die Polizei war hier. Gestern. Die haben mit mir gesprochen. Aber ich konnte nichts Neues sagen. Ich weiß nicht, wo sie ist. Ich weiß nicht … ob sie etwas gesehen hat.«

»Gesehen hat?«

»Darum geht es doch, oder? Darum suchen die doch wie verrückt. Vielleicht hat sie gesehen, wer den Rollstuhlfahrer umgebracht hat.«

Kate erkannte, dass es unklug wäre, Kadir Roshan zu unterschätzen. Und noch etwas: Dass sie alle auf einem Pulverfass saßen, was das Bemühen, Grace' Rolle in dem Fall geheim zu halten, anging. Es musste nur einem Reporter einfallen, ein, zwei Bewohner der Siedlung zu befragen. Mit Sicherheit hatte nicht nur Kadir längst erkannt, worin die Brisanz lag.

Die Polizei befand sich bereits in einem Wettlauf mit der Zeit.

»Gestern Abend war ein Mann hier«, sagte Kadir. »Er hat nach ihr gefragt.«

»Ein Mann? Von der Polizei?«

»Nein!« Kadir schüttelte den Kopf. »Der war nicht von der Polizei. Er hat etwas von *Ermittlungen* gemurmelt, damit ich denke, er ist Polizist. Aber mir macht da keiner etwas vor. Ich erkenne Polizisten. Instinkt, wissen Sie?«

Kate kannte diesen Spruch. Viele behaupteten, Polizisten förmlich riechen zu können, aber Kate hielt das in den meisten Fällen für schiere Prahlerei. Hinzu kam, dass kaum jemals jemand sie selbst als Polizistin erkannte, im Gegenteil, sie löste jedes Mal fast ungläubiges Staunen aus, wenn sie sich als Beamtin von Scotland Yard vorstellte. Dummes Gerede, das alles.

Als könnte er ihre Gedanken lesen, sagte Kadir: »Ich bin zum Beispiel sicher, dass Sie bei der Polizei sind. Auch wenn Sie das aus irgendeinem Grund nicht zugeben. Aber es ist … so eine Ausstrahlung. Schwer zu beschreiben.«

Sie war ziemlich beeindruckt, kommentierte seine Behauptung jedoch nicht. Fragte sich aber selbst ganz kurz, worin wohl der Bruch in seinem Leben bestand. Kadirs Sprache verriet Bildung, und mit Sicherheit war er ein schlauer Kopf. Was hatte das Schicksal mit ihm gemacht, um ihn auf diese Mauer zu katapultieren, abgemagert bis auf die Knochen, bei Wind und Wetter hier sitzend?

Die Wände kommen auf mich zu, hatte er gesagt.

Ihr fiel Caleb Hale ein, damals im Auto vor dem Haus von Melissa Coopers Sohn. Sinngemäß hatte er ihr gesagt, sie solle sich doch bitte zusammenreißen, die Welt sei voll tragischer Schicksale, ihres sei nicht das schlimmste.

»Also, dieser Mann … Machte er irgendwelche Angaben zu seiner Identität?«, fragte sie.

»Nein. Er kam nur auf mich zu und sprach mich an. Mit gesenkter Stimme. Die anderen, die Polizisten, haben alle laut und deutlich mit mir geredet. Er war … anders. Er gefiel mir nicht.«

»Haben Sie das der Polizei gemeldet?«

»Nein. Die lachen doch nur. Es ist ja bloß ein Gefühl.«

»Was hat er genau gesagt?«

Kadir überlegte. »Er wollte wissen, ob ich Grace kenne. Nein, so hat er es nicht ausgedrückt. Er hat gefragt: *Kennen Sie das Mädchen, nach dem alle suchen? Das den Mord an dem Polizisten beobachtet hat?*«

Kate zuckte zusammen. Dass es sich bei Norman Dowrick um einen ehemaligen Polizisten handelte, war bislang vollständig unter Verschluss gehalten worden. »Sind Sie sicher? Dass er *Polizist* gesagt hat?«

»Ganz sicher. Ich war ja noch ziemlich überrascht. Nicht einmal ich hatte ja gemerkt, dass der Alte im Rollstuhl ein Bulle war. Wusste hier keiner, glaube ich.«

»Was haben Sie geantwortet?«

»Ich bin nicht doof«, sagte Kadir. »Ich habe gesagt: *Ich weiß nichts davon, dass sie den Mord beobachtet hat. Ich weiß nur, dass sie die Leiche gefunden hat.* Daraufhin wurde er ungeduldig. Wollte wissen, wo Grace wohnt. Ich habe es ihm gesagt. Machte ja keinen Sinn, es zu verheimlichen.«

»Ist er dann dorthin gegangen?«

»Ja. Aber keine Sorge, da ist Grace nicht. Die Wohnung ihrer Eltern ist der letzte Ort der Welt, an dem sie Schutz suchen würde. Nirgendwo ist sie in größerer Gefahr.«

»Wie sah der Mann aus?«

»Groß. Sehr groß. Blond. Er sah nicht schlecht aus. Aber irgendwie … fanatisch. Er gefiel mir nicht.«

Sie überlegte, dass Kadir klug war, aber nicht alles wissen und richtig einordnen konnte. Die Wahrscheinlichkeit, dass es sich bei dem *großen, blonden, fanatisch wirkenden Mann* um einen Ermittler der Liverpool Police gehandelt hatte, war groß. Dort wusste man, dass Dowrick ein ehemaliger Kollege war. Alles andere ließe sich schwer erklären – und hätte verstörende Fragen nach sich gezogen.

Sie zog ihre Karte aus der Tasche, schrieb noch ihre Privatnummer in Scalby und ihre Handynummer auf die Rückseite und reichte sie Kadir. »Hier. Bitte rufen Sie mich an. Wenn sich irgendetwas ereignet, das Ihnen seltsam vorkommt. Oder wenn Ihnen etwas einfällt, das Sie aber aus irgendeinem Grund nicht direkt mit der Polizei besprechen wollen.«

Er nahm die Karte. »Sie *sind* aber die Polizei. Ich wusste es doch. Metropolitan Police. Scotland Yard. Wow!«

»Ich bin aber nicht im Dienst«, erklärte Kate. »Kann ich mich darauf verlassen? Sie rufen an.«

»Mach ich«, versprach er.

Sie ging weiter in Richtung der Wohnung von Graces Eltern.

Graces Vater bestätigte den Besuch eines Mannes am Vorabend, der sich nicht als Polizist ausgewiesen und Fragen nach Graces Verbleib gestellt hatte. Wahrheitsgemäß hatte Darren Henwood ihm geantwortet, keine Ahnung zu haben, wo sich seine Tochter aufhalten könnte.

»Und der Mann hat sich Ihnen nicht vorgestellt?«, fragte Kate. »Keinen Namen genannt, keinen Ausweis gezeigt? Nichts?«

»Nein. Ich dachte … ich dachte, das hat schon seine Richtigkeit«, stotterte Darren. Er hatte sich um hundertachtzig Grad gedreht, hatte seine unverschämte, grinsende Du-kannst-mich-mal-Attitüde abgelegt. Er sah erbärmlich aus an diesem verregneten, grauen Morgen, verängstigt und nervös. In der Wohnung hielt sich noch die Wärme der vergangenen Tage, und Darren steckte in einem weißen Unterhemd, das nach Schweiß roch, und in uralten Boxershorts. Er war barfuß. Er wirkte übernächtigt, aber Kate vermutete, dass es nicht die Sorge um Grace war, die ihn in der vergangenen Nacht am Schlafen gehindert hatte, sondern in allererster Linie die Sorge um sich selbst. Die Situation ängstigte ihn: Seine Tochter war plötzlich zur Hauptzeugin in einem Mordfall geworden und wurde händeringend von der Polizei gesucht und dabei drohte aufzufliegen, dass sie seit Jahren von ihm immer wieder gequält, zugleich sträflich vernachlässigt wurde. Bislang hatte sich keine Menschenseele für Grace Henwood interessiert. Jetzt jedoch ... Darren war nicht blöd. Der Chief Inspector von der Yorkshire Police, der am vorgestrigen Tag da gewesen war, hatte sofort durchschaut, was hier vorging, dass Darren seine Tochter misshandelte – wenn er nicht Schlimmeres mit ihr tat –, und er hatte keinen Hehl aus seinem Abscheu gemacht. Und diese Frau, die nun schon zum zweiten Mal hier in der Wohnung aufkreuzte, wusste auch Bescheid. Kein Wunder, dass Darren schwitzte, dass er sich mit Kreislaufproblemen herumschlug und sich am liebsten in Luft aufgelöst hätte.

»Sie sprechen mit einem Mann über Ihre Tochter, ohne überhaupt zu wissen, wer das ist und mit welchem Recht er sich nach ihr erkundigt?«, fragte Kate.

Darren wischte sich den Schweiß von der Stirn. »Es haben so viele gefragt. Die Polizei war immer wieder hier ... Ich dachte ... ich steige da ja selber nicht mehr durch ...«

Es war klar, dass seine einzige Hoffnung, mit halbwegs heiler Haut davonzukommen, darin bestand, sich überaus kooperativ, fast devot zu verhalten. Er würde von niemandem eine Legitimierung verlangen, und er würde jedem, der ihn nach Grace fragte, bereitwillig Rede und Antwort stehen – aus Furcht, sonst jemanden gegen sich aufzubringen, der das alles für ihn noch brisanter machte.

Außer dass der Fremde tatsächlich groß und blond gewesen war – *fanatisch* kam in Darrens Beschreibung nicht vor –, fand Kate nichts heraus. Sie beschloss, Caleb anzurufen und ihn zu informieren. Er konnte dann versuchen zu klären, ob es sich um einen Mitarbeiter der Liverpool Police gehandelt hatte. Kate nahm immer stärker an, dass es so war. Sie verabschiedete sich kühl von Darren Henwood und verließ das Haus. Auf dem Weg zum Auto sah sie Kadir auf der Mauer wippen. Er war vom Regen vollkommen durchweicht.

Die Schlechtwetterfront hatte das Land noch nicht überquert. Kate war ihr davongefahren. In Scalby herrschte noch immer brütende Hitze. Sie sah, dass der Garten nach Wasser verlangte, aber da sie davon ausging, dass es am Abend regnen würde, sparte sie sich das Gießen. Sie trat ins Haus, merkte, wie sich ihr Körper in der kühleren Luft entspannte, wie sie durchatmen konnte, kaum dass sie diesen sicheren Hafen erreicht hatte. Es roch vertraut hier drinnen, und sie hatte diesen Geruch während der letzten beiden Tage schmerzlich vermisst. Es war der Geruch der Heimat.

Ich kann es nicht hergeben, dieses Haus. Niemals.

Sie durchquerte den Flur, trat in die Küche, öffnete die Tür, die auf die Terrasse führte. Heiße Luft strömte sofort nach innen. Kate nahm sich eine Flasche Wasser aus dem Kühlschrank, trat hinaus und setzte sich in einen der Gartenstühle. Ihre Kleidung war inzwischen getrocknet, der Gedanke an ein warmes Bad hatte sich angesichts des Wetters verflüchtigt. Sie trank ein paar Schlucke, sah sich dann um. Der Garten blühte in allen Farben, sah aber schon nicht mehr so schön, so gepflegt aus wie früher. Richard fehlte. Seinen grünen Daumen hatte Kate absolut nicht geerbt, sie mochte keine Gartenarbeit und wusste auch nie genau, was sie sinnvollerweise überhaupt tun sollte. Außer den Rasen zu mähen und die Pflanzen zu gießen, das bekam sie gerade noch hin.

Andererseits konnte sie hier wohnen und den Garten eben ein wenig mehr verwildern lassen. Das würde niemanden stören.

Sie fragte sich nicht zum ersten Mal, ob sie auf ungesunde Art an all dem hier festhielt. Ob ihre Unfähigkeit, eine Ablösung zu vollziehen, bedenklich war. Aber vielleicht brauchte sie zunächst eine Alternative, bevor sie loslassen konnte. Und sie hatte keine.

Weil sie zu sehr auf ihren Vater fixiert war? Oder war sie auf ihren Vater fixiert, *weil* da niemand sonst war? Und war ihr Vater einfach die unkomplizierteste Lösung gewesen? Er war der einzige Mensch gewesen, in dessen Gegenwart sie sich nicht klein, unbedeutend und drittklassig vorgekommen war. Mit ihm hatte sie lachen können, ihm hatte sie von ihren Fällen erzählt und von den Gedanken, die sie sich dazu machte. Kühne Ideen, die sie niemandem sonst anzuvertrauen gewagt hätte, am allerwenigsten ihren Kollegen. Nie hatte er ihr das Gefühl gegeben, es sei irgendwie seltsam, was sie von sich gab. Immer hatte er ihr konzentriert und aufmerksam zugehört. Für ihn war sie vollkommen gleichwertig gewesen. Er hatte sie ernst genommen und sie respektiert, und schon deshalb, für dieses Gefühl, das sie jedes Mal innerlich aufblühen ließ, war sie, so oft sie konnte, nach Yorkshire gereist.

Allen anderen Menschen gegenüber verspürte sie diese lähmende Unsicherheit. Diesen tief verwurzelten Eindruck:

Ich bin nichts wert. Ich bin zumindest nicht genauso viel wert wie ihr. Ich bin nicht so schön, nicht so klug, nicht so witzig, nicht so unterhaltsam, nicht so tiefgründig wie ihr. Ich habe keine guten Einfälle, und wenn doch, dann kann ich sie zumindest nicht vermitteln. Ich habe nichts an mir, was mich interessant sein lässt. Menschen langweilen sich neben mir. Ich habe keine Ausstrahlung, kein Charisma, nichts. Und wem das nicht auf den ersten Blick klar ist, der erkennt es spätestens auf den zweiten.

Letztlich war auch das der Grund gewesen, weshalb sie Calebs Bitte, ihn in das Pub in Liverpool zu begleiten, abgelehnt hatte. Die Furcht, er könnte merken, wie wenig sie zu bieten hatte. Von den seltenen Gelegenheiten her, bei denen sie mit Männern ausgegangen war, kannte sie das grausame Gefühl, das sich einstellte, wenn sie bemerkte, dass der betreffende Mann die Verabredung bereute und hektisch überlegte, wie er sie abkürzen konnte. Es war ein Gefühl schrecklichster Unvollkommenheit, die dann rasch überging in Verzweiflung und Hoffnungslosigkeit. Die meisten Männer wollten weder unhöflich noch verletzend sein, konnten aber kaum verbergen, wie sehr sie sich danach sehnten, das Weite zu suchen. Kate hatte sich vor dieser Situation irgendwann so sehr gefürchtet, dass sie ihr kategorisch ausgewichen war. Selbst den einen oder anderen Kollegen, der sie gefragt hatte, ob sie mit ihm in der Mittagspause einen Kaffee trinken wollte, hatte sie abgewiesen. Sie handelten sowieso alle nur aus Mitleid, davon war sie überzeugt. *Nein, vielen Dank, ich arbeite lieber durch.*

Irgendwann hatte niemand mehr gefragt.

Der erste Mann seit langem war Caleb gewesen. Caleb, der mit einem Currygericht vor ihrer Haustür aufgekreuzt war und sich auch durch ihre schroffe Art nicht hatte abwimmeln lassen. Caleb, der sie gefragt hatte, ob sie etwas mit ihm essen wollte.

Und sie hatte sich wieder versteckt. Hatte es sicherer gefunden, hungrig in ihrem Hotelzimmer im Bett zu liegen und sich durch öde Fernsehprogramme zu zappen, als mit einem Mann, der sie anzog und faszinierte, in ein Pub zu gehen.

Bislang hatte sie sich dieses Verhalten noch leisten können, weil es ihren Vater gab. Mehr schlecht als recht und die meiste Zeit über unglücklich hatte sie es ausgehalten, ohne Freunde zu leben, ohne einen Menschen in ihrem unmittelbaren Umfeld, der zu ihr gehörte und Anteil an ihrem Leben nahm. Es gab schließlich Daddy. Viel zu weit weg, aber nicht aus der Welt. Sie konnte ihn anrufen und besuchen. Er fing lange Wochenenden ab, Urlaube, Feiertage wie Ostern und Weihnachten. Der einzige Rettungsanker, der ihr blieb.

Sie musste etwas ändern, oder sie würde in völliger Einsamkeit untergehen. Den Luxus, sich vor der Welt und ihren Gefahren zu verstecken, allem auszuweichen, wovor sie Angst hatte, konnte sie sich nicht länger leisten. Sie war bei ihrer Polizeiarbeit mit gefährlichen Typen konfrontiert gewesen, aber sie hatte sich vor ihnen nicht halb so sehr gefürchtet wie davor, in ihrem normalen Alltag auf Ablehnung zu stoßen. Auf Nichtbeachtung, Desinteresse und Überdruss. Sie hatte weniger Angst davor gehabt, während der Jagd auf einen Ganoven möglicherweise eine Kugel in den Kopf zu bekommen, als davor, von irgendeiner Verabredung nach Hause zu schleichen in dem sicheren Bewusstsein, wieder einmal der Langweiler des Abends gewesen zu sein.

Sie stand auf, ging hinein und nahm ihr Handy aus der Handtasche. Sie hatte Caleb unterwegs zweimal anzurufen versucht, aber er war jedes Mal in einer Besprechung gewesen. Jetzt wählte sie seine Nummer erneut. Sie musste ihm von dem seltsamen Mann berichten, der sich in Liverpool nach Grace Henwood erkundigt hatte, und sie wollte ihn fragen, ob er heute Abend schon etwas vorhatte. Falls sie der Mut nicht verließ.

Es meldete sich eine Mitarbeiterin, deren Namen Kate noch nie gehört hatte. Caleb nehme gerade an einer Telefonkonferenz teil. Ob sie etwas ausrichten könne?

»Nein, vielen Dank. Ist Detective Constable Scapin zu sprechen?« Mit Jane wollte sie sich zwar nicht für den Abend verabreden, aber sie konnte auch ihr von dem Mann erzählen. Irgendjemand sollte es wissen und mit den Kollegen in Liverpool abklären.

Aber auch Jane war in einer Besprechung. Kate hinterließ schließlich zum wiederholten Male die Bitte, Caleb möge sie zurückrufen.

Dann ging sie nach oben. Eine Dusche wäre jetzt nicht schlecht. Und frische Wäsche auch nicht.

3

Sie waren in Nordirland. Alles war bisher gut gegangen. Selbst Denis' schlechte Laune hatte sich ein wenig gebessert.

Am Morgen war er noch so verdrießlich gewesen, dass Terry es nicht einmal gewagt hatte, ihn zu bitten, er möge ihr vom Frühstück einen Toast oder ein Muffin mitbringen. Ganz zu schweigen davon, dass sie sich nach einer Tasse Kaffee sehnte. Sie durfte ja nicht in den Frühstücksraum, weil ihre veränderte Haarfarbe für zu viel Aufsehen gesorgt hätte. Es war nicht wirklich Blond, was bei der Prozedur herausgekommen war, eher ein helles Braun mit einem unverkennbaren Stich ins Grünliche. Terry war ganz entsetzt, als sie sich im Spiegel erblickte. Schon am Vorabend hatte ihr das Ergebnis nicht zugesagt, aber sie hatte gehofft, dass es sich über Nacht irgendwie zum Besseren wenden würde. Tatsächlich war es eher noch schlimmer geworden.

»Du siehst wirklich scheiße aus«, lautete denn auch Denis' wenig charmanter Kommentar, als er sie sah. »Du bist eine Beleidigung für die echte Stella Crane, das muss man schon sagen.«

Terry fing fast an zu weinen, fing sich aber schnell wieder, als Denis sie drohend anschaute und verkündete, eine heulende Frau sei das Letzte, was er jetzt noch ertragen könnte. Er hatte ihr immer noch nicht erklärt, was genau los war, aber seine Missstimmung hatte vor allem etwas damit zu tun, dass er kein Geld mehr von seinem Konto abheben konnte. Irgendetwas war passiert, aber auch da traute sich Terry nicht, ihn zu fragen, aus Angst, dadurch zum Blitzableiter für seine Wut zu werden. Er hatte ihr nur gesagt, dass sie nun praktisch kein Geld mehr hatten und auf absehbare Zeit auch an keines herankommen würden.

»Unsere letzten größeren Scheine stecken in den Tickets für die Fähre«, sagte er, ehe er zum Frühstück hinunterging. »Das heißt, wir können leider auch die noble Herberge hier nicht bezahlen, wenn wir abreisen. Während ich unten bin, schaffst du unsere Sachen so unauffällig wie möglich ins Auto, kapiert? Punkt neun Uhr treffen wir uns dort.«

»Wir können doch nicht einfach …«

»Herrgott, du bist noch dämlicher, als du aussiehst, ist dir das eigentlich klar? Wenn ich keine Kohle habe, habe ich keine. Also, du tust jetzt, was ich sage. Und halt dabei so weit wie möglich einfach mal die Klappe!«

Sie hatten nur wenig Gepäck, sie waren von der Farm in Yorkshire mit einer einzigen großen Tasche, die den Cranes gehörte, abgereist. Sie hatten sich mit Wäsche, T-Shirts und Pullovern der Familie versorgt, ebenso mit den Dingen des täglichen Gebrauchs: Shampoo, Duschgel, Zahnpasta. Zahnbürsten hatten sie in einer Drogerie gekauft. Das reichte gerade, um über die nächste Zeit zu kommen und um in den Herbergen, in denen sie übernachteten, kein Aufsehen zu erregen.

»Wenn wir keine Reisetasche dabeihaben«, hatte Denis verkündet, »dann denken die gleich, es stimmt etwas nicht. Aber so sind wir ein nettes Ehepaar, das harmonische Ferien verbringt.«

Nichts davon stimmte. Nicht das Ehepaar, nicht das Attribut *nett*, nicht die harmonischen Ferien. Nichts, absolut nichts, was Denis jemals sagte oder tat, schien ehrlich zu sein. Angefangen mit dem falschen Namen, unter dem er aufgetreten war, hin zu der Tatsache, dass er ihr seinen Gefängnisaufenthalt verschwiegen hatte, bis zu dieser abenteuerlichen Flucht, auf der sie sich nun schon seit Tagen befanden, wiederum unter einer falschen Identität. Inzwischen lief Terry mit gefärbten Haaren herum und hatte einen Pass in der Tasche, der einer Frau gehörte, die sie eingesperrt und hilflos in der völligen Einöde zurückgelassen hatten. Immer wenn Terry daran dachte, wurde ihr ganz schlecht. Sie fühlte sich wie auf einer immer schneller werdenden Talfahrt, die im Sumpf von Verbrechen, Gewalt und Verlogenheit enden würde. Und Denis war kein bisschen mehr der Denis, der er einmal gewesen war. Klar, er hatte sie auch früher schon manchmal schroff behandelt und herumkommandiert, und er hatte sie geschlagen, mehr als einmal. Aber er war zwischendurch von großer Wärme und Zärtlichkeit gewesen, und er hatte ihr oft gesagt, dass er sie schön fand, dass sie eine tolle Frau war. Er hatte ihr den Eindruck vermittelt, sie zu verstehen und ganz auf ihrer Seite zu sein. Er hatte ihre Eltern verurteilt, weil die sie genötigt hatten, ihr Kind zur Adoption freizugeben, und er hatte immer wieder versichert, ihr sei wirklich übel mitgespielt worden, auch von Seiten der Cranes. Als sie die Familie damals in Kingston besucht hatten, hatte er zuvor erklärt, unbedingt den kleinen Jungen kennenlernen zu wollen, der »immerhin ein Teil von dir ist, meine Süße«. Wenn Terry ehrlich mit sich war, hatte sie sich dann aber doch gewundert, dass er den ganzen Nachmittag über nicht das geringste Interesse an Sammy gezeigt hatte, dafür umso mehr an den Lebensumständen und Gewohnheiten von Stella und Jonas. Später, als sie tagelang in den Hochmooren herumkurvten, weil Denis besessen war von der Idee, das Ferienhaus der Cranes ausfindig zu machen, hatte er erklärt: »Ich tue das vor allem für dich, Terry. Die haben dein Kind. Und sie wollen dich um jeden Preis schön außen vor halten. Du durftest den kleinen Sammy zur Welt bringen, aber jetzt sollst du dich verpissen und die glückliche, kleine Familie möglichst in Ruhe lassen. Hey, das willst du dir bieten lassen? Du hast ein Recht, deinen Sohn aufwachsen zu sehen. Und ich sorge dafür, dass du dieses Recht auch wahrnehmen kannst.«

Damals hatte sie sich in erster Linie geschmeichelt gefühlt. Sie kannte es schon lange nicht mehr, dass ein anderer Mensch so viel Anteil an ihr und ihrem Leben nahm. Dass jemand sich um sie kümmerte. *Für ihre Rechte kämpfte.* Das hörte sich toll an.

Inzwischen… Seine Zärtlichkeiten hatten vollkommen

aufgehört, seine Komplimente sowieso. Er sprach auch nicht mehr von Sammy und davon, dass Terry ein Recht auf ihren Sohn hatte. Im Nachhinein hatte es den Anschein, als seien die Cranes vor allem in einer Hinsicht für ihn interessant gewesen: in der Frage, was es bei ihnen zu holen gab.

Letzten Endes hatte er ihnen nun ihre Identität gestohlen.

Wie üblich wagte sie aber auch an diesem Morgen keine Gegenwehr. Nachdem Denis zum Frühstück verschwunden war, packte sie alle Sachen zusammen. Sie blickte sich um. Das Bad hatte nach ihrem höchst dilettantisch durchgeführten Projekt des Haarefärbens grauenhaft ausgesehen: Die Farbe hatte sich praktisch überall befunden, im Waschbecken, auf den Armaturen, am Spiegel, auf dem weißgefliesten Fußboden und auf den ehemals weißen Handtüchern des Hotels. Panisch hatte sie alles, so gut es ging, gesäubert und die noch feuchten, dreckig verfärbten Handtücher in einer Plastiktüte ganz unten in die Reisetasche gestopft, damit niemand Verdacht schöpfte. Außerdem nahm sie auch gleich noch zwei saubere Badetücher mit. Sie wusste, dass sich das nicht gehörte, aber sie hoffte, sich damit ein Lob von Denis einzuhandeln. Immerhin hatten sie offensichtlich kein Geld mehr, und alles, was sie bekamen, ohne es kaufen zu müssen, half ihnen. Es spielte ja auch keine große Rolle mehr, die Zeche zahlten sie hier ohnehin nicht.

Mit der Tasche in der Hand huschte sie die Treppe hinunter, wobei sie auf jedem Absatz stehen blieb und nach unten lauschte. Sie hörte Stimmen aus dem Frühstücksraum, vernahm das Klappern von Besteck und Geschirr aus der Küche. Es roch verlockend nach Kaffee, nach Rühreiern mit Speck und nach Pfannkuchen mit Sirup. Terry lief das Wasser im Mund zusammen. Vielleicht würde sie auf der Fähre etwas bekommen? Vorläufig war nur wichtig, dass das Ehepaar, dem das *Bed & Breakfast* gehörte, sowie das junge Mädchen, das ihnen beim Putzen und Einkaufen half, offenbar vollauf beschäftigt waren.

Terry gelangte ungesehen hinaus und über den Hof zum Auto. Es war genau neun Uhr wie verabredet. Denis hatte ihr natürlich nicht getraut und daher den Autoschlüssel bei sich behalten.

Da kam er schon. Er wirkte ziemlich nervös. »Alles klar? Hast du alles?«

Er schloss das Auto auf, sie warfen blitzschnell die Tasche auf den Rücksitz und stiegen ein.

»Ich war genial«, bemerkte Denis, während er das Auto anließ. »Ich habe ihnen erklärt, dass es dir ziemlich schlecht geht. Übelkeit, Durchfall, das ganze Programm. Dass du deshalb nicht frühstückst und dass wir einen Arzt brauchen. Die haben mir einen Doktor in Stranraer genannt und denken, ich bringe dich jetzt dorthin. Die kommen im Leben nicht darauf, dass wir abhauen.« Er steuerte aus dem Hof. »Sie waren sehr besorgt. Ich soll dir gute Besserung ausrichten.«

»Danke«, murmelte Terry. Anders als Denis empfand sie das ganze Manöver nicht als einen toll gelungenen, raffinierten Schachzug. Sie wünschte plötzlich, sie hätte die Badetücher nicht eingepackt.

Es blieben ihnen drei Stunden bis zum Ablegen der Fähre. Terry fürchtete, man werde ihre Flucht in der Pension zu früh entdecken, aber Denis fegte diese Bedenken zur Seite. »Die haben mir sogar noch gesagt, dass es bei dem Arzt dauern kann, weil er sehr beliebt ist. Die denken ja auch nicht andauernd darüber nach, wie lange wir schon weg sind. Schließlich haben sie auch noch anderes zu tun.«

Trotzdem, er war nervös. Sie waren zu einem einsam gelegenen Parkplatz ein ganzes Stück nördlich des Hafens gefahren, und Denis hatte gesagt, dort würden sie nun warten. Terry fand sich damit ab, dass sie in naher Zukunft weder zu einem Kaffee noch zu einem Stück Brot kommen würde. Am frühen Morgen hatte noch die Sonne geschienen, aber nun drängten dunkle Wolken vom Meer heran. Es begann zu regnen.

Terry hatte sich nie trostloser gefühlt.

Als es Zeit wurde, zum Hafen zu fahren, begann Denis' Nervosität so spürbar zu werden, dass Terry Angst bekam, sie würden schon alleine deshalb aufgehalten werden, weil jeder Denis für den typischen Verbrecher auf der Flucht halten musste. Aber offenbar schien das niemand zu merken. Sie zeigten ihre Tickets vor und rollten ungehindert auf die Fähre. Außer ihnen waren nur wenig Reisende unterwegs. Der inzwischen stärker gewordene Regen und der blitzhaft einsetzende Rückgang der Temperaturen luden nicht gerade zu einem Ausflug ein.

Immerhin bekam Terry auf der Fähre ihren Kaffee. Sie wärmte sich die klammen Finger an dem heißen Styroporbecher und fühlte zusammen mit dem Koffein wieder ein paar Lebensgeister in sich erwachen.

Vielleicht wurde irgendwann alles gut. Sie und Denis irgendwo in der Gegend um Dublin, ein weißes Cottage inmitten tiefgrüner irischer Wiesen, eine niedrige Steinmauer, die den Garten umschloss, Kinder, die lachten und spielten...

Nachdem sie in Irland von Bord gegangen waren, hob sich Denis' Stimmung. Sie hatten Großbritannien noch nicht verlassen, aber sie waren der Republik Irland einen großen Schritt näher gekommen, und das schien sich für ihn gut anzufühlen. Entgegen erster Planungen, zunächst nach Belfast zu fahren, sich eine Bleibe zu suchen und am nächsten Tag Richtung Süden aufzubrechen, beschloss er nun, gleich weiter in Richtung Dublin zu fahren.

»Wir haben kaum noch Geld. Eine Übernachtung in Belfast, und wir sind komplett blank. Außerdem fühle ich mich erst sicher, wenn wir Nordirland verlassen haben. Wir ziehen das heute noch durch.«

Sie tankten das Auto frisch auf, was erneut ein tiefes Loch in ihre klägliche Barschaft riss. Es war jetzt fast drei Uhr am Nachmittag, und es regnete unvermindert heftig. Terry hatte gehört, dass es in Irland überhaupt sehr häufig regnete. Ihre kurzfristig etwas hoffnungsvollere Stimmung löste sich schon wieder auf. Das Cottage rückte in weite Ferne, ebenso die spielenden Kinder im Sommerwind. Was blieb, war die kaum befahrene Landstraße, die sie in einem Bogen um Belfast herum führte, und eine Gegend ringsum, die man hinter den dichten, tiefgrauen Regenschleiern kaum sehen konnte. Wiesen, soweit Terry das ausmachen konnte, Mauern. Ab und zu ein Gehöft, das sich in eine Talsenke duckte und dessen Fenster leblos und verlassen durch den Regen herüberstarrten. Terry musste plötzlich an ihre kleine Wohnung in Leeds denken und an manche Abende, die sie mit Peggy und Helen, den lustigen Frauen aus der Etage über ihr, verbracht hatte. Sie hatte sich nicht glücklich gefühlt, aber nun ging ihr auf, dass es kein schlechtes Leben dort gewesen war. Es hatte Freunde in ihrem Leben gegeben, sie hatte einen Job gehabt und eine kleine, aber sehr gemütliche Wohnung. Mit Peggy und Helen hatte sie sich oft auf ein Glas Wein getroffen, und sie waren guter Stimmung gewesen. An kalten Winterabenden hatte Peggy heiße Schokolade mit Rum für alle gekocht, und sie hatten am Kamin gesessen und sich unterhalten, während draußen die Schneeflocken fielen. Terry hatte ständig gejammert, weil sie darauf wartete, dass etwas Besonderes in ihrem Leben passierte, etwas, das alles ändern würde.

Nun war es passiert. Nun hatte sich alles geändert. Nun saß sie in einem gestohlenen Auto, hungrig und frierend, und fuhr neben einem polizeilich gesuchten Gewaltverbrecher durch den Regen Nordirlands.

Sie waren schon eine gute halbe Stunde durch weitgehend unbesiedeltes Gelände gefahren, als Denis in einen Feldweg einbog und anhielt.

»Hol mal die Tasche nach vorne. Ich brauche einen von Jonas' warmen Pullis. Es ist ja saukalt geworden.«

Aus Sorge, dann mehr Benzin zu verbrauchen, durfte die Heizung nicht angedreht werden, und auch Terry fror schon lange erbärmlich in ihrem leichten T-Shirt. Sie zog die Tasche vom Rücksitz. Denis öffnete sie – und erstarrte.

»Was ist *das* denn?«

»Was denn?«, fragte Terry.

Er hielt eines der beiden weißen, flauschigen Badetücher in der Hand, die Terry hatte mitgehen lassen. »Das sind doch die aus unserem Zimmer?«

»Ja. Ich …«

»Was?« Er starrte sie an, unverhohlene Wut im Gesicht. »Was?«

Sie hatte geglaubt, er werde sie für diesen Coup loben, aber so hörte es sich nicht an. Ganz und gar nicht.

»Ich dachte …«

»Was *dachtest* du?«

»Ich dachte … wir können sie brauchen. Ich meine … weil du doch sagtest, dass es mit dem Geld jetzt schwierig ist … und dann müssen wir keine kaufen …«

Er wühlte tiefer in der Tasche und stieß auf die dreckigen Handtücher in der Plastiktüte. »Ich fasse es nicht! Du hast alle Handtücher geklaut?«

Sie sagte nichts, aber wenn sie den Mut gefunden hätte, dann hätte sie gefragt, weshalb er sich so aufregte. Wegen des Diebstahls? Er hatte seine frühere Lebensgefährtin im Affekt erschlagen, er hatte acht Jahre lang im Gefängnis gesessen, er hatte eine ganze Familie überfallen, hatte ihr Auto gestohlen und ihre Pässe an sich genommen.

Und da regte er sich jetzt über ein paar geklaute Badetücher auf?

Schnell sollte sie jedoch begreifen, dass es nicht um moralische oder logische Fragen ging.

»Du bist so blöd«, sagte er. »Du bist so saudumm, dass es beängstigend ist. Ich sollte dich hier aus dem Auto werfen und sehen, dass ich alleine weiterkomme, denn du wirst am Ende alles vermasseln!«

Sie wollte etwas sagen, brachte aber nur einen wimmernden Laut heraus und ein leises: »Denis ...«

Er blickte durch die Windschutzscheibe hinaus in den Regen, so, als denke er nur voller Ratlosigkeit darüber nach, weshalb er sich mit einer derart hirnlosen Person eingelassen hatte, doch dann fuhr er ohne jede Vorwarnung herum und schlug Terry rechts und links so heftig ins Gesicht, dass ihr Kopf wie ein Punchingball herumflog.

»Du kannst nicht bis drei zählen, du gottverdammte Schlampe!«, schrie er. »Rate mal, was die blöde Nutte, die drüben in Cairnryan die Zimmer sauber macht, heute Morgen gedacht hat, als sie gesehen hat, dass alle Handtücher weg sind? Glaubst du, sie hat gedacht: *Oh, die werden die Cranes wohl mit zum Arzt genommen haben?* Was meinst du?«

Terry wagte nicht, ihn darauf hinzuweisen, dass auch die Spuren des Haarefärbens hätten verdächtig erscheinen können und dass es von ihr zumindest nicht ganz dumm gewesen war, die völlig verfärbten Handtücher einzupacken. Als sie nicht antwortete, schlug er sie erneut. Terry schmeckte plötzlich Blut in ihrem Mund.

»Sie hat sich umgeschaut, und dann ist ihr aufgefallen, dass auch sonst kein Gepäck mehr da ist. Und dann dürften die Armleuchter in diesem beschissenen *Bed & Breakfast* begriffen haben, dass wir abgehauen sind. Weil nämlich nicht mehr viel dazu gehört, sich das auszurechnen, falls man über einen Funken Intelligenz mehr verfügt als du, was bei den meisten Menschen der Fall sein dürfte!«

»Aber...« Es fiel Terry schwer zu sprechen. Ihre Lippe schien in Sekundenschnelle anzuschwellen. »Aber... sie hätten es doch sowieso gemerkt.« Ihre Sprache klang etwas undeutlich. »Und jetzt sind wir doch hier.«

»Weil wir ein verdammtes Glück hatten! Aber du hättest es vermasseln können! Die hätten die Polizei anrufen können, und dann hätte man uns auf der verfluchten Fähre geschnappt! Soll ich dir was sagen? Wenn Blödheit stinken würde, könnte man es nicht aushalten in deiner Nähe!«

Sie wich, so tief sie konnte, in ihren Sitz zurück. Es war doch alles gut gegangen. Sie waren auf die Fähre gekommen. Sie hatten sie unbehelligt verlassen.

Sie waren in Irland.

In Denis entlud sich jetzt jedoch die ganze Spannung der vergangenen Tage und vor allem die der letzten Stunden. Er war fast erleichtert, dass er ein Ventil gefunden hatte. Terry konnte das in seinen Augen sehen. Er war noch nicht fertig mit ihr.

Seine letzte Lebensgefährtin hatte er umgebracht.

Terry riss die Tür auf und ließ sich rücklings hinaus in das hohe, nasse Gras fallen. Regen, Kälte und ein schroffer Wind fielen sofort über sie her, aber sie rappelte sich auf. Obwohl ihr Kopf dröhnte und ihr das ganze Gesicht wehtat. In ihrem Mund hatte sich so viel Blut gesammelt, dass sie ausspucken musste. Sie hatte den undeutlichen Eindruck, dass dabei ein Zahn mit hinausflog.

Ihr Überlebensinstinkt hatte eingesetzt. Spät, sehr spät. Aber, wie sie hoffte, nicht zu spät.

Sie kam auf die Füße und rannte davon. So schnell sie konnte. Rannte hinein in den Regen und in die Einsamkeit. Hörte, dass er ihr folgte.

Wusste, dass er sie einholen würde.

Und rannte trotzdem.

Weg von Denis Shove, so weit sie konnte.

Weg von ihm für immer.

4

Bis zum Abend hatten weder Caleb noch Jane zurückgerufen, und Kate hatte nicht gewagt, sich ihrerseits noch einmal zu melden, um nicht lästig zu fallen. Sie konnte sich vorstellen, dass man seit der Entdeckung des toten Norman Dowrick rotierte. Der Fall hatte eine neue Brisanz angenommen: drei Tote inzwischen, und ein Hauptverdächtiger, der kein Hauptverdächtiger mehr war. Caleb musste das Gefühl haben, erneut auf *Los* geschickt worden zu sein.

Schließlich fasste sich Kate ein Herz und wählte noch einmal Calebs Durchwahl im Präsidium, aber niemand dort ging an den Apparat. Sie versuchte es auf seinem Handy, bekam aber nur die Mailbox. Sie fand das irritierend, aber vielleicht hatte er sich einfach etwas früher ausgeklinkt. Möglicherweise hatte er die letzten beiden Nächte kaum geschlafen und brauchte einfach eine Pause.

Ein kühner Plan reifte in ihr heran, aber es dauerte noch eine halbe Stunde, während der sie ziellos zwischen Haus und Garten herumging und ihren Mut zusammenzuraffen versuchte, bis sie sich entschloss, ihn durchzuführen: Sie würde Caleb bei ihm zu Hause besuchen. Sie konnte sagen, dass sie sowieso gerade in der Nähe gewesen war.

Ich dachte, ich schaue mal kurz vorbei.

Schließlich hatte sie gerade erst beschlossen, dass sie offensiver werden musste, wenn sich etwas in ihrem Leben ändern sollte.

Da er ihr seinerzeit, als er bei ihr im Garten gesessen und sie vor möglichen Gefahren gewarnt hatte, seine private Visitenkarte gegeben hatte, wusste sie, wo er wohnte. Ziemlich weit oben am South Cliff in Scarborough, die ganze Esplanade hinauf an den vielen Hotels vorbei, die auf den ersten Blick stuckverziert und hochherrschaftlich schienen, auf den zweiten die schon etwas abgeblätterte Schäbigkeit verrieten, die dicht unter der gut aufgemachten Fassade lag. Kate war früher manchmal mit ihrem Vater dorthin gefahren, sie hatten das Auto abgestellt und waren oberhalb der Klippen, die sich an die letzten Häuser der Stadt anschlossen, spazieren gegangen. Sie hatten das letzte Licht sommerlicher Abende geliebt. Heute jedoch gab es keinen Sonnenuntergang. Von Westen her türmten sich dunkle Wolken auf. Nicht mehr lange, und der Regen kam.

Caleb wohnte in der Wheatcroft Avenue, einer gepflegten Straße, deren letzte Häuser den freien Blick über das Meer hatten. Calebs Haus lag ziemlich in der Mitte, er konnte also das Meer nicht sehen, höchstens einen Zipfel davon aus einem der oberen Fenster. Trotzdem lagen die Gegend, die großzügigen Grundstücke und die eleganten Häuser ein gutes Stück über dem Einkommen eines Polizisten, selbst wenn es sich um einen Chief Inspector handelte. Entweder Calebs Frau hatte Geld gehabt. Oder er hatte geerbt.

Sein Auto stand in der Einfahrt, er war offensichtlich daheim. Hoffentlich hatte er sich nicht gerade schlafen gelegt, er würde nicht besonders erfreut reagieren, wenn Kate klingelte und ihn aus seinen Träumen riss. Sie stand vor der Haustür und zögerte eine Weile, versuchte, irgendein Indiz dafür zu finden, dass er wach war. Einmal meinte sie, so etwas wie ein monotones Stimmengewirr aus dem Inneren des Hauses zu hören; es klang, als liefe ein Fernseher oder ein Radio. Aber dann erkannte sie, dass es aus dem Garten des Nachbarhauses kam, dort unterhielten sich zwei Leute.

Okay. Trotzdem. Sie würde nie irgendetwas gewinnen, wenn sie nichts wagte.

Sie drückte auf die Klingel und wartete.

Caleb öffnete, als Kate sich schon resigniert hatte abwenden wollen. Sie sah aber sofort, dass sie ihn nicht aus dem Bett geholt hatte: Er war vollständig angezogen und wirkte nicht verschlafen. Allerdings schien er keineswegs erfreut zu sein, sie zu sehen. Sein langes Zögern, ehe er geöffnet hatte, hing vermutlich damit zusammen, dass er absolut keine Lust auf einen Besucher hatte und erst einmal mit sich hatte ringen müssen, ehe er sich entschloss, an die Tür zu gehen.

Falsch, dachte sie, ich habe es natürlich wieder falsch gemacht. Er ist völlig kaputt von den letzten Tagen und wollte einmal einen ruhigen Abend haben. Und in den trample ich nun hinein.

»Ach, Kate, Sie sind es. Was ist denn los?«

»Ich... nun, ich kam zufällig in der Nähe vorbei...« Sie fand ihr eigenes Gestotter erbärmlich. »Ich habe heute ein paarmal versucht, Sie telefonisch zu erreichen...«

Er fuhr sich durch die Haare. Sie konnte sehen, wie müde er war. Aber er schien ihr nicht nur erschöpft. Er wirkte gequält. Unglücklich. Es ging ihm überhaupt nicht gut, und das lag nicht bloß daran, dass er überarbeitet war.

»Ja, heute war ein schlimmer Tag. Ich war praktisch nie am Schreibtisch. Es ist so viel passiert.« Er trat einen Schritt zurück. »Möchten Sie hereinkommen?«

Sie hoffte, dass er das nicht nur aus Höflichkeit sagte.

»Wenn ich gerade nicht störe...«

»Sie stören nicht. Wie Sie sehen, bin ich heute etwas früher nach Hause gegangen. Ich bin so erledigt, ich brauchte einfach etwas Abstand.«

»Vielleicht sollte ich dann doch ein anderes Mal...«

»Nein, nein. Ist schon gut. Kommen Sie.«

Kate hätte erwartet, dass er sie auf die Terrasse geleitete, aber er hielt die Tür zur Küche auf. »Bitte.«

Als sie dicht an ihm vorbeiging, roch sie es. Die ganze Zeit über war da etwas gewesen... Etwas, das sie nicht hatte einordnen können und das irgendwie überhaupt nicht zu ihm passte. Doch jetzt begriff sie: Alkohol in seinem Atem.

Caleb hatte getrunken.

Sie konnte ihr Erschrecken nicht rechtzeitig verbergen, und er lachte. »Ja. Zum ersten Mal seit einem halben Jahr. Immerhin. Manche werden früher rückfällig.«

Was ist geschehen, hätte sie am liebsten gefragt, *was ist um Gottes willen geschehen?*

Stattdessen schwieg sie betreten und sah sich um. Der große Raum hatte früher aus zwei Zimmern bestanden, aber man hatte die Trennwand herausgebrochen und die Decke mit einem dicken, dunkel gebeizten Holzbalken gestützt. Es gab eine offene Küche mit einem langgezogenen Tresen aus glänzendem Stahl und einen großzügigen Essbereich, der mit einem Holztisch, Holzstühlen und weißen Regalen an den Wänden eingerichtet war. Zum Garten hin grenzte eine Glasfront den Raum ab, was einem das Gefühl vermittelte, sich auf einer überdachten Veranda zu befinden.

Kate war aufrichtig beeindruckt. »Es ist … Ihr Haus ist wunderschön, Caleb.«

»Meine Exfrau hatte viel Geschmack. Und viel Geld. Das Haus gehört ihr, aber nach unserer Trennung wollte sie hier nicht mehr wohnen. Ich zahle ihr eine Miete, aber eigentlich … möchte ich hier auch weg. Ich hatte nur bis jetzt tatsächlich nicht die Zeit, mir etwas zu suchen und einen Umzug anzuleiern. Die Arbeit, Sie wissen ja. Und dann war ich monatelang in der Klinik …« Er lachte, es klang ein wenig verzweifelt. »Hätte ich mir schenken können.«

Sie erblickte die Flasche, die auf dem Tresen stand. Und das Glas daneben.

»Mein Abendessen«, sagte Caleb. »Darf ich Ihnen vielleicht auch etwas anbieten?«

»Nein danke.«

»Ich hatte schon mal den Eindruck, dass Sie einem guten Whisky durchaus etwas abgewinnen können.«

»Caleb …«

»Schon gut. Entschuldigen Sie. Ich bin nicht nett, wenn ich getrunken habe. Deshalb hatte mich meine Frau auch satt, verstehen Sie? Sie sagte, ich werde zynisch und bösartig, wenn ich trinke. Und sie hatte recht. Aber das ist eben nicht alles. Das ist das Problem.« Er griff nach der Flasche, schenkte sich etwas in das Glas und leerte es mit einem Zug. »Ich werde nicht nur zum Kotzbrocken. Ich werde auch zu einem verdammt guten Polizisten. Je mehr ich trinke, umso genialer denke ich. Meine größten Erfolge hatte ich, als ich am hemmungslosesten soff. Mein Gehirn braucht das Scheißzeug, um auf Touren zu kommen. Das ist die bittere Wahrheit.«

Seine Stimme klang anders als sonst. Härter und lauter. Unterschwellig aggressiv. Er hatte schon eine ganze Menge geschluckt, ehe Kate unverhofft hereingeschneit war.

Zum Glück ich, dachte sie, zum Glück nicht jemand anderes.

»Wissen Sie, was auch zu der bitteren Wahrheit gehört?«, fuhr Caleb fort. »Die berühmte Kehrseite der Medaille. Ohne den Stoff bin ich Schrott. Eine riesige Null. Ein Versager. Eine Katastrophe.«

»Das stimmt doch überhaupt nicht.«

»Das stimmt nicht, meinen Sie? Wissen Sie, was heute passiert ist?«

Sie schüttelte den Kopf. »Nein.«

»Shove«, sagte er, »Denis Shove.« Er lauschte auf den Klang des Namens.

»Haben Sie ihn gefunden?«, fragte Kate. »Wurde er verhaftet?«

»Nein. Aber es ist eine Frage der Zeit. Wir wissen, dass er die Fähre von Cairnryan nach Belfast genommen hat. Er versucht höchstwahrscheinlich, in die Republik Irland zu gelangen. Er ist in einem gestohlenen Auto unterwegs. Wir haben das Kennzeichen. Er hat keine Chance.«

»Aber … das sind doch gute Nachrichten!«

»Er hat eine Familie überfallen«, sagte Caleb, »draußen in den Hochmooren. Auf einer einsamen Farm. Er hat den Mann niedergeschossen und ihn mitsamt seiner Frau und dem Kind in eine Scheune gesperrt. Sie sind fast verdurstet. Jane hat sie gerade noch rechtzeitig gefunden.«

»Jane?«

Er nickte. »Jane. Sie hat eine ganz abseitige Spur verfolgt, akribisch und ganz für sich. Ich meine, wow, sie ist eine echt tolle Frau! Sie sollte die Ermittlungen leiten, nicht ich. Nicht nur, dass ich mit Shove sowieso den Falschen gejagt habe, ich habe es ja dann noch nicht einmal geschafft, auch nur ansatzweise in seine Nähe zu kommen. Aber Jane … die hat das Zeug zu einer großen Polizistin. Einer ganz großen!«

Er griff erneut zur Flasche. Ehe ihre Schüchternheit sie wieder lähmen konnte, machte Kate einen Schritt auf ihn zu und legte ihre Hand auf seinen Arm. »Nicht, Caleb. Hören Sie auf. Sie haben genug für heute.«

Er sah sie überrascht an. »Das, glauben Sie, können *Sie* entscheiden?«

»Es ist ein Rat.«

Er ließ die Flasche tatsächlich los. »Der Mann dieser Familie … Es ist nicht klar, ob er es schafft. Er liegt im Krankenhaus. Es ist kritisch.«

Sie hatte noch immer ihre Hand auf seinem Arm. »Was ist los, Caleb? Was macht Sie daran so fertig? Was kreiden Sie sich dabei an?«

»Was ich mir ankreide? Das wissen Sie doch. Ich habe in dieser ganzen Ermittlung den dümmsten Fehler gemacht, den man machen kann. Ich habe eingleisig gedacht. Ich habe mich festgelegt. Praktisch von der ersten Minute an. In meinem nüchternen Gehirn war kein Platz mehr für einen anderen Namen als für Denis Shove. Selbst als ich vor der niedergemetzelten Melissa Cooper stand und sie kaum in Einklang mit Shove bringen konnte, hielt ich an ihm fest. Das wäre mir früher nicht passiert, Kate. Nie.«

»Shove ist ganz offensichtlich ein gefährlicher Mann. Sie haben keinen Unschuldigen gejagt.«

»Wissen Sie, welches Vergehen ihm anzulasten war, bevor ich mich in ihn verbiss? Ein Rentenbetrug. Ein lächerlicher, kleiner Rentenbetrug, bei dem es zudem noch um geringe Beträge ging. Natürlich, auch das gehört geahndet. Aber nicht so! Nicht indem ich eine Sonderkommission bilde und ihn Tag und Nacht jage.«

»Aber alles andere…«

»Alles andere wäre gar nicht passiert, hätte ich ihn nicht so in die Enge getrieben. Shove war und ist ein Arschloch, und er hat sich natürlich extrem verdächtig gemacht, als er nach Linvilles Ermordung vorsichtshalber unter falschem Namen abtauchte, aber er drehte erst wirklich durch, als sein Bild in allen Zeitungen war und es praktisch keinen Ort mehr gab, an dem er sich sicher fühlen konnte. Da erst überfiel er Peggy Wild und schnappte sich ihr Auto. Dann verbarrikadierte er sich bei dieser Familie in den Hochmooren. Er schoss auf Jonas Crane. Er trat die abenteuerliche Flucht nach Irland an. Wenn wir Pech haben, schießt er auch bei seiner Verhaftung noch um sich, und es gibt weitere Tote und Verletzte.« Ungeachtet Kates warnender Blicke, griff Caleb nun doch wieder zu der Flasche, schenkte sich so unbeherrscht ein, dass der Whisky auf die Tischplatte schwappte. Er trank das Glas in einem Zug leer.

»Soll ich Ihnen meine großartige Bilanz schildern, Kate? Die Bilanz von Detective Chief Inspector Caleb Hales erstem Fall nach seinem Alkoholentzug. Also, was haben wir?« Er zählte an den Fingern ab. »Wir haben Peggy Wild, eine schwer verletzte junge Frau, die noch immer im Krankenhaus liegt. Wir haben einen halbtoten Mann, einen Familienvater, von dem die Ärzte sagen, es ist fraglich, ob er die kommende Nacht übersteht. Wir haben eine traumatisierte Ehefrau und ein traumatisiertes Kind. Den Mann, der das angerichtet hat, haben wir noch immer nicht festnehmen können, er befindet sich zusammen mit seiner Lebensgefährtin, von der wir nicht genau wissen, ob sie seine Komplizin ist oder längst seine Geisel, auf der Flucht und ist bewaffnet. Ach, und dass ich es nicht vergesse: Den Mörder Ihres Vaters, Kate, kennen wir noch immer nicht. Wir sind seit Februar keinen Schritt weitergekommen. Es sei denn, man betrachtet meine idiotische Versessenheit, was Shove betrifft, als den ersten Schritt auf dem Weg einer Tätersuche durch Ausschlussverfahren. Ja, das ist tatsächlich nicht so schlecht, oder? Wir wissen jetzt, dass wir Shove streichen können. Ist das nicht ein echter Fortschritt?«

»Hören Sie auf, Caleb. Das ist es nicht wert. Es …«

Er starrte sie an. »Was ist was nicht wert?«

»Dass Sie wieder trinken. Was immer schiefgelaufen ist, es darf Sie nicht wieder dahin bringen, wo Sie einmal waren.«

»Wo war ich denn?«

»Nach allem, was ich gehört habe, waren Sie dabei, sich in den Abgrund zu saufen. Sie mögen jetzt glauben, dass Sie zugleich ein toller Ermittler waren, aber Sie machen sich etwas vor. Es war Selbstmord auf Raten, was Sie betrieben haben.«

Er betrachtete nachdenklich sein Glas. »Als ich die Klinik verließ, sagte mein Therapeut, dass die erste Bewährungsprobe dann kommt, wenn es richtige Probleme gibt. Wenn mich etwas erschüttert, wenn ich in den Grundfesten wanke, wenn ich glaube, dass es außer Alkohol keinen Ausweg mehr gibt … Aber das stimmt gar nicht. Es fing schon viel früher an. Die Bewährungsprobe war vom ersten Tag an da. Ich kam zurück in mein Büro, und ich zitterte vor Angst. Ich hatte den Fall Ihres Vaters auf dem Tisch, und alles, was ich empfand, war tiefste Verzweiflung. Ich fühlte mich dem nicht gewachsen. Ich fühlte mich hilflos und schwach. Es ist der springende Punkt, Kate: Ohne Alkohol habe ich kein Selbstvertrauen. Ich glaube nicht, dass ich etwas schaffen oder erreichen kann. Ich habe Ideen, aber im nächsten Moment schon wieder denke ich, dass sie dumm sind, dass sie zu nichts führen werden. Ich erstarre förmlich. Ich kann niemandem sagen, was er tun soll, ich kann keine Entscheidungen treffen. Ich sitze da und hoffe, dass irgendetwas geschieht, das mir den Weg weist.«

»Sie haben Entscheidungen getroffen, Caleb. Ich habe Sie erlebt. Sie wirkten immer überzeugend. Und sehr souverän.«

»Ich habe mich an Denis Shove festgehalten. Er war da, und ich habe mich an ihm geradezu festgeklammert. Er war wie ein Licht in dunkler Nacht.« Er schüttelte den Kopf. »Dass ich so etwas ausgerechnet über Shove noch einmal sagen würde.«

Sie hätte ihm gerne gesagt, wie gut sie ihn verstand. Als er über sein fehlendes Selbstvertrauen sprach, wäre sie ihm am liebsten ins Wort gefallen. *Das bin ich! Sie beschreiben mich. Ich weiß genau, was Sie fühlen. Sie sind nicht alleine.*

Aber er redete schon weiter. »Meine Exfrau versuchte immer zu analysieren, woran das lag. Meine Selbstzweifel, meine Unfähigkeit, an mich und meine Fähigkeiten zu glauben. Ständig ging sie meine Kindheit und Jugend durch. Wo lag das Problem? Wo war der große Fehler gemacht worden? Und soll ich Ihnen etwas sagen, Kate: Da war nichts. Es gibt in meinem Leben nichts, was mich erklärt. Warum ich mich nur dann nicht für einen Versager halte, wenn ich trinke. Ich hatte keine schwere Kindheit. Ich hatte liebevolle, fürsorgliche Eltern. Nette Geschwister. Keine bösen Lehrer. Alles war gut. Schöne Scheiße, oder? Weit und breit nichts, was mich entschuldigen könnte.«

Sie streckte erneut die Hand aus, legte sie auf seinen Arm. Diesmal nicht, um ihn davon abzuhalten, erneut nach der Flasche zu greifen. Diesmal war es eine Geste der Wärme, der Anteilnahme. Des Verstehens.

»Manchmal ist das vielleicht so, Caleb. Dass man keine Erklärung findet. Warum bin ich so einsam? Warum fällt es mir so schwer, mich anderen Menschen zu öffnen? Warum kann ich nicht an mich glauben? Ich habe so oft nach Antworten gesucht. Es wird sie geben. Bei mir wie auch bei Ihnen. Aber sie liegen so tief im Verborgenen, dass wir sie nicht finden können. Wahrscheinlich nie. Und damit muss man dann eben leben.«

Sie wusste nicht, ob er ihr zugehört hatte, denn er wechselte schon wieder das Thema. »Ich hatte immer das Gefühl, dass Jane nicht so richtig überzeugt war von Shove. Aber sie ist meinen Vorgaben gefolgt, und sie hat das Beste aus der Situation gemacht. Sie hat diese Familie gerettet. In letzter Sekunde. Sie und dieser Exil-Iraker. Er wusste, dass etwas nicht stimmt. Und Jane hat ihm geglaubt.«

Kate, die diese Zusammenhänge nicht kannte, hatte nicht den Eindruck, dass es jetzt Sinn machte, genauere Erklärungen zu erbitten. Also nickte sie. »Ja. Okay.«

»Dadurch, dass Jane die Familie Crane befreit hat, wissen wir, mit welchem Auto Shove und Malyan unterwegs sind. Therese Malyan ist die leibliche Mutter vom Adoptivsohn der Cranes. Verstehen Sie?«

Kate schwirrte der Kopf. »So ungefähr.«

»Die waren bis heute früh noch in Cairnryan. Schottland.

Dort haben sie die Fähre nach Belfast genommen. Vorher haben sie die Hotelrechnung nicht bezahlt und wohl noch einiges vom Inventar mitgehen lassen. Daher lag bereits eine Anzeige gegen sie vor. Sie waren auch dumm genug, unter dem Namen der Familie Crane aufzutreten. Stella und Jonas Crane. Als dann heute Nachmittag unsere Fahndung durch alle Computer ging, war es leicht, sofort die Rückkoppelung zu erstellen. Die Kollegen aus Schottland haben uns gleich informiert. Deshalb wissen wir jetzt ziemlich genau, wo sie sein müssen.«

»Aber das ist ein Erfolg, Caleb!«

»Janes Erfolg. Nicht meiner.«

»Ihr seid ein Team.«

»Ja, ja«, murmelte er. Wenigstens schenkte er sich keinen Whisky nach. Er sah verzweifelt und niedergeschlagen aus.

Sie zog ihre Hand zurück. Sie konnte sie nicht ewig dort liegen lassen. Sie wusste plötzlich, er würde sie nicht ergreifen. Heute Abend nicht und wahrscheinlich nie.

»Sie sollten schlafen gehen, Caleb. Morgen sieht alles vielleicht schon ganz anders aus.«

»Morgen«, sagte Caleb, »muss ich überlegen, wie es weitergeht.« Er machte eine Kopfbewegung hin zu der Whiskyflasche.

»Sie sollten wegschütten, was noch drin ist.«

»Vielleicht.« Er wirkte nicht allzu entschlossen.

»Soll ich bleiben?«

»Nein. Gehen Sie bitte. Ich möchte allein sein.«

»Ich habe Angst, dass Sie …«

»Was?«

»Dass Sie weitermachen. Mit dem Whisky.«

»Ich werde schlafen gehen.«

Sie schauten einander an. Kate hätte nicht zu sagen gewusst, was sie eher glaubte: Dass es bei diesem einen Ausrutscher blieb. Oder dass Caleb wieder rückfällig geworden war. Mit weitreichenden Konsequenzen. Alles war möglich, alles war offen.

Sie nahm ihre Handtasche. Dann fiel ihr noch etwas ein. Der Grund, weshalb sie gekommen war. »Ach, Caleb, was ich sagen wollte: Ich habe heute früh noch mit Kadir Roshan gesprochen. Das ist dieser seltsame Mann, der vor dem Haus von Grace Henwood immer auf der Mauer sitzt. Ein Sonderling, der aber alles, was geschieht, recht wach beobachtet.«

Sie sah Caleb an, dass er sich Mühe geben musste, sich auf ihre Worte zu konzentrieren. Er merkte es auch. »Das ist jetzt alles, was bei dem Scheißentzug herausgekommen ist! Ich vertrage nichts mehr. Früher nach einer halben Flasche Whisky war ich brillant. Jetzt habe ich das Gefühl, als ob alles verschwimmt in meinem Kopf. Wie spreche ich? Hört man es? Dass ich betrunken bin?«

»Ein bisschen. Vielleicht reden Sie heute Abend besser mit niemandem mehr. Es braucht niemand mitzubekommen.«

»Ja. Klar. Ist vernünftig so, oder? Was wollten Sie sagen? Wegen dem Mann auf der Mauer?«

»Er hat mir gesagt…«

Aber Caleb winkte ab. »Wissen Sie, Kate, ich glaube, ich tauge heute Abend nicht für ein wichtiges Gespräch. Sie sollten sich an Jane wenden. Jane ist die Heldin der Stunde. Sie muss unbedingt befördert werden.«

Es lag Kate auf der Zunge, darauf hinzuweisen, dass Jane für eine Beförderung, die sie zwangsläufig in den Rang eines Detective Sergeant katapultiert hätte, einige Jahre zu jung war, aber sie schluckte die entsprechende Bemerkung hinunter. Es ging sie nichts an.

»Ich soll Jane anrufen?«

»Ja. Am besten. Oder fahren Sie zu ihr. Burniston. Limestone Grove. Nummer … Liebe Güte, mein Gedächtnis …« Er griff sich an den Kopf, als könne er so seine Gedanken zur Konzentration zwingen. »Fünfzehn, glaube ich. Oder fünf. Oder fünfundzwanzig.«

»Meinen Sie, ich kann sie einfach überfallen?«

Er lachte, und es klang unfreundlich. »Mich haben Sie doch auch einfach überfallen.« Als er ihr Gesicht sah, fügte er versöhnlich hinzu: »War nicht ernst gemeint. Nein, ehrlich, ich denke, sie freut sich. Sie kann ja abends nie weg von daheim. Jane ist ziemlich einsam, wissen Sie? Wegen Dylan. Da liegt ihr ganz großes Problem.«

5

Die Straße immerhin stimmte. Soweit hatte Caleb seinen Verstand noch beisammen. Kate erkannte das Haus dann anhand von Janes Auto, das in der Einfahrt stand. Mit der Zahl fünf, in welcher Kombination auch immer, hatte Caleb danebengelegen.

Die Siedlung in Burniston, einem Vorort von Scarborough, schien vergleichsweise neu, war sauber, ordentlich und freundlich. Kleine Häuser aus roten Klinkersteinen gebaut, mit weißlackierten Sprossenfenstern und weißen Haustüren. Der Rasen in den Vorgärten war ordentlich gemäht. Die ganze gediegene Umgebung passte nicht richtig zu Jane, jedenfalls nicht, soweit Kate sie kannte und einschätzen konnte. Aber vermutlich war es auch nicht das, was sich Jane nach ganz eigenem Willen ausgesucht hatte. Die geringe Quadratmeterzahl der jeweiligen Häuser verriet vor allem eines: Es kostete nicht die Welt, hier zu wohnen. Als junge Polizistin verdiente Jane nicht viel, aber vielleicht hatte sie sich trotzdem ein kleines Gärtchen vorgestellt und nicht nur eine Etagenwohnung irgendwo im Stadtzentrum von Scarborough. Schon wegen des Kindes. Irgendwo musste man Abstriche machen. Diese gepflegte Siedlung war Janes Kompromiss.

Es regnete noch immer nicht. Aber am Himmel schraubten sich die Wolkentürme in die Höhe. Blauschwarz. Unheilverheißend.

Zum zweiten Mal an diesem Abend stand Kate vor einer fremden Tür, klingelte und fragte sich beklommen, ob sie das Richtige tat. Vielleicht ging sie allen nur auf die Nerven. Caleb hatte sich nicht gerade gefreut, sie zu sehen. Sie hätte Jane einfach anrufen sollen. Aber im Innersten wusste sie genau, warum sie es nicht getan hatte: Nachdem sie Monate völlig alleine im Haus ihres Vaters verbracht hatte, in völliger Selbstgenügsamkeit, hatte sie nun auf einmal das Gefühl, es nicht länger auszuhalten. Sie wollte nicht mehr alleine sein. Sie wollte andere Menschen treffen. Sie wollte leben.

Schnelle Schritte näherten sich, und schon ging die Tür auf. Jane. Sie blickte Kate verwundert an. Zumindest hoffte Kate, dass es Verwunderung war – und nicht Erschrecken.

»Kate? Das ist eine Überraschung.« Sie wich nicht zurück. »Ist etwas passiert?«

»Passiert ist nichts. Zumindest hoffe ich das. Wissen Sie, ich hätte auch anrufen können…«, stotterte Kate. Es ist doch *Erschrecken*, dachte sie unbehaglich. Ich hätte nicht kommen sollen.

»Ja?«

Von drinnen war lautes Scheppern zu vernehmen, gefolgt von ebenso lautem Klirren.

»Du liebe Güte«, rief Jane, drehte sich um und rannte ins Haus.

Kate blieb ein paar Minuten unschlüssig stehen. Sie konnte es fast greifen – die Gewissheit, so ziemlich der letzte Mensch zu sein, den Jane an diesem Abend sehen wollte. Sie störte. Aber vielleicht hätte jeder andere auch gestört. Jane hatte so gestresst ausgesehen. Abgekämpft, müde. So, als sei hier zu Hause die Maske der selbstbewussten, engagierten, souveränen Polizistin, die ihre Arbeit zuverlässig und gut erledigte, von ihr abgefallen. Dahinter kam eine Frau zum Vorschein, die alle Energie brauchte, ihr Leben zu meistern. Die überflutet wurde von den Anforderungen, die der Alltag brachte.

Als Jane nicht zurückkam, überlegte Kate schon, ob sie einfach gehen sollte. Die Haustür leise zuziehen und verschwinden.

Aber dann entschied sie anders. Sie trat ein, ging den Gang entlang und kam in die Küche. Überrascht blieb sie stehen.

Jane kauerte auf dem Boden, der übersät war mit Scherben. Mehrere Dinge mussten zu Bruch gegangen sein, Gegenstände aus Glas und aus Porzellan. Die Scherben hatten sich bis in den letzten Winkel verteilt. Jane hockte dazwischen. Sehr vorsichtig griff sie nach den größeren Teilen und warf sie in den Müllsack, den sie neben sich aufgestellt hatte.

Sie schaute auf. »Ach, Kate. Entschuldigen Sie. Kleines Malheur.«

Am Küchentisch saß ein junger Mann. Jedenfalls schien es sich von Größe und Statur her um jemanden zu handeln, der um die achtzehn oder neunzehn Jahre alt sein musste. Der Gesichtsausdruck war jedoch eher der eines kleinen Kindes. Ein debiles Grinsen lag über den weichen, puddingartigen Zügen, die ohne jede Kontur waren. Spärliche blonde Haare hingen in die flache Stirn und schmiegten sich eng um den großen, runden Kopf. Der junge Mann steckte in einem dunkelblauen Trainingsanzug, der wahrscheinlich das einzige Kleidungsstück darstellte, in das seine Körpermassen hinein passten. Er war unfassbar fett. Fleischige, große Hände, Arme wie prall gefüllte, wabbelige Würste. Einen Körper, den er kaum durch eine normale Tür würde hindurch bewegen können. Der kaum auf einen Stuhl passte. Zum Glück gab es hier eine Bank. Und selbst auf ihr quoll er rechts und links über.

Er gab einen glucksenden Laut von sich und griff in irgendwelche Nahrungsmittel, die als nicht näher zu identifizierende Masse gemischt mit Splittern und Scherben vor ihm auf dem Tisch herumschwammen.

»Hunger«, sagte er undeutlich. »Hunger!«

Jane sprang auf, war sofort neben ihm. Packte seine Hand. »Nein! Das sind Scherben. Das ist gefährlich!«

Er starrte sie an. »Hunger.«

»Einen Moment noch. Du bekommst gleich etwas. Ich muss hier erst Ordnung machen. Du steckst nichts in den Mund, hörst du?«

Er schürzte schmollend die Lippen. Aber er hörte auf, nach dem gefährlichen Gemenge vor sich auf der Tischplatte zu greifen.

Kate stand wie erstarrt vor der Szenerie.

Sie wünschte, sie wäre nicht hineingekommen. Sie verstand, weshalb Jane sie nicht aufgefordert hatte, das Haus zu betreten.

Jane drehte sich zu ihr um. Sie strich sich die wirren Haare aus der verschwitzten Stirn.

»Tja«, sagte sie, »das ist er also. Das ist Dylan.«

Es gab ein unfehlbares Mittel, ihn ruhigzustellen: Scones mit Schlagsahne und Pfirsichmarmelade.

»Es ist nicht die richtige Methode«, sagte Jane, »angesichts seines Umfanges. Aber anders schaffe ich es nicht. Ich brauche ein paar Momente für mich. Und was heißt schon, *für mich*? Es geht darum, ab und zu den Rasen zu mähen, zu duschen, mich konzentriert durch eine Akte zu arbeiten, die ich tagsüber im Büro nicht geschafft habe. Dann muss er still sein. Und dann stopfe ich ihn mit seinem Lieblingsessen voll. Er wird dann friedlich wie ein Lamm.«

Dylan saß in der Küche, mampfte Scones, auf die er sich bergeweise frisch geschlagene Sahne häufte. Jane und Kate hatten gemeinsam die Küche in Ordnung gebracht, die großen Scherben in den Müllsack geworfen, das Essen, das überall verteilt war, aufgewischt, die kleineren Scherben mit dem Staubsauger entfernt. Dylan und Jane waren gerade beim Abendessen gewesen, und Dylan hatte alles, was auf dem Tisch stand, durch die Gegend geworfen.

»Weil ich geklingelt habe«, sagte Kate. »O Gott, es tut mir so leid.«

»Ich weiß nicht, ob es deshalb war«, sagte Jane. »Irgendetwas klappte nicht so, wie er wollte. Dann dreht er leicht durch. Ich erlebe solche Szenen ziemlich oft.«

Sie saßen im Wohnzimmer. Die Tür stand offen, ebenso die Küchentür. Jane hatte Dylan im Auge.

»Möchtest du etwas trinken?«, fragte sie. Seitdem sie sich gemeinsam durch das Schlachtfeld gekämpft hatten, herrschte eine neue Vertrautheit zwischen ihnen. Kate war noch immer in Sorge, dass sie der Anlass für Dylans Ausbruch gewesen war, aber eines spürte sie auch: Caleb hatte recht gehabt. Jane war sehr einsam. Und sie schien jetzt nicht mehr erpicht darauf, Kate möglichst schnell loszuwerden.

Sie muss ja auch nichts mehr verbergen, dachte Kate.

»Nein danke«, sagte sie. »Bleib jetzt einfach mal sitzen und ruh dich einen Moment lang aus.«

Jane nickte, lehnte sich in ihrem Sessel zurück. »Wochentags geht er in eine Behindertenwerkstatt. Er ist dort beschäftigt, und das tut ihm gut. Er stellt einfache Dinge her, Wäscheklammern, geflochtene Untersetzer. Solche Sachen. Er wird morgens mit dem Bus abgeholt und am späten Nachmittag zurückgebracht. Um halb sechs trifft er hier ein. Leider schaffe ich es nicht immer, um diese Zeit auch schon daheim zu sein. DCI Hale kennt das Problem, er versucht immer, mir ein früheres Nachhausegehen zu ermöglichen. Er ist ein wirklich fairer Vorgesetzter. Aber immer... kann er es natürlich auch nicht hindeichseln.«

»Und dann?«

Jane zuckte die Schultern. »Ich habe eine Nachbarin. Bis jetzt ist sie immer eingesprungen. Schimpfend und zeternd zwar, aber ich konnte auf sie zählen. Letztlich habe ich das Glück, dass sie sehr alleine und sehr gelangweilt ist. Und dass sie es genießt, Macht über andere Menschen zu haben. Sie liebt die Tatsache, dass ich von ihr abhängig bin, und ich schlucke ihre giftigen Bemerkungen hinunter und bettle meistens mehrmals die Woche demütigst darum, dass sie mir wieder hilft. Natürlich kann sie ihn auch nicht anders ruhigstellen als dadurch, dass sie ihm Essen ohne Ende auftischt. Wenn man ihn ansieht, sollte man denken, dass er bald platzt, aber er kann unfassbar viel Nahrung in sich hineinschaufeln. Dann wird er lammfromm. Und was soll ich machen? Ich kann von ihr nicht verlangen, dass sie ihm ein Beschäftigungsprogramm bietet. Ich muss froh sein, dass sie ihn beaufsichtigt.«

Kate war noch immer wie vor den Kopf geschlagen. Sie hatte geglaubt, Jane sei eine alleinerziehende Mutter, gestresst und überfordert zwar wie die meisten Frauen in dieser Situation, aber zugleich mit den beglückenden Seiten dieses Daseins gesegnet: ein liebenswerter kleiner Junge, der zu ihr gehörte. Der sie brauchte und liebte.

Stattdessen ... dieser Schrank von einem Mann, dieser völlig überfettete Koloss. Vollkommen abhängig von ihr, vollkommen gestört. Eine nahezu unerträglich schwere Fessel an den Füßen dieser zarten, jungen Frau. Jemand, der sie nur auslaugte. Und vermutlich kaum etwas zurückgab. Kaum etwas zurückgeben *konnte.*

»Wie alt ist Dylan?«

»Er wird in vier Wochen achtzehn.«

»Er ist ...«

»Mein Bruder. Mein *kleiner Bruder.*« Jane lachte, weil ihr die Absurdität dieser Formulierung auch sogleich auffiel. »Ich habe ihn sozusagen von meinen Eltern geerbt. Zusammen mit der Verpflichtung, immer für ihn da zu sein.«

Kate schwante das ganze Ausmaß der Last. »Sie haben von dir verlangt ...?«

»Meine Mutter«, schränkte Jane ein. »Mein Vater hat sich aus dem Staub gemacht, als Dylan noch klein war. Meine Mutter hat dann ihr Leben ganz und gar diesem Kind gewidmet. Auf dem Sterbebett musste ich ihr versprechen, ihn nie in ein Heim zu stecken.«

»Das ist ein sehr großes Versprechen«, sagte Kate leise.

»Ja. Und ich weiß gar nicht, ob ich es wirklich für immer halten kann.« Jane stand auf, nahm ein Glas aus einem

Schrank und schenkte sich einen Gin ein. Sie warf Kate einen fragenden Blick zu, aber die schüttelte den Kopf. »Es wird immer schwerer mit ihm. Er wird stärker. Aggressiver. Er bekommt jede Menge Tabletten. Zum Teil sind sie dafür verantwortlich, dass er so aufgeschwemmt ist. Aber es liegt natürlich auch daran, dass er ständig mit Essen ruhiggestellt wird. Ein Teufelskreis, aber ich habe keine Ahnung, wie ich ihn durchbrechen sollte.«

»Du bist ganz allein mit dem Problem?«

»Wenn man von meiner liebreizenden Nachbarin absieht – ja«, sagte Jane.

»Kam er schon behindert auf die Welt?«

»Ein Geburtsfehler.«

Sie schwiegen beide. Aus der Küche hörte man das leise Klappern des Tellers, von dem Dylan aß. Jane starrte vor sich hin. Kate stellte sich die Abende dieser Frau vor: Wie sie von der Arbeit nach Hause hetzte. Unterwegs vielleicht noch in Windeseile die wichtigsten Einkäufe erledigte. Es selten bis halb sechs schaffte. Von der Nachbarin angeblafft wurde, weil diese wieder einmal hatte einspringen müssen. Jede patzige Antwort hinunterschlucken musste, weil sie auf keinen Fall riskieren durfte, dass die Alte alles hinschmiss. Und wie sie dann hier festsaß. Ihren unberechenbaren Bruder beaufsichtigte. Nichts sonst unternehmen konnte: kein Abendspaziergang am Meer. Kein Sportstudio. Kein schnelles Treffen mit ein paar Freunden auf eine Pizza. Kein Kinobesuch. Und natürlich kein Rendezvous mit einem Mann. Zumal sie sich eine engere Beziehung mit einem Mann sowieso von vornherein abschminken konnte – jeder würde spätestens dann auf Abstand gehen, wenn er Janes ganz spezielle Mitgift zu Gesicht bekäme. Kate vermutete, dass Dylan auch der Grund für Janes frühe Scheidung war.

»Ach, Jane«, sagte Kate leise.

Jane blickte auf. »Deine Haare sehen gut aus. Eine neue Frisur, stimmt's? Toll. Viel weicher und jünger.«

»Danke. Vielen Dank.«

»Weshalb bist du eigentlich hier vorbeigekommen?«, fragte Jane. »Ich meine, ich freue mich. Wirklich. Wie du dir denken kannst, bekomme ich äußerst selten Besuch. Aber du hattest etwas Bestimmtes auf dem Herzen, oder?«

»Ja.« Rasch berichtete Kate, was Kadir Roshan ihr erzählt hatte. Von dem seltsamen Mann, der offenbar dort in der Siedlung in Liverpool herumstreunte und nach Grace fragte.

»Ich wollte nur klären, ob es sich bei ihm um einen Polizisten handelt. Dann könnte man ihn beruhigt abhaken. Ich war bei Caleb, aber ...« Sie brach ab und biss sich auf die Lippen. Sie hatte die Begegnung nicht erwähnen wollen.

Jane merkte sofort, dass etwas nicht stimmte. »Du warst bei Caleb? Heute Abend?«

»Ja.«

»Und er hat dich zu mir geschickt?«

»Er dachte, du könntest das vielleicht klären. Durch einen Anruf bei der Ermittlungsleiterin in Liverpool.«

»Warum hat er das nicht selbst getan? Es hätte ihn zwei Minuten gekostet.«

»Er ...« Sie zögerte, aber dann dachte sie daran, was Jane ein paar Minuten zuvor gesagt hatte: Er ist ein wirklich fairer Vorgesetzter. Ihre Stimme hatte warm geklungen, ihr Gesichtsausdruck hatte verraten, wie sehr sie Caleb schätzte.

Sie würde ihm niemals schaden wollen. Vielleicht konnte sie helfen.

»Er war betrunken, Jane. Er stand in seiner schicken Küche und kippte den Whisky wie Wasser in sich hinein. War aber immerhin noch geistesgegenwärtig genug, um zu erkennen, dass er besser niemanden mehr anrufen sollte heute Abend. Man hört es an seiner Stimme. Und an der Art, wie er sich ausdrückt.«

»Verdammt«, sagte Jane. »So ein verdammter Mist!« Sie stellte ihr Glas weg, ohne den Gin darin ausgetrunken zu haben. »Ich hatte heute Nachmittag schon ein dummes Gefühl. Wegen der Sache mit Shove. Es hat ihn ... total durcheinandergebracht.«

»Du hast eine Familie gerettet heute, habe ich gehört?«

»Ja. Und Caleb glaubt jetzt, dieser Familie wäre nie etwas zugestoßen, wenn wir Shove nicht so in die Enge getrieben hätten. Weißt du, Kate, da mag etwas dran sein. Aber trotzdem bleibt die Tatsache bestehen, dass Shove ein gefährlicher Krimineller ist. Sie werden ihn jetzt drüben in Irland schnappen, und das ist gut. Das ist ein Erfolg für unser Team. Ich wünschte, Caleb könnte das auch so sehen.«

»Er hat noch immer nicht den Mörder meines Vaters. Und den von Melissa Cooper. Und von Norman Dowrick.«

»Ich empfinde Shove keineswegs als falsche Spur. Er ist äußerst gewaltbereit. Er wäre so oder so irgendwann wieder in eine Situation geraten, in der er auf jemanden geschossen oder eingestochen oder in der er jemanden erschlagen hätte. Er ist dieser Typ. Der ewige Verbrecher. Er ändert sich nicht.«

»Jane, niemand darf erfahren, was ich gerade über Caleb erzählt habe«, sagte Kate.

»Ich halte mit Sicherheit dicht. Die Frage ist, hat sich Caleb morgen früh wieder unter Kontrolle? Und kriegt er noch einmal die Kurve?«

Die beiden Frauen sahen einander an. Caleb stand auf der Kippe. Zentimeter vom Abgrund entfernt.

»Hunger«, sagte Dylan. Unbemerkt war er ins Wohnzimmer gekommen. Er schien den Raum sofort vollständig auszufüllen, das Haus noch kleiner zu machen, als es schon war. Sein Gesicht war mit Sahne beschmiert. Sahne klebte auch auf der Jacke seines Trainingsanzuges. Irgendwelche undefinierbaren Dinge verschmierten seine Hose. Kate fragte sich, wie es Jane schaffte, diesen jungen Mann halbwegs sauber zu halten.

Jane nahm ihren Bruder am Arm. »Für heute ist es genug, Dylan. Wie ist es, möchtest du etwas fernsehen?«

»Fernsehen«, wiederholte Dylan. Er ließ sich auf das Sofa plumpsen, das unter seinem Gewicht bis fast auf den Boden sank.

»In seiner Werkstatt ist Scharlach ausgebrochen«, sagte Jane. »Sie haben für ein paar Tage geschlossen. Jetzt muss ich sehen, dass ich für morgen die Nachbarin wieder gewinne.«

»Fernsehen!«, sagte Dylan. Es klang jetzt fordernd, leicht aggressiv. Kate konnte sich vorstellen, dass er sehr wütend werden konnte. »Fernsehen!«

Seine Schwester legte eine DVD ein und schaltete das Gerät an. *Thomas, die kleine Lokomotive.* Dylan lachte glucksend und ahmte die Geräusche einer Eisenbahn nach. Kates Handy klingelte im selben Moment. Sie stand rasch auf und verließ das Zimmer, weil es die Stimmen aus dem Fernseher zusammen mit den Lokomotivgeräuschen, die Dylan in zunehmender Lautstärke von sich gab, unmöglich machten, etwas zu verstehen.

»Ja? Kate Linville hier.«

Ein Wispern. Sie verstand nichts.

»Hallo? Wer ist da? Hier ist Kate Linville.«

»Kadir. Hier ist Kadir.« Er flüsterte noch immer. Kate ging weiter bis in die Küche. Dylan klang inzwischen wie ein Expresszug, der direkt unter dem Fenster des Hauses vorbeibrauste.

»Kadir? Was gibt es? Können Sie lauter sprechen?«

»Er ist hier«, flüsterte Kadir. »Der Mann. Er sucht Grace.«

»Er ist bei Ihnen?«

»Er darf mich nicht hören. Er ist gefährlich.«

»Kadir, Sie müssen ...«

»Ich weiß, wo Grace ist.«

»Sicher?«

»Ich vermute es. Ich vermute es *fast sicher.*«

»Können Sie die Polizei in Liverpool anrufen?«

»Mein Geld ist gleich durch ...«

Kate hörte es klappern. Natürlich, Kadir besaß kein Handy. Sie konnte von Glück sagen, dass er mitten in der heruntergekommenen Siedlung eine offenbar nicht zerstörte Telefonzelle gefunden hatte. Und ein paar Pennies bei sich hatte.

»Okay, Kadir. Bleiben Sie, wo Sie sind. Ich kümmere mich darum. Wo ist Grace?«

Das Geld ratterte durch. Und Kadir sprach so leise. Sie konnte seine Angst förmlich spüren. Er war fast in Panik.

»...früher ... unterhalb vom Canada Dock ... flussabwärts ...«

Das waren die Fragmente, die sie aufschnappen konnte.

Dann war die Leitung tot.

6

Detective Sergeant Robert Stewart war wieder einmal eine Verabredung geplatzt, und er verspürte nicht die geringste Lust, nach Hause zu gehen. Es war ein ewiges Problem mit den Internetbekanntschaften. Man tauschte wochenlang E-Mails miteinander aus und dachte, aus all dem könne tatsächlich etwas Ernsthaftes entstehen, aber wenn es daran ging, die virtuelle Bekanntschaft in das echte Leben zu überführen, gingen die Schwierigkeiten los. Seine derzeitige Beziehung – wenn man das so nennen konnte – zierte sich, seitdem er ein Treffen vorgeschlagen hatte. Für heute Abend hatte sie endlich zugesagt, um ihm im letzten Moment eine Mail zu schicken, in der sie unter fadenscheinigen Vorwänden erneut absagte. Sie schien sich vor der Realität zu fürchten, wofür es viele Gründe geben mochte. Schlechte Erfahrungen oder aber sie war eine Romantikerin, der bereits schwante, dass der Zauber ihrer per Computer ausgetauschten Gedanken zerbrechen würde, wenn sie einander erst bei Wein und Pasta gegenübersaßen. Die wahrscheinlichste Erklärung war allerdings die, dass ihre Angaben zu ihrer Person nicht ganz der Wahrheit entsprochen hatten und sie den Moment fürchtete, da dies offenbar würde.

Da er auf dem Heimweg ohnehin nahe beim Scarborough General Hospital vorbeikam und sowieso keine Lust auf einen einsamen Fernsehabend hatte, beschloss Robert, rasch bei Stella Crane vorbeizuschauen, um sich nach ihr, ihrem Sohn und vor allem ihrem Mann zu erkundigen. Es war acht Uhr, eine Zeit, die, wie er fand, noch einigermaßen angemessen war für einen Besuch. Wenn Mrs. Crane schlief oder einfach kein Gespräch wünschte, konnte er ohne viel Aufhebens einfach wieder verschwinden.

Es war ein tolles Ding, das Jane Scapin heute hingelegt hatte, das musste der Neid ihr lassen. Wenn man bedachte, unter welch erschwerten Umständen sie ihr Leben meisterte, leistete sie tatsächlich hervorragende Arbeit. Und es war typisch für sie: Leise und ohne viel darüber zu reden, hatte sie eine abseitige Spur verfolgt und schließlich einen Volltreffer gelandet. Der letztlich dann auch zur Festnahme des gesuchten Denis Shove geführt hatte: Vierzig Minuten zuvor hatte Robert die Nachricht bekommen, dass die Kollegen in Irland Shove und seine Partnerin festgenommen hatten. Die beiden waren in dem weitläufigen Ring aus Polizeikontrollen um Belfast herum hängen geblieben. Zum Glück hatte es keine weiteren Verletzten gegeben. Ein nervlich zerrütteter Denis Shove hatte nicht einmal mehr den Versuch gemacht, seine Schusswaffe zu benutzen, sondern sich sofort ergeben. Seine Begleiterin war noch an Ort und Stelle weinend zusammengebrochen. Die beiden hatten nicht unbedingt das Format einer Neuauflage von Bonnie und Clyde gezeigt.

Seitdem er von der Festnahme erfahren hatte, bemühte sich Robert, DCI Caleb Hale zu erreichen, aber zu seiner Verwunderung ging der Chef nicht ans Telefon. Er war früher als sonst nach Hause gefahren, aber für gewöhnlich war er immer erreichbar. Besonders an einem Tag wie diesem, an dem man schließlich mit der Verhaftung des Mannes hatte rechnen können, den sie alle – und Caleb mit der größten Entschlossenheit – seit Monaten gejagt hatten. Es passte nicht zu Hale, genau jetzt einfach abzutauchen. Andererseits war er den ganzen Tag über verdammt schlecht drauf gewesen. Robert, der nicht mit allzu großer Sensibilität ausgestattet war, was die Gefühle anderer Menschen anging, verstand das gar nicht. Endlich hatten sie ihn, sie hatten Denis Shove! Okay, er war höchstwahrscheinlich nicht Linvilles Mörder. In diesem Punkt waren sie, zugegeben, noch nicht so richtig weit gekommen. Aber das konnte sich jäh ändern, wenn es gelang, jene Liverpooler Zeugin aufzutreiben. Alles ganz sicher nur eine Frage der Zeit. Aber Shove war ein obermieser Typ, und es war gut, dass er erneut in den Knast ging. Es war ein Erfolg. Und Liverpool mitsamt der Entdeckung des toten Norman Dowrick war, wenngleich es makaber anmutete, auch ein Erfolg. Zwei Erfolge, der eine ging auf Jane Scapins Konto, der andere auf das dieser kleinen grauen Maus. Kate Linville.

Lag hier Hales Problem? Von zwei *Frauen* locker überrundet worden zu sein?

Aber so kleinkariert war der Chef eigentlich nicht.

Es hatte zu regnen begonnen, als Robert sein Auto parkte und ausstieg. Er hatte nichts dabei, womit er sich hätte schützen können, also rannte er den gepflasterten Weg entlang, der zu dem Gebäudekomplex hinführte. Gleich nachdem er auf den Parkplatz gefahren war, hatte er es noch einmal bei Hale versucht, wiederum ohne Erfolg. Kurz hatte er überlegt, Jane Bescheid zu geben, dann jedoch beschlossen, ihr den Feierabend zu gönnen. Sie sah wirklich elend aus in der letzten Zeit. Vollständig von ihren Lebensumständen überfordert.

Er hatte damit gerechnet, sich zu Stella Cranes Zimmer durchfragen zu müssen, aber zu seinem Erstaunen traf er sie schon in der Eingangshalle an. Er erkannte sie sofort, er war am Vormittag einer der Kollegen gewesen, die Jane hinaus zu der Farm gerufen hatte. Er hatte gesehen, wie Sanitäter den halbtoten Jonas Crane aus der heißen, nach menschlichen Exkrementen stinkenden Scheune getragen hatten. Er hatte der ausgemergelten Stella vorsichtig ein paar erste Fragen gestellt. Er hatte ihrem Sohn ein Manchester-United-Abziehbild geschenkt, das er zufällig in seinem Auto gefunden hatte. Er hatte damit ein Lächeln auf das Gesicht des Kindes gezaubert, und Stella hatte leise gesagt: »Danke. Vielen Dank.«

Jetzt stand sie wieder vor ihm, in Jeans, Turnschuhen und einem langärmeligen T-Shirt. Sie war sehr blass und hatte noch immer dieses knochige, strapazierte Gesicht mit den übergroßen Augen, aber verglichen mit dem Vormittag, hatte sie sich schon erstaunlich gut erholt. Ihre langen blonden Haare waren gewaschen und zu einem Zopf geflochten, sie hatte sich sogar ein wenig geschminkt.

»Ach, Sergeant«, sagte sie, als sie ihn sah. »Ich wollte gerade einen kleinen Spaziergang machen. Und nun sehe ich, dass es zu regnen angefangen hat.«

»Es ist ungemütlich draußen«, bestätigte Robert und schüttelte sich. Tropfen perlten aus seinen Haaren in seine Stirn. »Und es ist deutlich kälter geworden. Ich würde nicht gehen an Ihrer Stelle. Sie sind noch nicht fit. Sie holen sich sofort eine Erkältung.«

»Da haben Sie sicher recht«, stimmte sie zu. Sie sprach ungewöhnlich langsam. Robert nahm an, dass sie ein starkes Beruhigungsmittel bekommen hatte.

»Ich wollte Ihnen sagen, dass wir ihn haben«, sagte er. »Denis Shove. Er ist drüben in Nordirland geschnappt worden.«

Sie brach nicht in Euphorie aus, aber sie schien die Nachricht als eine gute Nachricht zu empfinden. Dann fiel ihr etwas ein. Ihre ohnehin riesigen Augen weiteten sich. »Hat er …?«

Robert wusste, was sie fragen wollte. »Nein. Er hat sich nicht widersetzt. Es ist kein Schuss gefallen. Er wird jetzt einen Prozess bekommen, und er wird für eine ziemlich lange Zeit ins Gefängnis gehen, schätze ich.«

»Und was ist mit Terry? Therese Malyan? Seine Begleiterin?«

Er zögerte. »Ungeschoren kommt sie nicht davon. Sie wird wegen Mittäterschaft angeklagt werden.«

»Sie ist ihm hörig. Er hatte sie vollständig im Griff.«

»Man wird ihre Rolle genau untersuchen. Es wird auch ein Psychologe hinzugezogen werden. Ein Stück weit ist sie sicher selbst ein Opfer gewesen, das wird man berücksichtigen. Die Kollegen in Irland sagen, dass sie schlimm aussieht. Sie hat nach eigener Aussage einen Fluchtversuch unternommen, aber Shove hat sie erwischt und übel zugerichtet. Trotzdem: Machen Sie sich nicht zu viele Gedanken um sie. Sie ist jung, aber sie ist eine erwachsene Frau. Man kann sie nicht von jeglicher Eigenverantwortung freisprechen.«

Stella nickte.

Sie ist tief verstört, dachte Robert, noch völlig traumatisiert.

Behutsam fragte er: »Wie geht es Ihrem Sohn? Und – vor allem – Ihrem Mann?«

»Meinen Sohn hat mir eine der Schwestern abgenommen. Sie malt mit ihm. Es sind hier alle sehr nett. Und mein Mann…« Sie hob beide Arme. »Es geht ihm sehr schlecht. Sie hoffen, dass er die Nacht übersteht.«

»Er wird sie überstehen«, sagte Robert in dem Bemühen, der blassen, verängstigten Frau etwas Hoffnung zu spenden. »Es wird alles gut ausgehen.«

»Es war ein Albtraum. Ein so furchtbarer Albtraum.« Sie schauderte. »Wir wollten eigentlich zur Ruhe kommen. Jonas vor allem. Er war völlig überarbeitet, und er machte sich ständig Sorgen… Sein Arzt hatte ihm dazu geraten, wissen Sie? Einen Ort zu finden, der total abgeschieden von der Welt ist. Kein Telefon, kein Internet. Die Möglichkeit, sich ganz auf sich selbst zu besinnen und irgendwie die eigene Mitte wiederzufinden. Na ja, das ging nun völlig daneben.« Sie schwieg, starrte an Robert vorbei hinaus in den Regen.

»Aber die Idee war gut«, sagte Robert, »Sie konnten nicht ahnen, was daraus wird. Niemand hätte das voraussehen können. Es ist eben … es gibt eben das Böse in der Welt. Leider.«

Geht's noch etwas banaler?, fragte er sich gleich darauf.

Aber sie nickte ernsthaft. »Ja. Das gibt es. Man weiß es. Man liest es jeden Tag in der Zeitung. Und trotzdem glaubt man nie, dass es einen selbst treffen könnte. Das ist wie mit schweren Krankheiten und furchtbaren Autounfällen. Es sind immer nur die anderen. Bis … ja, bis man es dann selber ist.«

»Es ist vorbei.«

Ihr fiel plötzlich etwas ein. »Ich muss unbedingt noch einmal mit Ihrer Kollegin sprechen. Mit dieser tollen Frau, die uns gefunden hat. Glauben Sie, dass das geht?«

»Detective Constable Jane Scapin. Natürlich geht das. Wir müssen Sie sowieso noch einmal zu uns aufs Revier bitten. Wir brauchen Ihre genaue Aussage über alles, was geschehen ist. Wenn Sie möchten, wird Jane dann das Gespräch mit Ihnen führen.«

»Das wäre schön. Ich bin ihr sehr dankbar. Ich möchte ihr das sagen.«

»Jane ist fantastisch«, sagte er, »und diese Sache hier hat sie großartig hinbekommen.«

Sie hingen jeder eine Weile den eigenen Gedanken nach. Dann räusperte sich Robert.

»Ja, also dann …«

Sie lächelte ihn an. Ein müdes Lächeln, das sie sichtlich Kraft kostete. »Ich werde mich dann wieder hinlegen. Den Spaziergang lasse ich wohl wirklich besser ausfallen.«

»Ich wollte auch eigentlich nur, dass Sie wissen, dass wir ihn haben«, sagte Robert, »Denis Shove. Wir können nichts ungeschehen machen, aber wenigstens wird er für alles bezahlen.«

»Danke, dass Sie vorbeigekommen sind.« Sie drückte ihm die Hand, dann wandte sie sich ab. Er sah ihr nach. Ihre Schritte waren schleppend und mühsam.

Gebe Gott, dass ihr Mann überlebt, dachte Robert.

Er verließ das Krankenhaus, hastete durch den Regen zu seinem Auto zurück. Dort versuchte er noch einmal, Caleb Hale zu erreichen.

Wieder nichts.

Das sah dem Chef so wenig ähnlich, dass sich Robert für einen Moment Sorgen machte. Aber dann dachte er, dass Hale vielleicht einfach seine Ruhe wollte. Er hatte wenig geschlafen in der letzten Zeit.

Vielleicht war er einfach einmal früh zu Bett gegangen.

7

»Canada Dock«, sagte Kate. »Etwas unterhalb davon. Das ist das Einzige, was ich verstanden habe. Er glaubt zu wissen, wo Grace sich versteckt hält. Und er hat Angst, das war spürbar. Der Typ streift dort wieder herum. Dieser Mann, den wir bislang nicht identifizieren konnten.«

»Wir müssen die Kollegen in Liverpool verständigen«, sagte Jane nervös. »Dieser Kadir Roshan muss ihnen das Versteck zeigen.«

»Ich habe ihm gesagt, er soll bleiben, wo er ist. Ich hoffe, er hört auf mich.«

»Wir haben immerhin eine Ortsangabe. Unterhalb vom Canada Dock. Die werden wissen, wo das ist.«

»Hast du die Nummer dieser Ermittlungsleiterin?«, fragte Kate.

Jane nickte. »Ich rufe sie sofort an.« Sie wies zur Treppe. »Mein Handy ist oben. Ich muss es immer vor Dylan in Sicherheit bringen.«

Dylan ahmte noch immer einen Zug nach und schaukelte wild auf dem Sofa herum.

Während Jane nach oben ging, um die Polizei in Liverpool zu verständigen, kam Kate eine Idee. Sie zog sich wieder in die Küche zurück, wählte Susannah Dowricks Nummer. Susannah meldete sich nach dem zweiten Klingeln.

»Hier ist Kate Linville. Susannah – es tut mir sehr leid, was geschehen ist.«

Susannah klang gefasst. »Danke, Kate. Es hat mich erschüttert, ja. Aber wir hatten seit Jahren keinen Kontakt mehr. Insofern…« Sie ließ den Satz unvollendet. Es war klar: Normans Tod änderte nichts an Susannahs Leben. Und Trauer konnte sie nach all der Zeit nicht mehr empfinden.

»Susannah, ich habe eine Frage. Sie sprachen davon, dass sich immer wieder einmal Kollegen von früher nach Norman erkundigten. Auch solche, die Sie gar nicht kannten. Erinnern Sie sich, wann zum letzten Mal jemand kam? Ich meine, bevor sich Sergeant Stewart im Zusammenhang mit dem Tod meines Vaters bei Ihnen meldete?«

»Warten Sie mal«, sagte Susannah. »Das war… das war gar nicht so lange vorher. Anfang Januar, meine ich. Ja, ich glaube, im Januar war jemand da.«

»Den Sie nicht kannten?«

»Ich kannte ihn nicht, nein. Er sagte, er habe als ganz junger Polizist kurz mit Norman zusammengearbeitet und verdanke ihm viel. Er war nicht alt – Ende zwanzig höchstens.«

Kate hielt den Atem an. »Wie sah er aus?«

»Auffallend groß«, sagte Susannah. »Blond.«

»Hat er seinen Namen genannt?«

»Er stellte sich vor, ja. Aber, ehrlich gesagt, ich weiß nicht mehr, wie er hieß. Ich habe nicht darauf geachtet.«

Wahrscheinlich war es egal. Wenn der Mann Normans Aufenthaltsort in Erfahrung bringen wollte, um ihn anschließend zu ermorden, hatte er ohnehin mit Sicherheit einen falschen Namen genannt.

»Und Sie haben ihm Normans Adresse gegeben?«

»Ja, ich …« Susannah klang plötzlich sehr verunsichert. »Meinen Sie … meinen Sie, das war der Typ, der Norman dann …?«

»Das weiß ich nicht. Machen Sie sich keine Gedanken, Susannah. Selbst wenn er es war, er hätte so oder so Mittel und Wege gefunden, an sein Ziel zu kommen. Glauben Sie mir.«

Susannah klang ziemlich unglücklich, als sie sich verabschiedeten. Kate hingegen war nun fast sicher, dass es sich bei dem Unbekannten nicht um einen Beamten der Liverpool Police handelte. Der Täter war zurückgekommen. Er suchte nach Grace Henwood, die eine furchtbare Gefahr für ihn darstellte.

Woher weiß er es?, fragte sich Kate. Wie hat er so schnell erfahren, dass es eine Tatzeugin gibt und wer sie ist?

Die Presse hatte nichts erwähnt. Und selbst wenn man davon ausging, dass eine Menge Menschen in der Siedlung Bescheid wussten und kapiert hatten, welche Rolle Grace in der Geschichte spielte und weshalb die Polizei dringend nach ihr suchte – so war es dennoch erstaunlich, wie sich die Botschaft in Windeseile bis zum Täter herumgesprochen hatte.

Er kennt dort jemanden, dachte Kate. Es gibt vor Ort jemanden, der mit ihm kooperiert.

Eine beängstigende Vorstellung – dazu eine, die ihr absurd erschien. Aber es musste so sein. Es musste eine Verbindung geben.

Jane kam die Treppe herunter, ihr Handy in der Hand. »Die schicken sofort jemanden zu Mr. Roshan. Und sie schicken Leute zum Canada Dock. Sie waren nicht wahnsinnig begeistert, dass *wir* mit dem Hinweis kamen, aber immerhin stellen sie sich nicht quer. Übrigens konnten sie auf die Schnelle nicht sagen, um wen es sich bei dem Fremden handeln könnte. Groß und blond trifft auch auf etliche ihrer Leute zu, sie konnten nicht ausschließen, dass er ein Polizist ist. Aber das wird sich bestimmt heute Abend noch klären.«

Kate berichtete von dem Gespräch mit Susannah Dowrick und schloss mit den Worten: »Ich bin fast sicher, er ist der Täter. Er hat sich im Januar nach Dowrick erkundigt und ist dann nach Liverpool gefahren und hat ihn ermordet. Anschließend dann erst meinen Vater, dessen Adresse er ganz leicht über das Telefonbuch erfahren konnte. Zuletzt Melissa Cooper. Die Reihenfolge spielt eine Rolle, Jane.«

»Mag sein«, stimmte Jane zu. »Nur, im Moment…«

»Und er hat innerhalb von vierundzwanzig Stunden von Grace erfahren. Er ist ziemlich gut vernetzt, findest du nicht?«

»Du weißt es doch nicht, Kate. Dieser Mann in Liverpool kann wirklich ein Polizist sein. Und der Mann, der bei Mrs. Dowrick war, kann wirklich ein ehemaliger Kollege gewesen sein. Mach dich jetzt nicht völlig verrückt. Die Liverpool Police überprüft die Situation. Mehr können wir nicht machen.«

Kate sah zum Fenster hinaus. Es hatte zu regnen begonnen. Dicke Tropfen platschten schwer auf den noch immer heißen Boden. Unter den hoch aufgetürmten schiefergrauen Wolken war der Abend dunkler als all die sommerlichen Abende zuvor.

Sie dachte an Kadirs angstverzerrte Stimme. Sie dachte an Grace. Immer wieder hatte sie das zarte junge Mädchen während der letzten Tage vor ihrem inneren Auge gesehen – ihr blasses Gesicht mit dem engelhaften Lächeln. Die viel zu enge, zu kurze Kleidung, aus der sie herausgewachsen war. Die blauroten Flecken an ihren Handgelenken. Und sie hörte die Stimme von Graces Mutter: *Helfen Sie ihr!*

Da war sie wieder – die intuitive Sicherheit, mit der sie wusste, was sie zu tun hatte, ohne dass sie es irgendjemandem hätte logisch erklären können. Jenes Gefühl, das so lange unter Selbstzweifeln und Ängsten verschüttet gelegen hatte, das aber seinen Kopf zaghaft immer wieder hervorstreckte, seit sie in Scalby herauszufinden versuchte, wer ihr Vater wirklich gewesen war.

Sie wollte dorthin. Sie wollte nach Liverpool. Grace schwebte in Gefahr, und sie selbst hatte sie in diese Situation gebracht.

Und aus irgendeinem Grund argwöhnte sie, dass die Polizei in Liverpool die Situation vermasseln könnte. Dass man dort den Ernst der Lage nicht erfasste. Von Anfang an hatte man misstrauisch reagiert, als die Yorkshire Police auftauchte, ihr Interesse angemeldet und eine Verbindung zu zwei Fällen aus der Region Scarborough hergestellt hatte. Und nun war erneut eine Anweisung von dort gekommen. Wie hatte es Jane bereits angedeutet: *Die waren nicht gerade wahnsinnig begeistert, dass der Hinweis von uns kam...*

Kate hielt es für möglich, dass man die nächstbeste Streife zum Canada Dock schickte, die, falls die Beamten nicht sofort etwas sahen, das ihren Argwohn erregte, umdrehen und weiterfahren würde.

Sie zögerte kurz, entschied dann aber doch, Jane gegenüber den Mund zu halten. Jane konnte nicht gutheißen, was sie vorhatte, schon deshalb nicht, weil sie es später DCI Hale gegenüber vertreten müsste. Warum sollte sie sich freiwillig seinen Ärger zuziehen?

Zudem hatte sie es bereits angedeutet: Sie hatte Vorbehalte gegenüber Kates Vermutung, es bei dem seltsamen Mann mit dem Täter zu tun zu haben.

»Na ja«, sagte sie leichthin, »dann wäre ja soweit alles geregelt. Hältst du mich auf dem Laufenden, wenn sich etwas Neues ergibt?«

»Natürlich«, versprach Jane.

»Kann ich dich allein lassen?«

»Klar. Ich habe alles im Griff.« Tatsächlich war Dylan inzwischen verstummt und verfolgte hingerissen die Abenteuer der kleinen Lokomotive auf dem Fernsehschirm. Jane sah angestrengt und sorgenvoll aus. Kate hätte gerne noch irgendetwas Aufbauendes gesagt, aber ihr fiel nichts ein, was angesichts Janes spezieller Lebensumstände nicht dumm geklungen hätte.

So sagte sie nur: »Ich gehe dann. Gute Nacht, Jane.«

Jane machte keinen Versuch, sie zum Bleiben zu bewegen. Sie mochte sehr einsam sein, wie Caleb gesagt hatte, aber zudem war sie auch todmüde und überfordert, und das Abend für Abend.

Sie war zweifellos nicht besonders erpicht auf Gäste.

Kate fuhr so schnell durch den verregneten Abend, dass es ein Wunder war, dass niemand sie stoppte. Es war kurz nach acht Uhr gewesen, als sie bei Jane wegging, und sie war dann noch schnell bei sich zu Hause vorbeigefahren und hatte die Waffe ihres Vaters in ihre Handtasche gesteckt. Nur zur Sicherheit, wie sie sich sagte. Obwohl sie seit dem Frühstück nichts mehr gegessen hatte, verspürte sie keinen Hunger, schüttete sich aber trotzdem ein paar Cornflakes in eine Schüssel, gab Milch darüber und schlang alles hinunter. Sie wusste nicht, was die Nacht brachte, und sie wollte fit sein. Als sie losfuhr, war es fast neun Uhr.

Bis elf konnte sie es schaffen.

Das war optimistisch gedacht. Obwohl sie jede Geschwindigkeitsbegrenzung missachtete und zum Glück auf nicht allzu viel Verkehr stieß, war es halb zwölf, bis sie die Außenbezirke von Liverpool erreichte. Es regnete noch immer. Kate hatte unterwegs einmal gehalten, um auf die Toilette zu gehen und sich einen Kaffee zu holen, und sie fühlte sich ziemlich wach. Überwach, elektrisiert. Vermutlich mit Adrenalin vollgepumpt bis unter die Haarwurzeln.

Bis sie schließlich ankam, war sie überhaupt nicht mehr sicher, ob es einen Sinn machte, was sie hier tat. Vor über drei Stunden hatte Jane die Polizei verständigt. Was immer passiert war, es war längst vorbei. Der Gang der Ereignisse würde kaum innegehalten haben, bis sich Kate von der Ostküste des Landes zur Westküste bewegt hatte – nur weil sie glaubte, ohne sie würde alles schieflaufen.

In der Straße, in der Grace wohnte, war alles still. Nirgendwo brannte ein Licht in den Häusern. Zwei Straßenlaternen waren kaputt. Kate parkte, stieg aus. Sie erinnerte sich, welches Haus Kadir ihr gezeigt hatte. *Ich wohne ganz oben unter dem Dach...*

Das Schloss der Eingangstür unten war nicht mehr vorhanden, die Tür ließ sich einfach aufstoßen. Kate trat ein, probierte den Lichtschalter rechts an der Wand. Fehlanzeige, wie sie vermutet hatte. Sie tastete sich im Dunkeln die zwei Treppen hinauf. Oben blieb sie auf einem Absatz stehen, rief leise Kadirs Namen. »Kadir? Hier ist Kate. Sind Sie da?«

Niemand antwortete. Sie drückte die Klinke seiner Wohnungstür hinunter und trat ein. Inzwischen hatten sich ihre Augen an die Dunkelheit gewöhnt, sie konnte erkennen, dass sie in einem winzigen Raum stand, der sich unter die Dachschräge schmiegte. Der Regen trommelte auf das Fenster. Das Zimmer war penibel aufgeräumt. Eine Matratze in der Ecke, die mit einer Wolldecke zugedeckt war. Ein Tisch, ein Stuhl. Ein kleiner Gaskocher. Auf einem Brett an der Wand ein Teller und eine Tasse. Ein Bild völliger Bedürfnislosigkeit – oder das einer extremen Armut. Eine weitere Tür führte in ein winziges, schäbiges Badezimmer, wie Kate feststellte. Auch dort war niemand.

Kate verließ die Wohnung. Kadir war jedenfalls nicht daheim. Was noch nichts bedeuten musste: Er suchte sein Zuhause ohnehin selten auf. Die Wände kommen auf mich zu, hatte er gesagt. Kate hatte das für einen Ausdruck seiner Verwirrtheit gehalten, aber jetzt verstand sie, was er meinte. In dieser Enge, unter dieser extremen Dachschräge, hätte auch sie es kaum ausgehalten.

Vorsichtig suchte sie ihren Weg durch die Dunkelheit wieder nach unten, atmete auf, als sie auf der Straße stand. Sie ging ein Stück weiter, bis sie zu der Mauer kam, auf der Kadir immer saß. Sie war leer.

Sie schaute hinüber zu dem Haus, in dem Grace mit ihren Eltern wohnte. Völlige Schwärze hinter den Fenstern. Falls die Polizei Grace aufgegriffen hatte, war es natürlich denkbar, dass sie bei ihren Eltern abgeliefert worden war. Kate scheute jedoch davor zurück, dort jetzt einfach zu klingeln.

Ich schaue mich erst am Canada Dock um, beschloss sie. Wenn ich dort niemanden antreffe, komme ich zurück und werfe diesen widerlichen Vater aus dem Bett.

Ihr Navigationsgerät zeichnete ihr den Weg auf und gab ihr sechs Minuten Fahrtzeit an. Schien nicht allzu weit weg zu liegen und war daher für Grace wie für Kadir sicher auch zu Fuß gut erreichbar.

Kate fuhr los.

Zunächst passierte sie noch bewohntes städtisches Gebiet. Zwar war nichts mehr los, alle Geschäfte hatten um diese Zeit natürlich geschlossen, und auch selten einmal sah sie in einer Wohnung ein Licht brennen. Hin und wieder kam ihr ein Auto entgegen. Der Regen war schwächer geworden, fiel aber immer noch gleichmäßig. Eine Nacht, die kaum dazu angetan war, am Fluss herumzustreifen. Während Kate die Regent Road hinauffuhr, sah sie es immer wieder zu ihrer Linken – das dunkle, unergründliche Wasser des River Mersey. An seinen Ufern brannten Lampen, und selbst durch den Regen konnte sie stellenweise die Lichter auf der anderen Seite des Stroms erkennen. Das gab ihr das Gefühl, nicht völlig verlassen zu sein. Denn allmählich wurde die Gegend immer unbelebter. Keine Läden mehr, keine Wohnhäuser, keine Kneipen. Stattdessen Lagerhallen, Kräne, die in den Nachthimmel ragten, ein Gewirr aus mehrgeschossigen Backsteinbauten, in denen sich Büros befinden mochten, die zu dieser Stunde leer waren. Hohe Drahtzäune, die weitläufiges Fabrikgelände umschlossen. Hier wurde Schiffs- und Hafenzubehör hergestellt, und vor dem nächsten Morgen würde niemand auftauchen. Kate fuhr langsam weiter. Linker Hand standen jetzt kaum noch Gebäude, stattdessen erstreckten sich leere Grasflächen hinter halbhohen Mauern den Fluss entlang. Ab und zu ein Container, ein Schuppen, ein paar Bauwagen.

Sie haben Ihr Ziel erreicht, quäkte das Navigationsgerät.

Kate bremste, wendete und fuhr ein Stück zurück. Unterhalb vom Canada Dock, hatte Kadir gesagt. Im Licht ihrer Scheinwerfer sah sie die Regentropfen tanzen. Links von ihr befand sich eine verlassene, langgezogene Lagerhalle. Auf der rechten Seite verliefen Mauern. Welche Stelle genau meinte Kadir? Es war schwierig, hier einen Anhaltspunkt zu finden, zumal sie nicht wusste, wonach sie genau suchte. Langsam rollte sie weiter, blickte sich aufmerksam um. Dann plötzlich sah sie es: ein parkendes Auto, das ihr zuvor entgangen war. Ein Peugeot.

Sie fuhr an die Seite und hielt an. Ihr Herz ging schneller. Tatsächlich, ein Peugeot. Sie stieg aus, kniff die Augen zusammen. Die Farbe konnte sie in der regnerischen Dunkelheit nicht ausmachen, aber sie hatte eine Taschenlampe dabei. Schnell eilte sie die Straße entlang, immer dicht an der Mauer, um nicht sofort gesehen zu werden, falls jemand in dem Auto saß. Sie konnte den Fluss riechen. Der Regen verstärkte den Gestank von fauligem Tang.

Sie war schon ziemlich nass, als sie den Wagen erreichte. Sie sah sofort, dass er leer war. Als sie ihn anleuchtete, erstarrte sie: Er war grün.

Ein grüner Peugeot.

Sie dachte an die Aussage der Freundin von Robin Spencer. Ein grüner Peugeot, der mehrmals durch den Church Close gefahren war. Damals war niemand sicher gewesen, ob diese Beobachtung überhaupt von irgendeiner Relevanz war. Jetzt aber bekam sie ein anderes Gewicht.

Das konnte kein Zufall sein.

Sie notierte rasch das Kennzeichen, dann wandte sie sich

um. In der Mauer, vor der das Auto parkte, gab es einen Durchgang, der ziemlich provisorisch mit Holzbrettern und Stacheldraht verschlossen war. Der einzige Durchgang in der Nähe, jedenfalls soweit sie erkennen konnte. Wo, verflucht noch mal, war die Polizei? Oder war alles schon vorbei? Aber wieso stand das Auto noch da? Hatten sie Grace gefunden und in Sicherheit gebracht, nicht aber ihren Verfolger gefasst? Oder war es so abgelaufen, wie Kate von Anfang an geargwöhnt hatte: Eine Polizeistreife war lustlos vorbeigerollt, hatte festgestellt, dass alles ruhig war, und war weitergefahren?

Sie stand vor dem Eingang und versuchte, die Barrikade, die jemand dort errichtet hatte, zu bewegen, musste aber erfolglos aufgeben. Vielleicht gab es doch noch einen anderen Zugang, aber sie wollte nicht die Zeit damit vertun, ihn zu suchen. Rasch kletterte sie über den Zaun. Beim Hinunterspringen auf der anderen Seite blieb sie mit dem rechten Bein am Stacheldraht hängen, hörte das Ratschen, mit der Stoff ihrer Jeans zerriss, und spürte gleichzeitig einen brennenden Schmerz. Sie fühlte das Blut ihren Knöchel hinabrinnen.

Sie fluchte leise. Immerhin, sie war drüben. Sie hätte gerne mit ihrer Taschenlampe das Gelände vor sich beleuchtet, wagte es aber nicht. Sie nahm eine langgezogene Grasebene wahr, die sanft zum Fluss hin abfiel. In der Mitte gab es offenbar einen größeren geteerten Platz. Daneben ein Gebäude. Im leichten Wind klapperte eine Tür oder ein Fenster. Es sah nicht so aus, als werde dieses Gelände noch für irgendetwas genutzt. Dafür sprach auch die Verbarrikadierung des Eingangs.

Kate wusste, dies war der Moment, Verstärkung anzufordern. Sie hatte Grund zu der Annahme, dass sich ein mehrfacher Mörder hier herumtrieb, und sie war im Zweifelsfall völlig allein mit ihm. Vorsichtshalber zog sie ihre Pistole aus der Tasche, entsicherte sie. Das Problem war – wie immer in den letzten Monaten –, dass sie nicht im Dienst war. Insofern nicht befugt, Verstärkung anzufordern. Sie konnte einen normalen Notruf absetzen wie jeder andere Bürger auch.

Okay. Sie würde sich an die Spielregeln halten, aber sie würde es so dringend machen, dass man hier endlich auf Trab käme.

Sie hatte ihn nicht kommen gehört. Sie war damit beschäftigt gewesen, nach ihrem Handy zu suchen.

Als der Schlag ihren Hinterkopf traf, konnte sie nicht einmal mehr erschrecken.

Sie kippte nach vorn und war auf der Stelle bewusstlos.

8

Kadir wusste, er hatte noch nie in solchen Schwierigkeiten gesteckt. Und er hatte schon manches erlebt – und selten waren es gute Dinge gewesen. Seit er denken konnte, hatte er sich seiner Hautfarbe geschämt, und oft war er die Zielscheibe des Spotts seiner Mitmenschen gewesen, manchmal die gutmütiger Anzüglichkeiten, immer wieder aber auch die unverblümten Rassenhasses. *Curry* hatten sie ihn in der Schule genannt. Zu Hause hatte er geweint und seiner Mutter gesagt, er halte es nicht mehr aus, aber sie hatte nur erwidert, er solle froh sein, wenn es nicht schlimmer würde.

Und es war schlimmer geworden.

Voller Grauen dachte er an jenen Abend acht Jahre zuvor, als er einen Bekannten besucht hatte und zu später Stunde alleine auf einem völlig menschenleeren Bahnhof in einem Liverpooler Vorort auf seinen Zug gewartet hatte. Sie waren wie aus dem Nichts aufgetaucht: Skinheads, fünf bärenstarke, kahlrasierte Typen in Lederklamotten und Springerstiefeln. Kadir hatte sofort gewusst, dass sie ihn nicht ignorieren würden – einen dünnen, einsamen Inder, der versuchte, so unauffällig wie möglich in Richtung Treppe zu verschwinden und dabei so zu tun, als bemerke er sie nicht.

Sie hatten ihn umzingelt. Ihn von einem zum anderen gestoßen, bis er das Gleichgewicht verloren hatte und hingefallen war. Dann traten sie nach ihm. Sie brachen ihm die Nase und mehrere Rippen. Und schließlich nahmen sie ihn mit. Schleiften ihn bis in eine dunkle Unterführung, die sich unweit des Bahnhofs befand. Er entsann sich der weißgekalkten Wände mit dem bunten Graffiti. Der dunklen Nacht jenseits des kurzen Tunnels. Der Taschenlampen, die ihn blendeten. Sie erklärten ihm, dass er kein Recht habe, in ihrem Land zu sein, und dass er sehen werde, was mit Typen wie ihm geschah. Und dass es ihm leidtun werde, nach England gekommen zu sein.

Sie hatten ihn gefoltert. Stundenlang. Ohne Gnade. Hatten erst von ihm abgelassen, als sie glaubten, er sei tot. Er war Stunden später, am nächsten Morgen zu Bewusstsein gekommen, hatte sich, eine Blutspur hinter sich herziehend, zum Bahnhof zurückgeschleppt. Der war bevölkert von Pendlern, die sich auf dem Weg zur Arbeit befanden. Er erinnerte sich, dass einige bei seinem Anblick entsetzt aufgeschrien hatten. Dann war der Notarzt gekommen. Die Polizei. Im Krankenhaus flickten sie ihn zusammen, und der Arzt sagte, er habe noch nie einen so schlimm zugerichteten Menschen gesehen. Körperlich war er gesund geworden.

Seelisch nie wieder.

Aber immerhin, er hatte überlebt. Und er war sich nicht so sicher, ob ihm das diesmal gelingen würde.

Seine Füße und seine Hände waren um ein Rohr herum fest zusammengebunden, was ihn in eine unbequeme, von Minute zu Minute schmerzhafter werdende Haltung zwang. Er stand in einem quadratischen, aus unverputzten Backsteinen gemauerten Raum. Nicht, dass er das jetzt noch sehen konnte, um ihn herum herrschte pechschwarze Finsternis. Aber der Kerl, der ihn hierhergebracht hatte, hatte eine Taschenlampe gehabt, und in ihrem Schein hatte Kadir den Ort erkennen können, an dem er nun gefangen gehalten wurde. Dann war die schwere Tür zugefallen, die Schritte hatten sich entfernt. Das war vor … wie vielen Stunden gewesen? Er hatte keine Ahnung. Vielleicht waren es nicht einmal Stunden. Die hoffnungslose Schwärze um ihn herum nahm ihm nicht nur die Orientierung, sondern auch jegliches Zeitgefühl. Er konnte verstehen, dass Menschen in ständiger Dunkelhaft verrückt wurden.

Das Schlimmste war die völlige Tatenlosigkeit, zu der er nun verurteilt war. Weil er gleichzeitig wusste, dass der Typ nach Grace suchte. Er hoffte jetzt doch zutiefst, dass er sich irrte. Dass Grace nicht hier war, sondern sich weit weg, an einem ganz anderen Ort versteckt hielt. Er hatte sie nicht gesehen, und vielleicht lag er völlig falsch mit seiner Vermutung. Er fragte sich, wie es der Kerl geschafft hatte, ihm hierherzufolgen. Wenn Kadir etwas gelernt hatte, dann die Kunst, sich vollkommen lautlos und praktisch unsichtbar von einem Ort zum anderen zu bewegen. Er war wie ein Schatten zu dem stillgelegten Werk unterhalb des Canada Dock gehuscht. Hatte Schleichwege benutzt, die außer ihm vermutlich niemand kannte. Trotzdem hatte es der Kerl geschafft, ihm die ganze halbe

Stunde lang, die er für den Weg brauchte, auf den Fersen zu bleiben. Ihn zu überwältigen und zu fesseln. Was allerdings nicht schwer gewesen war: Kadir hatte nicht den geringsten Widerstand geleistet. Er schämte sich dafür, aber er war vor Angst einfach nur zur völligen Bewegungslosigkeit erstarrt. Hatte alles mit sich machen lassen. Und saß jetzt hier. Ohne eine Möglichkeit, noch irgendetwas für Grace zu tun.

Unbehaglich lauschte er auf das Gurgeln und Rauschen, die einzigen Geräusche, die zu ihm in die Dunkelheit drangen. Der Mersey, der breite, tiefe Fluss, an dessen Rand sich das Gelände befand. Dieser Keller hier jedoch schien *unter* dem Fluss zu liegen. Kadir schnürte der Gedanke daran die Kehle zu. Ihm brach der kalte Schweiß aus, wenn er an die Tonnen Wasser über sich dachte. Er sagte sich, dass es den Keller bestimmt schon sehr lange gab. Und er war nie eingebrochen. Warum sollte er es jetzt tun?

Als er erneut Schritte vernahm, spannte sich sein ganzer Körper an. Der Typ kam zurück. Wahrscheinlich nicht, um Kadir in die Freiheit zu entlassen. Kadir hatte sein Gesicht gesehen. Er war von ihm überwältigt und gefesselt und eingesperrt worden.

Der Mann konnte ihn nie mehr laufen lassen.

Ein Riegel wurde zurückgeschoben, die Tür ging auf. Kadir registrierte, dass es so klang, als hinge der Riegel ziemlich locker in seinen Scharnieren: Er klapperte, als er bewegt wurde. Vielleicht ließ sich die Tür also gewaltsam von innen öffnen, wenn man sich mit aller Kraft dagegenstemmte. Diese Option lag jedoch in weiter Ferne, solange er an diesem Rohr festhing.

Die Taschenlampe brachte die Helligkeit zurück. Kadir blinzelte geblendet. Er konnte sehen, dass der Mann einen

Gegenstand hinter sich herschleifte, erkannte schließlich, dass es sich um einen Menschen handelte. Eine Frau. Grace?

Er ließ sie wie einen Sack auf den feuchten Steinfußboden fallen. Es war nicht Grace, das sah Kadir jetzt. Es war die Polizistin. Kate.

Seine letzte Hoffnung schwand. An Kate hatte er sich innerlich die ganze Zeit über festgehalten. Er hatte ihr gesagt, dass der verdächtige Mann wieder da war. Dass er Grace in der Nähe des Canada Dock vermutete. Und Kate war gekommen. Aber auch sie war in die Falle getappt.

Hoffentlich hat sie vorher ihre Kollegen verständigt, dachte er.

Der Mann sagte kein Wort. Er stellte seine Taschenlampe ab und machte sich daran, Kate zu fesseln. Sie schien bewusstlos zu sein, denn sie gab keinerlei Reaktion von sich. Er band sie nicht an dem Rohr fest, wahrscheinlich befürchtete er, dass Kadir und Kate dann versuchen würden, sich gegenseitig zu befreien. Er fesselte Kate auf brutale Art, zurrte beide Arme und Beine hinter ihrem Rücken zusammen. Sie kam dadurch in einem Bogen zu liegen, der ihr schon bald größte Schmerzen verursachen würde.

Kadir nutzte die Gelegenheit, dass es Licht gab, und schaute sich hastig im ganzen Raum um. Vielleicht konnte er irgendetwas entdecken, woraus sich ein Fluchtweg konstruieren ließ. Was er schließlich sah, war nicht dazu angetan, ihn positiv zu stimmen: eine Art Klappe oben in der Decke, an deren Rändern Feuchtigkeit durchsickerte, sich im Mauerwerk verteilte und nach unten tropfte. Wenn er richtig vermutete und sie sich unter dem Fluss befanden, war dies eine Vorrichtung, um den ganzen Keller zu fluten. Weshalb und wozu auch immer – aber in seiner und Kates Lage bedeutete dies die absolute Katastrophe.

Unterhalb der Klappe befand sich ein in die Decke zementiertes Gitter. Wasser würde bei geöffneter Klappe in den Keller strömen. Und das Gitter war für sie unpassierbar, selbst wenn es ihnen gelänge, sich zu befreien. Kadir schluckte. Er sagte nichts.

Aber er wusste: Sie mussten hier raus. So schnell wie möglich.

I

Er wusste nicht, wie viel Zeit vergangen war. Mitternacht war sicher längst vorbei, da vernahm er plötzlich ihre
Stimme. Sie erklang so unerwartet durch die Finsternis,
dass er heftig erschrak.

»Hallo? Ist da jemand?«, fragte sie.

Sie schien völlig klar, energisch sogar. Gott sei Dank, der
Kerl hatte sie offenbar nicht ernsthaft verletzt, als er sie niedergeschlagen hatte.

»Ich bin hier«, antwortete er. »Kadir.«

»Ich habe jemanden atmen gehört«, sagte sie. »Sie sind
es also.«

»Ich bin gefesselt. Ich hänge an einem verdammten Rohr.
Ich komme von hier nicht weg.« Licht flammte plötzlich
auf, und er erschrak erneut. Im ersten Moment dachte er,
der Feind sei zurückgekommen. Er blinzelte geblendet,
aber dann konnte er nur Kate erkennen, die noch immer in
u-förmiger Haltung auf dem Steinboden lag. Neben ihr lag
eine Taschenlampe.

»Sie steckte noch in meiner Hosentasche«, sagte Kate.
»Zum Glück hat er sie nicht bemerkt. Jetzt haben wir wenigstens etwas Licht.«

Das war noch nicht wirklich die Rettung, dennoch spürte Kadir, dass ein Hauch von Hoffnung zurückkehrte. Kate war Polizistin, sie war an gefährliche Situationen und gefährliche Menschen gewöhnt. Es schien ihr zumindest zu gelingen, Ruhe zu bewahren. Eine gute Voraussetzung, um vielleicht doch noch irgendwie aus diesem Schlamassel herauszukommen.

»Wissen Ihre Kollegen Bescheid?«, fragte er. »Wissen die, dass wir hier sind?«

»Ja. Eine Kollegin zumindest ist genau informiert, und sie wird dranbleiben. Keine Sorge, Kadir. Wir sind nicht verloren.«

»Es war dieser Kerl. Der überall nach Grace gefragt hat. Er hat mich überwältigt und gefesselt. Ich habe keine Ahnung, woher er wusste, dass ich hier am Canada Dock bin.«

»Er wird Ihnen gefolgt sein. Dieser Mann hat drei Menschen ermordet. Er ist skrupellos und gerissen. Und im Moment von der Panik getrieben aufzufliegen.« Während Kate sprach, versuchte sie, ihren Körper zu dehnen und zu strecken, dadurch die Fesseln zu lockern, aber Kadir hatte nicht den Eindruck, dass sie damit auch nur eine Spur von Erfolg hatte. Der Kerl hatte sie mit ganzer Kraft zusammengeschnürt.

»Ich habe sein Gesicht genau gesehen«, sagte Kadir. »Kate – der wird mich umbringen!«

»Die Polizei wird bald hier sein«, sagte Kate. Ihre Stimme klang gepresst. Kadir vermutete, dass ihr in ihrer Haltung das Atmen zunehmend schwerfiel. »Wie sind Sie auf den Gedanken gekommen, dass Grace in dieser gottverlassenen Gegend sein könnte?«

»Mir ist eingefallen, dass ihr Vater hier gearbeitet hat. Irgendjemand aus der Siedlung hat mir das mal erzählt.

Hier gab es eine Firma, die Schiffsbedarf hergestellt hat, aber vor fünf Jahren ging sie pleite. Seitdem ist das Gelände völlig verlassen und Darren Henwood arbeitslos. Ich dachte mir, dass Grace sich vielleicht hier auskennt, denn bestimmt hat ihr Vater sie mal mitgenommen. Darren soll umgänglicher gewesen sein, als er noch Arbeit hatte. Könnte doch sein, dass sie sich hier versteckt?«

»Das ist klug kombiniert. Aber gesehen haben Sie sie nirgends?«

»Nein. Vielleicht liege ich völlig falsch. Es war ja nur eine Vermutung.«

»Wenn Sie recht haben, dann hoffe ich zumindest, dass Grace inzwischen verschwunden ist. Der Killer sucht hier vermutlich jeden Winkel nach ihr ab.«

»Hier scheint es ein weitverzweigtes unterirdisches System zu geben«, erläuterte Kadir, »Gänge, Räume… alles unter dem Fluss gelegen. Hören Sie das Rauschen? Das ist der Mersey. Er ist über uns.«

Sie schwiegen beide bedrückt, lauschten auf das Gurgeln und Gluckern.

»Und noch etwas«, sagte Kadir. »Über uns in der Decke befindet sich eine Stahlplatte. Da sickert ständig etwas Wasser an den Rändern durch. Ich glaube, man kann die öffnen. Ich glaube, man kann das ganze Tunnelsystem hier fluten.«

Sie erwiderte nichts darauf, aber er konnte sehen, dass sie nach oben blickte, die Klappe und die fatale Gitterkonstruktion anstarrte und sich gleich darauf erneut mit ganzer Kraft gegen ihre Fesseln anspannte. Es half nichts. Sie würde sie nicht allein lösen können.

Sie schien einen Moment zu überlegen, dann sagte sie: »Passen Sie auf, Kadir, wir sollten hier nicht untätig warten. Wir müssen versuchen, uns irgendwie zu befreien. Ich werde jetzt zu Ihnen hinüberrutschen. Und Sie probieren, sich irgendwie an diesem Rohr entlang nach unten zu bewegen. Wahrscheinlich geraten Sie in eine ähnlich schmerzhafte Position wie ich, aber das hilft nun nichts. Wir müssen uns in eine Stellung bringen, aus der heraus Sie meine Fesseln am Handgelenk aufknoten können. Umgekehrt wäre es schwieriger, weil meine Hände auf den Rücken gebunden sind und ich nicht sehen könnte, was ich tue. Aber vielleicht gelingt es Ihnen, mich zu befreien. Dann mache ich Sie los, und dann sind wir einen Schritt weiter.«

»Nicht allzu viel weiter«, sagte Kadir. »Die Tür ist verriegelt. Allerdings klang es so, als sei der Riegel schon ziemlich altersschwach.«

»Vielleicht ist das eine Möglichkeit. Nichts wie los. Wir haben keine Zeit zu verlieren.«

Sie ist gut, dachte er, sie ist wirklich richtig gut. Behält die Nerven und schmiedet einen intelligenten Plan. Na ja, Scotland Yard eben. Das sind Spitzenleute.

Millimeterweise, die Schmerzen an der aufschürfenden Haut ignorierend, begann er sich nach unten zu bewegen. Keine Zeit, dachte er, keine Zeit, keine Zeit...

Aber eine Chance.

2

Caleb hatte das Gefühl, dass jeder ihm ansah, was passiert war. Als trage er ein großes, leuchtendrotes Schild auf der Stirn: *Ich bin rückfällig!*

Eigentlich hätte er jetzt seinen Therapeuten anrufen müssen. So war es vereinbart. Dass er sich sofort meldete, wenn das passierte, was nun passiert war. Damit man umgehend die richtigen Schritte besprechen, erste Notfallmaßnahmen einleiten, ein Sicherheitsnetz aufspannen konnte.

»Versuchen Sie dann nicht, allein klarzukommen«, hatte ihm der Therapeut eingeschärft. »Sie gehen damit ein unverhältnismäßig großes Risiko ein. Gestehen Sie sich ein, dass Sie Hilfe brauchen, und nehmen Sie diese Hilfe in Anspruch.«

Gestehen Sie sich ein, dass Sie Hilfe brauchen… Das sagte sich so leicht. Wenn man sich ohnehin gerade als Versager, als total gescheitert empfand… Jetzt auch noch dem Therapeuten zu beichten, dass man in den Whisky buchstäblich hineingefallen war, dass man gesoffen hatte, bis man lallte und schwankte… Dass man, auch dies ein nicht absprachegemäßer Selbstbetrug, überhaupt Alkohol im Haus gehabt, keineswegs alle Vorräte vernichtet hatte… Ein umfangreiches Sündenregister kam da zusammen. Caleb hatte keine Lust auf die Bekennerrolle. Während der Therapie hatte er es oft genug laut und deutlich aussprechen müssen: Ich heiße Caleb Hale, und ich bin Alkoholiker!

Es kotzte ihn so dermaßen an.

Sein Kopf dröhnte, ihm war übel, und sein Mund war so trocken, als habe der Körper jegliche Speichelproduktion bis auf Weiteres eingestellt, dennoch gelang es Caleb, in sein Auto zu steigen, zur Dienststelle zu fahren und aufrecht sein Büro zu betreten. Er wusste, dass er kalkweiß im Gesicht war und übermäßig schwitzte, und er konnte nicht verhindern, dass sich seine Augen immer wieder zu geblendeten schmalen Schlitzen verschlossen, obwohl der Tag grau und regnerisch war. Er litt unter einem fürchterlichen Hangover, und es schien ihm unwahrscheinlich, dass irgendjemand etwas anderes vermutete.

Er holte sich einen großen Becher Kaffee aus dem Automaten, fiel auf seinen Schreibtischstuhl und fragte sich, wie er den Tag überstehen sollte. Sein Kopf würde jeden Moment platzen.

Gibt es einen größeren Idioten als mich?, fragte er sich frustriert.

DS Robert Stewart blickte zur Tür hinein. »Ach, Chef, Sie sind da! Ich habe gerade mit Mrs. Crane gesprochen. Ihr Mann hat die Nacht überstanden. Es sieht besser für ihn aus.«

Caleb brauchte eine Sekunde, um sich zu sortieren. Richtig, die Cranes. Die Familie, die Denis Shove eingesperrt, mit deren Auto er geflüchtet war.

»Oh«, sagte er und rang sich noch ein »Gott sei Dank« ab.

»Ich habe gestern Abend mehrfach versucht, Sie zu erreichen, Sir. Die Kollegen in Irland haben Shove festgenommen. Und die Malyan auch.«

»Verletzte?«

»Nein. Shove war am Ende seiner Nerven. Er hat sich sofort ergeben.«

»Das sind … gute Nachrichten«, sagte Caleb mühsam.

Robert starrte ihn an. »Alles okay? Sie sehen gar nicht gut aus.«

»Migräne. Schon gestern Abend. Deshalb bin ich auch nicht mehr ans Telefon gegangen.«

»Sie sollten sich vielleicht ins Bett legen, Sir. Sie sehen wirklich krank aus.«

Caleb mochte das nicht vertiefen. »Geht schon. Sonst irgendwelche Neuigkeiten?«

Robert nickte. »Mrs. Crane kommt nachher aufs Revier, um eine ordnungsgemäße Aussage zu machen. Sie möchte sich außerdem bei Jane bedanken. Wissen Sie, wo die steckt?«

»Ich habe sie noch nicht gesehen. Bin aber auch gerade erst gekommen.« Caleb wünschte, Robert würde endlich das Zimmer verlassen. Er fürchtete, dass er nach Alkohol roch und dass der Geruch irgendwann bis zu seinem Mitarbeiter hin vordringen würde. Er bemerkte, dass Robert plötzlich sehr nachdenklich dreinblickte. Vielleicht ging ihm gerade auf, dass der Chef schon früher manchmal etwas von Migräne gemurmelt hatte und dass irgendwann allen klar gewesen war, was es damit in Wahrheit auf sich hatte.

Zum Glück klingelte in diesem Moment das Telefon.

Es war die Zentrale.

»Eine Mrs. Pollard, Sir. Muss unbedingt DC Scapin sprechen und kann sie nirgends erreichen. Sie ist ganz außer sich, es sei extrem wichtig. Soll ich …?«

»Stellen Sie sie durch«, sagte Caleb. Ihm war alles willkommen, um irgendwie das Gespräch mit Robert beenden zu können.

Gleich darauf klang eine aufgeregte und verärgerte Stimme an sein Ohr. »Es geht so nicht mehr weiter! Wirklich nicht. Ich war immer hilfsbereit, bin immer eingesprungen. Aber allmählich fühle ich mich nur noch ausgenutzt und überfordert. Ich bin nicht mehr so jung, als dass man mich mit dieser ganzen Situation vollkommen alleine lassen könnte!«

»Moment«, unterbrach Caleb. Die scharfe Stimme heizte sein Kopfweh an. Er hatte bereits mehrere Tabletten an diesem Morgen genommen, aber er würde noch etliche weitere brauchen. »Wer sind Sie?«

»Margaret Pollard. Ich bin Jane Scapins Nachbarin.«

Aus den Gesprächen mit Jane wusste Caleb, dass die Nachbarin eine große und wichtige Rolle bei Dylans Betreuung spielte. »Ah, Mrs. Pollard. Ich weiß. Was ist denn passiert?«

»Was passiert ist? Ich habe ja schon viel erlebt, aber …

heute früh bin ich wach geworden, weil ein unglaublicher Lärm nebenan herrschte. Jemand randalierte, es hörte sich an, als würde jeden Moment das ganze Haus zu Bruch gehen. Ich dachte, du liebe Güte, die arme Jane, Dylan ist wieder einmal ausgeflippt, und sie bekommt ihn wahrscheinlich nicht in den Griff. Also ziehe ich mich an und laufe hinüber, gutmütig, wie ich bin. Ich meine, ich hätte ja auch sagen können, was geht mich das an?«

Sie schien eine Antwort zu erwarten. Caleb gab ein unbestimmtes »Hm« von sich.

»Ich habe ja einen eigenen Schlüssel, deshalb bin ich einfach reingegangen, als niemand öffnete. Und was stelle ich fest? Sie war nicht da. Jane. Nachträglich merkte ich auch, dass ihr Auto nicht in der Einfahrt gestanden hatte. Sie war weg. Und er tobte. Ich vermute, sie hatte ihn mit Tabletten ruhiggestellt, das macht sie manchmal. Aber das Fatale ist, dass er durchdreht, wenn die Wirkung nachlässt. Man muss dann unbedingt rechtzeitig zurück sein, aber wann schafft sie das schon je?«

In plötzlichem Erschrecken dachte Caleb, dass Jane Scapins Leben mehr Probleme aufwies, als ein einzelner Mensch bewältigen konnte. Er hatte sie stets dafür bewundert, dass sie den Alltag zwischen ihrem betreuungsbedürftigen Bruder und einem anstrengenden Beruf immer wieder von neuem meisterte, selten klagte und ständig das Unmögliche möglich machte, aber erstmals nun ging ihm in ganzer Tragweite auf, dass sie permanent am Rande des Abgrundes schwebte und dass sie es vermutlich reinem Glück verdankte, bislang nicht in eine Katastrophe geschlittert zu sein. Er hielt eine Hand auf den Hörer und zischte Robert, der noch immer im Zimmer stand, zu: »Schauen Sie, ob Sie DC Scapin hier irgendwo im Haus finden. Es ist dringend!«

Robert nickte und verschwand.

»Ich habe ihm jetzt auch Tabletten gegeben«, fuhr Mrs. Pollard unterdessen fort. »Er schläft endlich. Aber er knallt wieder durch, wenn er aufwacht, und ich glaube, noch mehr von dem Zeug darf er nicht bekommen. Zumal ich nicht weiß, wie viel sie ihm schon gegeben hat und wann das war. Was soll ich denn dann machen?«

Caleb fand Mrs. Pollard von Stimme und Gebaren her nicht außerordentlich sympathisch, aber es war ihr immerhin anzurechnen, dass sie die Verantwortung übernommen und Dylan nicht einfach sich selbst überlassen hatte.

»Mrs. Pollard...«, begann er, aber sie unterbrach ihn: »Und jetzt erreiche ich sie nirgends. Sie geht nicht an ihr Handy, und die Direktwahl zu ihrem Büro klappt auch nicht. Diese Situation ist nicht mehr tragbar. Schon lange nicht mehr.«

Caleb musste Mrs. Pollard insgeheim recht geben. So konnte es für Jane nicht weitergehen. Für deren Nachbarin ebenfalls nicht. Und vermutlich auch nicht für den Bruder.

»Mrs. Pollard, wir werden jetzt alles tun, um Constable Scapin so schnell wie möglich aufzutreiben und zu verständigen«, sagte er. »Könnten Sie solange noch bei ihrem Bruder Wache halten?«

»Und wenn Sie sie nicht finden?«

»Sie hat jetzt Dienst. Sie müsste erreichbar sein.« Das war vorsichtig ausgedrückt: Jane *müsste* nicht nur, sondern *musste* erreichbar sein. Hielt sie sich nicht im Büro auf, musste Caleb als ihr Chef informiert sein, wo sie stattdessen war. Es war mehr als eigenartig, dass sie nicht an ihr Handy ging. Er wünschte, er hätte nicht solche Kopfschmerzen und würde sich nicht so elend fühlen. Dann käme ihm vielleicht ein

Einfall, wo Jane stecken könnte. Vielleicht hatte sie ja auch irgendetwas gesagt, und er wusste es nur nicht mehr. Normalerweise wurde er genial, wenn er trank, aber am Vorabend hatte er eindeutig zu viel erwischt. Oder war es nicht mehr gewohnt. Von Genialität konnte jedenfalls keine Rede sein. Er war einfach nur ein schmerzgepeinigtes Häufchen Elend.

Robert Stewart kam ins Zimmer zurück. »Hier ist sie nirgends. Und es hat auch keiner eine Ahnung, wo sie stecken könnte.«

Das hatte Mrs. Pollard gehört. »Das gibt es doch nicht! Sie sind doch ihre Kollegen! Sie müssen doch wissen, wo sie ist!«

»Wir finden sie«, beschwichtigte Caleb. »Ganz sicher. Es wird für das alles eine vernünftige Erklärung geben.«

»Mit Vernunft hat in Jane Scapins Leben schon lange gar nichts mehr etwas zu tun«, sagte Mrs. Pollard. »Ich frage mich ja auch nur immer, weshalb sie sich so ausnutzen lässt. Sie ist schließlich nicht allein für Dylan verantwortlich. Warum entzieht sich eigentlich Sean immerzu seiner Verantwortung?«

Es war definitiv so, dass Calebs Kopf am heutigen Tag nur mit Verzögerung arbeitete.

Sean. Jane hatte den Namen ein paarmal erwähnt. Der Exmann, wie Caleb stillschweigend vermutet hatte. Welche Verantwortung hatte der für Dylan?

»Jane Scapins geschiedener Mann?«, vergewisserte er sich.

»Nein. Der hat sich aus dem Staub gemacht, soweit er nur konnte, wenn Sie mich fragen. Nein, der andere Bruder. Janes anderer Bruder. Er lässt sich wirklich selten blicken.«

»Jane hat noch einen Bruder?«

»Ein Nichtsnutz. Ich glaube, er geht nicht einmal einer

geregelten Arbeit nach. Ich kann es an einer Hand abzählen, wie oft er in all den Jahren einmal nebenan eingesprungen ist. Ich habe Jane so oft gesagt, dass sie schließlich nicht allein die Verantwortung trägt, aber irgendwie schafft sie es nicht, sich durchzusetzen. Wenn Sie Jane nicht erreichen, dann gelingt es Ihnen vielleicht, den Bruder aufzutreiben. Wenn Sie ihm ins Gewissen reden, nützt das unter Umständen etwas, und Sie täten ein gutes Werk damit. Sean Holgate. Lebt oben in Newcastle. Mehr weiß ich nicht. Ich halte hier die Stellung. Aber es ist das letzte Mal!« Damit knallte sie den Hörer auf.

Caleb sah Robert an. »Wussten Sie, dass *Sean* nicht Janes geschiedener Mann ist, sondern ein zweiter Bruder von ihr?«

Robert war ebenso perplex wie sein Chef. »Nein. Ich dachte...«

»Schauen Sie doch mal, ob Sie den ausfindig machen können. Sean Holgate. Newcastle.« Es gehörte nicht zu ihren Aufgaben, Jane Scapins kompliziertes Familienleben zu regeln, aber es erschien Caleb als ein Akt kollegialer Hilfsbereitschaft, die Dinge nicht einfach sich selbst zu überlassen. Zunehmend fühlte er sich nervös: Es sah Jane nicht ähnlich, ihren Bruder unter Medikamente zu setzen und dann einfach abzutauchen.

Irgendetwas stimmt da nicht, dachte er.

Er wünschte, er würde endlich etwas klarer denken können.

Ihre Hände waren frei gewesen, als sie schon nicht mehr geglaubt hatte, es werde jemals gelingen. Die Haltung, in der man sie gefesselt hatte, hatte ihr mehr und mehr Schmerzen bereitet, nahezu unerträgliche Schmerzen gegen Ende, und sie hatte auch das Gefühl gehabt, dass ihre gesamte Blutzirkulation nicht mehr richtig funktionierte. Ein paarmal waren ihr die Tränen gekommen, und sie hatte kaum etwas dagegen tun können.

Mach schon, hatte sie nur ständig innerlich gesagt, fast gefleht, mach schon, mach schon …

Es war Kadir gelungen, sich in eine Art Hockstellung dicht über dem Boden zu bringen, aber dennoch kam er nur mit knapper Not an Kates Handgelenke heran. Aufgrund seiner eigenen Fesseln konnte er seine Finger nur eingeschränkt bewegen. Mehrfach erlitt er derart schmerzhafte Wadenkrämpfe wegen seiner kauernden Haltung, dass er abbrechen, sich mühsam nach oben bewegen und seine Beine minutenlang entspannen musste.

»Es tut mir leid«, sagte er dann mit zitternder Stimme, der man die Schmerzen anhörte. »Es tut mir so leid, aber …«

Kate vibrierte, selbst gequält und zugleich in dem Bewusstsein, dass kostbare Zeit verrann, aber es hatte keinen Sinn: Kadir leistete Schwerarbeit, es brachte nichts, ihn zusätzlich unter Druck zu setzen. Aber die Stunden verstrichen, und es konnte dem Täter nicht daran gelegen sein, sie beide leben zu lassen, nicht einmal hier unten in diesem Verlies. Die Docks schienen an dieser Stelle ziemlich verlassen zu sein, aber natürlich gab es das Risiko, dass jemand die Gefangenen entdeckte. Vor brutalen Morden schreckte der

Typ nicht zurück. Er würde sich dieser beiden Menschen, die ihn identifizieren konnten, entledigen, da machte sich Kate nichts vor.

Als der letzte Knoten offen war, hätte Kate am liebsten sofort mit den Fesseln an ihren Beinen weitergemacht, aber sie musste feststellen, dass ihr zunächst weder ihre Arme noch ihre Hände noch überhaupt irgendein Muskel ihres Körpers gehorchten. Sie kippte wie angeschossen zur Seite, befreit zwar aus der qualvoll zurückgebogenen Haltung, deshalb aber noch lange nicht ohne Schmerzen. Im Gegenteil. Das langsame Erwachen bereits fast abgestorbener Körperteile tat entsetzlich weh. Leise wimmernd presste sie ihr Gesicht gegen den kalten, feuchten Steinfußboden: Sie verlor schon wieder Zeit, aber sie konnte nichts dagegen tun.

Irgendwann schließlich schaffte sie es, sich aufzusetzen und sich so weit nach vorne zu beugen, dass sie sich an das Lösen der Fesseln um ihre Fußknöchel machen konnte. Es ging langsam voran, aber endlich hatte sie auch ihre Füße befreit. Erstmals kam ihr zu diesem Zeitpunkt die Idee, auf ihre Armbanduhr zu sehen. Es war fast sieben Uhr am Morgen. Nur um einen von ihnen zu befreien, hatten sie viele Stunden gebraucht.

Kate machte eine kurze Bestandsaufnahme ihrer Besitztümer und stellte dabei fest, dass ihr tatsächlich nur die Taschenlampe geblieben war – was immerhin schon eine Menge wert war. Ihre Handtasche war weg, das Handy, das sie in der Hand gehalten hatte, als sie angegriffen wurde, ebenfalls. Auch die Pistole ihres Vaters fehlte. Ihr Gegner hatte ihr alles weggenommen, nur die Lampe offenbar übersehen.

Ihre einzige Hoffnung hieß nun Jane.

Ab wann würde sie feststellen, dass etwas nicht stimmte?

Sie hatte zu Kadir gesagt, eine Kollegin sei genau informiert, aber das diente eher seiner Beruhigung, als dass es der Wahrheit entsprach. Sie hätte sich ohrfeigen können, weil sie Jane nichts von ihrer Fahrt nach Liverpool gesagt hatte. Jane wusste, dass Grace in größter Gefahr schwebte und dass Kadir sie am Canada Dock vermutete, aber sie ging vermutlich davon aus, dass sich die Liverpool Police, von ihr verständigt, um alles kümmern würde. Natürlich würde sie nachhaken am nächsten Morgen, erfahren, dass die Kollegen nichts Ungewöhnliches an den Docks hatten feststellen können.

Aber Jane würde die Angelegenheit nicht einfach auf sich beruhen lassen. Sie würde auch den Kontakt zu ihr, Kate, suchen. Sich irgendwann wundern, dass sie sie nicht erreichte. Wann?

In jedem Fall konnte es zu spät sein. Es machte keinen Sinn, auf Hilfe zu warten. Sie mussten sich selber helfen.

Sie hob ihre Taschenlampe auf. Der Schein schien ihr bereits schwächer zu werden. Die Batterien würden über kurz oder lang schlappmachen.

Sie stand auf, hinkte zur Tür, drückte die Klinke hinunter. Die Tür gab einen Millimeter weit nach, ehe sie vom Riegel gehalten wurde. Kate rüttelte heftig. Kadir schien recht zu haben, der Riegel war eine marode Angelegenheit.

»Kate«, sagte Kadir, »machen Sie mich los. Vielleicht kriegen wir die Tür auf, wenn wir uns zu zweit dagegen werfen!«

Sie versuchte noch ein paarmal, es allein zu schaffen, musste aber schließlich klein beigeben. Ihr Gedanke war es gewesen, Kadir notfalls alleine hierzulassen, nach draußen zu eilen, Hilfe zu holen und dann zu ihm zurückzukehren, aber sie erkannte, dass sie so keinen Erfolg haben würde. Der Riegel mochte bessere Zeiten gesehen haben, völlig untauglich war er jedoch noch nicht geworden.

Sie brauchte Verstärkung. Sie brauchte Kadir.

Kate seufzte, stellte die Lampe so auf, dass sie in ihrem Licht arbeiten konnte, und machte sich daran, Kadir Roshan zu befreien. Es war acht Uhr, als er, gelöst von dem Stahlrohr, zu Boden fiel. Sie kniete neben ihm, massierte seine Muskeln.

»Sie müssen aufstehen«, wiederholte sie immer wieder. »Kommen Sie, Kadir, stehen Sie auf. Wir müssen versuchen, hier rauszukommen!«

Er kroch auf allen vieren zur Tür hin.

Eine Stunde später saßen sie beide völlig erschöpft gegen die Wand gelehnt auf dem Boden. Es war hoffnungslos: Der Riegel hielt, die Tür gab nicht nach. Sie hatten sich von ihren Fesseln befreit und waren trotzdem noch immer gefangen.

4

Caleb wurde das Gefühl nicht los, dass irgendetwas ganz und gar nicht stimmte. Er hatte inzwischen mehrfach versucht, Jane auf ihrem Handy zu erreichen, war aber immer nur auf die Mailbox geraten. Zweimal hatte er darauf gesprochen, hatte Jane gebeten, sich unverzüglich mit ihm in Verbindung zu setzen.

Aber sie war wie vom Erdboden verschluckt.

Er wusste, wie viel Verantwortung sie Dylan gegenüber empfand, wie sehr sie sich abmühte, um ihm, so gut sie nur konnte, gerecht zu werden. Dass sie ihn einfach sich selbst überließ, dass sie ohne vorherige Absprache auf die Unterstützung der inzwischen offenbar chronisch verärgerten Nachbarin baute, passte nicht zu ihr. Es passte so wenig, dass selbst in Calebs schmerzendem, noch immer leicht vernebeltem Kopf sämtliche Alarmlichter angingen.

Er nahm zwei weitere Tabletten, trank noch einen starken Kaffee, und ganz allmählich ging es ihm etwas besser. Er hatte es bislang verdrängt, aber nun fiel ihm plötzlich Kates Besuch am Vorabend ein. Sie hatte plötzlich vor seiner Haustür gestanden und dann in seiner Küche, und sie hatte ziemlich schockiert die Whiskyflasche betrachtet. Er fragte sich, ob sie mit anderen darüber sprechen würde. Eigentlich schätzte er sie nicht als Klatschmaul ein.

Sie hatte irgendetwas gesagt... über die Liverpoolgeschichte... Es war um den seltsamen Inder gegangen, der dort in jener Siedlung immer auf der Mauer saß... der den entscheidenden Hinweis auf Grace Henwood gegeben hatte...

Leider hatte er ihr nicht weiter zugehört, hatte in seiner Stimmung von alkoholgetränktem Selbstmitleid einfach von all dem nichts wissen wollen. Er hatte sie zu Jane geschickt, zu Jane, der Superermittlerin.

Er griff wieder nach dem Telefonhörer, rief Kates Nummer in Scalby an. Ließ es eine Ewigkeit klingeln – ohne dass jemand an den Apparat kam. Danach versuchte er es auf ihrem Handy. Mailbox.

»Kate, ich bin es. Caleb. Ich muss sehr dringend mit Ihnen sprechen. Es geht um gestern Abend, vor allem um Ihren Besuch bei DC Scapin. Bitte rufen Sie mich so schnell wie möglich zurück.«

Er legte wieder auf, starrte das Telefon an. Wie seltsam,

dass auch Kate nicht zu erreichen war. Allmählich kehrten immer mehr Bilder und Worte vom Vorabend zu ihm zurück. Kate hatte erwähnt, dass sie mehrfach tagsüber versucht habe, ihn telefonisch zu erreichen. Schließlich war sie sogar höchstpersönlich bei ihm aufgekreuzt – die verklemmte Kate, die fast in eine Krise gestürzt war, als er sie eingeladen hatte, mit ihm ins Pub zu gehen. Es musste um eine wichtige Information gegangen sein, die sie unbedingt mit ihm hatte besprechen wollen. Mit dieser Information war sie dann stattdessen zu Jane Scapin gefahren.

Und nun waren beide Frauen verschwunden.

Das sah einfach nicht gut aus.

Liverpool. Hatte Jane ihren Bruder mit Medikamenten ruhiggestellt und war dann mit Kate zusammen nach Liverpool aufgebrochen? Suchten die beiden dort auf eigene Faust nach Grace Henwood? Aber warum meldeten sie sich dann nicht?

Jane Scapin verstieß damit gegen alle Vorschriften.

Und auch das passte nicht zu ihr.

Er rief bei der Polizei in Liverpool an, ließ sich mit der Kollegin, die die Ermittlungen im Fall Norman Dowrick leitete, verbinden und fragte sie nach besonderen Vorkommnissen. Es war nichts Nennenswertes geschehen, wie er erfuhr. Grace Henwood hatten sie noch immer nicht gefunden, und auch sonst gab es keinen ernstzunehmenden Hinweis in eine neue Richtung.

»Hat sich Mr. Kadir Roshan bei Ihnen gemeldet?«, fragte Caleb.

»Wer?«, gab die Ermittlungsleiterin erstaunt zurück.

Sie hatte keine Ahnung, wer das war. Aber Kate hatte gesagt, dass sie mit Mr. Roshan gesprochen hatte. Irgendeine Information war von ihm gekommen …

Caleb legte den Hörer einfach auf. Versuchte es erneut bei Jane. Erfolglos. Versuchte es bei Kate. Ebenfalls erfolglos.

Robert Stewart kam ins Zimmer. Er schien aufgeregt. Oder verwirrt. Oder beides.

»Sir, das ist eine eigenartige Geschichte. Ich habe Adresse und Telefonnummer von Sean Holgate ausfindig gemacht. Es geht dort allerdings niemand ans Telefon.«

»Veranlassen Sie, dass eine Streife vorbeifährt. Vielleicht ist Holgate trotzdem zu Hause. Oder irgendein Nachbar kann den Kollegen sagen, wo er arbeitet. Er muss sich umgehend um seinen Bruder kümmern. Und was meinen Sie mit *eigenartige Geschichte*?«

»Ich habe mich bereits mit der Polizei in Newcastle in Verbindung gesetzt, Sir. Die Streife wird schon losgeschickt. Aber dabei habe ich erfahren: Die ganze Familie Holgate, also Jane Scapins Herkunftsfamilie, ist aktenkundig bei der Polizei. Wussten Sie das?«

»Nein. Aktenkundig? Inwiefern? Etwas Schlimmes?«

»Nun ja.« Robert schaute ihn besorgt an. »Im Zusammenhang mit einem Verkehrsdelikt. Fahrerflucht.«

»Du liebe Güte«, sagte Caleb. Er hatte den Eindruck, dass sich Robert Stewart an diesem Morgen die einzelnen Punkte extrem schwerfällig aus den Rippen leiern ließ. »Sean Holgate? Hat er eine Fahrerflucht begangen?«

Robert schüttelte den Kopf. Wenn er nicht lernt, morgens etwas schneller auf Touren zu kommen, macht er nie eine große Karriere, dachte Caleb.

»Es ist andersherum«, sagte Robert. »Die Holgates sind nicht die Täter, sondern die Opfer. Dylans Behinderung ist nicht auf einen Geburtsfehler zurückzuführen, wie DC Scapin immer erzählt. Er wurde mit fünf Jahren von einem

Auto überfahren und lag monatelang im Koma. Der Fahrer konnte nie ermittelt werden.«

Caleb überlegte, ob die Geschichte von irgendeiner Relevanz für sein gegenwärtiges Problem war. Jane Scapin und Kate Linville waren unter ungeklärten Umständen verschwunden. Von Grace Henwood fehlte noch immer jede Spur. Niemand hatte eine Ahnung, wer hinter den Morden an Norman Dowrick, Richard Linville und Melissa Cooper steckte.

Spielte es da eine Rolle, dass Jane Scapin einen Bruder hatte, von dem bislang keiner ihrer Kollegen etwas gewusst hatte?

Und spielten des Weiteren die bislang unbekannten Umstände um die Schwerstbehinderung des jüngsten Bruders eine Rolle?

Robert Stewarts erste Erkundigungen hatten ergeben, dass der kleine Dylan Holgate damals beim Fahrradfahren auf einer einsamen Landstraße außerhalb Newcastles von einem Auto angefahren worden war; er war gestürzt und offensichtlich sogar noch ein Stück weit mitgeschleift worden. Der Fahrer hatte das Weite gesucht, Zeugen gab es keine. Eineinhalb Stunden später erst war ein anonymer Anruf bei der Polizei eingegangen, der auf das schwer verletzte Kind hinwies, dabei blieb unklar, ob es sich bei dem Anrufer um den verantwortlichen Fahrer handelte oder um jemanden, der zufällig vorbeigekommen war, sich jedoch nicht in Scherereien hatte verstricken wollen. Dylans Leben hing am seidenen Faden, und als er Monate später aus dem Koma erwachte, war er nicht mehr derselbe wie vorher: Er blieb körperlich und geistig schwer behindert, ein lebenslanger Pflegefall. Es hatte eine Fahndung nach dem Fahrer des Unfallautos gegeben, aber diese war schließlich ergebnislos eingestellt worden.

»Verstehen Sie, warum Jane uns nie etwas davon erzählt hat?«, fragte Robert verwirrt. »Warum sie immer etwas von einem Geburtsfehler gemurmelt hat? Und wieso sie nie erwähnt hat, dass es einen zweiten Bruder gibt?«

»Sie hat den Namen *Sean* manchmal genannt, aber wir sind automatisch davon ausgegangen, dass es sich um den Exmann handelt«, erinnerte Caleb. »Unser Fehler. Und dann muss man bedenken: Jane hat insgesamt sehr selten über ihre schwierigen Lebensumstände gesprochen. Ich hatte oft den Eindruck, dass sie Dylans Behinderung überhaupt nur erwähnt hat, weil sie unsere Kooperation brauchte – in den Situationen, in denen sie plötzlich früher nach Hause musste oder erst später kommen konnte. Sie konnte dieses Problem nicht völlig verheimlichen, aber meinem Gefühl nach hätte sie das gerne getan.«

»Weshalb? Das ist doch keine Schande. Im Gegenteil. Sie leistet damit schließlich Unglaubliches.« Robert konnte es nicht verstehen.

Caleb hingegen, der seine eigene schwierige Geschichte mit sich herumschleppte – und möglicherweise bereits wieder mitten darin steckte –, kannte das unglückliche Gefühl, das mitleidige Blicke, leises Getuschel, plötzliches Verstummen in einem Menschen verursachten. Jane war eine starke, eigenständige, unabhängige Frau, die sicher kaum etwas so hasste wie Mitgefühl oder wie eine unverhohlen sensationslüsterne Neugier, die Schicksale wie ihres häufig in anderen Menschen auslösten. Es überraschte ihn nicht allzu sehr, dass sie den tragischen Unfall ihres kleinen Bruders unterschlagen hatte. Und wenn man der Aussage der Nachbarin glaubte, dann handelte es sich bei dem anderen Bruder um einen eher verantwortungsscheuen Charakter, der seine Schwester mit der schwierigen Situation so gut wie alleine ließ und sich kaum jemals bei ihr zeigte – geschweige denn, dass er helfend eingesprungen wäre. Eine Frau wie Jane ging auch damit nicht hausieren.

Eigentlich, dachte er, passt das alles durchaus zusammen. Daran ist nichts Seltsames.

»Wir sollten sehen, dass wir Sean Holgate finden«, sagte er. »Aber wenn uns das nicht gelingt, sollten wir uns nicht verrückt machen. Ich denke, diese Mrs. Pollard jammert und schimpft zwar, aber sie wird Dylan nicht alleine lassen. Viel mehr beunruhigt mich, dass Constable Scapin nicht erreichbar ist.« Und Kate Linville auch nicht, fügte er in Gedanken hinzu. Dass Kate gestern Abend bei ihm gewesen war und etwas Wichtiges mit ihm hatte besprechen wollen, musste Robert nicht wissen. Zumal sich ihm dann die Frage aufgedrängt hätte, weshalb das Gespräch nicht stattgefunden hatte, und Caleb mochte nicht einmal in die Nähe dieses Themas kommen.

Der Inder. Der Inder war sein einziger Anhaltspunkt. Weiter hatte er Kate nicht kommen lassen.

Er stand entschlossen auf, ignorierte die Schmerzen, die bei dieser ruckartigen Bewegung wie Pfeilspitzen durch seinen Kopf jagten. »Ich fahre nach Liverpool«, erklärte er. Es gab einfach keinen anderen Weg, als selbst mit Mr. Roshan zu sprechen. »Sie halten hier die Stellung, Sergeant. Bleiben Sie an den Kollegen in Newcastle dran, damit es denen vielleicht doch noch gelingt, Sean Holgate ausfindig zu machen. Und kümmern Sie sich um Mrs. Crane, wenn sie nachher kommt. Nehmen Sie ihre Aussage im Fall Shove auf.«

Robert schien nicht begeistert. Caleb und Jane trieben

sich in der Mordermittlung Norman Dowrick im Land herum, und er saß hier fest und musste eine Aussage protokollieren. Natürlich sagte er aber nichts. Eine Anordnung vom Chef war nicht verhandelbar. Auch wenn er den Eindruck hatte, dass der Chef an diesem Tag... vorsichtig ausgedrückt: nicht gut drauf war. Er hatte eine Vermutung, für die alle Symptome sprachen, und er dachte: Was für eine Scheiße! Er hat's nicht gepackt.

Aber auch zu diesem Thema sagte er natürlich nichts.

5

Stella Crane erschien pünktlich und war enttäuscht, Jane nicht anzutreffen. Sie hatte einen Blumenstrauß dabei, den sie nun Robert in die Hände drückte.

»Vielleicht können Sie ihn ihr später geben«, sagte sie. »Ich möchte, dass sie weiß, wie dankbar wir ihr sind. Ihrer Hartnäckigkeit verdanken wir unser Leben.«

Sie sah gut aus, deutlich erholter und entspannter. Jonas hatte die Nacht überstanden, es sah so aus, als ob er gesund werden würde. Robert kannte sich aus mit Gewaltopfern und wusste bereits, dass die Folgen dessen, was geschehen war, Stella und ihre Familie über eine lange Zeit hinweg begleiten, immer wieder neu einholen und weit mehr drangsalieren würden, als sie jetzt ahnten. Für den Moment war Stella einfach nur glücklich und befreit: einem Albtraum entronnen, der für sie alle ganz anders hätte ausgehen können.

Robert hatte eine junge Kollegin beauftragt, sich um die Suche nach Sean Holgate zu kümmern, und so konnte er sich nun in Ruhe Stellas Geschichte widmen. Er bat sie, Platz zu nehmen, und ließ sie dann ihre Aussage auf ein Tonband sprechen. Gelegentlich stellte er Fragen und machte sich Notizen.

Eine irre Geschichte, dachte er, da adoptiert man ein Kind, und plötzlich steht man in Kontakt mit Menschen, mit denen es normalerweise nie auch nur den kleinsten Berührungspunkt gegeben hätte. Man gerät in Lebensgefahr, springt dem Tod haarscharf von der Schippe, ohne dass man zuvor an irgendeiner Stelle leichtsinnig oder verantwortungslos gehandelt hätte.

Ihn faszinierte die Unvermeidlichkeit von Stellas Erlebnissen. Ein Verlust der Kontrolle über Geschehnisse im eigenen Leben gehörte für ihn zu den erschreckendsten Vorstellungen, und genau das war den Cranes passiert: Von irgendeinem Moment an hatten sie in einem Strudel gesteckt, den sie aus eigener Kraft nicht mehr verlassen, aber auch nicht mehr im Geringsten steuern konnten.

Kein Wunder, die Blumen für Jane, dachte er, und Stellas spürbare Dankbarkeit und Verehrung. Jane war der rettende Engel. Sie hätten sonst keine Chance mehr gehabt.

Ein Punkt war für ihn noch von besonderem Interesse. »Was war Therese Malyan Ihrer Ansicht nach?«, fragte er. »Mittäterin? Oder eher Opfer?«

Stella überlegte einen Moment. »Opfer«, sagte sie dann. »Sie steckte in einer völligen emotionalen Abhängigkeit von ihm. Sie war ihm absolut hörig. Hätte er ihr befohlen, sich im nächsten See zu ertränken, hätte sie es getan. Sie war davon überzeugt, dass sie auf der ganzen Welt keinen anderen Menschen als ihn mehr hatte. Er konnte sie lenken, wohin er wollte.«

Robert nickte. »Das wird sie trotzdem nicht von aller

Schuld freisprechen. Sie ist eine erwachsene Frau. Sie hat sich freiwillig in die Abhängigkeit von einem Kriminellen begeben. Aber das Gericht wird ihre psychische Situation sicher berücksichtigen.«

»Alles, was passiert ist, ging eindeutig von Shove aus«, sagte Stella. »Ich hatte beispielsweise den Eindruck, dass sie uns nicht eingesperrt in der Scheune zurücklassen wollte. Sie machte sich Sorgen, was aus uns werden sollte. Aber sie wagte nicht, ihm zu widersprechen. In gewisser Weise war sie genauso gefangen wie wir auch.«

»Okay«, sagte Robert nach einem kurzen Moment des Schweigens. »Dann weiß ich erst einmal alles, was ich wissen muss. Wie geht es für Sie weiter, Stella? Ihr Mann muss sicher noch eine Zeit im Krankenhaus bleiben?«

Sie nickte. »Ich nehme mir jetzt ein Hotelzimmer, in das ich mit Sammy einziehe. Wir bleiben hier, bis Jonas entlassen wird. Ich möchte, dass wir zu dritt nach Kingston zurückkehren. Es wird … ein besonderer Moment sein. Ich hatte die Hoffnung darauf schon aufgegeben. Ich dachte, falls wir überhaupt noch irgendwie gerettet werden, bleibe ich mit Sammy alleine zurück. Wir haben großes Glück gehabt.«

Er konnte ihr nur zustimmen. Ohne Jane … Als er ihren Namen dachte, runzelte er unwillkürlich die Stirn. Es war einfach zu seltsam, dass sie nicht hier war. Dass niemand eine Ahnung hatte, wo sie sich aufhielt. Dass sie ihren Bruder sich selbst überlassen hatte.

Irgendwie verspürte er ein zunehmend beklemmendes Gefühl.

Stella hatte sich kaum verabschiedet und war gegangen, als die junge Beamtin, die Robert damit beauftragt hatte, den Aufenthaltsort von Sean Holgate ausfindig zu machen, sein Zimmer betrat.

»Ich habe Rückmeldung von den Kollegen in Newcastle, die eine Streife zu Holgates Wohnung geschickt haben«, sagte sie. »Sean Holgate ist nicht dort. Die Beamten haben sich in der Nachbarschaft umgehört. Nach ihren Informationen geht Holgate keiner geregelten Arbeit nach, sondern lebt von Sozialhilfe. Daher weiß auch niemand, wo er sich im Moment aufhalten könnte.«

»Hm«, machte Robert. Ein echtes Prachtexemplar, das Jane *Bruder* nennen musste. Wenn man sich überlegte, wie sie sich abkämpfte, um Dylan zu versorgen und trotzdem in ihrem Beruf zu funktionieren... Und dann gab es Sean Holgate, der den ganzen Tag lang nichts zu tun hatte, der sich jedoch kaum jemals bei seinen Geschwistern blicken ließ.

»In Ordnung«, sagte er, »vielen Dank, Constable. Dann kommen wir an der Stelle nicht weiter. Wir können nur hoffen, dass Constable Scapin bald wieder auftaucht und dass ihre Nachbarin so lange bei Dylan durchhält. Vermutlich ist das für Dylan ohnehin sicherer, als wenn man ihn diesem Taugenichts von Bruder überlässt.«

Die junge Beamtin war ehrgeizig, und sie gehörte zu den Menschen, die auch kleine Gelegenheiten erkennen und aufgreifen.

»Sir, ich habe noch ein paar Recherchen angestellt. Wegen der Geschichte damals. Als Dylan Holgate verunglückte.«

Robert runzelte die Stirn. »Das ist im Augenblick nicht von Interesse.«

Sie nickte. »Das kann sein. Trotzdem... es gab da etwas Merkwürdiges. Ich habe mich mit einem Kollegen in Newcastle verbinden lassen, der seinerzeit für den Fall zuständig war. Die Geschichte hat einigen Wirbel verursacht. Es

ging immerhin um Fahrerflucht mit extrem schwerwiegen-
den Folgen.«

»Und?«

»Raten Sie mal, wer damals Krankenwagen, Notarzt und
Polizei in Newcastle verständigt und zu dem schwer verletzten Kind hingeschickt hat? Ungefähr eineinhalb Stunden,
nachdem laut Meinung der Ärzte der Unfall stattgefunden
haben muss?«

»Wer denn? Ich denke, das war ein anonymer Anruf?«

»Detective Chief Inspector Richard Linville. Er hat angerufen.«

»Linville? Aber ...«

»Nein, er hat den Unfall nicht verursacht. Aber er ist verständigt worden. Anonym. Und hat dann sofort gehandelt.«

Robert schwirrte der Kopf. Er hatte irgendwie das Gefühl, auf dem Schlauch zu stehen. »Verstehe ich das richtig?
Der anonyme Anrufer hat sich damals an DCI Linville gewendet?«

»Ja. Und Linville veranlasste dann alles Weitere.«

»Das heißt, der anonyme Anrufer hat nicht die normale
Notrufnummer der Polizei gewählt? Sondern hat beim CID
in Scarborough angerufen? *Warum?*«

Die Stimme der jungen Beamtin vibrierte leicht. Sie hatte
noch eine weitere Sensation parat. »Der anonyme Anrufer
hat nicht einfach nur beim CID im Büro angerufen. Sondern bei Linville direkt. Auf dessen Handy.«

Robert starrte sie an. »Auf Linvilles Handy?«

»Ja. Das ist eigenartig, oder? Irgendein unbekannter
Mensch, der entweder gerade ein Kind überfahren hat oder
Zeuge dieses Unfalls geworden ist, ruft einen ranghohen
Ermittler der Kriminalpolizei an. Keineswegs der normale
Weg, oder?«

574

»Woher, zum Teufel, kannte der Typ Linvilles Handynummer?«

Sie zuckte noch einmal mit den Schultern. »Das konnte wohl nie geklärt werden, Sir.«

Er legte gerade eine kurze Kaffeepause an einer Tankstelle ein, als ihn DS Stewarts Anruf erreichte. Mit dem Styroporbecher in der Hand ging Caleb um das langgezogene Flachdachgebäude herum, stand zwischen Löwenzahn und Disteln auf einem Feld, das sich bis zum Horizont auszudehnen schien. Hinter sich vernahm er den Lärm der vorbeifahrenden Autos auf der Straße. Vor sich das schrille Geschrei eines Vogels. Ein kühler Wind strich über sein Gesicht. Er war dankbar dafür. Tabletten und Kaffee zeigten ganz langsam ihre Wirkung, aber noch immer fühlte er sich hundeelend. Hätte noch das heiße Wetter der letzten Tage geherrscht, er hätte sich kaum auf den Beinen halten können.

»Sergeant, was gibt es?«, fragte er. »Ich bin nicht mehr weit vor Liverpool.«

»Sir, ich weiß nicht, ob es von Bedeutung ist... Aber wir sind hier auf ein paar höchst eigenartige Dinge gestoßen.«

»Im Zusammenhang mit der Liverpoolgeschichte?«, fragte Caleb. »Und den anderen Morden?« Er hoffte, dass Robert jetzt nicht mit irgendeinem neuen Problem kam, dessen Lösung am Ende keinen Aufschub duldete. Dafür fehlte ihm im Augenblick jegliche Energie.

»Ich weiß es nicht. Es ist nur... es könnte auch völlig bedeutungslos sein... aber es hat mit DCI Linville zu tun.«

»Sergeant, ich möchte hier nur rasch meinen Kaffee trinken, und dann muss ich möglichst schnell weiter. Fassen Sie sich kurz!«

In etwas hektischer, daher wirrer Form – weil er die Ungeduld des Chefs spürte – fasste Robert zusammen, was er kurz zuvor selbst erfahren hatte: der anonyme Anruf auf Linvilles Handy. Linvilles sofortige Reaktion. Die bis heute offene Frage, woher der Anrufer Linvilles Handynummer gehabt hatte.

Caleb war genauso perplex wie Robert zuvor. »Ja… das hieße aber doch, dass der Anrufer Linville kannte. Im Umkehrschluss: dass Linville wusste, um wen es sich bei dem Anrufer handelte?«

»Das sollte man meinen, Sir. Ich habe eben selber noch einmal mit Newcastle telefoniert und mit dem zuständigen Beamten gesprochen. Es wurde damals intensiv nach dem flüchtigen Fahrer gefahndet und in diesem Zusammenhang auch nach dem Anrufer – von dem ja nie klar war, ob er mit dem Unfallverursacher identisch war. Linville hat eine detaillierte Aussage gemacht. Es war keine Nummer in seinem Display angezeigt, und da er zweimal während des Gesprächs Münzen klappern hörte, vermutete er, dass der Anruf von einer öffentlichen Telefonzelle aus erfolgte. Er kannte die Stimme des Mannes nicht, der mit ihm sprach. Er beteuerte immer wieder, sich den Kopf zu zerbrechen, jedoch einfach keine Ahnung zu haben. Weshalb sich der Anrufer an ihn wandte und woher er seine Handynummer kannte, war und blieb ihm rätselhaft.«

»Linville war in seiner Position bestimmt Menschen bekannt, die wussten, wer er war, ohne dass er sie wiederum kannte oder sich an eine Begegnung erinnern konnte. Jemand, der, egal wie oberflächlich, einmal mit ihm zu tun gehabt oder von ihm gehört hatte und der lieber in einer Notsituation bei ihm direkt anrief, anstatt 999 zu wählen… denkbar. Aber…«

»…das erklärt nicht das Handy. Der Kreis derer, die diese Nummer kannten, war zwangsläufig begrenzt. Auf Linvilles persönliches Umfeld und auf…«

»…sein berufliches«, vollendete Caleb. Er stöhnte leise. »*Einer von uns?*«

Beide Männer schwiegen einen Moment. Caleb kippte den restlichen Kaffee in die Disteln zu seinen Füßen. Er hatte plötzlich keine Lust mehr.

»Es geht noch weiter«, sagte Robert dann. »Die Geschichte ist noch mysteriöser.«

»Ja?«

»Der Kollege in Newcastle wunderte sich nämlich über meine Ahnungslosigkeit in dieser ganzen Sache. Schließlich hätte Ende des vergangenen Jahres erst eine Mitarbeiterin vom CID Scarborough bei ihm vorgesprochen und sich detailliert über den Fall und den Stand der damaligen Untersuchungen informiert.«

Caleb runzelte die Stirn. »Eine Mitarbeiterin von uns?«

»Ja. Und nun raten Sie.«

»Wer?«

»Jane. Jane Scapin.«

»*Was?*«

»Sir, das muss auf der anderen Seite nichts bedeuten. Ich meine, Jane war ja Teil der Geschichte. Es ging um ihren Bruder. Es ist vielleicht gar nicht ungewöhnlich, dass sie als erwachsene Frau ihren Status als Polizistin nutzt, um sich Informationen zu verschaffen. Die sie natürlich bekommt. Unter Kollegen.«

Caleb hatte plötzlich ein flaues Gefühl im Magen. »Aber das bedeutet… nachdem Linville ermordet worden war und wir hier begannen, sein berufliches Leben in allen Details auszuleuchten, hat Constable Scapin diese Informationen zurückgehalten. Dieses seltsame Telefonat, Linvilles Beteuerung, den Anrufer nicht zu kennen… die Auswirkung, die das auf eine Familie hatte… auf *ihre* Familie…«

»Vielleicht hielt sie es für irrelevant?«

»Vielleicht hielt sie es für unwahrscheinlich, dass er den Anrufer tatsächlich nicht kannte?«

»Sir!« Robert klang auf einmal beunruhigt. »Was wollen Sie damit sagen?«

»Das weiß ich nicht genau, Sergeant. Warum, verdammt noch mal, haben wir von dieser Sache nichts erfahren? Über alles und jeden wird hier getratscht. Niemand in unserer gesamten Dienststelle erwähnt diese Geschichte? Es müssen doch noch Kollegen da sein, die das damals miterlebt haben!«

»Linvilles Part wurde nicht groß thematisiert. Übrigens haben die Holgates gar nichts davon erfahren. Man wollte Linville davor schützen, von der Familie oder auch von Mitarbeitern ständig bestürmt zu werden, sich doch bitte zu erinnern, wer der Anrufer gewesen sein könnte. Linvilles Reputation machte ihn über jeden Zweifel erhaben, auch bei den Ermittlern in Newcastle. Wenn er sagte, er wisse nicht, wer ihn angerufen habe, dann konnte man das so stehen lassen, dann wusste er es tatsächlich nicht. Einen Mann wie ihn setzte man weder den Anrufen oder Briefen der Betroffenen aus noch dem Getuschel der Mitarbeiter. Ich vermute, dass der eine oder andere hier etwas wusste, aber es geriet dann sicher auch in Vergessenheit. Es ist nie zu einem großen Thema geworden, weil jeder überzeugt war, dass es stimmte: Linville hatte keine Ahnung.«

»Das heißt, Scapin wusste ebenfalls nichts von Linvilles Rolle in der Geschichte. Sie ruft eines Tages in Newcastle an, weil ihr als der vielleicht am stärksten Betroffenen die ganze Angelegenheit keine rechte Ruhe lässt. Sie möchte herausfinden, wie das damals so ablief. Sie glaubt wahrscheinlich selbst nicht, etwas Relevantes zu erfahren, aber dann erhält sie unerwartet eine neue Information.«

»So muss es gewesen sein, Sir.«

»Und erwähnt uns gegenüber ... *nichts*.«

»Nein«, bestätigte Robert das Offenkundige. »Sie erwähnt nichts.«

Caleb überlegte. »Wie ich Jane Scapin kenne, dürfte sie der Sache nachgegangen sein. Meinen Sie, dass sie vielleicht den Verdacht hatte, Linville selbst ...«

Robert war auf diesen Gedanken auch schon gekommen. »Linville selbst könnte der Fahrer gewesen sein? Voller Panik das Weite gesucht haben und später mit einem seltsamen Konstrukt versucht haben, auf das verletzte Kind aufmerksam zu machen? Das ist erstens unwahrscheinlich, weil er wirklich nur den Notruf hätte wählen und sich nicht selbst ins Spiel bringen müssen – warum das Risiko eingehen? Und zum anderen: Ich habe das gecheckt. Auch in Newcastle hat man seinerzeit – ausschließlich der Form halber, wie mir versichert wurde – Linvilles Aufenthaltsort zur Tatzeit überprüft. Er war hier in seinem Büro. Zusammen mit Segeant Dowrick. Den ganzen Tag. Das wurde auch von anderen Mitarbeitern bestätigt.«

»Sergeant Dowrick ...« Irgendwie fühlte sich Caleb richtig elend. Und das lag nicht mehr nur am Whisky vom Vorabend. Das lag an dem Gefühl einer sich mit jeder Minute unheilvoll verdichtenden Bedrohung. Noch konnte er nicht richtig fassen, was ihm an Ahnungen im Kopf herumging. »Wurde Scapin auch dieser Name genannt?«

»Ja. Weil Dowrick eben im Zimmer war, als der geheimnisvolle Anrufer Linville erreichte. Er sagte später aus, dass

Linville tatsächlich immer wieder gefragt habe: ›Wer sind Sie?‹ Und dass er offenbar keine Antwort darauf bekommen hatte.«

»Constable Scapin werden die Namen Dowrick und Linville genannt. Im Zusammenhang mit dem Unfall, der ihren Bruder zum Schwerstbehinderten gemacht hat und sowohl ihr Leben als auch höchstwahrscheinlich das der ganzen Familie auf ewig in Mitleidenschaft zieht. Kurz darauf ist Dowrick tot. Gleich danach Linville. Ich frage mich ...«

»Sir!«, sagte Robert entsetzt.

»Und ich habe Kate gestern Abend zu ihr geschickt. Kate hatte irgendwelche neuen Informationen, aber ich ... mochte sie nicht hören. Ich sagte, sie solle das mit Constable Scapin klären. Kate wollte gleich zu ihr fahren. Und jetzt sind beide verschwunden. Kate Linville und Jane Scapin.«

»Das kann harmlos sein«, sagte Robert, aber seine Stimme klang verändert und nicht so, als glaube er, was er sagte.

»Wir müssen DC Scapin so schnell wie möglich finden, Sergeant. Schicken Sie Polizisten zu ihrem Haus. Die sollen sich umsehen, die sollen auch diese Nachbarin noch mal ausquetschen. Vielleicht gibt es einen Hinweis. Ich melde mich aus Liverpool, wenn ich auf etwas stoße.« Caleb beendete das Gespräch, drehte auf dem Absatz um und rannte zu seinem Auto zurück.

Er hatte das Gefühl, keine Minute mehr verlieren zu dürfen.

6

Sie hatte sich ihr mütterliches Wesen bewahrt, immer noch, auch als Polizistin. Als Karrierefrau.

Sie hatte Sandwiches gekauft, in Plastik eingeschweißt, und genauso schmeckten sie, nämlich nach Plastik, aber das war egal, weil er solchen Hunger hatte, dass er alles gegessen hätte, jeden noch so abartigen Mist. Natürlich hatte sie auch mehrere Flaschen Wasser dabei, was ihm genauso willkommen war, denn er fühlte sich kurz vor dem Verdursten. Sie saßen in ihrem Auto, er verschlang die Brote und spürte etwas, das er lange nicht mehr gefühlt hatte: Es hatte etwas mit Nachhausekommen zu tun, mit Geborgenheit. Obwohl das im Moment nicht passte, überhaupt nicht. Im Gegenteil: Er steckte in einer komplizierten Situation, vielleicht war sie komplizierter als alles vorher, aber wenn er sie bewältigt hatte, würde alles gut sein.

Dann würde ein neues Leben beginnen.

Die Salatsoße sickerte zwischen den Brotscheiben hervor und tropfte auf sein Hemd, aber das machte nichts. Wichtig war nur, dass er etwas zu essen hatte. Er hatte die ganze Nacht nicht geschlafen, und sein Körper bebte vor Müdigkeit, aber das Essen rettete ihn vor dem Kollaps.

Jane rettete ihn. Wie sie ihn immer gerettet hatte, seine ganze Jugend hindurch, die völlig verkorkst gewesen war, aber noch schlimmer gewesen wäre ohne sie. Sie hatte seine Schulsachen gepackt, seine Wäsche gewaschen. Ihm das Abendessen gekocht. Proviant gekauft für die Ausflüge. Seine Kleidung in Ordnung gehalten.

Sie hatte sich um alles gekümmert. Genau wie jetzt.

»Ohne dich wäre damals alles auseinandergebrochen.«

Sie sah blass aus, angestrengt, traurig. »Das ist es jetzt sowieso«, erwiderte sie leise.

Das konnte er so nicht stehen lassen. »Nein. Alles ist gut. Alles *wird* gut. Du wirst sehen!«

Vor ihnen lagen die verlassenen Docks im matten Licht eines trüben Tages. Überall sonst mochte die Stadt zu geschäftigem Leben erwacht sein, aber hierher verirrte sich heute niemand. Was gut war, wie er fand, genau genommen: Es war die Rettung. Trotzdem musste er eine Lösung finden. Er wusste zumindest teilweise, wie sie aussehen sollte, aber er war noch nicht sicher, ob seine Schwester mitspielen würde.

Er aß die letzten Bissen des letzten Brotes. Dann trank er in gierigen Zügen eine halbe Flasche Wasser leer. Vielleicht verschwendete er Zeit, aber er musste vernünftig sein. Nichts war gewonnen, wenn er zusammenklappte. Er brauchte seine Kräfte. Und er spürte, wie sie zurückkehrten. Wie sie sogar halfen, dass Adrenalin in seinem Körper ansteigen zu lassen und damit die qualvolle Müdigkeit in den Griff zu bekommen. Irgendwann würde er umkippen wie ein gefällter Baum, aber noch nicht. Nicht bevor er nicht alles erledigt hatte.

»Zwei Dinge«, sagte er, »müssen noch geschafft werden. Zwei Dinge, und wir sind fertig. Dann starten wir ganz neu durch.«

Ihr Gesicht war voller Zweifel. »Wie denn? Was hat sich denn geändert?«

»Alles«, behauptete er. »Für mich jedenfalls. Für dich nicht?«

»Ich glaube, dass wir nicht davonkommen werden. Die Dinge sind aus dem Ruder gelaufen. Es gibt Grace Henwood, die irgendwann von der Polizei aufgegriffen werden wird. Es gibt Kate Linville, die sich in den Fall verbissen hat und nicht ruhen wird. Wir stecken in einer Sackgasse, Sean. Und im Moment manövrieren wir uns immer tiefer hinein.«

»Nein. Wir manövrieren uns hinaus. Du wirst es sehen.« Er nahm einen letzten tiefen Schluck Wasser, dann schraubte er die Flasche wieder zu. Er fühlte sich gestärkt und zuversichtlich. »Du wirst doch jetzt nicht die Nerven verlieren? Nur weil es zum ersten Mal nicht ganz glatt läuft?«

Sie erwiderte nichts, beugte sich vor und barg ihr Gesicht in den Händen.

Sanft strich er ihr über die Haare. Er betrachtete ihre Schultern, die unter dem Stoff des dünnen Wollpullovers, den sie trug, spitz und knochig hervorstachen. Sie war so mager. So abgekämpft. So gefangen in diesem Leben mit Dylan. In der Verantwortung, die sie sich hatte aufbürden lassen. In dem Schicksal, das sie alle ins Unglück gestürzt hatte und das aber eigentlich kein Schicksal im Sinne einer höheren Macht war. Es war von Menschen verursacht und ihnen aufgebürdet worden.

»Ich wollte immer eine gute Polizistin sein«, sagte sie nach einer Weile leise.

»Du bist eine gute Polizistin«, entgegnete er.

Sie schüttelte den Kopf. »Dann hätte ich das alles nicht zugelassen. Dann würde ich jetzt nicht hier sitzen und dich mit Essen und Trinken versorgen. Dann hätte ich mich dir in den Weg gestellt. Das ist es, was eine gute Polizistin getan hätte!«

»Du bist aber nicht nur Jane, die Polizistin. Du bist Jane, die Schwester. Jane, die Tochter. Jane, die Frau mit einer Vergangenheit. Mit einer schlimmen Vergangenheit, in der etwas sehr Böses geschehen ist. Das alles kannst du nicht von dir abtrennen. Du schleppst diese Geschichte mit dir herum. Und genau wie ich hast du gefühlt, dass die Dinge so nicht stehen bleiben dürfen. Dass die Opfer Opfer bleiben und die Täter ungestraft davonkommen.« Er strich ihr erneut über die Haare. »Gerade weil du Polizistin bist, Jane. Es geht um Gerechtigkeit. In deinem Beruf und überhaupt. Wenn es keine Gerechtigkeit gibt, verbittert man. Eine Geschichte wie unsere verlangt danach, dass Gerechtigkeit ausgeübt wird. Ich bin sicher, dass du das auch empfindest.«

»*Ich* bin nicht sicher«, sagte Jane.

Sie hatte einfach zu viel Angst im Moment. War ebenfalls übermüdet und abgekämpft. Wenn er alles in Ordnung gebracht hatte, würde sie die Welt aus neuen Augen sehen.

»Es war zu schlimm«, sagte er. »Damals. Du weißt doch noch, wie es war?«

Sie nickte.

Allen war damals recht schnell klar geworden, dass Dylan schwer geschädigt bleiben würde. Am Anfang hatten sie das ganze Ausmaß nicht wahrhaben wollen – angesichts der Euphorie, in die sie gestürzt waren, nachdem er aus dem Koma erwacht war. Sie hatten über Monate geglaubt, er werde entweder sterben oder zumindest nie wieder aufwachen, für ewig in Dunkelheit und völliger Starre gefangen bleiben. Doch er kehrte ins Leben zurück, Dylan Holgate, der fünfjährige blonde, aufgeweckte Junge, der an einem sonnigen Herbsttag auf seinem Fahrrad glückstrahlend losgezogen war, war wieder bei ihnen, aber er war ein anderer geworden. So anders, dass sich die ganze Familie irgendwann kaum mehr an die Zeit vor dem Unglück erinnern konnte: an den anderen Dylan.

Jane hatte das Ausmaß der Tragödie als Erste begriffen, noch vor ihren Eltern. Schneller als der Rest der Familie hatte sie aufgehört, sich selbst etwas vorzumachen: dass alles besser werden, dass nichts so schlimm bleiben, dass die Dinge sich in eine gute Richtung entwickeln würden.

Ihre Mutter hatte oft beteuert, dass es nach einer Zeit im Koma normal sei, wenn man noch nicht wieder der Alte war, und schon mit ihren damals fünfzehn Jahren hatte sich Jane manchmal verwundert gefragt, woher ihre Mutter das eigentlich wissen wollte. Was wusste sie über die Langzeitfolgen für Komapatienten? Mehrfach begleitete sie ihre Eltern und Dylan zum Arzt, und sie war hinterher erstaunt, dass außer ihr niemand zu begreifen schien, welch brutale Wahrheit sich hinter den zartfühlend verschnörkelten Reden der Ärzte verbarg: Dylan hatte, nach dem damals aktuellen Stand der Wissenschaft, seine Entwicklung abgeschlossen. In seinem geschädigten Gehirn war nichts mehr zu verändern, nichts mehr zu verbessern. Es gab noch einzelne Fördermaßnahmen, ja, aber durch nichts in der Welt würde eine wirkliche Veränderung herbeigeführt werden können. Dylan war zum lebenslangen Pflegefall geworden.

Irgendwann dann schließlich hatte sich niemand mehr etwas vorgemacht, und damit war die Familie zerbrochen.

Zwei Gründe sah Jane später als ursächlich für dieses Zerbrechen: Zum einen den, dass ihre Mutter von nun an nicht mehr drei Kinder hatte, sondern nur noch eines. Und zum zweiten: dass ihr Vater nicht die Kraft fand, das Schicksal anzunehmen und zu versuchen, das Beste daraus zu machen.

Beide Elternteile versagten, jedes auf seine Weise. Die Mutter rotierte von morgens bis abends um Dylan und verwandelte sich in Windeseile in eine verhärmte, chronisch erschöpfte, vollkommen überforderte Person. Dylan war kaum zu bändigen, ein aggressiver, völlig unzugänglicher Junge, den man höchstens mit starken Medikamenten einigermaßen beruhigen konnte. Medikamente, die ihn so sehr sedierten, dass er nur noch teilnahmslos dasaß – ein gebrochener Mensch. Ein Anblick, den die Mutter so wenig ertrug, dass sie die Medikamente schließlich in die Toilette warf und wutentbrannt hinunterspülte.

»Das lasse ich mit ihm nicht machen!«, schrie sie und nahm damit dem Rest der Familie die wenigen Atempausen, die überhaupt noch geblieben waren.

Der Vater hielt sich aus allem raus, mied zunehmend die heimatliche Wohnung, kam immer später von seiner Arbeit nach Hause und fand auch an den Wochenenden ständig neue Gelegenheiten, der Familie zu entkommen und eigene Wege zu gehen. Irgendwann kam er überhaupt nicht mehr. Eine Weile dachten sie, er habe sich eine Auszeit genommen, aber irgendwann war klar, dass er abgehauen war und dass sie ihn nie mehr wiedersehen würden. Die Mutter raffte sich irgendwann auf und meldete ihn als vermisst, aber die folgende, eher halbherzige Suche blieb ohne Ergebnis. Letzten Endes konnte er überall auf der Welt sein.

Unglücklicherweise war er der Ernährer der Familie gewesen. Von nun an kam kein Geld mehr in die Kasse.

Die Mutter war so vollständig mit Dylan beschäftigt, dass sie sich nicht einmal dieses Problems angenommen hätte, aber Jane gelang es schließlich, sie zu den entsprechenden Behörden zu schleppen, um wenigstens Sozialhilfe für die Familie zu beantragen. Aus der hellen, großen Wohnung mussten sie ausziehen, fanden Unterschlupf in winzigen drei Zimmern in einer unschönen Siedlung am Stadtrand. Jane musste ihr Zimmer mit Sean teilen, die Mutter schlief bei Dylan. Das Geld reichte vorne und hinten nicht:

nicht für Klamotten, nicht für Schulsachen, nicht für Kino- oder Diskobesuche. Freunde entfernten sich – wer mochte die Holgates schon noch besuchen? Wer mochte der hohläugigen Mrs. Holgate zusehen, wenn sie mit dem größer und stärker werdenden Dylan rang, wer mochte sein Geschrei, seine Wutausbrüche ertragen?

Jane war es, die nach der Schule alles tat, damit die Familie nicht gänzlich im Chaos strandete. Sie kümmerte sich vor allem um Sean. Sean war immer ein stiller Junge gewesen, schon früh sehr groß für sein Alter, aber der Typ sanfter Riese. Eher verträumt, ein Kind, das Probleme in sich hineinfraß, mit sich abmachte und vermutlich in den meisten Fällen nicht bewältigte. Jane ersetzte ihm die Mutter, so gut sie konnte. Vor dem täglichen Miterleben der Katastrophen konnte sie ihn jedoch nicht schützen: Nicht vor dem sozialen Abstieg. Nicht vor der Ausgrenzung durch Gleichaltrige. Nicht vor den Bildern, die sich täglich vor seinen Augen abspielten. Nicht vor der Tatsache, dass er im Alter von dreizehn Jahren von seinen beiden Eltern verlassen worden war.

Eines Abends, sie erinnerte sich später genau, hatte er erstmals von seinem Hass gesprochen. Und von Gerechtigkeit. Da war er fünfzehn gewesen, Jane siebzehn. Sie lagen jeder in seinem Bett in dem winzigen Kämmerchen, in dem es nicht einmal Platz für einen Kleiderschrank gab, und plötzlich hatte er in die Dunkelheit gesagt: »Es ist nicht die Schuld unserer Eltern, dass alles so gekommen ist. Es ist die Schuld von dem Kerl, der Dylan überfahren hat und dann abgehauen ist.«

Natürlich war es dessen Schuld, aber Jane wusste gleich, weshalb Sean in diesem Zusammenhang von den Eltern sprach: Sie selbst hatte sich öfter traurig und desillusioniert über ihren Vater und ihre Mutter geäußert, häufiger wahrscheinlich als über den unbekannten Täter. Der war gesichtslos, namenlos, niemand kannte ihn. Aber die Eltern: Das waren die Menschen, die gemeinsam drei Kinder in die Welt gesetzt und damit eine große Verantwortung übernommen hatten, und als es hart auf hart kam, als sie sich inmitten einer echten Bewährungsprobe wiederfanden, hatten alle beide versagt. Jane schmerzte das Verhalten ihrer Eltern mehr als alles andere. Sie war so enttäuscht von ihnen. Von dem Vater, der keinen anderen Weg sah als eine feige Flucht, von der er wissen musste, dass sie die endgültige Katastrophe für seine Familie darstellen würde. Und von ihrer Mutter, die sich auf Dylan in einer Art fokussierte, dass sie die gesamte übrige Welt ausklammerte, ein Leben jenseits dieses bedürftigen Kindes nicht mehr stattfinden ließ. Vielleicht hatte sie Jane damit am wenigsten geschädigt, weil sie schon fünfzehn Jahre alt gewesen war, als es passierte; *sie* konnte immerhin noch auf eine intakte Kindheit zurückblicken. Aber Sean, dieser sensible Junge, der Fürsorge, Liebe und Stabilität gebraucht hätte, der von den drei Geschwistern der labilste war, der ihr immer wie ein dünner Grashalm im stürmischen Wind vorgekommen war – um ihn hatte sie Angst, und schon allein seinetwegen würde sie den Eltern nie verzeihen. Ihr wurde bewusst, dass sie diese Gedanken zu deutlich zum Ausdruck gebracht hatte, gerade ihm gegenüber.

»Dieser Mensch hat unser Leben zerstört«, fuhr Sean fort. »Das von Dylan, aber auch das von Mum und Dad. Und deines. Und meines.«

Das waren genau die Gedanken, gegen die sich Jane immer vehement wehrte. Sie mochte nicht von *zerstörtem Leben* sprechen. Auch nicht daran denken.

»Wir können immer noch ganz viel aus unserem Leben machen, Sean«, sagte sie.

»Ich nicht«, sagte Sean.

»Doch. Du auch.«

»Ich würde gerne diesen Kerl finden. Der Dylan überfahren hat.«

Sie hatte gelächelt. Sean, der Rächer. »Und dann?«

»Ich würde ihn fragen, wieso er das getan hat. Wieso er einfach weitergefahren ist.«

Niemand hatte ihnen sagen können, ob sich die Dinge für Dylan besser entwickelt hätten, wäre sofort Hilfe zur Stelle gewesen. Ob die sinnlos verstrichenen eineinhalb Stunden für das Desaster verantwortlich waren oder nicht. Aber allein die Möglichkeit, dass es diese Zeitspanne gewesen war, die über das weitere Schicksal entschieden hatte, reichte aus, in Sean die Überzeugung zu verwurzeln: Hier lag der Kern. Hätte der Fahrer den Mut und die Menschlichkeit besessen, sofort Rettungswagen und Notarzt anzurufen, wäre ihnen allen das Schlimmste erspart geblieben.

»Sean, wir werden ihn nie finden. Nicht nach all der Zeit. Wir müssen das akzeptieren.«

»Ich kann das nicht akzeptieren.«

»Wir müssen nach vorne schauen. Die Situation ist, wie sie ist. Wir müssen für uns das Beste daraus machen.«

»Ich kann an nichts anderes denken«, sagte Sean. »Nur an den Fahrer. Und daran, dass er einfach davonkommt.«

Hätte sie in diesem Augenblick merken müssen, dass sich in dem Kopf des Teenagers Gedanken einnisteten, die später zu einer Besessenheit des erwachsenen Mannes werden würden?

»He«, sagte sie leise, »weißt du, worüber *ich* oft nachdenke?«

»Worüber?«

»Zur Polizei zu gehen. Beruflich, meine ich.«

»Du willst Polizistin werden?«

»Warum nicht?«

»Die haben doch bei Dylan total versagt!«

»Ich werde vielleicht besser sein als sie.«

»Wahnsinn!« Er klang beeindruckt. »Meine Schwester. Polizistin. Ganz schön cool!«

Jetzt, viele Jahre später, hatte Jane nicht mehr den Eindruck, dass sie an irgendeinem Punkt ihres langen bisherigen Weges wirklich *cool* gewesen war.

7

Er kam in Liverpool an, fuhr direkt zu der Siedlung und sah sofort, dass Kadir Roshan nicht auf der Mauer saß.

Hoffentlich war nicht auch das ein schlechtes Zeichen.

Caleb parkte sein Auto, stieg aus. Zuerst ging er zu der Wohnung von Grace Henwood, ohne die allzu große Hoffnung zu hegen, dass die Eltern inzwischen irgendetwas über den Verbleib ihrer Tochter wussten.

Mrs. Henwood öffnete ihm; sie sah, wenn das überhaupt möglich war, noch verhärmter aus als beim letzten Mal. »Inspector«, sagte sie leise. Sie wusste offenbar noch, wer er war. »Grace ist immer noch nicht wieder aufgetaucht. Wir haben keine Ahnung, wo sie sein könnte. Die Polizei hat alle Mitschüler überprüft. Nichts.«

Mr. Henwood kam aus der Küche. »Haben Sie Grace gefunden?«, fragte er.

»Nein.« Caleb schüttelte den Kopf. »Es tut mir leid.«

In Mrs. Henwoods Augen glänzten Tränen. »Sie ist wie vom Erdboden verschluckt. Ich verstehe das alles nicht! Es hat mit dem Mann zu tun, den man tot bei der Fabrik gefunden hat, nicht wahr? Aber damit hatte doch unsere Grace nichts zu tun! Sie hätte den Rollstuhl nicht nehmen dürfen, natürlich, aber …«

»Mrs. Henwood«, unterbrach Caleb sanft, »niemand wirft Grace irgendetwas vor. Sie hat absolut nichts Falsches getan. Sie glaubt das offenbar, und deshalb versteckt sie sich, aber das ist ganz grundlos.«

»Sie glauben wirklich, dass sie sich nur versteckt? Dass ihr nichts zugestoßen ist?«

Leider war sich Caleb da keineswegs sicher, aber er wollte Mrs. Henwood nicht noch mehr verängstigen. »Ich glaube wirklich, dass sie sich nur versteckt. Und Ihnen ist nach wie vor nichts eingefallen, wohin sie sich zurückgezogen haben könnte?«

»Sie kann überall und nirgends sein«, sagte Mr. Henwood.

»Hat noch einmal jemand nach ihr gefragt?«

»Nein. Gestern und heute niemand.«

»Hat sich Kadir Roshan einmal bei Ihnen gezeigt?«

»Wer?«

»Ein junger Inder. Er sitzt meistens da draußen auf der Mauer.«

»Ach der«, sagte Mr. Henwood. »Komischer Vogel. Nicht ganz richtig im Kopf. Nein, der war nicht hier.«

»Wissen Sie, wo er wohnt?«

Mrs. Henwood nickte. »In dem Haus gegenüber von uns. Unter dem Dach, soviel ich weiß.«

»Hat er etwas mit Graces Verschwinden zu tun?«, fragte Mr. Henwood.

Caleb winkte ab. »Nein. Aber er hat möglicherweise etwas beobachtet.«

Irgendwie hegte er nicht wirklich die Hoffnung, Kadir Roshan zu finden. Es war seltsam, ihn nicht auf der Mauer anzutreffen, obwohl es weder in Strömen regnete noch die Sonne erbarmungslos vom Himmel brannte. Eigentlich war es das ideale Wetter, um auf der Mauer zu sitzen. Er machte sich Sorgen – noch mehr Sorgen. Nach und nach schien jeder zu verschwinden, der in den Fall verwickelt war.

Er verabschiedete sich von den Henwoods und überquerte die Straße, betrat das gegenüberliegende Haus. Es schien weitgehend leerzustehen, nur hinter einer der Wohnungstüren vernahm er tappende Schritte, die sofort innehielten, als er vorbeiging. Vermutlich kam kaum jemals jemand hierher. Sein Besuch war die Sensation in der Siedlung.

Unter dem Dach, hatte Mrs. Henwood gesagt.

Er stieß die Tür, die nur angelehnt war, vorsichtig auf. Erfasste mit einem Blick den kargen, kleinen Raum. Die schrägen Wände. Das winzige Fenster, das kaum Tageslicht einließ. Die Reduzierung auf das absolute Lebensminimum: Matratze, Gaskocher, Teller, Tasse, Besteck. Eine Waschschüssel. Alles sehr sauber, sehr aufgeräumt.

Und mittendrin: Grace Henwood.

Sie kauerte in einer Ecke, hatte die Beine eng an den Körper gezogen, hielt sie mit beiden Armen umschlungen. Ihre langen Haare umhüllten sie wie ein dichter, weicher Vorhang.

Caleb erkannte sie sofort anhand der Beschreibung, die Kate gegeben hatte. Das sanfte Madonnengesicht. Die riesengroßen blauen Augen. Die langen Haare, die inzwischen allerdings dringend einer Wäsche bedurft hätten.

»Grace?«, fragte er trotzdem.

Sie nickte. Sie sah völlig verängstigt aus und machte den Eindruck, als wäre sie am liebsten rückwärts in der Wand verschwunden. »Ja«, sagte sie.

Er trat vorsichtig einen Schritt näher. »Ich bin Caleb Hale. Ich gehöre zu den Leuten, die den Mord an dem Rollstuhlfahrer aufklären.«

Sofort vertiefte sich der Ausdruck des Schreckens auf ihrem Gesicht. »Polizei«, sagte sie entsetzt.

Caleb lächelte. »Ja. Aber niemand will dir etwas Böses, Grace, auch nicht die Polizei. Du hast überhaupt nichts verbrochen, also musst du dir auch nicht die geringsten Sorgen machen. Wir möchten nur wissen, ob du etwas beobachtet hast. Als der Mann da drüben auf dem Fabrikgelände ... in diese Tonne gepackt wurde.«

»Der Rollstuhl«, sagte Grace.

Caleb winkte ab. »Den kannst du gerne behalten. Das ist ganz in Ordnung. Grace, wirklich, du musst dich vor nichts fürchten. Aber du könntest uns jetzt sehr helfen, denn du wusstest, dass der Mann in der Tonne war. Das heißt, du hast gesehen, wie ihn jemand dort hineingesteckt hat?«

Das war halb Frage, halb Feststellung. Grace nickte. »Ja.«

»War das ein Mann? Eine Frau? Mehrere Männer? Frauen? Beides?«

»Ein Mann«, sagte Grace.

»Ein einziger Mann? Er hat das ganz alleine geschafft?«

Grace wirkte ein wenig verunsichert. »Der andere war ja gelähmt. Er konnte sich gar nicht wehren.«

»Stimmt. Eine schlimme Tat, nicht wahr? Könntest du mir den Mann beschreiben? Oder kennst du ihn vielleicht sogar?«

»Ich kenne ihn nicht. Er ist sehr groß. Blond. Nicht so alt.«

»Wie alt ungefähr?«

»Nicht so alt wie Sie«, sagte Grace.

Okay. Also wahrscheinlich deutlich unter vierzig.

»Aber ... du kennst nicht seinen Namen? Oder weißt, wo er wohnt?«

»Nein.«

»Hast du ihn seitdem wiedergesehen? Ich meine, seit er ... das getan hat?«

Sie schlang die Arme fester um ihren Körper. Sie hatte Angst. »Ja«, flüsterte sie.

»Wann? Wo?«

»Letzte Nacht.«

»Wo?«

»Er kam zu meinem Versteck. Er hatte eine Taschenlampe. Er hat alles abgesucht.«

»Aber er hat dich nicht gefunden?«

»Nein. Weil dann Kadir kam. Und dann die Frau.«

»Welche Frau?«

»Der ich den Mann in der Tonne gezeigt habe.«

»Kate«, sagte Caleb.

Grace nickte heftig. »Kate. Sie ist sehr nett.«

Caleb trat noch näher heran, ging in die Hocke hinunter, um weniger bedrohlich zu wirken. »Das stimmt, Grace. Kate ist sehr nett. Und sie hat sich große Sorgen gemacht, nachdem du verschwunden warst. Sie wollte dich unbedingt finden. Um dich zu beschützen, verstehst du?«

Grace blinzelte ihn unsicher an. Sie hatte es vermutlich nie erlebt, dass jemand sie beschützen wollte, und konnte kaum begreifen, was Caleb erzählte.

»Wo ist Kate jetzt, Grace? Und Kadir? Sind die beiden zusammen?«

»Ja.«

»Wo sind sie?«

»Eingesperrt.«

»Eingesperrt? Der Mörder des Rollstuhlfahrers hat sie eingesperrt?«

»Ja.«

»Wo?«, fragte er eindringlich. »Grace, wo? Bitte. Es ist wichtig!«

Kate Linville und Kadir Roshan in der Hand des Mannes, dem aller Wahrscheinlichkeit nach drei brutale Morde zur Last gelegt werden konnten. Der sich in die Enge getrieben fühlte und nichts mehr zu verlieren hatte.

»Bitte, Grace. Wo sind sie?«

Mit einer graziösen Bewegung stand Grace auf. Wie ein schlaksiges Füllen stand sie im Raum. Jetzt erst bemerkte Caleb, wie verwahrlost sie war, dass die Kleidung vor Dreck stand und schlecht roch und dass Dreckkrusten in braunen Rändern um ihren Hals lagen. Sie lebte seit Tagen auf der Straße. Und davor hatte sicherlich auch niemand darauf geachtet, dass sie sich wusch und saubere Kleidung anzog.

»Ich zeige es dir«, sagte sie.

Er wusste, das war der Moment, da er Verstärkung anfordern musste. »Kannst du mir nicht erklären, wo der Ort ist?«

Sie blickte ihn hilflos an.

Gut, sie konnte es nicht beschreiben. Sie musste ihn führen. Sollten sie warten, bis er Polizei hierher beordert hatte? Das konnte dauern; zudem hegte er noch eine andere Furcht: Dass Grace nicht mehr kooperierte, wenn hier Polizisten auftauchten, dass sie in eine Angststarre fallen und keinen Mucks mehr von sich geben würde. Dann hatten sie ein weit größeres Problem.

Also lächelte er. »In Ordnung, Grace. Zeig mir den Ort. Wir müssen uns beeilen.«

Wenn er absah, wohin es ging, konnte er immer noch telefonieren. Vorerst war es wichtig, Graces Vertrauen keinesfalls zu verspielen.

»Beeilen«, wiederholte sie. Sie schien sehr ernst. »Ja. Wir müssen uns ganz schnell beeilen!«

8

»Ich muss das zu Ende bringen«, sagte er. Er hatte alle Brote gegessen, fast eine ganze Flasche Wasser leer getrunken. Es gab jetzt nichts mehr zu tun als genau das, was er gerade gesagt hatte: die ganze Angelegenheit zu Ende zu bringen.

»Bitte«, sagte Jane, »tu es nicht. Du bist schon zu weit gegangen. Und es wird immer schlimmer. Du verfängst dich immer mehr. Hör auf!«

Er starrte sie an. »Bist du verrückt? Die beiden können mich ins Gefängnis bringen. Du hast mir selbst gesagt, dass diese Scotland-Yard-Beamtin mir dicht auf den Fersen ist. Ich habe keine Wahl!«

»Du hast Kate eingesperrt und diesen Inder. Du hast immer noch nicht das Mädchen gefunden, das den Mord an Norman Dowrick beobachtet hat. Das alles findet kein Ende. Merkst du das nicht? Es ist dir entglitten! Es ist ausweglos.«

»Wenn diese Kate und der Inder ausgeschaltet sind, suche ich das Mädchen. Sie kann sich nicht in Luft auflösen.«

»Und dann bringst du sie auch um? Sean …«

»Auf welcher Seite stehst du?«

»Ich stehe auf deiner Seite, aber ich kann nicht zulassen, dass du …« Sie sprach nicht weiter, holte nur tief Luft.

»Was? Was kannst du nicht zulassen?«

»Du hast drei Menschen ermordet. Sean, ich habe dich gedeckt, aber …«

»Du hast mich nicht nur gedeckt, Jane. Du hast mich unterstützt. Du hast mich gewarnt, dass mein Auto in Scalby gesehen worden war. Du hast mich jetzt informiert, dass es eine Tatzeugin gibt, dieses gestörte Mädchen. Was hast du geglaubt, sollte ich mit dieser Information tun? Mich zurücklehnen, *aha* sagen und dann in Ruhe abwarten, bis sie mich überführen?«

»Du hättest als Erstes dein Auto loswerden müssen. Es ist verrückt, dass du immer noch damit herumfährst. Und jetzt hättest du wegziehen können. An das äußerste Ende von Südengland oder nach Schottland hinauf. Irgendwohin. Alles, was die Polizei im besten Falle hätte bekommen können, wäre ein Phantombild gewesen – gezeichnet nach den Angaben eines geistig zurückgebliebenen Teenagers. Damit hätten sie dich nie aufgestöbert. Gott im Himmel, Sean, ich wollte dich warnen. Ich wollte dich wissen lassen, dass du gesehen worden bist. Ich wollte dich nicht auffordern, sie *umzubringen*!«

Er verzog verächtlich das Gesicht. Er hätte nicht gedacht, dass sie so mutlos sein konnte. So schlechte Nerven hatte. Sie gab einfach auf und versuchte auch ihn zum Aufgeben zu bewegen.

»Du hast mich auch gestern Abend wieder angerufen«, erinnerte er sie. »Du hast mir gesagt, wo sich diese Grace vermutlich aufhält. Dass dieser Inder dicht an ihr dran ist. Und dass die Polizistin von Scotland Yard demnächst wahrscheinlich auch noch aufkreuzt. Was hast du denn geglaubt, wie ich damit umgehe?«

»Ich wollte, dass du Liverpool verlässt. Dass du aufhörst, in dieser verdammten Siedlung herumzulungern und jeden nach Grace auszufragen. Verdammt noch mal, Sean, du warst dabei, eine Situation herbeizuführen, in der am Ende etliche Leute in der Lage sein würden, eine genaue Beschreibung von dir abzugeben. Du warst mit deiner wahnwitzigen Suche dabei, alles zu untermauern, was Grace über dich aussagen würde. Man hätte die Behauptungen dieses Mädchens normalerweise mit höchster Zurückhaltung aufgenommen, aber du hast ihnen mit deinem Verhalten unbedingte Glaubwürdigkeit verliehen. Das ist Wahnsinn. Ich wollte dich stoppen!«

»Wie schlau du immer bist«, sagte er wütend. Sie hatte recht, das wusste er. Er hatte den Schlamassel nach besten Kräften vergrößert.

»Egal«, sagte er schließlich. »Es ist jetzt, wie es ist. Ich muss die beiden da unten in dem Keller erledigen. Die lassen mich sonst nicht entkommen.«

Er stieß die Autotür auf, stieg aus. Sah sich um. Alles absolut still und friedlich. Keine Menschenseele weit und breit. Gut, das musste er nutzen, schließlich hatte er keine Sicherheit, dass hier nie jemand herkam. Er hatte schon viel zu lange gewartet. Plötzlich wütend, dachte er: deshalb die belegten Brote, das Wasser, die Fürsorge. Sie wollte mich hinhalten. Und mich in ihrem Sinne bearbeiten.

Er würde jetzt diese unterirdische Anlage fluten. Grace Henwood hatte ihn an den perfekten Ort geführt, und der Inder und die Polizistin hätten ihm keinen größeren Gefallen tun können, als hinterherzukommen. Er hatte bereits den Raum gefunden, in dem sich das Rad befand, mit dem er die Flutungsklappen öffnen konnte. Eine saubere Sache. Er musste den Gefangenen nicht mehr nah kommen, sie nicht mehr sehen. Keine Gefahr, dass er dabei überwältigt wurde oder noch irgendwelche Spuren hinterließ.

Auch Jane stieg aus. Sie standen einander gegenüber, zwischen sich das Auto.

»Was hast du vor?«, fragte sie.

»Ich lass die beiden absaufen. Und, okay, danach höre ich auf. Ich mach mich auf und davon. Vielleicht auf den Kontinent rüber, für einige Zeit. Ich lasse das junge Mädchen in Ruhe. Du hast recht: Alles, was sie erzählt, wird man ohnehin nur zur Hälfte glauben.«

Jane sah ihn völlig entsetzt an. »Du kannst Kate und den Inder nicht da unten ertrinken lassen!« Ihr war sofort klar, was er mit *Absaufen* meinte. Sie kannte Anlagen wie diese. Meistens gab es eine Möglichkeit, sie mit Wasser zu fluten.

»Ich kann und ich werde«, sagte er. »Die beiden sind echt gefährlich. Vor allem die Frau von Scotland Yard. Ich habe keine Lust, ihretwegen für den Rest meines Lebens im Knast zu sitzen.«

Jane kam um das Auto herum. Sie zog ihr Handy aus der Tasche.

»Tut mir leid. Ich rufe Verstärkung. Ich lasse nicht zu, dass du das tust.«

Zunächst glaubte er nicht, dass sie das ernst meinte. So dumm konnte sie nicht sein, sie hing viel zu tief in der Sache mit drin. *Sie* hatte ihn mit allen relevanten Informationen versorgt. *Sie* hatte ihren Kollegen gegenüber eine Show abgezogen und mit ihrem Wissen über die wahre Identität des Täters in drei Mordfällen hinter dem Berg gehalten. *Sie* hatte ihn gewarnt, als der Boden zu heiß wurde.

»Sei kein Idiot«, sagte er. »Du landest genauso im Knast wie ich. Vielleicht nicht so lange, aber du wirst sitzen. Und deine Karriere kannst du komplett abschreiben.«

Ohne mit der Wimper zu zucken, gab sie zurück: »Ich weiß. Aber ich kann nicht zulassen, dass noch jemand stirbt.«

»Armer Dylan«, sagte Sean leichthin. »Die beiden einzigen Menschen, die ihm geblieben sind, für Jahre hinter Gittern. Hast du mal überlegt, was aus ihm werden soll?«

Jetzt sah er einen kurzen Anflug von Unsicherheit in ihrem Gesicht. Den Schatten eines Zweifels, eines Zauderns.

Doch das dauerte nur den Bruchteil einer Sekunde, dann zeigte sie wieder Entschlossenheit. »Ich rufe jetzt die Kollegen an.«

»Das lässt du bleiben«, sagte Sean.

Überrascht blickte sie auf die Waffe in seiner Hand. Woher hatte er eine Pistole? Er richtete sie auf seine Schwester.

»Wirf das Handy weg«, befahl er. »Schön weit. In hohem Bogen.«

Sie konnte sich nicht vorstellen, dass er das tun würde. Dass er auf sie schießen würde.

»Mach doch nicht alles immer schlimmer«, sagte sie.

»Handy weg«, befahl er. Sie vernahm das leise Klicken, als er die Waffe entsicherte.

Sie ließ ihr Handy auf den Boden fallen. Es lag zwischen Sean und ihr. Sean streckte den Fuß aus und kickte es davon. In eine sichere Entfernung.

»Willst du mich jetzt erschießen?«, fragte Jane. »Um mich aus dem Weg zu haben? Oder glaubst du, ich bleibe hier stehen und warte, bis du die Anlage geflutet hast?«

Sie konnte sehen, dass er überlegte. Er hatte Skrupel, seine eigene Schwester einfach abzuknallen. Aber sie war zu einem gefährlichen Gegner geworden.

»Woher hast du die Waffe?«, fragte sie.

Er grinste stolz. »Die hab ich der Polizistin abgenommen.«

Dann handelte es sich vermutlich um die Waffe des toten

Richard Linville. Jane wusste, dass man sie Kate ausgehändigt hatte.

Auch eine Art von Gerechtigkeit, dachte sie, dass ich mit *seiner* Pistole jetzt womöglich erschossen werde.

Sean machte plötzlich eine Bewegung auf sie zu, und sie dachte: Jetzt. Jetzt tötet er mich.

Aber dann schoss der Griff der Pistole auf ihr Gesicht zu, sie spürte einen furchtbaren Schmerz an der Schläfe, und im nächsten Moment wurde ihr schwarz vor den Augen. Sie bekam nicht einmal mehr mit, wie sie fiel. Sie war schon bewusstlos, ehe sie auf dem Pflaster zu ihren Füßen aufschlug.

9

Sie hatten immer wieder von neuem versucht, den Riegel zu öffnen. Sie hatten geschoben, gerüttelt und gezogen, und sie hatten sich gegen die Tür geworfen, um ihn aus seiner Verankerung zu brechen. Es half nichts. Er gab Geräusche von sich, die immer wieder ihre Hoffnung erweckten, weil es so klang, als hinge er höchstens noch an einer letzten wackeligen Schraube fest, aber das war eine Täuschung: Er hielt. Eisern und unverrückbar.

Sie waren beide erschöpft. Nicht eigentlich müde, dafür pulsierte zu viel Adrenalin durch ihre Körper, aber gestresst, kaputt, zermürbt. Sie hatten stundenlang gearbeitet, um sich wechselseitig von den Fesseln zu befreien, sie hatten den vergeblichen Kampf mit der Tür ausgefochten. Sie hatten Hunger und vor allem Durst. Wenn sie nicht bald befreit wurden, würde Wasser ihr größtes Problem werden, das wusste Kate schon jetzt.

Am Anfang hatte die Taschenlampe ständig gebrannt, aber dann war die Tatsache, dass der Schein schwächer wurde, nicht mehr zu ignorieren gewesen, und Kate und Kadir hatten sich geeinigt, sie zwischendurch auszuschalten. Sonst würden sie in absehbarer Zeit überhaupt kein Licht mehr haben. Dafür saßen sie jetzt lange Strecken im Dunkeln – und es war nicht die normale Dunkelheit einer normalen Nacht, es war eine vollkommen undurchdringliche Finsternis. Nur damit sie nicht den Verstand verloren, schaltete Kate hin und wieder die Lampe ein. Es war wie eine Vergewisserung, dass es die Welt um sie herum noch gab – auch wenn es für den Augenblick eine Welt war, die aus einem steinernen Kerkerloch bestand. Außerdem blickte sie jedes Mal auf ihre Armbanduhr. Es war fast Mittag.

Die alte Frage: Wann würde Jane merken, dass etwas nicht stimmte?

»Was glauben Sie, was passieren wird?«, fragte Kadir. Er hatte lange kein Wort gesprochen. Manchmal, im Lichtschein, hatte Kate gesehen, dass er seine Lippen lautlos bewegte. Sie vermutete, dass er mit Hilfe irgendeines Mantra versuchte, seine Panik unter Kontrolle zu halten.

»Ich gehe davon aus, dass der Typ nicht mehr da ist«, sagte Kate. Es war eher das, was sie hoffte, aber sie bemühte sich, dass es überzeugend klang. »Er konnte Grace nicht finden und hat sich aus dem Staub gemacht. Das wäre es jedenfalls, was ich tun würde. Mich so weit wie möglich von Liverpool entfernen.«

»Er lässt uns einfach hier unten sitzen?«, fragte Kadir entsetzt.

»Er kann uns nicht rauslassen. Und er glaubt, dass uns hier nie jemand findet. Aber da hat er sich geirrt. DC Scapin weiß Bescheid. Sie weiß, dass Sie Grace in der Nähe des

Canada Dock vermutet haben. Und sie wird hierherkommen, wenn sie nun über längere Zeit nichts von mir hört.«

»Aber wann?«

»Bald. Sie ist clever, und es wird ihr gar nicht gefallen, dass ich plötzlich vom Erdboden verschwunden bin. Sie wird Nachforschungen anstellen.«

Hoffentlich! Sie weiß nicht, dass ich hierhergefahren bin. Hoffentlich gibt sie sich nicht mit den vagen Anmerkungen der Liverpool Police zufrieden.

Aber das würde Jane nie tun. Sie war akribisch, zäh, ließ sich nicht abbringen, wenn sie eine Fährte verfolgte. Kate kannte noch immer nicht die ganze Geschichte, hatte aber begriffen, dass Jane eine ganze Familie gerettet und letztlich die Festnahme von Denis Shove ermöglicht hatte – und das alles im Alleingang.

»Haben Sie auch solchen Durst, Kate?«

»Ja. Aber lassen Sie uns nicht davon sprechen. Konzentrieren Sie sich auf etwas anderes, Kadir. Durst wird schlimmer, wenn man über ihn nachdenkt.«

»Ich kann mich kaum noch auf etwas anderes konzentrieren. Ich kann nur noch an Wasser denken …«

Er saß schon länger hier unten. Und hatte sich wahrscheinlich nicht ausreichend gestärkt, ehe er zu den Docks aufbrach, um Grace zur Seite zu stehen.

»Alles wird gut«, sagte Kate. Sie knipste die Lampe an. Kadir sah blass und verhärmt aus. Seine Augen schienen sehr trocken, fast ein wenig fiebrig.

»Es kann nicht mehr lange dauern«, versicherte sie.

»Wollen wir es noch einmal an der Tür probieren?«, fragte Kadir.

Sie rappelten sich auf, warfen sich gegen die Tür, zerrten am Riegel. Nichts. Kates ganze rechte Körperseite schmerzte. Sie hatte sich jetzt so oft gegen die Stahltür geworfen, dass sie am nächsten Tag von blauen Flecken übersät sein würde.

»Wir sollten unsere Kräfte sparen«, sagte sie. »Es bleibt uns nichts übrig, als auf Jane zu warten. Wir kriegen die verdammte Tür nicht auf, Kadir, das ist leider eine Tatsache.«

»Glauben Sie, man kann das Wasser von den Wänden lecken?«, fragte Kadir. Er betrachtete die schmalen Rinnsale, die über die Steine flossen.

Kate zuckte mit den Schultern. »Das ist Flusswasser. Ich glaube nicht, dass man aus dem Mersey trinken sollte.«

»Bei uns in Indien trinken die Leute aus dem Ganges. Sie waschen sich darin, sie leiten ihre Fäkalien hinein, sie entsorgen ihren Müll – und sie trinken daraus.«

»Viele werden krank und sterben.«

»Aber erstaunlich viele überstehen es auch. Noch ein oder zwei Stunden, und ich werde …«

Er unterbrach sich mitten im Satz. Von oben war ein seltsames Geräusch zu hören. Ein langgezogenes, rostiges Quietschen. Es verstummte, setzte aber gleich darauf wieder ein.

»Was ist das?«, fragte Kadir entsetzt.

Kate sprang auf, leuchtete mit der Taschenlampe an die Decke. Sie konnte nicht erkennen, ob sich die Stahlplatte über ihnen bewegt hatte, aber eines war klar: Von dort kam das Geräusch.

Jemand versuchte, die Platte zu öffnen.

Ihr wurde fast schlecht. Scheiße. Der Kerl war nicht weg. Er war noch hier. Er wollte auf Nummer sicher gehen, was seine Gefangenen betraf.

Er versuchte, die Platte zu öffnen.

Auch Kadir war aufgesprungen. Er begriff im selben Moment wie Kate, was nun passieren würde.

»Oh nein!« Er schnappte nach Luft. »Nein. Kate, was sollen wir … was können wir …«

Wie auf ein geheimes Kommando hin warfen sie sich beide erneut gegen die Tür. Zerrten daran, schlugen mit den Fäusten dagegen. Schrien.

Die Situation hatte sich grundlegend geändert.

Ein Mangel an Wasser würde in einigen Minuten vermutlich nicht mehr ihr Problem sein.

Als Jane aufwachte, wusste sie im ersten Moment nicht, wo sie sich befand. Sie lag in einem weichen Sitz, aber ihre Haltung fühlte sich nicht bequem an. Ihre Muskeln taten weh, und sie konnte die Beine nicht ausstrecken. Sie richtete sich auf und starrte durch die ziemlich verdreckte Windschutzscheibe ihres Autos nach draußen.

Sie sah die verlassenen Docks, und ihre Erinnerung kehrte schlagartig zurück.

Liverpool. Sean. Er hatte sie niedergeschlagen, sie hatte das Bewusstsein verloren. Offensichtlich hatte er sie sodann in ihr Auto geschafft und auf dem Beifahrersitz verstaut.

Sie klappte den Spiegel vor sich herunter und musterte ihr Gesicht. Sie sah sehr blass aus, aber noch konnte sie an ihrer Schläfe, dort, wo der Schlag sie getroffen hatte, kaum etwas erkennen. Eine ganz leichte Schwellung … Bis zum Abend würde sie hühnereigroß sein und in allen Farben schillern.

Im nächsten Augenblick kam auch die Erinnerung an Seans weiteres Vorhaben zurück, und sofort versuchte sie, die Tür aufzustoßen. Verdammt, Kate und Kadir saßen gefangen irgendwo dort unten in dem Stollen, und Sean war drauf und dran, das gesamte unterirdische System zu fluten – wenn er es nicht sogar schon getan hatte.

Die Tür ging nicht auf, Sean hatte das Auto verriegelt. Jane neigte sich über den Fahrersitz und betätigte den Schalter, der augenblicklich sämtliche Türen aufsperrte. Sie kroch hinaus, bemühte sich, den einsetzenden pulsierenden Kopfschmerz zu ignorieren. Ihr Handy… irgendwo musste hier ihr Handy herumliegen. Sie musste sofort die Polizei anrufen.

Aber sie konnte es nicht finden, so angestrengt sie suchte. Sean war nicht dumm, er wusste, dass sie aufwachen würde und dass sie das Auto verlassen konnte. Er hatte das Handy mitgenommen.

Sie schaute auf ihre Uhr, aber da sie zuvor nicht auf die Zeit geachtet hatte, wusste sie nun nicht, wie lange sie bewusstlos gewesen war. Sie zögerte kurz, überlegte, ob es etwas brachte, einfach loszulaufen, zu hoffen, dass sie bald auf Menschen stieß und dann telefonieren konnte, aber sie entschied, dass das zu riskant war. Für Kate und den Inder ging es unter Umständen um Minuten. Sie musste die beiden finden und befreien.

Sie kletterte über die Barrikade, die das Gelände verschloss. Da Seans Peugeot noch draußen stand, gab es die Hoffnung, dass er noch nicht dazu gekommen war zu tun, was er tun wollte. Andererseits hieß das: Sie musste aufpassen, ihm nicht in die Arme zu laufen. Er war bewaffnet. Er war entschlossen. Er war verzweifelt. Vielleicht würde er sich ein zweites Mal nicht damit begnügen, seine Schwester nur vorübergehend außer Gefecht zu setzen.

Der Eingang war leicht zu finden, die Tür unverschlossen. Mit angehaltenem Atem stieß Jane sie nach innen auf. Fast fürchtete sie, bereits schmutziges Flusswasser zu ihren

Füßen schwappen zu sehen, aber noch schien alles trocken. Dann vernahm sie plötzlich ein Knirschen und Quietschen und wusste, dass Sean begann, seinen wahnsinnigen Plan in die Tat umzusetzen. Da die gesamte Anlage schon lange nicht mehr gewartet und gepflegt wurde, waren sämtliche Gerätschaften sicher in einem schlechten Zustand, verkalkt, verrostet und im Zerfallen begriffen, daher bereitete das Vorhaben Sean vermutlich mehr Schwierigkeiten, als er gedacht hatte. Aber er war stark, und er würde nicht aufgeben.

Sie hatte keine Zeit zu verlieren.

Sie stieg die schier endlos lange, steile Treppe hinunter. In eine Dunkelheit, die, je weiter sie sich vom Einstieg entfernte, immer undurchdringlicher wurde. In die Ungewissheit, wie weit sie gehen musste, um die Eingeschlossenen zu finden – wenn sie sie überhaupt fand. Und bedroht von dem Wasser. Jeden Moment konnte Sean Erfolg haben. Jane hatte keine Ahnung, ob sie dann schnell genug den Rückweg finden und die Treppe nach oben erreichen würde.

10

Sie gingen zu Fuß, weil Grace sich weigerte, in sein Auto zu steigen. Sie verströmte Angst und Misstrauen fast so intensiv wie einen starken Geruch. Caleb nahm an, dass es nur die Angst um Kate war, die sie veranlasste, überhaupt zu kooperieren und nicht sofort das Weite zu suchen. Grace hatte panische Angst vor Männern und panische Angst vor Polizisten. Und Caleb war beides, Mann und Polizist, und damit die Verkörperung eines Albtraums. Obwohl er vor Nervosität vibrierte, weil der Fußmarsch viel zu viel kostbare Zeit verschlang und sie mit dem Auto natürlich viel schneller gewesen wären, bemühte er sich, ruhig und gelassen zu wirken und so zu tun, als sei diese Art der Fortbewegung ganz in seinem Sinn. Er musste alles vermeiden, was Grace erschrecken konnte.

Sie waren fast dreißig Minuten unterwegs, als die Gegend um sie herum, obwohl noch inmitten der Stadt gelegen, immer verlassener wurde. Hier sah man das Hauptproblem Liverpools mehr als deutlich: bankrotte Unternehmen und die daraus resultierende hohe Arbeitslosigkeit. Leerstehende Bürogebäude, einsame Schiffswerften, endlose Strecken riesiger Container, die vor sich hin rosteten und an denen die Disteln emporwuchsen. Hier hatte man alles auf den Fluss und auf den Schiffsbau gesetzt, aber die Hoffnungen hatten sich nicht erfüllt. Nach und nach hatten die Unternehmen aufgeben müssen. Geblieben war ein großes Areal, das nun einer Geisterstadt glich: leer, traurig, voller Hoffnungslosigkeit.

»Ist es noch weit?«, fragte Caleb. Er keuchte leise, während sich Grace scheinbar ohne jede Anstrengung bewegte. Seine Kondition an diesem Tag war miserabel. Er wollte gar nicht wissen, wie hoch der Alkoholgehalt in seinem Blut noch immer sein musste.

»Da vorne«, sagte Grace. Sie lächelte. »Da!« Sie wies auf ein vor ihnen liegendes grasbewachsenes Gelände, das sich direkt am Flussufer befand und von einer steinernen Mauer umschlossen wurde. Das Tor hatte man notdürftig mit Holzbrettern und Balken vernagelt. Aber etwas anderes fiel Caleb sofort ins Auge: ein grüner Peugeot, der unmittelbar an der Außenmauer parkte. Daneben unverkennbar der Wagen von DC Scapin.

Scheiße, dachte er.

Sie hing mit drin. Er wusste noch nicht genau, wie und in welchem Umfang, aber er konnte sich angesichts dessen, was er an diesem Vormittag erfahren hatte, kaum noch eine harmlose Erklärung vorstellen.

Eine Sekunde lang bereitete ihm die Erkenntnis, von Jane Scapin getäuscht worden zu sein, einen beinahe körperlichen Schmerz, so heftig, dass er stehen bleiben und tief durchatmen musste.

Aber: keine Zeit zum Innehalten. Weiter. Er konnte sich später die Zeit nehmen, um eine erstklassige Kollegin zu trauern.

Grace eilte vor ihm her und blieb an dem versperrten Eingang zu der ehemaligen Werft stehen.

»Da drinnen«, sagte sie. »Unten.«

Er spähte über die Absperrung. Er sah das flache Gebäude, eine Art kleine Lagerhalle, die völlig verlassen zu sein schien und ringsum von den obligatorischen Disteln und Brennnesseln umwuchert wurde. Die Tür stand offen.

»In diesem Schuppen sind sie?«, erkundigte er sich.

»Unten«, sagte Grace. Sie strich sich eine flatternde Haarsträhne aus dem Gesicht. »Ein großer Keller. Da sind sie.«

»Aha. Okay.« Offenbar eine Bunkeranlage. Er zog sein Handy hervor.

»Keine Angst«, sagte er zu Grace. »Es wird Polizei kommen. Aber nicht deinetwegen, hörst du? Du bist vollkommen in Sicherheit.«

Sie sah ihn misstrauisch an, lief aber immerhin nicht sofort weg.

Caleb hatte inzwischen die Liverpool Police am Apparat. Er forderte Verstärkung an, umgehend, und er beschrieb, wo er sich befand. Er kannte die Namen der Örtlichkeiten nicht, hatte sich aber die Straßennamen auf dem Weg hierher gemerkt.

»Das müsste ungefähr beim Canada Dock sein«, meinte der Beamte am anderen Ende der Leitung.

»Gut möglich. Und geben Sie weiter, dass es eilig und dringend ist.«

Er überlegte. Er hatte es voraussichtlich mit zwei Gegnern zu tun, aber natürlich konnten es auch mehr sein. Er wusste nicht, wo sie sich auf dem Gelände befanden. Er wusste nicht, ob sie bewaffnet waren. Er wusste nicht, was sie genau vorhatten. Aufgrund der bereits begangenen drei Morde wusste er nur eines: Sie waren absolut skrupellos und brutal.

Den Vorschriften entsprechend, musste er jetzt zusehen, dass er Grace aus der Gefahrenzone herausbrachte, und dann musste er warten, dass die Verstärkung eintraf. Vorher durfte er nicht eigenmächtig in Aktion treten, unbewaffnet und allein, wie er war.

So weit die Vorschriften. Es gab jedoch diese innere Stimme in ihm, die ihm schon seit einer ganzen Weile zurief, dass keine Zeit zu verlieren war. Er hätte es nicht logisch begründen können – außer mit dem Umstand, es tatsächlich mit äußerst aggressiven Tätern zu tun zu haben –, aber er hatte das Gefühl einer unmittelbaren Bedrohung und Gefahr. Er hatte das Gefühl, dass es zu lange dauern würde, bis die anderen eintrafen.

»Komm«, sagte Grace und machte Anstalten, über die Barriere zu klettern.

Er hielt sie am Arm fest. »Nicht, Grace. Von jetzt an gehe ich alleine. Du kannst da nicht mit hineinkommen. Geh nach Hause.«

Bei den Worten *nach Hause* flackerte ihr Blick.

»Oder geh wieder in die Wohnung von Kadir«, schlug Caleb vor. »Dort bist du sicher.«

»Du findest sie nicht«, sagte Grace. »Sie sind ganz hinten.«

»Ich finde sie. Glaub mir. Bitte. Du hast uns allen sehr geholfen. Geh jetzt weg von hier.«

Grace sprang von der Absperrung und wich einen Schritt zurück. Caleb hoffte, dass sie tun würde, was er gesagt hatte. Verschwinden.

Er schwang sich auf den provisorischen Zaun und sprang auf der anderen Seite hinunter. Landete in weichem Gras. Es herrschte völlige Stille bis auf das gelegentliche Schreien der Möwen und das träge Platschen, mit dem der Fluss an das Ufer schwappte. Man hätte meinen können, dass sich kein Mensch hier weit und breit aufhielt.

Aber die Autos da draußen, sie erzählten etwas anderes.

Geduckt huschte er auf das Gebäude zu. Letztlich hätte er genauso gut aufrecht gehen können – er war so oder so weithin sichtbar, und wenn dort jemand war, der ihn abknallen wollte, konnte er das problemlos tun. Aber nichts geschah. Caleb erreichte die Tür. Öffnete sie. Sah eine Treppe. Sie war sehr steil, und sie ging weit in die Tiefe. Unten herrschte völlige Finsternis.

Ein Labyrinth, dachte Caleb, unter dem Fluss.

Er zögerte kurz. Er war erbärmlich schlecht ausgestattet. Er hatte nicht einmal eine Taschenlampe dabei. Wie sollte er sich da unten zurechtfinden?

War es doch besser, hier oben zu warten?

In dem Moment vernahm er ein grässliches Geräusch. Ein lautes, knirschendes Quietschen, schrill und metallisch, so unangenehm wie ein Zahnarztbohrer, nur viel lauter.

Stahl, der auf Stahl entlangschrammte. Ein Geräusch, das im Kopf und in allen Knochen wehtat.

Caleb wusste nicht, was das war. Aber es konnte sich um nichts Gutes handeln. Die Zeit drängte.

Er stieg die Treppe hinunter.

Als sie hörte, dass sich plötzlich draußen jemand an der Verriegelung zu schaffen machte, wäre Kate fast in Tränen ausgebrochen – so überwältigend war die Hoffnung, doch noch gerettet zu werden. Und als sie dann auch noch Janes Stimme vernahm, gelang es ihr kaum noch, weiterhin die Ruhe auszustrahlen, die sie sich Kadirs wegen seit Stunden so mühsam abrang.

»Seid ihr da drin?«, fragte Jane, und Kate presste sich sofort an die Tür. »Ja. Jane, wir sind hier. Um Gottes willen, der Kerl versucht, den Stollen zu fluten. Lass uns raus! Ganz schnell!«

Sie konnten hören, wie sich Jane erneut am Riegel versuchte. »Verdammt noch mal, der sitzt elend fest!« Gleich darauf ertönte ein leiser Schmerzenslaut.

»Was ist los?«, fragte Kate.

»Ich glaube, ich habe mir gerade fast einen Fingernagel rausgerissen. Egal. Das Ding bewegt sich nicht!«

»Es muss! Es ist ja vor ein paar Stunden erst bewegt worden!«

»Aber der Mann, der das geschafft hat, ist zwei Köpfe größer als ich und verbringt jeden Tag von morgens bis abends mit Gewichtheben«, keuchte Jane. »Scheiße, sitzt das fest!«

Wieder ertönte das hässliche Quietschen, mit dem ihr Gegner versuchte, die Stahlplatten in der Decke zu bewegen. Er und Jane kämpften mit demselben Problem:

mit völlig veralteten, rostzerfressenen Gerätschaften. Die Frage war, wer zuerst eine Bewegung in sein System bringen würde. Kates Mut sank. Offenbar hatte Jane den Täter gesehen, und ihrer Beschreibung nach handelte es sich um einen muskelbepackten Riesen. Schlechte Karten für sie. Die Frage war, wie lange konnte man Jane bitten, weiterhin zu versuchen, die Tür zu öffnen? Ab wann mussten sie anständigerweise sagen: *Lauf nach oben und bring dich selbst in Sicherheit*?

»Jane, können wir mit Verstärkung rechnen?«, fragte Kate.

Jane rüttelte noch immer wie wild an dem Riegel hin und her. »Er hat mir mein Handy weggenommen. Er hat mich niedergeschlagen. Ich konnte niemanden anrufen. Außerdem ist er bewaffnet.«

»Weiß Caleb, dass du hier bist?«

»Nein.«

Jetzt, da die Rettung zum Greifen nah und doch aussichtslos schien, fühlte sich Kate fast überschwemmt von der Panik, die sie die ganze Zeit über so erfolgreich in Schach gehalten hatte.

»Jane …«

»Ich kriege es einfach nicht auf«, keuchte Jane.

Wieder das durch Mark und Bein gehende Knirschen. Kadir richtete den Strahl der Taschenlampe nach oben auf die Stahlplatte. »Ich glaube, sie hat sich ein bisschen bewegt.«

»Quatsch. Die bewegt sich entweder ganz oder gar nicht«, behauptete Kate. »Das Ding ist vollständig eingerostet.«

»Er kann auch runterkommen und uns erschießen«, sagte Kadir.

Das wäre mir lieber, als hier zu ertrinken, dachte Kate.

Und in genau diesem Moment vernahmen sie eine weitere Stimme. Von draußen. Es war eine Stimme, von der Kate nie gedacht hatte, dass sie einmal mit solcher Euphorie auf sie reagieren würde.

Calebs Stimme.

»Seid ihr das? Gott, ist das dunkel! Jane?«

»Sir! Helfen Sie mir. Kate ist da drinnen. Der Riegel...«

Zu zweit schafften sie es, im vierten Anlauf jedenfalls. Quietschend ließ sich der Riegel zurückschieben. Die Tür ging auf. Im Schein ihrer Taschenlampe sah Kate Jane und Caleb. Janes rechte Hand blutete. Caleb sah entsetzlich aus, viel älter als sonst.

Die Platte über ihnen knirschte. Sie kam jetzt definitiv in Bewegung.

Calebs Augen wanderten zur Decke. Er begriff in diesem Moment, was vor sich ging.

»Raus! Nichts wie raus! So schnell ihr könnt!«

Kate rannte mit der Taschenlampe vorneweg. Die anderen folgten ihr.

Die Luken öffneten sich, und der River Mersey ergoss sich in die Räume und Gänge der unterirdischen Anlage.

Oben war Tag, war Licht. Oben wimmelte es von Polizei. Irgendjemand hängte Kate eine Decke um die Schultern, ein anderer drückte ihr einen Becher Kaffee in die Hand. Sie sah Kadir, der im Gras kauerte. Sie sah Grace, mit der sich eine Polizistin unterhielt, freundlich, wie es schien, und ohne das Mädchen zu verschrecken.

Sie sah Jane.

»Jane!« Sie streckte die Hand nach ihr aus. »Jane, ich danke dir so sehr. Dass du so lange da unten ausgehalten hast, dass du dein Leben riskiert hast...«

»Du solltest mir nicht danken«, sagte Jane. Sie war fast

noch bleicher als Caleb, und schon der sah mehr tot als lebendig aus. »Du wirst es gleich verstehen. Dank ist fehl am Platz.«

Kate sah verwundert zu Caleb hin und hatte den eigenartigen Eindruck, dass Caleb bereits jetzt verstand.

Er sah so traurig aus. Verletzt. Enttäuscht. Zutiefst niedergeschlagen.

»Es war Melissa Cooper, nicht wahr?«, sagte er. »Sie war die Fahrerin des Wagens. Sie hat Dylan auf dem Gewissen. Und sie hat voller Panik ihren damaligen Liebhaber angerufen: Richard Linville. Er und Norman Dowrick haben geholfen, die Sache zu vertuschen. Und deshalb mussten alle drei sterben.«

Jane nickte.

Für den Moment kapierte Kate überhaupt nichts. Alles, was sie wusste, war: Sie hatten es geschafft. In letzter Sekunde. Sie hatten überlebt.

Und im Augenblick, dachte sie, überwältigt von Erschöpfung und Schwäche, im Augenblick ist das ja auch das Einzige, was zählt.

I

Am Abend brach dann doch noch die Sonne hervor. Den ganzen Tag über hatte sie sich hinter dichten Wolkenfeldern versteckt, manchmal vereinzelte Strahlen hindurchgesandt, sich jedoch nie blicken lassen. Am Abend aber kam ein leichter Wind auf, riss Lücken in die Wolkendecke. Leuchtend blauer Himmel sah hervor, die Sonne ergoss sich über das Land.

Es war wie zu Anfang, am ersten Tag nach ihrer Ankunft in Scalby: Kate saß mit Caleb auf der Terrasse, und vor ihnen stand eine große Papiertüte. Es roch nach Curry. Kate hatte zwei Teller aus der Küche geholt, dazu Besteck, aber keiner von ihnen war hungrig genug, die Tüte zu öffnen.

Manches war anders als an jenem ersten Tag: rötlicher Abendsonnenschein anstelle des grellen Mittagslichtes. Die Luft war kühler und trockener. Der Garten sah deutlich verwilderter aus.

Und sie beide waren andere geworden. Auch wenn sie in diesem Moment nicht hätten erklären können, worin ihr Anderssein bestand: Sie fühlten es. Vielleicht hatte einfach die Tatsache, dass sie beide ein gutes Stück desillusionierter waren, die Veränderung in ihnen bewirkt.

Caleb sah aus, als habe er in der vergangenen Nacht kein Auge zugetan. Als sei er mit einem Schlag Jahre älter geworden.

Wie sehr sie ihn verletzt hat, dachte Kate, und wie schrecklich enttäuscht.

Auch sie war fassungslos gewesen, als sie die ganze Wahrheit erfahren hatte. Entsetzt, verstört, ungläubig. Caleb war am späten Nachmittag zu ihr gekommen, das Currygericht in der Hand, Trauer im Blick. Seitdem saßen sie hier, und er erzählte ihr, was geschehen war.

Jane war in vollem Umfang geständig gewesen. Ihr Bruder auch.

»Melissa Cooper hat Dylan Holgates schweren Unfall verursacht. Nicht vorsätzlich natürlich. Ein schreckliches Unglück. Sie fuhr diese Landstraße nahe Newcastle entlang, wahrscheinlich auf dem Heimweg nach Whitby. Wir wissen ja, dass sie damals in Newcastle arbeitete. Sie fuhr vielleicht zu schnell, vielleicht unaufmerksam. Sie hatte im Grunde einen viel zu weiten Weg zur Arbeit, war ständig müde und gestresst. Was auch immer. Auf jeden Fall erwischte sie den fünfjährigen Jungen auf dem Fahrrad. Dylan Holgate. Sie verlor offenbar die Nerven und raste davon. Ließ das schwer verletzte Kind liegen, fuhr ziellos in der Gegend herum. Erst nach über einer Stunde kam sie zur Besinnung. Aber anstatt direkt die Polizei oder den Notarzt anzurufen, wählte sie die Handynummer ihres Freundes von einer Telefonzelle aus: Sie rief Richard Linville an. Erzählte ihm entsetzt, was passiert war. Wusste nicht, was sie jetzt tun sollte.«

»Aber mein Vater… er tat sofort alles zur Rettung des Kindes?«

»Er ließ sich genau die Stelle des Unfalls beschreiben und schickte dann sogleich den Notarzt dorthin, ja. Natürlich wäre es ungefährlicher gewesen, Melissa zu instruieren, das selbst zu tun, anonym, und damit sich selbst von Anfang an aus der Geschichte herauszuhalten. Ich kann nur vermuten, weshalb Linville sich an dieser Stelle so exponierte: Möglicherweise war Melissa so aufgelöst, dass er nicht sicher sein konnte, dass sie den entsprechenden Anruf wirklich und vor allem sofort tätigen würde. Linville ging lieber selbst ein Risiko ein, als das Risiko für das Kind zu erhöhen. Das dürfen Sie nicht vergessen, wie immer Sie alles Weitere beurteilen.«

Kate hatte geahnt, was kam. »Aber er deckte Melissa.«

»Er konstruierte eine Geschichte. Ein unbekannter Anrufer, ein Mann. Er wisse leider beim besten Willen nicht, um wen es sich handelte. Natürlich war jedem klar, dass es jemand sein musste, der Linvilles Handynummer kannte. Aber Ihr Vater, Kate, war immer über jeden Verdacht erhaben. Wenn er sagte, er kenne den Anrufer nicht, dann zögerte niemand, ihm das zu glauben.«

»Dylan konnte gerettet werden. Blieb aber ein Pflegefall.«

»Ja. Und mit all diesem Unglück blieb die Familie Holgate allein. Es gab niemanden, den man vor Gericht stellen konnte, um wenigstens das Gefühl einer gewissen Gerechtigkeit zu erlangen. Jane beschreibt dies als etwas, das fast am schwersten auszuhalten war: Dass es keine Gerechtigkeit gab. Darüber hinaus haftete aber auch niemand für die Kosten, keine Versicherung, niemand. Es war ein zusätzliches finanzielles Fiasko für die Familie, dass der Fahrer des Unglücksautos nie aufzufinden war.«

»Und dafür hat mein Vater gesorgt«, flüsterte Kate.

Caleb nickte. Er wusste, wie weh ihr diese Enthüllung über ihren Vater tat, aber wie hätte er die Tatsachen vor ihr verbergen sollen?

»Ja. Er hielt dicht. Und der zweite Mann, der das tat, war

DS Norman Dowrick, sein engster Mitarbeiter. Er saß mit Linville im selben Raum, als der Anruf kam. Er wusste, wer da anrief – ich vermute, dass Linville Melissa im ersten Moment sogar mit ihrem Namen ansprach. Dowrick war ja in das Verhältnis eingeweiht. Und dann bat Linville ihn, auch an dieser Stelle wie ein Freund zu handeln: Stillschweigen über den wahren Sachverhalt zu wahren und seine Version mit dem unbekannten Anrufer zu stützen. Dowrick machte mit. Auch dadurch natürlich wurde Linvilles Geschichte noch einmal glaubwürdiger.«

Sie konnte es nicht fassen. Sie konnte einfach nicht fassen, dass ihr Vater so etwas getan hatte.

»Aber was wäre Melissa Cooper denn passiert? Wenn sie die Wahrheit gesagt hätte?«

Caleb wiegte den Kopf hin und her. »Schwer zu sagen. Der Unfall war das eine. Aber dann Fahrerflucht zu begehen, fast eineinhalb Stunden verstreichen zu lassen, ehe man Hilfe zu dem Kind schickt – das machte die Sache richtig prekär. Es war ja zu diesem Zeitpunkt noch nicht abzusehen, ob Dylan überleben würde. Wenn sich dann herausgestellt hätte, dass man ihn hätte retten können, wäre gleich ein Arzt zur Stelle gewesen, hätte das Ganze mindestens zu einem fahrlässigen Tötungsdelikt werden können. Übrigens war dies einer der Punkte, die Sean Holgate, den Bruder, so tief in seinen Hass getrieben haben: Er war sich sicher, dass Dylan entweder gar nicht oder viel weniger schwer geschädigt aus all dem hervorgegangen wäre, wenn es diese fatale Verzögerung nicht gegeben hätte. Wie ich DC Scapin verstanden habe, konnte das allerdings nie mit Sicherheit geklärt werden. Trotzdem: Ihrem Vater war sofort klar, dass auf Melissa erhebliche Schwierigkeiten zukommen würden. Und so hat er sich vor sie gestellt.«

»Er muss sie sehr geliebt haben. Dass er Recht und Gesetz verrät: Das hätte ich nie von ihm geglaubt. Ich hätte nie geglaubt, dass es einen Menschen gibt, der ihn dazu bewegen könnte.«

»Wir wissen nicht genau, was die Gründe waren, Kate. Richard musste sehr schnell handeln, er tat, was ihm offenbar als Allererstes in den Sinn kam – und damit war er ja schon am *point of no return*. Er hätte sich selbst vor Gericht gebracht, seinen tadellosen Ruf zerstört, seine Karriere ruiniert, wahrscheinlich auch seine Pensionsansprüche aufs Spiel gesetzt. Dowrick womöglich noch mit ins Verderben gerissen. Das brachte er nicht fertig. Alle drei, Melissa, Richard und Norman, konnten nicht mehr zurück.«

Alles fügte sich ineinander. Alles wurde verständlich. Und klar.

»Und ihrer aller Beziehung«, sagte Kate, »hat das nicht überlebt.«

»Nein. Es war zu extrem, was passiert war. Sie haben mich ja schon darauf aufmerksam gemacht, wie seltsam es war, dass Richards und Melissas geheimes Verhältnis genau dann zerbrach, als die beiden eigentlich ihre Verbindung endlich öffentlich und offiziell hätten machen können. Aber ich vermute, Richard konnte Melissa dauerhaft nicht verzeihen, dass sie ihn in diese Geschichte getrieben, dass er ihretwegen alle seine Prinzipien über Bord geworfen hatte. Und Norman Dowrick ging es genauso mit Richard. Die drei verband ein düsteres Geheimnis, und jeder machte dem anderen wahrscheinlich mehr oder weniger stillschweigend die größten Vorwürfe. Irgendwann gingen sie alle getrennte Wege. Und, wie wir wissen, führte das Schicksal Norman Dowrick dann sowieso ins völlige Abseits.«

Kate merkte, dass es am erträglichsten für sie war, sachliche Fragen zu stellen. Das half ihr am ehesten über den Schock hinweg. Ihr Vater – der Fremde. Der seine Frau und seine Tochter betrogen und ein Doppelleben geführt hatte. Der einen Unfall mit Fahrerflucht vertuscht, den Täter gedeckt hatte. Der, als es um das Wohl einer vom Schicksal gebeutelten Familie ging, nur seine eigenen Interessen verfolgt hatte: seine Karriere, seinen guten Ruf, seine Pensionsansprüche. Die Geheimhaltung des außerehelichen Verhältnisses, das er über Jahre geführt hatte. Denn auch das hätte auffliegen können, hätte er sich zu den Vorgängen bekannt.

Wer war er? Jenseits des Mannes, den sie in- und auswendig zu kennen geglaubt hatte.

Sie ahnte, dass sie auf diese Frage nie eine Antwort bekommen würde.

»Wie konnten Jane und ihr Bruder das alles aufdecken?«, fragte sie. »Nach so vielen Jahren? Ist Jane deshalb zur Polizei gegangen? Weil sie hoffte, auf diesem Weg etwas herausfinden zu können?«

»Nach ihrer Schilderung war es anders. Aber ihr Wunsch, Polizistin zu werden, hing eng mit den Geschehnissen zusammen. Es war kein Zufall. In den Augen der Familie Holgate hatte die Polizei jämmerlich versagt, weil es nicht gelungen war, den Täter zu finden. Jane, als der Teenager, der sie damals war, zog eigentlich Schlüsse daraus, die in eine durchaus positive Richtung wiesen: Sie wollte selbst zur Polizei. Sie wollte richtig gut werden. Eine fantastische Ermittlerin. Eine, die sich hineinkniet in ihre Arbeit. Die sich festbeißt. Die solche Menschen wie diejenigen, die ihren kleinen Bruder auf dem Gewissen hatten, eben nicht entkommen lässt. Die Familien wie ihrer den Glauben an die Gerechtigkeit zurückgibt. Sie war voller Idealismus. Rache kam in ihren Gedanken nicht vor. Und sie setzte ja ihre Pläne auch um. Sie hat einen hervorragenden Abschluss auf der Polizeischule gemacht. Und auch bei uns war sie ... sie war großartig. Die beste Mitarbeiterin, die ich je hatte.«

»Aber war das wirklich Zufall?«, fragte Kate. »Dass sie ausgerechnet nach Scarborough kam? Dorthin, wo mein Vater gearbeitet hatte?«

Caleb nickte. »Das war tatsächlich Zufall. Aber natürlich ein naheliegender: Jane stammte aus Newcastle. Sie wollte im Nordosten Englands bleiben. Sie wollte zum CID. So viele Möglichkeiten kamen da ja nicht in Frage.«

»Und niemand hier kannte ihre Geschichte ...?«

»Woher denn? Der Unfall hatte ja keine hohen Wellen geschlagen. Und Jane war verheiratet, hatte den Namen ihres Mannes angenommen. Niemand zog Rückschlüsse – wie auch?«

»Was wussten Sie damals über sie?«

»Das, was sie preisgab. In Janes Fall war das nie viel. Zunächst wussten wir alle nur, dass sie jung und ganz offenkundig begabt war. Sie war verheiratet, aber keiner von uns kannte ihren Mann. Dann starb schon ziemlich bald ihre Mutter. Erst da erfuhr ich, dass es einen Bruder gibt, der geistig und körperlich stark beeinträchtigt ist und bislang von der Mutter versorgt wurde. Jane bat eines Tages um ein Gespräch und erklärte mir, sie werde diesen Bruder zu sich nehmen. Er könne tagsüber in einer Einrichtung für Behinderte untergebracht werden, aber es werde wahrscheinlich manchmal vorkommen, dass sie seinetwegen früher nach Hause gehen müsste oder erst später kommen könnte. Sie wollte wissen, ob ich das mit ihrer Arbeit für vereinbar hielt und diese besonderen Umstände tolerieren konnte. Natürlich konnte ich das, und das sagte ich ihr auch. Sie war fantastisch. Ich hätte eine Menge Zugeständnisse gemacht, damit sie bei uns blieb.«

Kate strich sich über die Augen. Die Dinge hatten so harmlos begonnen, so klein, so unsichtbar. Ihrer Erfahrung nach war das typisch für die ganz großen Dramen: Sie waren am Anfang so unauffällig. Im Nachhinein erst begriff man, dass man bei genauem Hinsehen schon viel früher bedenkliche Hinweise hätte wahrnehmen können.

Caleb schien zu ahnen, was sie dachte. »Seit gestern fällt mir mit jeder Sekunde mehr auf, wie wenig ich mich gekümmert habe. Ich war jeden Tag mit Jane zusammen und kann mir gar nicht vorstellen, wie wir alle ohne sie weiter so gut funktionieren sollen – aber an ihr als privatem Menschen habe ich kaum Anteil genommen. Ich wusste – oder konnte es mir zumindest sehr gut vorstellen –, dass ihr Leben mit einem rund um die Uhr auf Betreuung angewiesenen Bruder kein Zuckerschlecken war. Schon rein logistisch nicht. Aber solange sie ihre Arbeit perfekt erledigte, habe ich nicht nachgehakt. Dann erfuhr ich, dass sich ihr Mann von ihr scheiden ließ. Heute weiß ich, dass es wegen des Bruders geschah. Damals dachte ich nur: Schade. Schon wieder eine Ehe kaputt. Aber das passiert schließlich ständig.«

Kate dachte an Dylan, der das Geschirr zerschlug und durch die ganze Küche warf. Der am Tisch saß und nach Essen brüllte. Der vor dem Fernseher kauerte und in höchster Lautstärke die Geräusche einer Lokomotive imitierte.

Offensichtlich hatte Janes Mann das nicht mehr ausgehalten.

»Jane sagt, das war der Moment, in dem alles zu kippen begann«, fuhr Caleb fort. »Sie hatte gehofft, ihr Mann werde sie unterstützen, stattdessen hatte er sich auf und davon gemacht. Sie saß alleine da: mit dem Bruder und mit dem Versprechen, das sie ihrer Mutter gegeben hatte: Dass sie sich um ihn kümmern werde. Dass er nie in ein Heim kommen würde.«

»Das war natürlich Wahnsinn«, sagte Kate. »Dieses Versprechen.«

»Sie fühlte sich daran gebunden. Und schlitterte nun immer tiefer in eine heillose Überforderung. Wir, ihre Kollegen, sahen nur, was sie uns sehen ließ: eine zweifellos gestresste, aber gut funktionierende Frau. Niemand, auch ich nicht, kam auf die Idee, sie beiseitezunehmen und mal zu fragen, wie sie das eigentlich alles schaffte.«

»Wahrscheinlich hätte sie nicht wahrheitsgemäß geantwortet. Caleb, quälen Sie sich nicht so! Wie Sie es sagten: Sie sahen nur, was sie Sie sehen ließ. Jane wollte nicht, dass ihre Probleme sichtbar wurden. Das haben Sie respektiert. Sie selbst…« Sie biss sich auf die Lippen, sprach nicht weiter

Caleb wusste auch so, was sie hatte sagen wollen. »Ja. Ich selbst gab mir zur gleichen Zeit die größte Mühe, dass niemand merkte, dass ich soff wie ein Loch. Und ich wäre jedem ins Gesicht gesprungen, der versucht hätte, deswegen ein verständnisvolles Gespräch mit mir zu führen. Seltsam, nicht? Wir sind offenbar alle ähnlich gestrickt. Immer den schönen Schein wahren, immer eine intakte Fassade zeigen. Auch wenn dahinter alles vollkommen marode ist.«

Sie erwiderte nichts. Es war wahrscheinlich so, wie er sagte.

»Na ja«, sagte Caleb, »um es kurz zu machen: Jane war also wieder ganz und gar eingeholt worden. Von dem Desaster, in das dieser Unfall die ganze Familie gestürzt hatte. Der Vater hatte die Familie damals verlassen. Die Mutter war nur noch um Dylan gekreist. Die finanziellen Probleme hatten überhandgenommen. Gesellschaftlich und finanziell war die Familie abgestürzt. Das lag nicht nur an Dylan. Das lag auch an der Unfähigkeit seiner Eltern, mit der Situation umzugehen. Aber egal: Jane zumindest schien aus all dem nie wieder herauszukommen. Auf einmal waren die Wut und die Hilflosigkeit wieder da. Gefühle, die Jane eigentlich bekämpft hatte. Sie ließen sich immer schlechter kontrollieren.«

»Und dann stellte sie Nachforschungen an?«, vermutete Kate.

»Ja. Zunächst ohne wirklich zu glauben, dass dabei echte neue Erkenntnisse herauskommen würden. Aber sie sprach einfach mal bei dem damaligen Ermittler in Newcastle vor. Als Kollegin. Erwähnte, dass sie die Familie kenne und wissen wolle, wie der Stand der Dinge eigentlich gewesen sei, als man die Nachforschungen damals eingestellt habe. Der Kollege war in Plauderlaune, allerdings gab es auch keinen Grund, misstrauisch zu sein. Der Name *Scapin* stand in keinem Zusammenhang mit dem damaligen Fall. Erstmals erfuhr Jane von dem eigentümlichen Anruf bei Richard Linville. Von dessen Behauptung, den Anrufer, der seine Handynummer hatte, nicht zu kennen. Der Name *Norman Dowrick* fiel – Linvilles engster Mitarbeiter, der Linvilles Angaben bestätigt hatte. Jane war keineswegs sofort sicher, es mit irgendeiner Verschwörung zu tun zu haben. Aber ihr Misstrauen war geweckt. Und sie blieb dran.«

»Die Verbrechen selbst«, vergewisserte sich Kate, »hat aber ihr Bruder ausgeführt?«

»Ja. Das bestätigen beide. Ihm ist es wichtig zu betonen, dass Jane nicht dabei war. Aber Jane ist es wichtig zu betonen, dass sie Bescheid wusste. Sean Holgate hätte ihr die

Möglichkeit gegeben, sich selbst weitgehend aus allem rauszuhalten, aber das nimmt sie nicht an.«

»Sie war von Anfang an eingeweiht?«

»Unmittelbar nach dem Mord an Ihrem Vater noch nicht. Sie hatte ein ungutes Gefühl, das sich noch halbwegs verdrängen ließ. Aber nachdem sich jene Zeugin wegen des grünen Peugeots gemeldet hatte, schwante ihr wirklich Schlimmes. Nach dem Mord an Melissa Cooper hatte sie wohl keine Zweifel mehr. Sie sprach Sean darauf an. Er gestand seine Taten. Von da an wusste Jane Bescheid. Im Nachhinein fällt mir auf, dass sie mich immer wieder in Richtung Denis Shove schob. Sie musste verhindern, dass ich ihn abhakte und mich anderen Fährten zuwandte. Das hätte dann gefährlich für Sean und sie werden können. DS Stewart war der Einzige, der immer wieder Zweifel anmeldete, aber er hatte einen schlechten Stand gegenüber uns beiden.«

»Sie hat versucht, uns zu retten. Kadir und mich. Sie hat ihr Leben dabei riskiert. Das muss auch berücksichtigt werden.«

»Natürlich wird es das. Aber am Vorabend hat sie ihren Bruder telefonisch informiert. Darüber, dass Grace vermutlich am Canada Dock ist. Dass Kadir Roshan und Sie ihr dicht auf den Fersen sind. Als sie Ihnen gegenüber behauptete, die Polizei in Liverpool angerufen zu haben, hat sie gelogen. Sie hat ihren Bruder verständigt. Sie hatte ihn überhaupt von Anfang an über das Vorhandensein der Zeugin Grace Henwood in Kenntnis gesetzt. Kate, wie wir es drehen und wenden: Sie hat einem Mörder zugearbeitet.«

»Er ist ihr Bruder.«

»Ja«, sagte Caleb. »Und Familienbindungen waren ihr immer heilig.«

Sie schwiegen beide, dann griff Kate entschlossen nach

der Tüte, öffnete sie. »Kommen Sie. Wir essen jetzt etwas. Das hilft manchmal.«

»Wogegen?«

»Gegen den Schmerz. Die Enttäuschung.«

Er protestierte nicht, als sie ihm den schon reichlich kühl gewordenen Curryreis auf den Teller schaufelte.

»Was werden Sie nun machen?«, fragte er. »Hierbleiben? Sie könnten sich beim CID Scarborough bewerben. Bei uns wird eine Stelle frei.« Es klang wie eine scherzhafte Bemerkung. Kate sah ihn fragend an.

Er neigte sich vor. »Im Ernst. Ich würde Ihre Bewerbung unterstützen. Sie haben großartige Arbeit geleistet. Sie waren richtig gut. Sie *sind* richtig gut.«

Zum ersten Mal, seit sie an diesem Tag zusammensaßen, lächelte sie. »Danke, Caleb. Aber ich bleibe nicht. Ich verkaufe das Haus hier so schnell wie möglich. Und dann kehre ich erst einmal nach London zurück. In mein altes Leben. Und dann sehe ich weiter.«

»Sicher?«

»Sicher. Es wird Zeit, dass ich meinen Vater loslasse. Dazu gehört auch, nicht hier in seinen Räumen zu verharren. In seiner Stadt zu leben. Letztlich – sosehr mich Ihr Angebot freut – sogar auf seiner alten Dienststelle zu arbeiten und am Ende an seinem Schreibtisch zu sitzen. Ich will mir etwas Eigenes aufbauen. Ich bin alt genug.«

»Ihre Karriere bei Scotland Yard ist doch schon etwas Eigenes.«

»Karriere kann man das gar nicht direkt nennen. Und irgendwie … stand ich immer mit einem Bein hier. Bei meinem Vater. Ich hatte mich nie abgenabelt. Es ist mir nie gelungen, wirklich eigene Wege zu gehen. Jetzt will ich das versuchen.«

»Sie haben das Zeug zu einer großen Karriere.«

Sie nickte, aber sie wusste, dass es so einfach nicht war. Sie war zweifellos gut gewesen – instinktsicher, kreativ, hartnäckig. Entschlossen und – nie hätte sie es geglaubt – selbstbewusst. So, wie man sich eine gute Ermittlerin vorstellte. Aber sie wusste auch, dass sie unter sehr besonderen Umständen agiert hatte und dass diese sich nicht wiederholen würden. Sie war auf sich gestellt gewesen, hatte als Privatperson gehandelt, nur sich selbst, keiner Behörde gegenüber verantwortlich. Von nun an würde es wieder Kollegen geben. Vorgesetzte. Besprechungsrunden. Sie würde ihre Vorgehensweisen begründen müssen. Sie verteidigen gegenüber Mitarbeitern, die manche Dinge ganz anders sahen als sie. Sie ahnte, dass sie schlagartig wieder das unsichere Geschöpf sein würde: schnell eingeschüchtert, mundtot, kleinlaut. Unfähig, eine klare Haltung einzunehmen, ihre Ansicht zu manifestieren. So war sie nun einmal. Sie war nicht mehr jung und naiv genug, um zu glauben, dass sie nach London zurückkehren und ein anderer Mensch sein würde.

»Denken Sie immer daran, was Sie geleistet haben«, sagte Caleb. »Man kann schon Kraft aus so etwas ziehen.«

Sie würde es versuchen. Mehr konnte sie sich selbst im Moment nicht versprechen.

»Und Sie?«, fragte sie. »Wie geht es weiter?«

Er zuckte mit den Schultern. »Ich werde als Nächstes Gespräche mit der Polizei in Liverpool führen. Die müssen den Vater von Grace Henwood sehr genau unter die Lupe nehmen. Dem Mädchen muss geholfen werden. Ja, und dann … dann werde ich einen Nachfolger für DC Scapin suchen. Und hoffen, dass meine Mannschaft schnell mit dem Schock fertigwird. Alle sind verstört. Niemand, *niemand* hätte das für möglich gehalten.«

»Wir sehen uns bestimmt noch manchmal. Ich werde öfter in den Norden kommen, auch wenn das Haus verkauft ist. Ich möchte Jane besuchen.«

»Sie haben sie jetzt zum Schluss fast als Freundin empfunden, nicht wahr?«

»Ja. Und ich werde ihr nie vergessen, dass sie uns um jeden Preis aus diesen schrecklichen Katakomben befreien wollte. Caleb, sie wollte den Amoklauf ihres Bruders stoppen. Er hatte sie nicht mehr auf seiner Seite.«

»Aber es war zu spät.«

Sie schwiegen beide und aßen. Tranken Wasser dazu, und Caleb sehnte sich nach einem Bier. Und einem Whisky. Er hatte in der Nacht zuvor getrunken, um sich den Tag in Liverpool und alle Erkenntnisse, die er gebracht hatte, aus dem Kopf zu spülen, und er wusste, dass er sofort zur Whiskyflasche greifen würde, wenn er heute nach Hause kam. Das Wasser hier bei Kate auf der Veranda war eine reine Farce. Aber er wollte keine Diskussion, keine Vorhaltungen. Es war eben, wie es war.

Vielleicht würde Kate vorwärtsgehen, er wünschte es, und er hoffte es für sie.

Er selbst fiel zweifellos zurück.

Aber damit würde er leben müssen.

Oder irgendwann untergehen.

»Ich bin Ihr Anwalt, Sean. Ich darf Sie Sean nennen, ja? Sie können mir alles erzählen. Ich kann Sie am besten vertreten, wenn ich weiß, was in Ihnen vorgegangen ist. Was Sie bewogen hat zu tun, was Sie getan haben.«

»Ich habe nichts zu verbergen.«

»Das ist gut. Sie haben drei Menschen getötet. Sie haben bereits gestanden, dies getan zu haben. Wir müssen jetzt versuchen, vor Gericht Verständnis für Sie und Ihre Situation zu wecken.«

»Meine Schwester hat mir nicht gesagt, dass ich es tun soll. Sie hat nichts damit zu tun.«

»Aber Ihre Schwester hat Ihnen von dem Anruf bei Detective Chief Inspector Linville erzählt? Dieser Anruf, der von einer ihm angeblich unbekannten Person stammte, die ihn über den schweren Unfall Ihres kleinen Bruders in Kenntnis setzte?«

»Ja. Und sie sagte mir, dass noch jemand dabei war. DS Norman Dowrick, der aber inzwischen aus dem Dienst ausgeschieden sei. Ich dachte mir, den suche ich einmal auf. Meine Schwester hatte gesagt, dass er nach einer Schießerei gelähmt war und im Rollstuhl saß. Ich dachte …«

»Sie dachten, er ist das kleinere Kaliber als Linville, oder? Ein gelähmter Mann … aus dem würden Sie vielleicht mehr herausbekommen?«

»Ja. So ungefähr.«

»Sie gingen zu ihm nach Hause?«

»Ja. Aber da war nur noch seine Frau. Ich sagte, ich sei ein ehemaliger Kollege, der ihn besuchen wolle. Ich erfuhr, dass die beiden geschieden sind und dass er in Liverpool lebt.«

»Sie fuhren nach Liverpool?«

»Ja. Seine Frau hatte mir die Adresse gegeben. Sie dachte ja...«

»Dass Sie ein Kollege sind. Ich weiß. Das war im Januar diesen Jahres?«

»Ja.«

»Hatten Sie die Absicht, ihn anzugreifen?«

»Angreifen?«

»Ihm hart zuzusetzen? Um Genaueres über jenen Anrufer zu erfahren?«

»Ich weiß nicht. Ich wollte einfach mit ihm reden. Ich dachte: Ist schon komisch. Da kriegt dieser Inspector einen Anruf auf seinem Handy, er redet minutenlang mit dem Anrufer, und hinterher will er keinen blassen Schimmer haben, mit wem er da gesprochen hat? Fand ich äußerst merkwürdig.«

»Sie trafen Norman Dowrick auf diesem stillgelegten Fabrikgelände?«

»Ja. Er war nicht in seiner Wohnung. Da habe ich die Gegend abgesucht. War Zufall, dass ich schließlich auch noch zwischen diesen baufälligen Werkhallen herumstreifte. Und da kurvte er auf und ab. Gott, war das ein kaputter Typ. Total verbittert. Völlig fertig.«

»Haben Sie ihn direkt befragt?«

»Ja.«

»Und?«

»Ich habe gleich gemerkt, dass da was ist. Man sieht ja,

wie Menschen reagieren. Diese Geschichte... die hat ihn verfolgt. Er wusste sofort, wovon ich sprach. Der Unfall. Das Kind. Der Anruf. Da war etwas nicht in Ordnung. Darauf hätte ich sofort einen Eid geschworen.«

»Er hat Ihnen dann alles erzählt?«

»Ja.«

»Was genau?«

»Na ja, dass es die Geliebte von dem Inspector war. Melissa Cooper. Sie hat Dylan angefahren. Sie hat ihn liegen lassen, ist abgehauen. Hat dann heulend bei ihrem Liebhaber angerufen. Und dem war natürlich gleich klar, dass sie jetzt in größten Schwierigkeiten steckt. Also haben sie das Komplott geschmiedet. Anonymer Anrufer, Linville weiß nicht, wer das war. Damit war die Cooper raus aus der Affäre. Und Linville hat Dowrick beschworen, dichtzuhalten.«

»Hat Norman Dowrick Ihnen das alles freiwillig erzählt?«

»Nicht ganz.«

»Was heißt: Nicht ganz?«

»Er wollte nicht mit der Sprache raus. Aber es war zu spät. Weil ich schon wusste, dass etwas nicht stimmt.«

»Wie haben Sie ihn dazu gebracht, Ihnen doch alles zu erzählen?«

»Er hat es jedenfalls erzählt.«

»Was haben Sie mit ihm gemacht?«

»Ist das wichtig?«

»Es wird vor Gericht zur Sprache kommen. Die Forensik ist eindeutig. Die Leiche wurde sorgfältig obduziert.«

»Da war diese Tonne.«

»Eine Tonne? Die leer war?«

»Nein. Die war voller Wasser. Weil der Deckel daneben

lag. Sie hatte sich einfach im Laufe der Zeit mit Wasser gefüllt. Chemikalien waren wahrscheinlich auch noch darin. Roch jedenfalls komisch.«

»Okay. Weiter?«

»Ich habe ihn mit dem Kopf ins Wasser getaucht.«

»Er hat sich gewehrt?«

»Hm. Ja.«

»Aber Sie waren natürlich stärker.«

»Ich trainiere sehr viel.«

»Stimmt. Das sieht man. Und Dowrick war ja noch dazu gelähmt.«

»Ja.«

»Sie haben ihn untergetaucht. Mehrfach.«

»Ja.«

»Und jedes Mal so lange, dass er glaubte, ertrinken zu müssen?«

»Ja.«

»Zwischendurch haben Sie ihn hochgezogen.«

»Ja. Und ihn gefragt, ob er mir alles erzählen will.«

»Und irgendwann …«

»Irgendwann war er so weit. Da hat er dann alles erzählt. Von Linville. Von der Cooper. Alles eben.«

»Die Tatsache, dass er sich Ihrem Druck gebeugt hat, hat ihm jedoch nichts genützt.«

»Wie denn? Sollte ich sagen: *War nett, Mr. Dowrick, vielen Dank für die Auskunft*? Und dann einfach gehen? Ich hatte ihm ganz schön zugesetzt. Der hätte mich doch sofort bei den Bullen verpfiffen!«

»Und so brachten Sie Ihr Werk zu Ende.«

»Ja.«

»Sie ertränkten ihn. Und verstauten ihn dann gleich in der Tonne. Verschraubten den Deckel.«

»Ja.«

»Ein ziemlich gutes Versteck. Da hätte ihn vermutlich nie jemand gefunden. Sie hatten keine Ahnung, dass Sie beobachtet worden waren.«

»Nein. Von dieser Verrückten. Keinen Schimmer.«

»Haben Sie Ihrer Schwester von der Tat erzählt?«

»Nein. Ich habe ihr nur erzählt, dass ich mit Dowrick gesprochen habe. Und was er mir erzählt hat.«

»Wie hat Ihre Schwester reagiert?«

»Die war total fertig. Dieser Linville galt als der Supermann dort beim CID. Er war ja schon pensioniert, als Jane dorthin kam, aber offenbar sprachen immer noch alle ganz verklärt von ihm. Das Größte, Beste, Anständigste, was man dort je erlebt hatte. Jane war absolut empört. Es war so ungerecht. Der Typ und seine Braut hatten unsere ganze Familie ins Unglück gestürzt und dann nur daran gedacht, das eigene Fell zu retten, aber alle meinten, er wäre fast ein zweiter Jesus. Wie kann das gehen, dachte ich, wie kann das gehen? Wie kann einer seine ganze Umgebung so täuschen?«

»Ihre Schwester wusste zunächst also nichts von Dowricks Tod?«

»Nein.«

»Und dann?«

»Das wissen Sie ja. Dann bin ich hingegangen und habe Linville erledigt. Und dann die Cooper.«

»Ihre Schwester …«

»Nach Linvilles Tod habe ich noch nichts von ihr gehört. Aber nach dem von der Cooper. Sie hat mich angerufen. War ganz und gar aufgelöst. Wollte wissen, ob ich was damit zu tun habe.«

»Und? Haben Sie gestanden?«

»Dazu sage ich nichts.«

»DC Scapin hat Sie telefonisch gewarnt, nachdem Dowricks Leiche gefunden worden war und nachdem feststand, dass es eine Zeugin gab. Sie hat Sie außerdem am vergangenen Donnerstagabend über den mutmaßlichen Aufenthaltsort der Zeugin, hinter der Sie verzweifelt her waren, in Kenntnis gesetzt. Ihre Schwester hat allerspätestens zu diesem Zeitpunkt definitiv gewusst, dass Sie der Mörder aller drei Opfer waren, Sean.«

»Weiß ich nicht.«

»Aber angerufen hat sie Sie?«

»Dazu sage ich nichts.«

»Ich bin Ihr Anwalt, Sean. Nicht Ihr Ankläger. Und nicht der Ihrer Schwester.«

»Ich sage trotzdem dazu nichts.«

»Drei Morde, Sean. Und Sie waren drauf und dran, auch noch DS Kate Linville von Scotland Yard umzubringen. Und Mr. Roshan, der eigentlich mit der ganzen Sache überhaupt nichts zu tun hatte, der nur Grace beschützen wollte. Es wird schwierig vor Gericht werden. Es ist eine furchtbare Blutspur, die Sie hinter sich herziehen.«

»Es war auch eine Blutspur, die Cooper und Linville und Dowrick hinter sich herzogen. Das Blut meines kleinen Bruders, der hilflos auf einer einsamen Landstraße herumlag und so schwer verletzt war, dass kein Arzt gewettet hätte, dass er überlebt. Die Blutspur meiner Familie, die auseinandergebrochen ist. Mein Vater ist verschwunden. Meine Mutter viel zu früh gestorben. Die Ehe meiner Schwester gescheitert. Ich bin gescheitert. In allem, was ich je vorhatte in meinem Leben. Wir waren mal glücklich. Es war mal alles in Ordnung. Und dann kommt so eine idiotische, hysterische Frau, fährt ein Kind platt und haut einfach ab. Hat nicht mal so viel Mumm, dass sie gleich den Notarzt

635

ruft. Und ihr Liebhaber, der zufällig ein hohes Tier bei der Polizei ist, vertuscht alles. Sorgt dafür, dass sie schön unbehelligt bleibt. Aber ich wette, der Richter wird die Tragödie nicht verstehen. Ihr alle versteht sie nicht.«

»Worin genau besteht Ihre Tragödie, Sean?«

»In der Ungerechtigkeit. Niemand weiß, wie sich das anfühlt. Wenn man dauernd diese Ungerechtigkeit herunterschlucken muss. Wenn man weiß, da ist ein Täter und der kommt einfach so davon. Und nur wir sitzen in der Scheiße. Für immer. Das fühlt sich so schlimm an. Irgendwann glaubt man, dass man es einfach nicht mehr ertragen kann. Und deshalb ist es auch gut, wie es gekommen ist.«

»Was ist gut? Dass Sie und Ihre Schwester für viele Jahre ins Gefängnis gehen?«

»Nein. Aber dass die anderen bezahlt haben. Das ist es wert. Egal, was jetzt kommt. Das ist es absolut wert.«

»Als Erstes«, sagte Jonas, »muss ich den Rasen mähen. Der sieht ja schlimm aus. Der wuchert bald das Haus zu!«

»Als Erstes«, sagte Stella, »legst du dich auf das Sofa. Und *ich* kümmere mich um den Rasen. Du bist knapp dem Tod entkommen, Jonas. Denk daran, was die Ärzte gesagt haben. Du sollst dich schonen!«

Sie standen vor dem Haus, dessen Garten in den vier Wochen ihrer Abwesenheit tatsächlich völlig verwildert war.

Einen Monat, dachte Stella, gerade mal einen Monat waren wir weg. Und hier sieht es aus wie in einem Urwald. Und wir wirken auch ziemlich abgerissen. Und abgekämpft. Und Jonas hat mindestens zehn Kilo Gewicht verloren.

»Es ist gut, wieder hier zu sein«, sagte Jonas. Allein das Aussteigen aus dem Auto hatte ihn schon wieder erschöpft. Er war am heutigen Morgen aus dem Krankenhaus entlassen worden, und er wollte sofort nach Hause. Sie alle wollten nach Hause. In die Normalität, in das Leben, das sie kannten und das ihnen vertraut war. Das Leben jenseits von Denis Shove und Therese Malyan. Stella hätte beide am liebsten für alle Zeiten aus ihren Gedanken gestrichen, aber sie wusste, das würde nicht funktionieren. Therese war Sammys Mutter, daran ließ sich nie etwas ändern. Es konnte sein, dass sie irgendwann wieder aufkreuzte. Es konnte sein, dass Sammy irgendwann Näheres über sie wissen, dass er den Kontakt aufnehmen wollte. Das, was geschehen war, hatte die Lebensumstände des kleinen adoptierten Jungen, der für den Moment noch gar nichts davon begriff, nicht leichter werden lassen.

Aber, dachte Stella, für das alles werden sich Lösungen finden.

Jetzt musste sie erst einmal einiges gedanklich ordnen. Es tat ihr leid, dass sie überhaupt nicht mehr mit der netten Polizistin sprechen konnten, die sie gerettet hatte, Detective Constable Jane Scapin. Stella war überzeugt, dass sie ohne Janes Eingreifen alle tot wären. Aber es habe da eine unglückliche Verstrickung gegeben, hatte man ihr in Scarborough gesagt. Es ging um den toten Polizisten, von dem Denis gesprochen hatte. Denis war in diesem Zusammenhang gesucht worden, hatte aber seine Unschuld beteuert, und zwar, wie es schien, zu Recht. Irgendwie war Stella froh darüber. Das hieß, dass Therese sich nicht mit einem Mörder eingelassen hatte. Auch wenn Denis fast zum Mörder geworden wäre, aber das war etwas anderes. Das *fast* änderte vieles, jedenfalls in Stellas Gefühlswelt. Sie wollte nicht, dass der Lebensgefährte der Mutter ihres Sohnes ein Mörder war. Ein irrationaler Gedanke wahrscheinlich. Aber es war nun mal so.

Dafür hing Jane nun irgendwie in der Sache drin. Stella durchschaute das noch nicht, hatte bislang auch keine Informationen. Sie würde dranbleiben. Sie wollte alles wissen.

»Lass uns reingehen«, sagte sie. Jeden Moment konnte die Nachbarin auftauchen, und sie würde sie mit Fragen überhäufen, auf die zu antworten Stella im Moment keine Lust hatte. Später irgendwann.

Sie vernahm eine schüchterne Stimme hinter sich. »Mrs. Crane! Mr. Crane!«

Sie drehte sich um, sah einen älteren Mann die Straße überqueren. Er humpelte, zog ein Bein nach. Er schien auf der gegenüberliegenden Straßenseite unter einem Baum gewartet zu haben.

Auch Jonas drehte sich um. »Oh. Mr. Chalid!«

Hamzah Chalid trat heran. Seine großen dunklen Augen taxierten dabei unablässig die ganze Gegend, schienen jeden einzelnen Winkel der gesamten Straße, der Häuser und Gärten gleichzeitig ins Visier zu nehmen. »Wie gut, dass Sie zurück sind, Mr. Crane. Ich habe so auf Sie gewartet! Wissen Sie, es ist...«

»Ich weiß«, sagte Jonas. »Ich weiß, was passiert ist, Mr. Chalid.«

Über Hamzah Chalids Kopf hinweg sah er Stella hilflos an. *Was machen wir jetzt nur mit ihm?*, fragte er lautlos.

Stella wusste sofort, wen sie vor sich hatte. Der traumatisierte Iraker. Dessen Geschichte hatte verfilmt werden sollen.

»Mr. Chalid«, sagte sie und reichte ihm die Hand. »Wie schön, Sie kennenzulernen. Ich bin Stella Crane.«

Hamzah ergriff ihre Hand. Seine knochigen Finger fühlten sich eiskalt an. »Mrs. Crane«, flüsterte er.

Aus den Schilderungen von DS Stewart wusste Stella, dass auch Hamzah Chalid einen nicht unerheblichen Anteil an der Rettung der Familie Crane trug. Er hatte bei Jane Scapin angerufen. Er hatte sich gewundert, als die Cranes nicht zurückkamen. Er hatte Alarm geschlagen.

Offensichtlich war es vorläufig nicht möglich, dass sie sich bei Jane angemessen bedankte. Aber um diese zerbrochene Seele hier konnte sie sich kümmern.

Sie nahm seinen Arm. »Sie kommen jetzt erst einmal mit uns hinein«, sagte sie. »Und wir trinken einen Tee zusammen. Und dann besprechen wir, was man in Ihrem Fall vielleicht unternehmen könnte.«

Mach ihm keine falsche Hoffnung, signalisierten Jonas' Augen nervös.

Und sie gab zurück: *Aber nur die Hoffnung hält uns am Leben.*

Sie betraten das Haus. Es empfing sie ruhig und kühl. Sammy stieß einen Jubelschrei aus, als er seine Spielsachen sah, die im Wohnzimmer lagen und die er nun schon so lange vermisst hatte.

Es sieht alles ganz normal aus, stellte Stella verwundert fest. Als ob nichts geschehen wäre.

Dann fiel ihr Blick auf Hamzah Chalid, und für einen Moment war sie ganz nah, die Erkenntnis, dass sie sich möglicherweise etwas vormachte. Dass man nach Grenzerfahrungen sein altes Leben nie wirklich wiederfand. Dass es beschädigt blieb. Dass sie alle, sogar Sammy, von nun an etwas mit sich herumtrugen, was sie vielleicht nie wieder loswerden würden.

Später. Sie konnte sich später damit beschäftigen. Jetzt würde sie erst einmal Tee kochen. Einen Kakao für Sammy. Alle Türen und Fenster öffnen, um frische Luft den abgestandenen Geruch im Haus vertreiben zu lassen.

Denn wie schwierig es auch werden wird, dachte Stella, es ist immer noch unser Leben. Wir haben es tatsächlich zurück.